Zschokke, H

Ausgewaehlte Novellen und Diehtungen

siebzehnter Teil

Zschokke, Heinrich

Ausgewaehlte Novellen und Diehtungen

siebzehnter Teil

Inktank publishing, 2018

www.inktank-publishing.com

ISBN/EAN: 9783750100435

Ausgewählte

Novellen und Dichtungen

von

Heinrich Zschokke.

———

Siebenter Theil.

———

Taschen-Ausgabe in zehn Theilen.

———

Siebente Original-Auflage.

———

Aarau 1845.
Im Verlag von Heinrich Remigius Sauerländer.

Historisches.

Der Freihof von Aarau.

Der Freihof von Aarau.

le

1.

Des faulen Friedens Ende.

Man weiß sehr gut, daß Leser und Leserinnen, besonders wenn sie Erheiterung suchen, die Vorreden nicht lieben. Diesmal aber kann ihnen selbst Rom keine Dispensation vom Lesen der meinigen geben, wenn sie anders als Ehrenleute in den Freihof treten wollen, nämlich durch die zu öffnende Pforte des Burggrabens. Die Vorrede ist der Schlüssel. Wer auf die Ringmauern steigt, wird freilich auch sehen, was im Freihof vorgeht; aber nur das Dach, nicht das Haus; nur die Kappe, nicht das menschliche Antlitz.

Es ist bekannt, daß die Schweizer ehemals mit Adel und Geistlichkeit viel abzuthun hatten, ehe sie ihr bürgerlich freies und glückliches Heimwesen bequem einrichten konnten. Besonders war der Adel und das Haus Oesterreich in der nordöstlichen Hälfte der Schweiz noch im Anfang des fünfzehnten Jahrhunderts mächtig und begütert. Da lagen die Besitzungen und Rechte des Erzhauses zwischen den Rechten und Besitzungen der freien Reichsstädte und Reichsländer der Eidgenossenschaft in buntester Verwirrung durch einander, die durch menschliche Klugheit schwer zu schlichten gewesen wäre.

Was Schwert und Witz der Sterblichen nicht vermögen, leistet mit einem einzigen Schlage das Schicksal.

Die durch Huffens Scheiterhaufen berühmt gewordene Kirchenversammlung zu Konstanz hatte dem Gegenpapst Johann die breifache Krone abgesprochen. Herzog Friedrich von Oesterreich nahm ben verunglückten Statthalter Christi troß bem in Schuß, was ben heiligen Vätern in Konstanz großes Aergerniß sein mußte. Sie schleuderten also ihren feurigsten Bannstrahl gegen ihn, „sintemal er, gleich Pharao, sein Herz verstockt, und wider die Thränen der noth-leidenden Kirche, gleich einer Schlange gegen ben Beschwörer, seine Ohren verstopft habe." Vermuthlich hätte ihr Bannstrahl auch schon zu jener Zeit mehr geblißt, als gezündet, wenn ihnen nicht der weltliche Arm Siegmunds von Böheim, bes römischen Königs, hülfreich geworden wäre.

Dieser Fürst, der ben Mangel innerer Kraft und äußerer Macht burch Prunk zu ersehen oder zu verhüllen glaubte, hatte in benselben Tagen die Freude genossen, vielen Reichsstädten ihre Lehen mit allem Gepränge damaliger Zeit zu ertheilen. Nur ber mächtigste Herr in biesen Gegenden Deutschlands, Herzog Friedrich, hatte es abge-lehnt, nach Konstanz zu kommen. Die schmerzlich gekränkte Eitel-keit bes Königs trat daher willig mit bem Zorn ber heiligen Ver-sammlung in Bund. Er erklärte ben Herzog seiner Länder verlustig. Leider fehlte es bem König aber an Geld und Soldaten, der Ächts=erklärung Nachbruck zu geben. Er wandte sich also an die Eibge-nossen, ermunterte sie, sich ber Besihungen Oesterreichs in ihren Nachbarstaaten zu bemeistern, und gab ihnen alle Hoffnung, daß sie Eigenthümer ihrer Eroberungen bleiben sollten.

Zum Glück hatten die Schweizer erst brei Jahre vorher bem Herzog einen fünfzigjährigen Frieden geschworen. Und wie-wohl sie bisher mit bem Erzhause in beständigen Kriegshänbeln ge-wesen waren, hielten sie es doch für unehrlich, nun ber Herzog im Unglück sei, wider ihn das Kriegsbanner zu heben und ben Eib zu brechen. Hingegen der Abel im Thurgau und Schwabenland war barin weniger gewissenhaft. Er hoffte sich Land und Leute, Lehen und Reichsfreiheit zu erobern, fiel vom Herzoge ab, und begann die Fehde.

Als dies die Eidgenossen sahen, und die heiligen Väter von Konstanz, kraft des Binde- und Löseschlüssels, ihnen, wegen der Sünde
des Eides- und Friedensbruches, beruhigende Zusicherungen gaben:
wurden sie doch nach guter Beute gelüstig. Bern zuerst. Es rückte
mit aller Mannschaft und grobem Geschütz in den offenen, wehrlosen
Aargau ein, längs den Ufern der Aar hinab. Schnell folgten
Solothurn und Freiburg unter des heiligen Reichs Bannern.
Nun wollten auch Zürich und Luzern und die übrigen Schweizer
nicht zurückbleiben, und sich ihres Antheils versichern. In wenigen
Tagen ward alles österreichische Erbland in Helvetien von ihnen besetzt, was Jeder gewonnen, behielt er und genoß er, doch nur in
den beschränkten Rechten, wie es vorher vom Hause Oesterreich besessen worden war.

In den durch Ueberraschung fast blutlos eroberten Landen saß
damals auf Burgen und Schlössern ein zahlreicher Adel. Dem war
es wenig gelegen, mit gemeinen Bürgern und Bauern zu halten.
Er zählte sich lieber zum Planetensystem einer königlichen Sonne,
von deren Strahlen er seinen Glanz borgen konnte. Doch aus der
eisernen Noth machte er sich eine bleierne Tugend. Er gehorchte
den Schweizern mit dem heimlichen Vorsatz, früh oder spät wieder
dem Hause Oesterreich zu Ehren und Rechten zu helfen.

Unter allen Edeln im helvetischen Hochlande war zu jener Zeit
der Graf von Toggenburg der güterreichste. Seine Lande er-
streckten sich von den Grenzen Tirols, aus dem rhätischen Gebirge
abwärts bis zum Zürichsee. Mit den Eidgenossen hielt er aus Klugheit gute Freundschaft. In der Stadt Zürich hatte er Burgrecht,
im Lande Schwyz Landrecht. Er mochte noch große Entwürfe
hegen, als er ohne nahe Verwandte starb, und ohne ein Vermächt-
niß zu hinterlassen.

Indessen zu einer stattlichen Erbschaft finden sich bekanntlich die
Erben leicht. Unter denselben erschienen auch, und am lautesten,

Zürich und Schwyz. Die Zürcher wollten ihn als ihren Mitbürger, die Schwyzer ihn, als ihren Mitlandmann, beerben. Die übrigen Orte der Eidgenossenschaft suchten den Streit, nach hergebrachter Ordnung, schiedsrichterlich zu vermitteln. Vielleicht wäre es gelungen, hätten nicht die beiden kleinen Freistaaten Männer an ihrer Spitze gehabt, die sich persönlich haßten.

In Zürich war nämlich der Ritter Rudolf Stüssy Bürgermeister, ein hochfahrender Mann, stark, groß und kräftig von Gestalt, klug in seinen Beschlüssen, fest in seinem Willen. Was er sich einmal vorgenommen hatte, drückte er durch, wie der alte Tschudi sagt. Unter allen damaligen Eidgenossen stand ihm an Staatsklugheit und Starkmuth keiner so gleich, keiner so gewaltig entgegen, als der Landammann Itel Reding von Biberegg. Dieser war der Halbgott seiner Landsleute, der Schwyzer. Vermittelst seiner Leutseligkeit, seiner volksmäßigen Beredsamkeit, seines geschwinden Rathes und unerschütterlichen Wesens im Sturm der Landsgemeinde oder der Schlacht, wußte er die trotzigen, freien Alpenhirten, wie ein unbeschränkter Fürst, zu beherrschen.

Stüssy und Reding waren, schon mehrmals hart an einander gerathen, nun über das Erbe von Toggenburg am unversöhnlichsten. Sobald Stüssy bemerkte, daß sich die Eidgenossen mehr auf die Seite der Schwyzer neigten, griff er zu den Waffen. So brach der Krieg aus. Umsonst suchten die benachbarten Städte und Grafen, die Eidgenossen und die Kirchenversammlung zu Basel, Versöhnung zu stiften. Stüssy sandte seine letzte Erklärung in das Lager der Schwyzer: „Habt nun die Wahl, ihr Schwyzer. Entweder lösen wir unsern Streit mit dem Schwert, oder wir ziehen ihn, als Reichsglieder, vor den Kaiser." Die Schwyzer antworteten: „Wohl ehren wir des Kaisers Recht; aber unter Eidgenossen gilt eidgenössisches Recht."

Als Zürich unbeugsam blieb, erhoben alle Eidgenossen ihre

Waffen gegen die stolze Stadt, und zwangen sie zu einem Frieden, der eben so schmerzhaft für die Ehre, als für das Gut der Stadt wurde. Das ertrugen die Zürcher nicht. Sie wandten sich heimlich an den römischen König, Friedrich von Oesterreich; warben um seinen Beistand gegen die Eidgenossen; spiegelten ihm vor, wie sie mit andern benachbarten Herren und Städten eine neue Eid-genossenschaft unter der Hoheit Oesterreichs bilden, ja wieder zum Besitz der dem Erzhause früher entrissenen Erblande helfen könnten.

Friedrich, der Enkel des in der Freiheitsschlacht bei Sempach erschlagenen Herzogs Leopold, war ein schlau berechnender, ver-schlossener, aber andächtiger Herr. Er ging betend seinen leisen, langsamen, aber sichern Gang, immer dem Ziele entgegen. Und eins seiner Lieblingsziele blieb, das wieder zu erwerben, was sein Haus durch das Unglück voriger Zeiten in der Schweiz verloren hatte. Er selbst besuchte Zürich, ließ aber vorher durch seine Getreuen die Gesinnungen des Adels und der Städte des Aargaues aushorchen; dann reisete er nach Aachen zu seiner Krönung, wo er mitten unter den Feierlichkeiten derselben den Bund mit Zürich, zu gemeiner Vertheilung, unterschrieb.

Kaum verbreitete sich davon das Gerücht durch die ganze Eid-genossenschaft, und daß der römische König von Anerkennung seiner ehemaligen Hausrechte an dem Aargau rede, ward allgemeine Un-ruhe. Nun erschien Friedrichs Majestät selbst mit glänzendem Ge-folge in Zürich. Aller Adel drängte sich hoffnungsvoll um ihn her. So reisete er durch den Aargau, mit leutseliger Huld und Freigebigkeit, die Städte und das Volk zu gewinnen; dann auch gegen Solothurn und Bern und Freiburg. Aber seine Anwesenheit machte den ge-heimen Zorn der Eidgenossen nur stumm, nicht blind. Kaum hatte der König die Schweiz verlassen, brach der allgemeine Unwille aus; nicht zuerst so laut bei den Regierungen, als beim Volk. An den

Grenzen der Kantone Zürich und Schwyz oder Glarus neckten sich die Gemeinden. Kampflustige junge Leute zogen kriegerisch gegen einander auf, und forderten sich hohnbietend heraus. Nichts erweckte in den Eidgenossen schwerern Grimm, als da sie auf den Kleidern der Zürcher zum ersten Mal das alte Zeichen, nämlich das weiße Kreuz, vermißten, woran sich Eidgenossen in den Schlachten zu erkennen gewohnt waren, und statt dessen das österreichische rothe Kreuz erblickten. Nun wurde der Name der Oesterreicher Fluch, und von Mauern und Kirchenfenstern, Thoren und Denkmalen wurden die Wappen Habsburgs herabgerissen und zerschlagen.

Die Zürcher meldeten zwar den übrigen Ständen der Eidgenossen, daß sie in ihrem Bunde mit Oesterreich die eidgenössischen Bünde vorbehalten, und durchaus friedfertige Gesinnungen hätten. Allein wer hätte ihnen glauben mögen? Inner ihren Mauern saß nun Markgraf Wilhelm von Hochberg und Röteln, der Herrschaft Oesterreich Statthalter in den vordern Landen, welchem der König alle Geschäfte in seinem Namen zu führen übergeben hatte; ferner Thüring von Hallwyl, aus dem aargauischen Adel, in des Königs Diensten, war Kriegsoberster zu Zürich, und die Stadt wimmelte von fremden Söldnern und Kriegsknechten, die auch Rapperswyl am Zürichsee besetzt hielten, und dort grausamen Muthwillen mit den Leuten trieben, die aus Schwyz, Glarus oder Zug dahin zu Markte kamen. Alles Unterhandeln und Vermitteln blieb eitel. Der Grimm des Volkes forderte Krieg gegen die abgefallene Stadt. Von allen Seiten kamen Boten nach Zürich mit Absagebriefen der Eidgenossen an den Herzog von Oesterreich und an die Stadt. Die Bauern beider Theile brachen gegen einander auf, und der Bürgerkrieg erneuerte alle seine Gräuel.

Die Eidgenossen, in den meisten Gefechten und Treffen Sieger, verwüsteten die schönen Ufer des Zürichsees. Nachdem die erste Wuth ausgetobt, nachdem unter der Gewalt der Eidgenossen Brem=

garten, Regensberg und Grüningen gefallen, die Vorstädte von
Zürich selbst schon eingenommen, Bürgermeister Stüssy und viele
Andere im Kampfe für die Stadt erschlagen, Laufenburg und Rapperswyl belagert und in großer Noth waren, ließ man sich's endlich
gefallen, von Waffenstillstand zu reden.

Es ritt von Zürich hinauf in's Lager der Eidgenossen der Bischof
von Konstanz, und mahnte zur alten Liebe. Das hohe Alter und die
salbungsvolle Beredsamkeit des übelmögenden kranken Herrn rührte
die Häupter und Gemeinen der Eidgenossenschaft. Es ward also im
Felde von Rapperswyl, am St. Laurenzen-Abend 1443, ein Still-
stand der Waffen geschlossen, welcher bis zum St. Georgentag des
Jahrs 1444 dauern sollte. Die Schlachthaufen allerseits zogen indessen in ihre Heimathen zurück. Das Volk jedoch murrete unzufrieden
und nannte diese Ruhe, welche nur eine Erholungsfrist für Zürich
und Oesterreich sein würde, den elenden oder faulen Frieden.

Das Volk hatte Recht. Der kurze Zeitraum wurde weniger zur
Herstellung einer dauerhaften Versöhnung, als zu größern Rüstungen benutzt.

Markgraf Wilhelm von Hochberg, des Kaisers Statthalter,
nachdem er sich mit Herren und Städten, die zu Oesterreich hielten,
beredet hatte, sandte den Ritter und Freiherrn Thüring von Hallwyl
nach Deutschland an den kaiserlichen Hof, um dort kräftigern Beistand auszuwirken. Allein der Kaiser gerieth in nicht geringe Verlegenheit. Denn die mächtigsten Fürsten des Reichs, nur für sich
besorgt, zeigten gar keine Neigung, ihm zu helfen und das Haus
Habsburg zu vergrößern. Friedrich, nur um das nöthige Geld zu
schaffen, mußte viele seiner Herrschaften, Burgen und Städte ver-
pfänden. Er schickte Boten an Bern und Solothurn, diese mächtigen
Orte von der Theilnahme an den Schweizerhändeln abzumahnen,
und Boten an den König von Frankreich, der als ein vorzüglicher

Gönner und Beschützer des Adels galt, daß er ihm Hilfe gegen die unzähmbaren Eidgenossen zukommen lasse.

Früher schon hatte der Markgraf von Hochberg den gewandten Unterhändler, Herrn Peter von Mörsberg, mit glänzender Begleitung von Freiherren, Rittern und Edelknaben, an den französischen Hof in gleicher Absicht gesandt. Herr Peter, schlau, von gefälligen Sitten und der französischen Zunge mächtig, war in seiner Unterhandlung um so glücklicher gewesen, da Frankreich von Schaaren unbeschäftigten Kriegsvolks wimmelte, die bisher gegen Burgund und England und in den bürgerlichen Unruhen gedient hatten. Diese zuchtlosen und zahlreichen Horden, die man Armagnaken hieß, weil sie Graf Bernhard von Armagnac, Connetable von Frankreich, zuerst geworben, und nach ihm auch sein Sohn, Johann von Armagnac, befehligt hatte, waren die Plage und der Schrecken des Landes geworden. Sie wurden von den Franzosen selbst nur Schinder geheißen. Nichts Gräuelvolleres war, als diese Rotten im Kriege zu sehen, die mitten im Frieden nirgends Raub und Mord scheuten.

Sie nun versprach der König von Frankreich dem Kaiser. Auch der Papst ermunterte, so dringend, wie der Kaiser, die Armagnaken bald in die Schweiz zu senden, denn er schmeichelte sich, die Erscheinung derselben vor Basel werde die ihm lästige Kirchenversammlung auseinandersprengen, welche damals in der alten Stadt ihre Sitzungen hielt. Dem König von Frankreich aber selbst kamen die Bitten des Kaisers und des Papstes wohlgelegen, weil dabei für seine eigene Krone Eroberungen zu machen waren. Er ließ die furchtbaren Armagnaken zusammenziehen, und bot dazu noch frisches Kriegsvolk auf, also, daß er ein für jene Zeiten gewaltiges Heer von fünfzigtausend Mann zusammenbrachte. Davon sollten zweiunddreißigtausend Mann mit dem Dauphin gegen Basel ziehen. Zugleich verkündete er: „Was gestalten der allerchristlichste

König von dem römischen Kaiser gegen die Unternehmungen der Schweizer, dieser geschwornen Feinde aller von Gott veranstalteten Gewalt, besonders des Hauses Oesterreich und gesammten Adels, um Hilfe ersucht worden, welchem Begehren der König um so eher statt zu geben sich veranlaßt gefunden, als die Krone Frankreich seit vielen Jahren der natürlichen Grenze ihres Reiches, die nämlich der Rheinstrom wäre, unbillig beraubt sei, und er dieselbe herzustellen habe.

Während dieser Rüstungen war indessen die Frist des faulen Friedens fast verstrichen. Noch hatten sich die sieben Orte der Eidgenossenschaft mit Zürich nicht ausgeglichen. Zweimal war schon durch den Bischof von Konstanz vergebens ein Tag zu Baden im Aargau angesetzt worden, um Frieden zu vermitteln. Nun aber Peter von Mörsberg aus Frankreich zurück nach Zürich kam, und zwar ein tröstliches Bild von den ungeheuern Rüstungen des allerchristlichsten Königs entwarf, aber zugleich erinnerte, daß sich der Heranzug der Heeresmacht noch verzögern könnte, fand man allerdings gerathen, die Unterhandlung zu Baden zu beginnen, um Zeit zu gewinnen.

Also reiseten die eingeladenen Boten der sieben eidgenössischen Orte, der Städte Basel und Solothurn, Thurgau's und Appenzells und anderer den Schweizern befreundeten Landschaften nach Baden im Aargau. Von der andern Seite erschienen im Namen der Herzoge von Oesterreich Markgraf Wilhelm von Hochberg, mit vielen Edelleuten, die Abgeordneten der Städte Zürich, Winterthur, Rapperswyl, Freiburg im Uechtland, Laufenburg, Waldshut und Seckingen. Dazu kamen noch die Gesandten der Herrschaft Würtemberg und mehrerer Reichsstädte. Die Bischöfe von Konstanz und Basel, als Vermittler, mit großem ritterlichem Gefolge, trafen ebenfalls ein, nebst zween Herren der Kirchenversammlung von Basel.

Den Vermittlern war es ehrlicher Ernst um den Frieden. Es schien ihnen derselbe leicht, wenn einerseits Zürich das österreichische Bündniß, anderseits die Eidgenossenschaft ihre über Zürich gemachten Eroberungen aufgeben würde. Denn dies waren für beide Parteien die Hauptsteine des Anstoßes und die Quellen des Zwiespalts. Allein es kamen, wohl nicht ohne Absicht, noch ganz andere Fragen zur Sprache, welche Alles von Neuem verwirrten. Die Eidgenossen, mit aller Ehrfurcht für die vorgeschlagenen Richter, erklärten: „Euer Gnaden und Lieb, noch niemand wird uns verargen, daß wir ungern von unserm Bundesrecht gehen, und nicht fremdes, sondern eidgenössisches Recht begehren, das bisher in den größten Bewegungen verehrt worden." — Dann trat der Markgraf auf und sprach: „Von wegen des zwischen meiner gnädigen Herrschaft und der Eidgenossenschaft bestehenden Friedens, und wer denselben gebrochen, darüber stehe auch ich bereit, einen Rechtsspruch zu nehmen. Da die Eidgenossen vermeinten, dem Reich zuzugehören: so biete ich ihnen Recht vor Churfürsten, Fürsten und Städten des Reichs und so weiter." — Dann entgegnete Itel Redings Sohn, der Eidgenossen Redner und Fürsprecher: „Wir sind auf keinen Rechtshandel mit dem Hause Oesterreich bevollmächtigt, sondern auf gütliche Wiedervereinigung mit unsern alten Eidgenossen von Zürich. Gnädige, liebe Herren, wir haben uns mehr denn genug eingelassen und erboten; begehren von Oesterreich nichts, als daß es derer von Zürich müßig gehe und uns lasse schaffen mit unsern Bünden, wie wir gedenken Recht zu thun. Hat Oesterreich an der Eidgenossenschaft etwas zu fordern, möge es der Herr Markgraf unsern Städten und Ländern vortragen, so wird er eine Antwort bekommen, wobei wir mit allen Ehren bestehen mögen."

So ward zu Baden zehn Tage hin und her geredet. Als aber der Markgraf von Hochberg zuletzt verlangte, man solle nur den Waffenstillstand verlängern, und als hingegen die eidgenössischen

Gesandten das Gerücht vom Anzuge des französischen Heeres gegen die Schweizergrenzen vernahmen: ward Alles abgebrochen.

„Nichts mehr von diesem faulen Frieden!" riefen die Eidgenossen: „Fort! Gott und unser Arm helfe uns zu unserm Recht! Hier stinkt es nach Betrug und Verrath!"

So fuhren die Karbinäle, Bischöfe, Grafen, Herren und Boten aller Städte jählings aus einander und ritten den letzten Tag des Märzes 1444 noch spät Abends zu den Thoren von Baden hinaus nach ihren Orten.

Nur Markgraf Wilhelm und Herr Peter von Mörsberg blieben folgenden Tages in ihrer Herberge, weil sie wegen des Zuges der Armagnaken Vieles zu bereden hatten. Auch waren noch einige Herren gen Baden gekommen, um den Markgrafen zu suchen und seine Befehle zu holen.

Jetzt lag dem kaiserlichen Statthalter vor Allem daran, die Städte des Aargau's und noch mehr den aargauischen Adel zu thätiger Mitwirkung für das Haus Oesterreich zu bewegen und von Bern abspenstig zu machen. Dazu erschien ihm Ritter Marquard von Baldegg willkommen, der desselbigen Tages in Baden eingetroffen war. Dieser, dessen Väter in den Schlachtfeldern von Morgarten und Sempach für Oesterreich gefallen waren, dessen Stammburg am Baldegger-See die Eidgenossen schon vor mehr denn hundert Jahren zerstört hatten, war jetzt im Besitz des Schlosses Schenkenberg, einer der größten Herrschaften im Aargau, und der bitterste Feind der Eidgenossen. Obgleich mit Bern verburgrechtet, und dort mit den Bubenbergen verwandt, hatte er doch den Bernern auf ihren letzten Kriegszügen gegen Laufenburg und Zürich mancherlei Bosheit und Schaden zugefügt. Darum war er einige Zeit aus Schenkenberg vertrieben und seine Burg durch die Berner mit achtzig Mann besetzt worden. Nur durch Fürbitte des Bischofs von Basel und

VII.   1*

gegen Erlegung von zweitausend Gulden hatte er wieder den Besitz seines Gutes empfangen.

Nun Marquard durch den Markgrafen die zuverlässige Anzeige vom Anzuge des Dauphins und der Armagnaken vernahm, schöpfte seine Rachsucht neuen Muth. Er erbot sich zu Allem. Die im Jura-gebirg mächtigen Freiherren von Falkenstein waren ihm durch seinen Bruder Hans verwandt; aller Adel im Aargau und Breisgau ihm befreundet.

„Vor Allem aber," sagte der Markgraf am Ende der Unter-redung und eilfertig — denn zur Abreise standen schon die Rosse auf der Straße und der Mittag war vorüber: — „Vor Allem trachtet die Städte zu gewinnen! — Machet Euch selber an Brugg. Folgen doch dieser Stadt die Banner Eurer Herrschaft. Die Falkensteine sind dort auch wohlgelitten. Macht's mit dem alten Schultheiß Effinger daselbst so gut Ihr's könnt. Und dann versuchet Aarau. Da vermag mein schmucker Träumer, der Gangolf Trüllerey, das Beste. Ich erwarte seine Heimkehr von Schaffhausen, wohin ihn Herr Peter von Mörsberg während der Heimkehr aus Frankreich geschickt hatte. Findet Ihr ihn, so meldet ihm meinen Willen. Nun müssen wir das Letzte daran setzen, das stolze Bürger- und Bauern-gesindel zu bemüthigen; oder aller Adel in den vordern Landen geht aus, was Gott verhüten wolle!"

Marquard versprach, zuerst über Zurzach in den Schwarzwald und Breisgau zu reiten, um die Ritterschaft zu wecken; dann die Falkensteine zu suchen, um den Aargau zu bewegen. Der faule Friede war erst nach dreiundzwanzig Tagen am vollen Ende. Man schied. Der Markgraf reisete nach Zürich. Auch Marquard schwang sich auf's Roß, und jagte, von seinem Knecht begleitet, durch die engen und krummen Straßen der Stadt Baden zum Thor hinaus. Regen rauschte in Strömen von Giebeln und Dächern.

———

2.

Die Gesellschaft.

Er ritt bald gemach. Die rauhen Wege waren von anhaltenden Regengüssen noch ungangbarer geworden. Der Himmel hing wie ein einfärbiges graues Gewölbe über ihm, das sich auf die Felsenmauern und finstern Wälder des Siggisberges zu stützen schien. Links jenseits des Limmatstromes schwamm die Landschaft in falbem Nebel des Regengestöbers, mit ungewissen Umrissen. Noch standen die Bäume laublos, in winterlicher Oede. Nur die geschwollenen Knospen der Kirschbaumzweige und einzelne Frühblümchen, die sich in den Wiesen oder Felsblöcken gegen die rauhe Jahreszeit verbargen, kündeten die Nähe des Lenzes an.

Herr Marquard schlug den Mantel fester um sich, denn der Wind zog kalt und scharf. Fast gereuete es ihn, die warme Herberge von Baden verlassen zu haben. Und als er nach einigen Stunden, aus dem Siggenthal hervorgekommen, sich von der Limmat ab und rechts um das schroffe Gebirg in die Ebene gegen den Wald wandte, däuchte ihm fast klüger, das näher gelegene Städtlein Brugg jenseits der Aar zu suchen, statt die Straße nach Zurzach und dem Rhein zu verfolgen.

Wie er mit diesen Gedanken beschäftigt und fast am Scheidewege war, der seitwärts zur nahen Aar und zur Stille führte, erblickte er von ferne einen Reitersmann, welcher ihm aus dem Wald entgegen trabte. Derselbe flog zwischen den hohen Tannen und Eichen durch den Regennebel wunderschnell heran. Er hatte einen grünen Mantel mit goldenen Spangen um sich geworfen, und die graue Filzkappe, der Nässe willen, über die Ohren niedergekrämpt. Auch die rothe und weiße Feder der Kopfbedeckung, vom Wasser verunstaltet, war mit breiter goldener Hafte daran befestigt.

„Willkommen, Herr Marquard!" rief der Reiter und hielt das

Roß plötzlich an, indem er sich den Filz aus den Augen drückte, und das schöne Gesicht eines jugendlichen Mannes sehen ließ.

„Straf' mich Gott, Ihr kommt mir zur rechten Stunde!" schrie der Herr von Baldegg fröhlich: „Wohin so eilends, Herr Gangolf Trüllerey?"

„Nach Baden, zum Markgrafen."

„Ihr könnt Euch den Weg sparen, wenn Euch nichts Dringendes treibt. Alles ist aus einander seit gestern. In drei Wochen hebt der Tanz von neuem an; und so uns die Armagnaken nicht im Stich lassen, machen wir, will's Gott, mit dem Bauerngesindel diesen Sommer den Kehraus. Darauf fegen wir die Städte. Straf' mich Gott, ich will's meiner lieben Vetterschaft zu Bern einsalzen, daß sie mich bis auf die Haut geschoren hat. Mit ihrem besten Rathswein sollen mir die Schelmen die Fässer im Keller von Schenkenberg wieder füllen, die sie leer gesoffen haben. Und meine rothen Schinken, breiten Speckseiten und Würste sollen sie mir zehnfach erstatten, oder straf' mich Gott, ich viertheile die Kerle, und hänge sie selbst in die Rauchkammern."

„Wißt Ihr, Herr Marquard, ob der Markgraf nach mir begehrt?" fragte Gangolf Trüllerey.

„Er gab mir Aufträge für Euch, bevor er nach Zürich zurück= ritt. Ihr sollet Hand anlegen und uns Andern helfen, den Aargau aufrütteln. Denn diesmal gilt's, oder, so lange die Welt steht, nimmer wieder. Euch ist Aarau auf die Seele gebunden. Die Stadt muß den Bernern absagen, und sich zu ihrem rechtmäßigen Herrn, dem römischen König, wenden, wie Zürich, Winterthur, Rappers= wyl, oder es bleibt von ihr kein Stein auf dem andern. Das sagt Euern Schultheißen, Klein= und Großräthen und der ganzen ehr= samen Bürgerschaft. Doch fangt's gescheit an, daß die Berner nichts wittern! Verdammt fein müßt Ihr's antasten. Zu Bern der Schult= heiß Erlach hat eine spitze Nase."

„Sonst habt Ihr nichts Anderes zu sagen?"

„Straf' mich Gott, zwei Tage und zwei Nächte hätt' ich zu berichten von Allem, was in Baden gehandelt worden ist und was nun geschehen soll. Aber sind wir nicht Narren, hier unter freiem Himmel in Koth und Regen zu halten? Das kalte Wasser tritt mir durch Mantel und Hut an's Herz. Wär' ich Narr in Baden geblieben, da gab's vollauf! Die Wirthe hatten sich's nicht ver- sehen, daß die Tagherren so bald auseinander fliegen würden, als wär' ein Donnerstrahl zwischen sie gefahren. Das Mahl kostete dem Mann fünf Schilling Haller, und ein Pferd Tag und Nacht auch fünf Schilling Haller. Mich reut der Auerhahn noch, den ich zu Mittag heut' unangerührt stehen ließ."

„Und wohin wollt Ihr, Herr Marquard?"

„He, nach Zurzach, wäre das Mordwetter besser. Jetzt lenk' ich, Euch zu gefallen, nach Brugg ein. Denn dahin geht Ihr doch nun, Herr Gangolf. Ihr seid von schönen Augen erwartet, die Ihr lange nicht gesehen. Euere verlobte Braut ist seit zehn Tagen in Brugg."

„Wißt Ihr's gewiß?" sagte der junge Mann, und sein ernster Blick ward schimmernder, und ein flüchtiges Roth färbte seine Wangen.

„Ob ich's wisse? Kehrte nicht Hans von Falkenstein mit seiner Tochter bei mir ein auf der Heimreise? Und vorgestern sah ich Jung- frau Ursula beim Schultheißen Effinger. Fort, tröstet das Fräulein wegen Eurer langen Abwesenheit. Unterwegs plaudern wir noch vieles ab."

Damit wandten beide ihre Rosse nach dem Seitenwege und trabten durch den hohen Wald der Aare zu. Bald erblickten sie in der Tiefe unter sich den breiten Strom, der, von Regengüssen des Gebirgs geschwollen, seine gelbgefärbten Wellen stürmischer fort- wälzte. Am jenseitigen Ufer lagen die ärmlichen Strohhütten des

Dörfleins Stille zusammengedrängt, wie eine Heerde, die sich im Felde gegen Regenschauer an einander schmiegt. Dahinter leuchtete vom Hügel der weiße Kirchthurm auf Rain. Im Hintergrunde flatterten zerrissene Wolken an den Tannen des Geißberges.

Als die beiden Herren von der Höhe langsam den steinigen, steilen Pfad zur Aare hinab ritten, und weder Fährmann noch Fähre gewahr wurden, brüllte Herr Marquard ungeduldig einmal um's andere sein „Hop! Hop!" über den Fluß hin, die Schiffer aufmerksam zu machen. Es ist noch heut' zu Tage unlieblich, bei Sturm und Regen am kieselvollen Ufer eine halbe Stunde zu harren, und ein gebrechliches Fahrzeug zu erwarten, das den Reisenden, zwei Zoll vom Tode geschieden, an's andere Ufer liefern muß. Herr Marquard fluchte mörderisch. Er war keine von den Naturen, die in der christlichen Geduld einen Heiligenschein verdienen wollen. Auch sah man's den rundlichen Formen seiner Gestalt, den vollen Wangen und den lachenden Augen des Krauskopfs wohl an, daß er nicht gern unnützerweise Noth litt, und sich's lieber an einer Tafel mit ausgewählten Speisen von Zeit zu Zeit bequem machte. Wir müssen den Leser bitten, Herrn Marquard nicht nach seinen Worten zu richten. Er pflegte in aller Fröhlichkeit zu fluchen. Seine gute Laune blieb sich sogar in den gefährlichsten Augenblicken eines Gefechtes gleich, wenn er Wunden austheilte oder empfing. Darum hatte ihn Jedermann gern. Er war ein lustiger Gesell, weil er kein trauriger sein konnte.

„Wo habt Ihr den französischen König verlassen?" fragte er Herrn Gangolf Trüllerey, indem er, gleich diesem, am Aarufer vom Pferde stieg, um sich durch Auf- und Abgehen zu erwärmen.

— Zu Langres in der Champagne. Da beurlaubten wir uns von ihm. Burkhard Mönch von Landskron begleitete den Dauphin gen Mümpelgard; ich aber folgte Herrn Petermann von Mörsberg und Hansen von Rechberg.

„Wann können wir des Dauphins Banner vor Zürich sehen?"

— Vor sechs Wochen kaum.

„Nun, so müssen wir den Hungergürtel enger schnallen, weil der Braten noch weit liegt."

— Und Ihr wollet den Bernern im ganzen Ernst absagen, Herr Marquard?"

„Ich, Ihr und aller ehrliebende Adel vom Aargau! Sie haben mir übel mitgespielt, die von Bern, und ich war ganz unschuldig, wie Ihr wohl wißt. Aber straf' mich Gott, aus den Steinen ihres Rathhauses will ich die Burg meiner Väter am alten Thurm der Hünegg wieder aufrichten, und die von Luzern sollen mir die Steine dazu tragen. Und einen Keller, das schwör' ich Euch, sollen sie mir in den Felsen darunter graben, daß das ganze Berner Münster darin Platz genug findet. Einen Weinkeller soll's geben, desgleichen kein Kloster im heiligen Reich, und der Papst sammt seinen Kardinälen keinen größern hat."

— Ich weiß aber, Herr Marquard, der Kaiser und selbst der Markgraf hoffen noch, daß Bern mit ihnen halten und sich nicht an die Schwyzer und Glarner hängen werde. Darum würde ein wenig Vorsicht von Eurer Seite nicht schaden, damit Ihr zu Schenkenberg nicht wieder vom gefräßigen Bären heimgesucht würdet. — Aber Ihr habt mir nicht gesagt, ob das Fräulein Urst noch lange in Brugg verweilen wird?

„Das werdet Ihr heut' Abends von den honigsüßen Lippen Eurer Braut am besten vernehmen. Euer Rath ist übrigens nicht zu verachten, und gründlicher, als die Hoffnung des Kaisers und des Markgrafen. Verlaßt Euch auf mich, ehe vier Wochen durch's Land gehen, ziehen die Berner Banner unter den Fenstern Eures Thurmes Rore gen Zürich vorüber. — Heda! Ho! Hop! Seht doch, nun erst schleichen die faulen Schlingel zur Fähre drüben herab und binden sie los. Heda, ho, hop! Straf mich Gott, ich breche jedem Kerl eine Rippe zum Andenken. Das schüttet wieder vom Himmel, wie aus Eimern. Wollt Ihr nicht im Regen ersaufen, Herr Gangolf, so kommt mit mir. Ich denke, unter dem alten Mauerwerk dort gibt's vielleicht Obdach."

Herr Gangolf ließ sich den Vorschlag gefallen. Sie führten ihre Rosse längs dem Ufer des Flusses gegen die Trümmer einer Burg, die kaum mehr denn hundert gute Schritte von ihnen entfert am Wasser lag. Der halb zerfallene, feste Thurm trotzte damals, wie heute noch, den Fluthen des Aarstroms, die seine Grundlagen unterfressen. Ein Kreis niedriger Schutthügel bezeichnete den ehemaligen Umfang der Ringmauern des Schlosses Freudenau, welches die Zürcher vor hundert Jahren, am Vorabend der Tättwylerschlacht, ausgebrannt und zerstört hatten. Ein geringes Ueberbleibsel des Schloßgemäuers, von dürrem Gesträuch und bleichen Grashalmen umweht, lehnte sich, seines nahen Zusammensturzes gewärtig, an den Thurm.

Hieher nahmen die durchnäßten Ritter ihre Zuflucht. Nicht ohne Mühe überkletterten sie die Steinhaufen, um zum Bruchstück eines finstern Gewölbes oder Schwibbogens zu gelangen, das ihnen einigen Schutz gegen den Regen verhieß, welcher jetzt in dichten Strömen niederrauschte.

3.

Der Collhard.

Als sie dem Gewölbe nahten, sahen sie in der Dämmerung desselben sich Gestalten bewegen. Vorn nagte ein Esel am dürren Grase des Gesteins. Im dunkeln Hintergrunde saßen zwei Personen auf einer schmalen,- vermuthlich von Hirten der Gegend gezimmerten Holzbank. Es war eine männliche und eine weibliche Gestalt, die sich beim Eintritt der Fremden langsam erhoben, grüßend verneigten und wieder auf ihre Sitze niederließen.

Gangolf, der seine langen, hellbraunen, vom Regen genetzten Locken aus dem Gesicht über die Achseln zurück strich, beachtete die Anwesenden kaum. Desto mehr beschäftigte sich Herr Marquards Aufmerksamkeit mit ihnen. Er musterte beide neugierig. Das Frauenzimmer trug ein langes Gewand, gleich einer Klosterfrau, von grobem, halbwollenem, aschfarbenem Zeuge. Ein breites Tuch von demselben Stoffe hing über Kopf und Stirn herab, und über die Achseln bis zu den Hüften nieder, gleich einem Mantel, vorn zusammengeschlagen, daß man von dem verhüllten Gesichte nichts erblickte. Unterhalb des Mantels waren die Enden eines Seiles sichtbar, welches wahrscheinlich, um den Leib geschlungen, die Stelle des Gürtels versah.

Der Begleiter dieser Vermummten war ein starkknochiger, aber magerer Mensch von ungewöhnlicher Länge, der zwischen den Fünfzigern und Sechszigern zu gehen schien. Aus seinem Gesicht, in welchem ein düsterer, klaghafter Zug der Geberden erschien, ragte zwischen den hohen Backenknochen eine Nase hervor, die man für sich selbst wohlgeformt genannt haben würde, wenn sie nicht für das schmale Hungergesicht eine ganz unverhältnißmäßige Größe gehabt hätte. Wenn man dies seltsame Gesicht, dazu die langen eisgrauen Haupthaare und überhängenden Augenbraunen, so wie den grauen in zwei Spitzen auf die Brust aus einander fallenden Bart sah, und daneben dann wieder den lebhaften, seelenvollen, durchdringenden Blick der hellen, großen Augen: man hätte schwören sollen, es schaue ein feuervoller Jüngling aus der vorgehaltenen Larve eines Greises. Der Alte trug auf dem Kopf ein rundes, kleines Hütchen, welches schon manches Jahr treue Dienste verrichtet haben mochte, und vorn in einem langen Schnabel, wie ein Regenbach über der Nase, auslief. Hals und Brust waren trotz der rauhen Witterung entblößt. Ein langer, bis an die Waden reichender grober Leibrock, um den Hals mit schlechtem Pelz gefüttert, ward über den Hüften durch einen breiten Ledergurt zusammengehalten.

„Nun, Gevatter Graubart," redete ihn Marquard an, „wohin geht deine Reise?"

Mit einer seltsamen harten, fast knarrenden Stimme erwiederte der Alte: „Zum gleichen Ziel, wie die Eure!"

„Also frische Gesellschaft! Und weißt du denn so genau, wohin mein Weg geht?"

„Allerdings, Herr, zum Grab und zur Ewigkeit."

Sowohl diese Antwort, als die herbe Stimme, in der sie er= tönte, hatten für Herrn Marquard etwas Unbehagliches. Er trat, wie von heimlichem Grausen befallen, einen Schritt zurück und be= trachtete den wunderlichen Fremden mit einem stieren Blick, wie einer, der mit sich selbst im Zweifel ist, ob er einen vernünftigen Menschen oder einen Wahnsinnigen, einen Lebendigen oder ein Gespenst, vor sich habe.

„Hört doch, Herr Gangolf," sagte er, und drehte sich zu dem jungen Manne um, der am Ausgang des Gewölbes stand und sich mit seinem Pferde beschäftigte, „hört doch, habt ihr je im Leben etwas Aehnlicheres gehört, als das Knirren einer alten Hageiche, wenn sie der Sturm biegen will, und diese raspelnde Stimme des alten Schnabelthiers?"

Wirklich hatte Gangolf, als er den ungewöhnlichen Menschenlaut vernommen, das Gesicht einen Augenblick lang nach dem fremden Paare zurückgewandt, bald aber wieder seine vorige Arbeit begonnen, den Regen von Mähnen und Hals seines Rosses zu streichen. „Es ist hier auf den Trümmern der Freudenau der rechte Ort, eine Bußpredigt zu hören!" sagte Gangolf lächelnd: „Ihr könnet ihrer wohl bedürfen, Herr Marquard."

„Nun so stimm' denn an, du Stimme des Predigers in der

Wüste!" sagte Marquard zum Alten: Ich bin ohnedem lang' in keine Kirche gekommen."

— Verschont mich, Herr, erwiederte der Alte, denn Ihr wollet mein spotten. Eure Ohren sind noch nicht gemacht zum Hören, Eure Augen noch nicht zum Sehen. Darum wißt Ihr nicht, wer Ihr seid und wo Ihr seid!

„Zum Teufel, wer sagt dir, daß ich taub und blind bin? Frag' mich, was ich sehe, und ich will dir treffende Antwort geben, die dich freuen soll."

— Nun denn, wißt Ihr, wo Ihr seid?

„Entweder vor einem Bruder Lollhard, der nächstens gestäupt wird, oder es gibt keinen Lollhard *). Hab' ich's getroffen?"

— Wenn ich zu den Lollharden gehöre, was ficht es Euch an? Aber Ihr sehet nur den Kittel, nicht den Leib; nur den Leib, nicht den Geist. Ihr kennt mich nicht, und Euch nicht, und Eure Wege sind überall die Wege des Wahns. Darum kommt Ihr nimmer zum Ziel, und gelanget bloß hin, wohin Ihr nicht begehret.

„Straf' mich Gott, darin hast du Recht, sonst wär' ich nicht in dies sinkende Gewölbe, auf dem Schutt der Freudenau, in deine angenehme Gesellschaft gerathen."

— Die ganze Welt ist eine zertrümmerte Freudenau, ein verwüstetes Paradies durch die Ruchlosigkeit der Sünder geworden. An Euern Augen hängt die Wollust, an Euern Lippen der Fluch, an Euern Händen das Blut der Ermordeten. — Herr, auch ich war,

---

*) Die Lollharden, oder Begharden, Begutten, Beguinen, Klausner, waren im vierzehnten und fünfzehnten Jahrhundert durch die Gebirge und Ortschaften der Schweiz sehr verbreitet. Schon damals litt diese mystische Sekte schwere Verfolgungen, besonders von den Mönchsorden.

— 28 —

was Ihr seid; ich wünsche, daß Ihr einst, von der heiligen Gewalt des Geistes ergriffen, werdet, was ich bin.

„Sehr verbunden; doch kann ich dir nicht bergen, daß ich einstweilen die Gewalt des Geistes nicht bemühen möchte, aus meiner Wenigkeit einen fahrenden Bettler zu machen."

— Der Herr ist allmächtig in den Himmeln und auf Erden; wer widersteht seiner Hand? Er wird Euern Stolz beugen und zur Erde schmettern, wie der Blitz den Wipfel der Tannen. Eure Burgen werden von den Höhen niedersteigen und die Grundmauern demüthiger Strohhütten betten. In Euern Helmen werden die Eulen nisten, und die Kinder auf den Straßen mit gebrochenen Wappenschildern spielen. Siehe, der Tag ist vor der Thür, da die Menschen unter den Schrecken Gottes genesen sollen zur Wahrheit; da die verstoßenen Stiefkinder in ihr ewiges Recht und göttliches Erbe zurücktreten sollen, welches Euer geiziger Hochmuth geraubt hat. Es werden die hochbelaubten Stammbäume am Licht des Himmels verdorren, wie Schwämme der Nacht, und die Söhne der Leibeigenen den Töchtern der Freiherren Brautringe geben. Denn wir sind allzumal Kinder Gottes, der da nicht kennt den Unterschied des edeln und unedeln Blutes, aber der da richten wird die Gerechten und Ungerechten.

Der Alte, indem er dies sprach, flammte mit seinen großen Augen. Unwillkürlich erhob er sich während der Rede vom Sitze; doch mit sanfter Gewalt zog ihn seine Begleiterin wieder an ihre Seite nieder.

„Lollhard, Lollhard!" rief der Herr von Balbegg und drohte mit dem Finger: „Fast will mich bedünken, du kommest aus den Bergen von Appenzell oder Schwyz, unser Bauernvolk aufzuwiegeln gegen die gnädige Herrschaft von Oesterreich. Hüte dich, Prophet; hier zu Lande ist der Hanf wohlfeil genug, um dir dafür unentgeldlich einen Schmuck für den dürren Hals zu drehen. Kehre heim.

wenn dir zu rathen ist, kehre heim zu deinen aufrührerischen Küh=
melkern und sag' ihnen, ihr jüngster Tag komme, ehe die Kirschen
reifen. Ihre höllische Brut, die alle göttliche und menschliche Ord=
nung zerreißen will, soll von der Erde vertilgt werden; und die
Nester, in denen sie der Teufel ausheckte, sollen verbrannt wer=
den, daß die Flammen hinauffackeln bis zum letzten Stall in den
Alpen."

— Herr, erwiederte der Lollhard gelassen, ich stehe in keines
Menschenkindes Dienst, und bin keines Gesandter. Darum lasset mich
in Frieden ziehen. Fragt mich nicht weiter. Der Gang des Ewigen
ist unerforschlich und ich habe seinen furchtbaren Arm gesehen.

„Mit nichten!" rief Marquard: „So wohlfeil kommst du mir
nicht wieder los, du prophetischer Rabe. Bekenne nur, die Eid=
genossen haben dich in dies Land gesandt, um ihren verruchten Haß
gegen Oesterreich zu predigen und Aufruhr gegen Adel und recht=
mäßige Obrigkeit zu stiften. Denn was hast du vorhin verlauten
lassen? Sprich!"

— Ich sprach, Gott ist der Herr, und keiner ist Herr, als Er,
der Lebendige! schrie der Alte entflammt; Ihr aber seid die Gefäße
seines Zorns, die er zermalmen wird zu Scherben, weil ihr seine
Stimme nicht hören, seine Zeichen nicht sehen wollet. Er ist der
Herr, darum sollen wir nicht Herren sein, nicht Knechte, sondern
Brüder in der ewigen Kindschaft zu Gott. Er zerbricht die Zepter
der Kronen, und wirft sie zu den Gebeinen der Todten und spricht:
Nur die Lebendigen sollen leben, aber Niemand kann leben, als in
mir! So spricht der Herr! Wie lange will eure Vermessenheit mit
ihm rechten? Ihr habet euer Gesetz gestellt über Gottes Gesetz,
eure Ordnung über das Gebot der Natur, euern Thron über den
Stuhl des Weltenrichters. Eure Brüder habt ihr zu Leibeigenen
gemacht und in Knechtschaft verkauft, wie das Vieh. Ihr handelt
Gold zu euern Wollüsten ein um Menschenblut, und bauet eure

Paläste mit Hohnlachen aus den Schärflein der Waisen und Wittwen.
Aber der Grimm des Herrn ist über euch erwacht, darum, daß ihr
Götter sein wollet auf Erden, und euch anbeten lasset von euern
Unterjochten. Es wird Entsetzen gehen durch die Gauen von Zürich
und Wehllage unter den Mauern von Basel. Die Furchen der Aecker
sollen Gräber werden, und die Seen blutige Wellen werfen, auf
daß die Kinder Gottes frei einhergehen und die Altäre der Abgötter
in Staub zerfallen.

„Straf mich Gott, der Kerl ist wahnwitzig!“ rief Marquard
und prallte zurück, als der Alte, welcher in der Begeisterung eines
Sehers sprach, sich in seiner langen Gestalt emporrichtete und einen
Schritt vorwärts gegen den Ritter that. Die Gefährtin des Lollhard-
ben erhob sich nur ein wenig, um diesen wieder an ihre Seite zurück-
zuziehen. Sogleich gehorchte ihr der Alte, setzte sich und verstummte
wieder. Bei der Anstrengung der Nachbarin, ihn zu ergreifen, war
aus dem weiten Aermel ihres Gewandes eine so weiße zarte Hand
hervorgeschlichen, daß der Herr von Baldegg plötzlich den gespensti-
schen Greis vergaß und mit seinen Augen dem feinen Vermittler-
händchen folgte, welches sich eben so schnell wieder im groben Tuche
des Kleides und Mantels verbarg.

„Bruder Lollhard,“ sagte Marquard, „unter uns gesagt, ich
kenne dich und Deinesgleichen. Wir andern sind in euern Augen
allzumal Sünder; aber wenn ihr mit einem artigen Mägdlein Tag
und Nacht umherschwärmt, so lebt ihr, nach eurer saubern Lehre,
nur im paradiesischen Stand der Unschuld. Wer ist denn die hübsche
Begutte*) dort neben dir? Eine Schwester im Herrn? Alter, ich
verspüre Unrath! Gesteh’, aus welchem Kloster hast du dies Nönn-
lein weggelockt, um mit dir zu ziehen?“

---

*) Name der weiblichen Begharden oder Lollharden.

— 31 —

— Sie hat noch keinem Kloster angehört! antwortete trocken und kurz der Lollhard.

„Ich verstehe, Alter. Also dein Seelenweib, denn dein wirkliches kann sie nicht sein. Du bist alt genug, um bei ihr heilig zu bleiben."

— Herr, sie ist meine Tochter.

„Eine geistliche Tochter, denk' ich," versetzte Marquard lachend, „und wie mich bedünken will, nicht mit ganz heilem Gewissen. Denn umsonst verdeckt sie nicht das ganze Gesicht, als wär's gestohlene Waare. — Nun, fromme Begutte, laß mich dein Antlitz schauen, wenn dein Gewissen gesund ist."

— Herr! rief der Alte ernst: Euer Stand gebietet Euch Ehrfurcht gegen Frauen.

„Hm, Lollhard, nicht gegen alle, sonst müßt' ich auch des Teufels Großmutter die Hand küssen. Drum mit Erlaubniß, lasset sehen!" rief Marquard und trat zu der weiblichen Gestalt. Der Alte streckte den Arm zum Schutz vor und rief: „Wer gibt Euch Recht, unverschämt zu werden?"

Der Herr von Baldegg warf kräftig den Arm des Greises auf die Seite, riß im gleichen Augenblicke gewaltsam den groben Tuchmantel vom Gesicht der Verhüllten und staunte sie verblüfft an, weil er nicht wußte, wie ihm geschah. Es war ein freilich ihm unbekanntes Gesicht, aber eins, mit welchem man zeitlebens bekannt sein möchte; im rauhen Gewande das feinste Engelsköpfchen voll göttlichen Ernstes; zwischen Felsengrau eine sanftglühende Alpenrose. Der Herr von Baldegg war wohl über die Jahre hinweg, wo der goldbraune Glanz solcher Locken und der schöne Blick solcher Blauaugen gefährlich wirken kann; aber doch fühlte er sich vom Gefühl so vieler und eben hier nicht erwarteter Anmuth betroffen. Das Frauenzimmer hatte sich schon längst wieder und dichter, denn vorher, in den Mantel gewickelt, ehe Marquard von seinem Erstaunen genesen war. Auch hörte und verstand er keine Silbe von den Vorwürfen, welche ihm der erzürnte Alte auf der Seite zuschnarchte.

„Höre, Lollhard," redete er diesen endlich an, „sei aufrichtig, bekenne, wo hast du dies arme Kind geraubt? Das ist keine Waare für dich und keine Waare von dir. Ich lasse dich ungestraft ziehen, wenn du mir lautern Wein einschenkst. Sperre dich nicht! Keine Winkelzüge! Es ist schon Alles verrathen. Das Mägdlein ist gestohlen, entführt. — Jungfer, Ihr seid in meinem Schutze. Fürchtet nichts von mir, und noch minder von der Rache dieses Alten. Vertraut Euch mir!"

Die Verhüllte bewegte den Kopf verneinend und streckte die Hand heftig vor, als wolle sie, in einer Bewegung des Abscheues, den Ritter von sich stoßen.

„Versteh' ich Euch recht?" fuhr dieser fort: „Ihr wollt bei dem Lollhard verbleiben?"

Sie neigte bejahend das Haupt.

„Straf' mich Gott, so hat er Euch behext. Meinethalben, schöne Begutte, bleibet wo Ihr wollt; ich mag's wohl leiden, wenn Ihr mit dem lebendigen Tod, mit diesem Gerippe und Gespenst, vorlieb nehmen wollt. Aber vergönnt mir wenigstens, noch einmal Euer holdes Antlitz zu bewundern."

— Hebet Euch von mir! sagte die Begutte unterm Mantel, aber mit solchem Wohllaut der Stimme, daß Marquard nur den süßen Klang, nicht den Zorn darin hörte.

„Redet doch nicht zu mir, wie der Herr zum Satan. Ihr habt mir alle Herrlichkeit der Welt gezeigt; nicht ich zeigte sie Euch. Ich verlange von Euch keinen Fußfall, aber Eure Schönheit könnte wohl meinerseits darauf Anspruch machen."

Rasch stand sie, als er dies gesagt hatte, von der Bank auf, zog den Alten mit sich empor und rief: „Fort, fort von hier, mein Vater, daß wir zu andern Menschen kommen!"

„Warum flieht Ihr, fromme Begutte?" sagte Marquard lachend:
„Ich denk' Euch keine Gewalt anzuthun, obschon Ihr in meiner Ge=
walt seib."

— Sind wir, rief der Lollhard, in Eure Raubhöhle gerathen,
so solltet Ihr doch die Rechte der Gastfreundschaft gelten lassen!
Uebrigens stehen meine Tochter und ich nicht in Eurer, sondern in
Gottes Gewalt. Laßt uns gehen.

„Dich laß' ich wohl fahren, Graubart!" versetzte Marquard:
„Aber nicht also halten es Ritter mit artigen Mägdlein. Nun denn,
spröbe Büßende, versagt mir das Lösegeld nicht."

Er legte bei diesen Worten die Hand an den Mantel. Der Loll=
hard aber warf sich ihm mit Macht entgegen, stellte sich zwischen ihn
und die Jungfrau und faßte mit seiner dürren Hand einen keulen=
förmigen, langen Knotenstock, der ihm zunächst am schwarzen Gemäuer
lehnte. Doch Herr Marquard ließ sich das nicht irren, schleuderte
den unkräftigen Greis seitwärts, und schloß die zitternde Verhüllte
lachend in seinen Arm, die ein klägliches Geschrei erhob.

In diesem Augenblick kam Herr Gangolf Trüllerey zurück, welcher
indessen, weil der Regen nachgelassen hatte, zur Aare gegangen war,
um das Landen der Fähre zu sehen. Er hörte das Hilferufen der
weiblichen Stimme im Gewölbe, sprang hinein, sah Marquards
Ringen mit der Vermummten, und befreite diese, indem er den Ritter
mit einem Wurf zum Gewölbe hinausfliegen ließ. Es war aber über
den Schutt der Freudenau nicht gut fliegen. Herr Marquard drehte
sich durch die Gewalt des Stoßes erst zweimal um sich selbst und
saß dann sehr unsanft auf dem Steingetrümmer nieder.

„Verzeiht, Herr Marquard," sagte Gangolf, „aber es ist nicht
fein von Euch gethan, ein schwaches Weib zu überwältigen."

Erst aus dieser Anrede konnte sich Marquard, der verwundert
und entzürnt nach allen Seiten umhersah, den unwillkürlichen Flug,
und wie er zum Sitzen gekommen sei, erklären. „Ihr seid ein grober

VII.							2

Gesell, Herr Trüllerey!" sagte der Herr von Balbegg ärgerlich, indem er aufstand und sich den Schenkel rieb: "Wer hat Euch, Teufel, zum Ritter gemacht, da Ihr zum Drescher so gut taugt? Setzt künftig den Flegel, statt der Lilie, in Euer Wappenschild!"

— Den Flegel hab' ich zur Hand! — erwiederte der Jüngling ruhig und legte den Zeigefinger auf den blanken Eisenknopf seines Schwertgriffes: Wollt Ihr mir nun zum rothen Feld meines Wappens die Farbe liefern, so soll der Flegel hienein.

"Nehmt's nicht übel," rief höhnisch lächelnd der Herr von Balbegg, "Euer Witz ist ein erbärmlicher Schmarotzer, der sich an fremden hängen und vollsaugen muß, um das Leben zu haben. Ich frage nur, was mischt Ihr Euch in meinen Handel mit diesem Landstreicher und dieser Begutte? Verdächtiges Gesindel ist's, was durch's Land zieht, das Volk gegen den Adel hetzt, Wege und Stege ausspäht, um den hungrigen Räubern des Gebirgs unsere Küchen, Keller und Speicher zu zeigen. Aufknüpfen sollte man diese Spürhunde längs den Landstraßen, allen Elbgenossen zur Scheuche. Was hindert Ihr den Ausbruch meines gerechten Zorns?"

— Der Ausbruch Eures gerechten Zorns vorhin, versetzte Trüllerey, hatte mehr Zärtlichkeit, als die Sittsamkeit eines Weibes und die Würde eines ehrlichen Edelmanns ertragen mag!

"Junger Mensch," rief Marquard mit donnernder Stimme, und sein unvertilgbares Lächeln ward nun ein bitteres, "ich weiß nicht, ob Ihr Händel an mir wollt; aber sucht Ihr, so sollt Ihr finden! Fast gereut mich, daß ich Euch nicht die tölpelhafte Faust, als sie sich an mir vergriff, vom Rumpf wegschlug. Jetzt schweigt, und reizt mich nicht. Ich habe Eurer bis jetzt mit Ueberwindung meines eigenen Aergers, geschont. Ihr wisset, Ihr waret mir lieb! Aber reizt mich nicht, oder die letzten Rücksichten fallen, und ich zahle Euch den verdienten Lohn!"

— Ich werde Euch nicht reizen und werde Euch nicht fürchten,

entgegnete Gangolf: laſſet dieſe Leute unangefochten von hinnen
ziehen. Sie bleiben unter meinem Schuße, und wehe, wer ihnen
ein Haar krümmt!

„So lauft denn mit dem lüderlichen Volk bis an der Welt Ende,
wenn Ihr es meiner Geſellſchaft vorziehen wollt!“ antwortete Marquard, und ging zu ſeinem Pferde und ſchwang ſich hinauf: „Aber
Junggeſell, Junggeſell, wahre dich, es könnte dich meine Vetter-
ſchaft koſten!“ Damit ſprengte er längs dem Ufer hin, der Knecht
ihm nach. Der Herr von Balbegg ritt wieder den Weg am ſteilen
Rain hinauf, welchen er in Gangolfs Geſellſchaft vor einer halben
Stunde erſt gekommen war; während deſſen gingen die Uebrigen mit
Roß und Eſel auf die Fähre. Die Schiffleute ſtießen ab.

<hr>

4.

Die Begutte.

Der Regen hatte geendet. Hin und wieder brach das einförmige
Grau des Himmels und ließ das reinſte Blau durchſtrahlen. Einzelne
Buchfinken, dieſe fröhlichen Herolde der Frühlingsluſt, ſangen in den
Zweigen des Gebüſches, ihre heitern Triller, die aus der Ferne er-
wiedernd zurückgeſungen wurden.

Die Reiſenden, während ſie zwiſchen den hohen Ufern der ge-
ſchwollenen Aar hinüberſchwammen, beobachteten, mit ſich ſelbſt beſchäftigt, gegenſeitiges Schweigen. Der Lollhard hielt den Eſel, auf
deſſen Sattel die daneben ſtehende Begutte ihre gefalteten Hände und
die Arme legte und ihr verhülltes Antliß niederſenkte. Herr Gangolf aber warf den ſchweren Regenmantel ab, befeſtigte ihn auf den
Rücken ſeines Roſſes, und ſtand dann, in Gedanken vertieft, an ſein
treues Thier gelehnt, einen Fuß über den andern geſchlagen.

Er hatte noch die letzten Worte des Herrn von Balbegg im Gedächtniß, die ihn sehr beunruhigten, weil ihr Sinn ihm kein Räthsel geblieben. Marquard nämlich war dem reichen und mächtigen Geschlecht der Freiherren von Falkenstein verwandt, und galt bei ihnen, wegen des Alterthums seines Hauses, wegen geleisteter Freundschaftsdienste, wegen der Gleichheit seiner Gesinnungen mit den ihrigen, und wegen seines aufgeweckten Wesens, viel. Nun aber war auch Ritter Gangolf Trüllerey nahe daran, in die Verwandtschaft der Falkensteine zu treten. Denn die reizende Ursula, Tochter des Herrn Hans von Falkenstein, war schon jetzt seine anverlobte Braut, die Vermählungsfeierlichkeit schon auf die Zeit festgesetzt, wenn der Friede zwischen Zürich und Oesterreich einerseits und den Eidgenossen andererseits besiegelt sein würde.

Gangolf hätte vielleicht auf die Hand der reichsten Erbin im Aargau keinen Anspruch wagen dürfen, da ihn, obschon altadelichen Herkommens, weder der Glanz seines Geschlechts, noch der Reichthum seines Hauses vorzüglich begünstigten. Aber die besondere Huld des Markgrafen Wilhelm von Hochberg, welcher für ihn, seinen Liebling, selber Brautwerber beim Freiherrn Hans von Falkenstein geworden war, als auch die Neigung des Fräuleins, hatten alle Hindernisse besiegt.

Der junge Mann liebte die schöne Braut mit aller Zärtlichkeit, welche ihre Anmuth verdiente und seinem warmen Blute natürlich war. Wiewohl diese Verbindung ursprünglich weniger die freie Wahl der Herzen, als das Werk des Markgrafen von Hochberg gewesen sein mochte, hatten die Herzen gern nachher gebilligt, was Klugheit und persönliche Vorliebe des kaiserlichen Statthalters der vordern Lande mit dem Vater der Braut, Hansen von Falkenstein, gestiftet.

Diese Verhältnisse dürfen dem Leser nicht unbekannt sein, um sich Gangolfs stilles und finsteres Benehmen seit seinem Zusammentreffen mit dem Herrn von Baldegg zu erklären. Denn schon die erste Botschaft, welche er von demselben vernahm, daß sich zu Baden alle

Friedensunterhandlungen zwischen Zürich und den Eidgenossen zer=
schlagen hätten, zerriß einen großen Theil seiner Hoffnungen. Mit
der Gewißheit vom nahen Wiederausbruch des Krieges hatte er auch
die Gewißheit von der längern Aufschiebung seiner Vermählung. Und
eine Ansicht, wie diese, trägt für einen Bräutigam nichts Ergötz=
liches, der in Träumen die Geliebte schon hundertmal in die väter=
liche Burg als Neuvermählte eingeführt hatte. Wie viele tausend=
köpfigen Schicksalshydern umringten und vertheidigten nun wieder das
Brautbett gegen die Sehnsucht des Verlobten! Nun lagen noch
weite Schlachtfelder, hohe Schloßmauern und Belagerungsstürme,
Schlingen und Netze eifersüchtiger Nebenbuhler und zahllose Mög=
lichkeiten von Trennung durch Gewalt, Untreue oder Tod, zwischen
ihm und dem Traualtar.

Vielleicht hatte die Verstimmung seines Gemüths durch solche
Betrachtungen nicht wenig dazu beigetragen, daß er Herrn Marquard
so unsanft aus dem Gewölbe geschleudert und daß er in jenem Augen=
blick die ungeheure Stärke seines Arms vergessen hatte. Denn wenige
Menschen kamen ihm an Muskelkraft gleich. Er warf Zentnersteine
wie leichte Ballen, und drückte eiserne Hufeisen mit der Hand zu=
sammen, wie dünnes Blei. Herr Marquard war im Zorn von ihm
geschieden, und die Warnung: Junggesell, es könnte dich meine
Vetterschaft kosten! behielt einiges Gewicht. Denn Herr Marquard
war der vertrauteste Freund des Freiherrn von Falkenstein, und
sein Einfluß auf diesen groß.

Die Fähre landete indessen am andern Aarufer unter den Hütten
der Sihl. Gangolf warf den Schiffleuten für sich und die Beghar=
den den Fährlohn hin. Der alte Lollhard bemerkte seine Freigebig=
keit, verbeugte sich und sagte: „Edler Herr, Ihr habt mir und
meiner Tochter schon mehr, als das Fährgeld erspart. Gott lohne
Eure Großmuth."

Am Ufer hob er dann die verhüllte Tochter auf den Sattel des

Esels, auf welchem sie, den Rücken gegen das Gebirg gewandt, bequemlich und leicht saß. Der Alte ging am langen Stabe neben dem Thiere her. Gangolf ritt langsam mit ihnen den vom Ufer emporsteigenden Weg zum Dorf hinauf und die Straße gen Brugg. Der Himmel erheiterte sich. Bald kamen sie unter den Felsen der Kirche von Rain vorüber.

Als der Lollhard bemerkte, daß Herr Gangolf den Lauf seines muthigen Pferdes nur darum zurückhielt, um sie zu begleiten, sprach er: „Wenn ich glauben darf, daß Ihr unsertwillen zögert, so bitte ich, lasset dem Roß die Zügel fahren. Wir reisen in Gottes sicherm Geleit!"

— Ich verlasse Euch nicht bis zur Stadt, wenn Ihr mich nicht vorher verlasset! antwortete Gangolf kurz, und verfolgte seinen bisherigen langsamen Schritt. Niemand redete weiter.

Indessen fing zuletzt doch selbst den jungen Ritter an, die träge Fortsetzung der Reise ein wenig zu langweilen. Es ward ihm auch das fruchtlose Brüten über seinen Grillen zuwider. Sich zu zerstreuen, warf er den Blick links auf die weite Gegend umher, jenseits der Aar, auf die spiegelnden Wellen erst der Limmat, dann der Reuß, die beide sich aus fernen, weitgetrennten Quellen der Alpen hier zusammenfinden, um ihr Leben in dem des mächtigen Aarstroms aufzulösen. Dann, um seine Begleiter, die er bisher keines Blickes gewürdigt hatte, kennen zu lernen, wandte er den Kopf auf die andere Seite.

Mehr, als der Alte, welcher mit gesenktem Haupte rasch vorwärts schritt und die Lippen bewegte, als wenn er still für sich betete, zog die Begutte seine Aufmerksamkeit an, eben darum vielleicht, weil ihre Verhüllung seine Neugier mehr beschäftigen konnte. Sie saß, gegen ihn gerichtet, quer auf dem Sattel, den einen Fuß im eisernen Steigbügel, den andern frei hängend. So viel von den Füßen unter dem Saum des faltenreichen Gewandes sichtbar ward, ließ eine niedliche Form derselben, und ein noch sehr jugendliches Alter der frommen Reiterin ahnen. Damit schien auch die blendende Weiße und die Feinheit des Kinns übereinzustimmen, in welchem ein weich eingedrücktes Grübchen ganz unverkennbar war. Mehr als des Kinns untern Theil oder sanftgerundeten Apfel, ließ das große, mantelähnliche Tuch nicht sehen, welches bis so weit über dem Gesicht niederhing, und sich bei jedem Schritt wehend ab und zu bewegte.

Gangolf, weil er keinen andern Zeitvertreib hatte, verwandte sein Auge nicht von dem Grübchen in diesem Schneehügel und bedauerte heimlich beinahe, daß seine Braut des kleinen Reizes entbehren müsse. Dicht unterm Kinn war das Kleid zusammengeheftet. So blieb der Weide seiner Augen nur ein kleiner Spielraum. Nichtsdestoweniger richtete er von Zeit zu Zeit immer wieder den Blick dahin; wohl auch in der Hoffnung, durch eine günstige Bewegung des herabhängenden Tuches, oder durch die Güte eines Luftzuges, fernere Entdeckungen zu machen und die Lippen des Mundes zu erblicken. Aber die Luft blieb still und bleiern schwer der Vorhang.

Einigemal schon hatte er sich vorgenommen, die stumme Reiterin anzusprechen; aber immer wieder, er selbst wußte nicht, warum? unterbrückte er seine Worte. Plötzlich wandte sich die Begutte mit dem Kopf nach der entgegengesetzten Seite, wo der Lollhard auf der verdorbenen Landstraße trockene Stellen für seine Schritte suchte. Sie lüpfte das Manteltuch vor dem Gesicht, wovon Gangolfs unschuldige Neugier aber keinen weitern Vortheil hatte, als daß er eine kleine, weiße Mädchenhand gewahr ward, deren anmuthig gebogene Finger die äußern Spitzen in Morgenroth getaucht zu haben schienen. Nach einer Weile sagte die immer von Gangolf Abgewandte mit einer schmeichelnd-bittenden Stimme: „Du bist müde, Vater. Laß mich absteigen und ruhe du.“

Die Süße dieses weiblichen Lautes und die kindliche Liebe in dieser Bitte rührten Gangolfs Gemüth gleich mächtig. Hätte er mit ritterlichen Ehren auf dem Rosse sitzen dürfen, während der schwache Fuß der Jungfrau auf der rauhen, durch Regen zerstörten Landstraße kaum gangbare Stellen gefunden haben würde?

Sie hielt wirklich den Esel an. Gangolf aber war im gleichen Augenblick schon zu Fuß und führte sein Roß dem Alten zu. „Nehmt meinen Platz ein!" sagte er zum Lollhard: „Denn wer, wie ich, den ganzen Tag auf dem Gaul hing, findet Erholung, wenn er sich seiner Beine wieder bedienen kann." Er ließ nicht nach, bis der Alte das Roß bestieg.

Der Lollhard, welcher seine Müdigkeit nicht verläugnete, zeigte bei Gangolfs Antrage keineswegs jene Verlegenheit, die der Niedrige gewöhnlich bei einer Herablassung und Güte empfindet, mit welcher ihn der Große überrascht, sondern nur ein freundliches Erstaunen über diesen Beweis von einer Leutseligkeit, die damals eben nicht zu den Tugenden der stolzen Ritterschaft gehörte. Er dankte, schwang sich ohne Mühe auf's Roß, und seine Haltung und sein Anstand verriethen, daß er hier nicht an ungewohnter Stelle sei. — Gangolf ging nun zwischen beiden einher. So oft es der Weg gestattete, warf er den Blick seitwärts, um aus seinem veränderten und günstigern Standpunkt unter dem Haupttuch der Jungfrau die Form des Mundes zu entdecken, der vorhin so vielen Wohllaut gebracht hatte.

Der Lollhard seinerseits, nun er der Beschwerlichkeit des Fußwanderns enthoben war, überließ sich wohlgemuth dem Betrachten der herumliegenden Gegend. Er warf noch einmal den Blick auf den Punkt zurück, wo die drei Ströme der Aare, Limmat und Reuß zusammenfallen, und sprach: „So löset sich mir das Räthsel, weswillen die Burg der Freudenau in so unbequemer Tiefe hart an der Aare hingebaut worden sein mag: es galt den Erbauern, Meister der Aarüberfahrt zu sein, die nirgends als dort stattfinden konnte, wo der Strom unter der Stilli zwischen hohen unwandelbaren Ufern breit und ruhig hingleitet, nachdem er Reuß und Limmat aufgenommen hatte, welche umgangen werden sollten. — Ein wunderschönes Schauspiel, diese Landschaft. Blicke auf, Veronika, und sieh' die ewige Herrlichkeit Gottes!"

In der That flog in diesem Augenblick der letzte Abendsonnenstrahl durch die zerrissenen Wolken verklärend über die dämmernden Fernen, Gebirge, Hügel und die nahen grünen Wiesen der tiefer gelegenen Gründe. Das Ganze ward zu einem stillglänzenden großen Bilde, wie man es nur nach Regenschauern am heitern Abend erblickt.

Gangolf, unbekümmert um dies Bild, sah mit angenehmem Erstaunen die Herrlichkeit des Schöpfers in einem seiner schönsten Geschöpfe aufgegangen. Denn Veronika hatte das Tuch vom Antlitz zurückgeschlagen, und irrte mit hellen, trunkenen Augen durch die Umgegenden. Ein Licht, ungewiß, ob von der Röthe des Abendschimmers, oder der schamvollen Schüchternheit, umfloß die zarten Mienen, in denen ein wunderbarer Zauber kindlicher Anmuth und weiblicher Hoheit schwebte.

Sie öffnete endlich die kleinen Lippen und sagte: „Welch eine unendliche Schönheit mitten in winterhafter Dürftigkeit! Sieh doch diesen Glanz in den Nebeln, dies Goldgrün unter den finstern Wäldern! Es ist das Lächeln eines Weinenden." — Und indem sie dies sagte, wußte sie selber nicht, daß die Rührung des Entzückens ihre blauen Augen mit einer Thräne schmückte. Auch verstand Gangolf nichts von Allem, was sie noch ferner zu ihrem Vater sagte. Nur ihre ersten Worte klangen ihm fort und fort in der Seele: „Welch eine unendliche Schönheit mitten in winterhafter Dürftigkeit!" Veronika schien von sich selber geredet zu haben.

Das fortgesetzte Gespräch des Vaters und der Tochter warf endlich dem Ritter eine Frage von den Lippen der schönen Veronika zu, die auf einige Ortschaften hinzeigte, welche vor ihnen im selben Duft der Nebel schwammen.

„Dort auf der leichten Erhöhung," antwortete er der Begutte: „ist das Dörflein Windisch. Es soll daselbst in uralter heidnischer Zeit eine große Stadt gestanden haben, von welcher der Pflug noch immer Bruchstücke aus der Erde reißt. Da werden auch noch Münzen von Kupfer, Gold und Silber gefunden; aber fast unkenntlich und von fremdem Gepräge. Nirgends aber konnte im Aargau wirklich ein schicklicherer Platz zu einer großen und festen Stadt auserwählt werden, als auf jener breiten Landzunge, die sich zwischen der Aare und Reuß, wo sie zusammenrinnen, ausspitzt. Dadurch ist sie auf drei Seiten, statt vom Wassergraben, von breiten Strömen beschützt. Und nirgends wieder, als dort, ein Punkt bequemer, über die wilde Aare eine Brücke zu schlagen, wo sie ihre Wassermasse tief und eng durch einen Felsenriß drängt, der kaum über dreißig Fuß breit sein mag. Darum heißt man noch heut das Städtchen, zu welchem wir reisen, Brugg."

Dann zeigte er auf das graue, spitze Thürmlein, hinter Windisch einsam gelegen, und erzählte, wie daselbst das Kloster Königsfelden auf derselben Stätte erbaut worden sei, wo vor mehr denn hundert Jahren Herzog Hans von Schwaben seinen Vetter, den Kaiser Albrecht, meuchlings erschlagen habe. Auch erzählte er, wie die Blutrache der Kaiserin Elisabeth und ihrer Tochter, der Königin von Ungarland, gewüthet; bei tausend unschuldige Männer, Weiber und Kinder erwürgt, und aus dem Raube und Gute von mehr denn hundert adelichen Geschlechtern, die durch Henkershand vertilgt wurden, das Kloster aufgerichtet habe.

Die Begutte hörte mit vieler Aufmerksamkeit den Erzähler an, der neben ihr hinging, und senkte von Zeit zu Zeit einen Blick auf dessen edle Gestalt. Die graue Filzkappe, mit der weißen und zinnoberrothen Feder, schien mehr zur Zierde, als Bedeckung, auf dem

dunkeln, langgeringelten Lockenhaar zu liegen. Das feine, feft an=
geschloffene Wamms von grünem Zeuge, mit Schößen, die vorn und
hinten faft bis zum Knie hingen, und auf beiden Seiten an den
Hüften offen waren, mit Goldband unterhalb befäumt, bezeichnete
mehr den schlanken Wuchs, als es ihn verbarg. Das kurzgeftiefelte
Bein in langen Reiterhofen bewegte fich mit leichtem Schritt über
die unebene Landftraße hin, wie zum Tanz. So oft aber Gangolf
im Gespräch das Auge zu der ftillen Hörerin auffchlug, fenkte fie
die Wimpern ernft und fittig nieder.

Bei der Langfamkeit der Reife trat die Nacht herein, ehe die
Stadt erreicht wurde. Während das geschloffene Thor der Ring=
mauer aufgethan ward, ftieg der Lollhard auf der Brücke vom Pferde
und leitete es in die Stadt und die fteile Straße hinauf bis vor die
Thür der Herberge. Hier hob Gangolf die Begutte, deren Antlitz
wieder vom Tuche bedeckt war, mit ritterlicher Höflichkeit vom Sattel
ihres Efels. „Der Himmel lohne Euch, edler Herr, was Ihr uns
armen Leuten heut' gethan!" fagte fie mit halblauter Stimme. Auch
der Lollhard kam herbei, feine Erkenntlichkeitsbezeugungen zu wieder=
holen. Gangolf aber wünschte Beiden gute Ruhe und folgte schnell
den Knechten, die ihm mit brennenden Kerzen in's Haus voranzünbeten.

5.

Der Schultheiß von Brugg.

Später, als er felbft gewollt, erwachte der junge Rittersmann
am andern Morgen. Alsbald kleidete er fich mit größerer Sorgfalt,
um vor den Augen der Braut nicht ganz mißfällig zu erscheinen.
Um fein Baret ließ er weiß und roth gekräufelte Federn wehen. Das
Wamms, mit Goldftickerei an den Nähten, war um Hals und Bruft,
und am Saum der faltenreiche Schöße, mit koftbarem Pelzwerk ver=

brämt. Selbst die Ränder der weiten Stulpen an den Stiefeln, die nur bis zur halben Wade reichten, sah man mit Goldschnur besetzt. Das große Schwert hing an der Hüfte nicht nur vom Leibgürtel, sondern auch vom breiten Gehäng über die Achsel gehalten, sowohl der Zierlichkeit willen, als auch, daß die lange Klinge bequemlicher zu tragen sei.

Als ihn die Wirthsleute, da er sich zum Schultheißen begeben wollte, noch ehrerbietig zur Hausthür begleiteten, vernahm er von ihnen, daß die Vegharden bei Anbruch des Tages wieder abgereiset wären. Da gedacht' er, nicht ohne stille Bewunderung, der schönen Reisegefährtin. Doch ward diese bald vergessen, als er nach wenigen Schritten das Haus des Schultheißen Ludwig Effinger erreichte, wo er Ursula von Falkenstein, seine Braut, zu finden erwartete.

Der Schultheiß, ein achtbarer Greis, saß im halbdunkeln Zimmer, und las emsig ein vor ihm aufgeschlagenes dickes Buch. Er sah nicht um, so gedankenvoll war er. Den Tisch vor ihm, welchen viele Schriften und Pergamentbriefe mit großen daranhängenden Siegeln bedeckten, so wie ihn selbst, beleuchtete der durch die runden Scheiben des kleinen Fensters fallende Sonnenstrahl. Es war ein ehrwürdiger, frischer Alter, den das Gewicht der Jahre nicht beugen zu können schien. Ueber sein volles, röthliches Gesicht scheitelte sich ein schneeweißes Haupthaar zu beiden Seiten bis auf die Achseln, wo das einfache, schwarze Kleid von einem breiten, gefältelten Kragen des feinsten Linnens gedeckt war.

Um ihn nicht zu stören, blieb der Ritter einen Augenblick unter der offenen Thüre stehen, ward aber bald bemerkt. Der Schultheiß erhob sich freundlich, sobald er den Gast erkannte, hieß ihn mit treuherzigem Händedruck willkommen, fragte um Wohlbefinden, und woher? und wohin? und befahl zur Thür hinaus, daß man Erfrischungen bringe.

„Ihr trefft zur Glücksstunde ein, lieber Herr und Freund," sagte

er, „denn Jungfrau Ursula ist in unserer Stabt. Zwar hat sie mir
bas Leid angethan, nicht vor meinem Hause abzusteigen; boch wird
sie eben heut' mit uns zu Mittag speisen, unb Ihr, versteht sich's,
selb von Herzen eingeladen."

Nun erfuhr Gangolf, baß seine liebenswürdige Verlobte nur
noch zwei Tage in ber Stabt verweilen, bann zu ihrem Vater, Hans
von Falkenstein, nach Seckingen reisen werde; baß sie, ungerechnet
einige weibliche Bebiente, einen Ritter Bentelin von Hemmenhofen
unb einen lustigen Gesellen von Walbshut, Namens Isenhofer, zur
Begleitung habe, - ber kurzweilige Verse mache, aber ein Erzfeind
ber Eibgenossen sei.

„Dieser Isenhofer gefällt mir nicht!" sagte ber Schultheiß: „Er
ist ein Witzjäger, ohne Verständigkeit; ein unbesonnener Schwindel=
kopf, ber zu nichts Rechtem taugt, unb ba gern Feuer anbläset, wo
er löschen sollte. Ich wollte, bie Herren von Falkenstein bulbeten
ihn nicht um sich. Er erbittert gegen bie Schweizer, wohin er kommt;
bas wäre jetzt am wenigsten nöthig, ba bie Zusammenkunft in Baden
so schnöben Ausgang hatte."

Während eine Magb, zum Frühstück, auf silbernem Teller Mal=
vasier, in vergolbeten Bechern, auch geröstete Brobschnitte unb Back=
werk aller Art auftrug, war bie letztberührte Begebenheit, bas An=
rücken ber Armagnaken, bie Stärke unb Absicht bes französischen
Heeres, ber Anspruch Friedrichs auf sein Recht im Aargau, unb
Anderes besprochen, was Ereignisse bieser Tage berührte. Lieber
wäre ber Bräutigam seiner Sehnsucht gefolgt, unb zur Verlobten
hingeeilt, hätte ihn nicht ber Schultheiß in ein Gespräch verflochten,
welches seine ganze Aufmerksamkeit fesselte.

„Ich war erst unlängst im Freihof zu Aarau," sagte ber Schult=
heiß, „um mit Euerm Herrn Vater unb seinen Freunden im bortigen
Stabtrath vorläufige Abrebe über bas Verhalten unserer Städte beim
Wiederausbruch bes Krieges zu nehmen. Aber ich barf's ja nicht

verhehlen, ich erkannte Herrn Rüdiger, Euern Vater, meinen alten
Freund, kaum wieder. Von Landessachen war nicht mit ihm zu
plaudern. Ihr werdet ihn sehr verändert finden, lieber Herr und
Freund, da Ihr ihn seit Eurer Reise zum König von Frankreich
nicht gesehen habt."

„Meinen Vater?" sagte Gangolf bestürzt.

„Er ist abgeschwunden zu einem Schatten!" fuhr der Schultheiß
fort: „Es scheint, ein unheilbarer Trübsinn verfinstert sein Gemüth
und zehrt die Neige seiner Kräfte auf. Er theilt sich Andern wenig
mit, spricht viel für sich selber, ist oft ganze Tage im obern Gemach
des Thurmes Rore verschlossen, ja oft ganze Nächte, und man lieset
die Gleichgültigkeit in seinen Augen, mit der er alle Vorgänge an-
sieht."

„Ihr machet mir bange!" rief Gangolf: „Was ist ihm begegnet?"

„Eine schleichende Krankheit," erwiederte der Schultheiß: „die
ihren Sitz in der Leber hat, sagt der Arzt. Was weiß ich's? Gar
nahe Gefahr ist wohl nicht zu befürchten, doch sollet Ihr Euch auf
Alles bereit halten. Darum ist mir's recht, Euch zu sprechen. Denn
ich meine, Ihr sollet bei Euerm Vater verbleiben, und nicht weiter
mit dem österreichischen Adel und im Dienst des Markgrafen umher-
ziehen."

„Herr Schultheiß," versetzte der junge Ritter, „Euch ist wohl
bekannt, daß unser Haus von seinem alten Wohlstand durch mancherlei
Schicksal abgekommen ist. Ich bin ein junger Gesell, zum Kriegs-
handwerk wie geboren und erzogen, und muß meinem Glück unter
fürstlichen Fahnen und an großen Höfen nachjagen. Sitz' ich daheim
im alten Thurm von Rore, fragt Niemand nach mir. Kaiserliche
und königliche Gnadenbriefe wirft man Keinem zum Fenster herein,
und Göttin Fortuna ist aller Welt zu lieb, als daß sie im Freihof
zu Aarau Schutz suchen müßte."

„Ihr wollet Euch jedoch erinnern, Herr und Freund," sprach Herr Effinger, „daß der Thurm Rore, mit Zinsen, Zehenden und Gefällen, ein Lehen der Stadt Bern sei, welches sie, kraft obrigkeitlicher und lehensherrlicher Macht, Euch zucken könnte, so Ihr mit den Oesterreichern gegen sie feindlich hieltet. Es scheint mir, man solle die Taube nicht aus der Hand fliegen lassen, bevor die Wildgans geschossen ist. Wenn Ihr nun den Freihof verlöret!"

— Mir will der Markgraf von Hochberg wohl! antwortete Gangolf: Er steht beim Kaiser in hohem Ansehen. Auch wird mich Hans von Falkenstein nicht fallen lassen, dessen Tochtermann ich werde.

„Lieber Herr und Freund," entgegnete kopfschüttelnd der Schultheiß: „vertrauet heutiges Tages nicht auf Fürstenschwur und Edelmannswort, denn beide sind mit Luft auf Luft geschrieben. Freiherr Hans braucht für sein Wohlleben Größeres, als er vielleicht am Ende selbst besitzt. Schon hat er Farnsburg verpfändet; fragt in Seckingen, wo er mit der Hagenbachin lustige Tage gelebt, ob von dem Gelde noch übrig sei? — Und Oesterreich, welches den Aargau feierlich abgetreten hat, spricht wieder von Rechten darauf. Ihr spielet ein verwegenes Spiel, lieber Herr, dafür Euch die Einen schlecht lohnen und die Andern übel danken werden."

— Wird Bern unparteisam zwischen Zürich und den Eidgenossen bleiben? fragte Gangolf.

„Dort liegt des Schultheißen von Erlach Brief; er zweifelt."

— So müssen Adel und Städte bei uns zusammenhalten und den Ausgang ruhig erwarten! rief Gangolf.

„Ihr träumet," entgegnete der Schultheiß, „Pech und Wasser halten besser, als Adel und Bürger zusammen. Dem Adel jucken die Fäuste. Er möcht' lieber heut' als morgen den Tanz beginnen."

— Um sich von der Hoheit der Stadt Bern zu lösen. Ich verdenk's ihm nicht! sagte Herr Trüllerey: Es scheint ihm anständiger,

Vasall eines großen Königs, als eines hochmüthigen Reichsstädtleins zu sein. Adel kann nicht unter Machtgebot von Handwerkszünften gedeihen; er muß an Höfen der Fürsten in Verdienst und Glanz blühen, oder muß verderben. Anderseits aber laufen unsere Aargauer Städte nicht ebenfalls unter Bern Gefahr? Die Freiheiten, welche ihr Stolz sind, wurden ihnen ja nicht von Bern, sondern durch Gnade der Kaiser und Könige. Bern kann nichts dergleichen geben. Selbst bloß eine Stadt, wird Bern das Aufblühen anderer aargauischen Städte mit Argwohn und Eifersucht anschielen; wird deren Rechtsame und Titel fort und fort benagen, und sich Glück wünschen, wenn zuletzt Brugg, Zofingen, Baden, Aarau und die übrigen, zu armseligen Nestern zusammenschrumpfen.

„Und was folgert Ihr daraus, Herr Gangolf?" fragte der Schultheiß ernsthaft.

— Das, erwiederte Jener lebhaft, wofür ich mein Alles in die Schanze schlagen möchte. Warum kann der Aargau kein unabhängiger, freier Stand sein, mit den übrigen Eidgenossen in gleicher Würde, des Hauses Oesterreich oder Berns Rechte vorbehalten? Heute stehen wir wieder, wie vor dreißig Jahren, zwischen Oesterreich und Schweizerland, als Bern unser schönes Land überrumpelte, besetzte und zur Beute machte. Was damals ungeschehen blieb, ist heute nachzuholen!

„Genau, lieber Herr, stehen wir noch wie damals," sagte Effinger, „als Städte und Edelleute gen Sursee ritten und nicht eins werden konnten. Der Adel will herrschen und großthun, glaubt sich dazu geboren, und mag mit Stadtbürgern nicht gemeines Werk haben. Unsere Städte aber selbst befeinden sich ebenfalls thörichter Weise unter einander. Es fehlt am besten Kitt unter uns, der heißt zu deutsch: Gemeinsinn, freier Vaterlandsgeist. Darum erlagen wir vor dreißig Jahren. Heute wäre dasselbe Beginnen eitel und noch dazu sträflicher; wir wären Aufrührer, weil wir uns selber, und keine fremde Gewalt, von der rechtmäßigen Obrigkeit löseten. Und wir haben unsern gnädigen Herren von Bern Huldigung geleistet!"

— Huldigung! rief Gangolf mit Aufwallung: Ja, als wir, die wir wehrlos waren, vor dreißig Jahren überfallen und übermannt wurden. So muß der Sklave huldigen, wenn ihn ein neuer Herr kauft. Aarau wollte schon damals widerstehen oder untergehen. Es war doch noch Muth und Geist in dieser Gemeinde. Die Bürgerschaft unterwarf sich freilich, als sie, ungewarnt von Bern und Solothurn schwer umlagert, und inner kranken Ringgemäuern, ohne Trost, gedrängt ward. Gewalt aber ist kein Recht, sondern Gewalt, Herr Schultheiß, und gezwungener Eid kein freier Vertrag!

„Ei, ei, mein Herr und Freund," entgegnete sein lächelnd der graue Geschäftsmann, „sollten wir's damit so streng nehmen, so würde mehr als ein großes Reich keinen Fetzen Landes behalten, und Kriegen und Wiederkriegen, Eroberung und Abtrünnigkeit, ewig fortwähren. Es muß doch endlich eine Zeit kommen, da das, was die Gewalt der Umstände erzwungen, zum rechtsgültigen Zustand wird."

— Könnt Ihr, Herr Schultheiß, die Gewalt der Umstände von ehemals entschuldigen, so müßet Ihr auch eine Entschuldigung dieser Gewalt von heut' haben. Eben deshalb enden in der Welt die Kriege und Wiederkriege nicht. Jeder überwundene Fürst bricht, ohne Gewissensbisse, täglich den Vertrag, sobald er sich seinem vormaligen Besieger gewachsen fühlt.

„Bemerket wohl, Herr Gangolf," sagte der Schultheiß, „Bern hat uns nichts entrissen, sondern, was wir vordem besaßen, rechtskräftig bestätigt, und hat nur genommen, was österreichisches Gut gewesen. Wollten wir uns gegen Bern auflehnen, so wären Gewaltthat und Ungerechtigkeit auf unserer Seite."

— Es ist nicht in meinem Sinne, Herr Schultheiß, versetzte Gangolf, Berns und Oesterreichs Recht und Gut im Aargau zu verletzen. Mögen beide darüber ihren Streit führen. Aber der Aargau

VII.   2*

sollte zwischen beiden unparteiisam stehen, sich keinem opfern, sondern ein eigener, freier Stand werden, mit Vorbehalt fremden Rechte.

„Laßt uns abbrechen, Herr Gangolf; das ist Schwindelei und Traum! Darüber werden unsere Städte nicht unter sich, und die Edelleute nicht mit den Städten einig; denn im Adel ist Hoffart, Stolz und Tyrannei!"

— Und in den Städten, murmelte Gangolf unmuthig zwischen den Zähnen: geist- und herzarme Spießbürgerei!

Das Gespräch dieser beiden Männer, welches sich schon mit bittern Empfindungen zu mischen anfing, ward noch zu guter Zeit unter- brochen. Des Schultheißen Sohn, Herr Balthasar, und dessen junge Frau, traten herein, den Gast und Freund zu begrüßen. Ihre redselige Höflichkeit nöthigte ihn, so vielen Erkundigungen und Fragen Genüge zu leisten, daß es unmöglich wurde, den zerrissenen Faden der vorigen Unterhaltung wieder anzuknüpfen. Indessen blieb von derselben in des Schultheißen Brust ein Ansatz argwöhnischer Unzu- friedenheit gegen den Herrn von Trüllerey zurück, und in diesem ein geheimer Aerger über des Schultheißen Unempfindlichkeit für des Aargau's unabhängige Stellung. Sobald sich, nach einiger Zeit, ein schicklicher Augenblick darbot, benutzte ihn der junge Mann, sich zu entfernen, um seine Braut aufzusuchen und zum Gastmehl im Effinger'schen Hause abzuholen.

6.

Die Braut.

Sein Herz schlug bange und freudig, als er die enge Treppe einer bürgerlichen Wohnung zu den Zimmern der Geliebten hinaufstieg. Er hoffte sie zu überraschen. Schon hörte er im Geist ihren frohen Schrei, sah ihre Bestürzung, fühlte ihre Umarmung und wußte er jedes schöne Wort, was er zu sagen habe. Indessen geschieht oft, daß die Wirklichkeit ganz etwas anderes verleiht, als worauf wir uns bereiteten.

Eine der Kammerfrauen trat ihm in einem schmalen Gang entgegen, das Zimmer der Gebieterin zu öffnen. Aus demselben trat im gleichen Augenblick ein reichgekleideter, junger Rittersmann, der sich mit ehrerbietiger Freundlichkeit vom Fräulein beurlaubte, welches über dessen Achseln erröthend den ankommenden Bräutigam erblickte. Ohne sich durch die Gefühle, die sie nicht verbergen konnte, in den äußern Gebräuchen des Anstandes stören zu lassen, entließ sie mit gleicher Huld und Würde den Abgehenden, wie sie den Ankommenden in ihr Gemach zu treten bat. Hier küßte dieser stumm und bewegt erst ihre zarte Hand, dann schloß er mit Ungestüm die schlanke Gestalt der Verlobten an sein pochendes Herz. Sie aber wandte lächelnd das Gesicht seitwärts, daß seine Lippen nur ihre Wangen berührten, und sagte: „Warum so spät, mein edler Junker?"

— Und warum so kalt, mein edles Fräulein? erwiederte er, ihren Ton nachahmend, indem er sie fester an sich zog und sie doch verwundert ansah, daß sie ihm den Kuß des Wiedersehens versagte.

„Wie doch die Männer in Allem immer nur sich selber wiederfinden!" entgegnete sie: „Aber setzen wir uns.

— Nicht eher, angebetetes Ursi, bis mir dein Mund den Kuß des Willkommens entrichtet hat.

Sie bot die Lippen mit halbem Sträuben. Dann führte er sie zum Lehnsessel und wählte seinen Platz ihr gegenüber. Nun mußte er von seiner Ankunft in Brugg, von seinem Besuch im Hause des alten Schultheißen, wo er sie zu finden gehofft, dann von seinem Aufenthalt in Frankreich und am Hoflager des Königs, von den schönen Frauen in Paris, von ihrer jetzigen Kleidertracht und Lebensweise erzählen. Seine Betheuerungen, daß von allen jenen verführerischen Schönen keine auf sein Herz Eindruck habe machen können, begegnete der Unglaube ihres eifersüchtigen Zweifelns mit tausend Einwendungen. Doch am schwersten war ihm der Vorwurf zu besiegen, daß er während eines langen Vierteljahres keine Stunde und keine Gelegenheit gefunden, der Braut einen Brief zu senden.

Gangolf kannte die Neigung seiner Verlobten zum verliebten Argwohn, die launenhafte Heftigkeit ihrer Leidenschaft; doch hielt er die Rede für scherzende Neckerei, bis eine Thräne ihrer dunkeln Augen den Ernst verkündete.

„Nein, Gangolf, nein!" rief sie und erglühte mit Stolz und Unwillen: „Ihr seid den Männern gewöhnlichen Schlages gleich. Verantwortet Euch nicht. Ein Weib zu täuschen im liebenden Glauben scheint Euch leichtes, verzeihliches Werk. Diesmal seid Ihr der Betrogene! Nicht was Ihr saget, nein, was Ihr verschweiget, klagt Euch an. Es ist genug! — Ich begehre kein Herz, das ich mit Bettlerinnen zu theilen verdammt wäre. Oder begleitete Euch nicht die Treulosigkeit bis zu den Schwellen meiner Wohnung? Nun wißt Ihr, daß ich Euch kenne! Sehr schön, sagt man übrigens, sehr schön soll die Begutte sein, mit der Ihr noch die letzte Nacht in der Herberge fröhlich waret. Wohl! haltet diese züchtige Vermummte aus Frankreich fest. Ich beneide Euch nicht und die Buhlerin nicht. Ihr hattet Unrecht, sie in großer Frühe fortzuschicken, sobald Ihr meine Anwesenheit in dieser Stadt erfahren hattet. Ihr thatet übel, Euch Zwang anzulegen."

In der Ruhe seines Bewußtseins konnte der junge Ritter sich anfangs nicht des Erstaunens, nachher des Lächelns nicht erwehren. Mit wenigen Worten hoffte er sie zu enttäuschen. Aber so oft er zu reden begann, unterbrach sie die Rechtfertigung, ehe dieselbe vollendet war, mit Widerlegungen, und ihre Widerlegungen mit neuen Vorwürfen.

Zuletzt erkor er jenes glückliche Mittel, welches manchem Ehemann bei der keifenden Hausehre zu statten kommt, nämlich schweigend

den Sturm über sich hinbrausen zu lassen. Während des regsamen
Spieles ihres Züngleins betrachtete er mit Wohlgefallen die Jungfrau, die selbst der Zorn nur weiblicher und reizender machte. Ihr
feuervoller Blick ward nur glänzender, das feine Roth ihrer Wangen
nur höher. Die schwarzen Augenbrauen, welche sich, wie vom
Schmerz des verwundeten Gemüths, über der länglichen, sanftge-
bogenen Nase zusammenzogen, bildeten dort eine leichte Falte und
eine Schwellung der weißen Stirnhaut, die zugleich trotzigen Eigensinn und innigen Kummer bezeichneten. Ihr dunkles Haar, über
der Stirne von einem perlenreichen, diademartigen Goldkamm gehalten, wehte um Schläfe und Ohren in einzelnen flammenhaft
gebogenen Locken. Das halbdurchsichtige, vielgefältelte Gewebe,
welches, wie ein Nebel, ihren Busen umwölkte, und hinter dem
langen, griechischen Nacken in köstlichen Spitzenkragen halbmond-
förmig bis zur Mitte des Hinterkopfes emporstieg, verrieth auf- und
niederwallend die Bewegung im Innersten der Brust.

Selten glaubte Gangolf in Ursula's ganzem Wesen etwas Zauber-
hafteres gesehen zu haben, als in diesen Minuten. Dazu kam, daß
ein äußerer, reicher Schmuck von Ketten und Perlen um den Hals,
ein Leibchen von karmesinrothem, goldburchwirktem Stoff über das
schwarzseidene Untergewand, enge lange Aermel, von der Schulter
bis zum Handknöchel in der Naht aufgeschlitzt und wieder bauschigt
zusammengenestelt, den Wuchs des Mädchens und dessen Reize um
Vieles erhöhten.

Wirklich verlor er in der Lust des Schauens so vollkommen alle
Aufmerksamkeit des Hörens, daß er in Verlegenheit gerieth, als
Ursula wiederholt in ihn drang, ihre letzte Frage zu beantworten,
die er nicht gehört hatte.

Erst schien fein Verstummen alle ihre eifersüchtigen Vermuthungen
zu bestätigen, dann, da er um Wiederholung der Frage bat, feine
Unachtsamkeit ihren weiblichen Stolz noch mehr zu empören.

Sie erhob sich schnell vom Sitz und rief mit einem Blick der
Verachtung: „So ist denn selbst meine Gegenwart nicht vermögend,
Eure Gedanken für einen Augenblick von jener feilen Dirne zu be-
freien, die Ihr Euch zuleget. Eilet doch lieber zu der Begutte.
Weib kann sie nicht sein. Ich halte Euch nicht. Die Bettlerin mag
allerdings besser zum Ritter ohne Land und zum verfallenen Thurm
Rore taugen, als eine Erbtochter des Hauses Falkenstein, Urenkelin
alter Grafen."

Diese stolze, schneidende Stimme, dies unerwartete Vorrücken
seiner Armuth weckten plötzlich den edeln Trotz, welchen jeder Mann
empfindet, wenn das Weib spüren läßt, daß Liebe, bei ungleichem
Reichthum und Abstammen, nur Gnadensache sei. Er sprang
finster auf. Wohl kannte er in dem reizenden jugendlichen Geschöpf
jene wandelbaren Launen, jenen kindischen Eigensinn eines im Aeltern-
hause verzogenen Lieblings: aber daß die Braut sich, im leidenschaft-
lichen Rausche der Liebe, ihrer höhern Herkunft und ihres Reichthums bewußt blieb; daß sie ungroßmüthig dessen erwähnen konnte,
ihn zu demüthigen; noch Braut nur, den Bräutigam schon, das
erschütterte ihn.

„Fräulein," sagte er mit halbunterdrückter und doch schrecklicher
Stimme, indem er ihr mit Hoheit entgegentrat: „Ihr habt mich
nie geliebt. Das hättet Ihr nie gesprochen, wenn je eine Faser
Eures Herzens für mich freundlich gezuckt hätte. Der böse Geist
ist unerwartet, aber zur rechten Stunde, aus dem Engel des Lichts
hervorgetreten. Wir sind geschieden."

Sie entsetzte sich bei diesen Worten, indem sie dabei sein starres,
bleiches, schönes Gesicht erblickte. Sie bereute, obgleich selbst noch
halb im Zorn, die unvorsichtig ausgestoßene Rede. „Geschieden?"
sagte sie leise und finster: „Wir sind's, wenn's Euch beliebt." —
Aber ihr Herz zitterte, wenn sie wieder sein edles, leichenhaftes
Antlitz erblickte.

„Ich habe Euch geliebt," fuhr er fort, „Euch nur, uneingedenk
Eures Namens und Gutes. Wäre ich ein Königsohn, ich würde
Kronen zu Euern Füßen gelegt haben, und wenn ich Euch in Lumpen, unter dem Dache einer Zigeunerhütte, gefunden hätte. Gold,
wie Lumpen, sind Staub; nicht das zog mein Herz zu Euch. Ich
habe Euch geliebt: nun nicht mehr."

Sie erblaßte, aus ihrem Auge fiel eine Thräne. Sie selber
wußte nicht, wie ihr geschah, was in ihrem Innern vorging? Doch
faßte sie sich und sprach halb weinerlich, halb versöhnt lächelnd:
„Nachdem mein gestrenger Herr selber nicht läugnen konnte, daß
eine elende Dirne mir mein theuerstes Herz geraubt, muß ich noch
darum Vorwürfe leiden, als wär' ich die Sünderin. Redet doch,
und mein leichtgläubiges Herz glaubt Euern Worten schon, eh' Ihr
sie ausgesprochen habt. Also die Begulte war nicht ein Schönheits-
wunder? Dacht' ich's doch! Eine Bettlerin und Schönheit erster Art!
Sagt doch, sie sei häßlich gewesen! Nicht so? der Lollhard war
auf der Landstraße erkrankt, daß Ihr ihn aus Barmherzigkeit auf
Euer Roß ludet? Es ist Lüge, daß Ihr das feile Mädchen in Eure
eigene Herberge führtet; daß Ihr es in die Arme schlosset, und vor
der Thür des Wirthshauses selber vom Sattel hobet. Redet doch,
meine Ueberzeugungen von Eurer Unschuld fliegen Eurer Erklärung
auf halbem Wege entgegen."

— Ihr wollt mein spotten, Fräulein. Man hat Euch, merk'
ich, von der Art meiner gestrigen Ankunft und meiner seltsamen
Begleitung treu und untreu berichtet! — sagte Herr Trüllerey mit
vorigem Ton. Und nun erzählt' er die Geschichte seines Abenteuers,
des Balbeggers rohes Betragen, — Alles bis zum letzten Augenblick, mit der unbefangensten Offenheit. Er pries selbst die rührende
Anmuth der frommen Veronika, aber betheuerte, daß sein Herz auch
einer größern Schönheit unverwundbar geblieben sein würde; sein
Gedanke, seine Sehnsucht wäre nur die Verlobte gewesen. Er sprach

mit dem Stolz beleidigter Unschuld, mit dem Schmerz seiner muth=
willig verhöhnten Liebe, mit dem Gefühl seines beffern Werthes.
Der Ausdruck von Redlichkeit in seinen schönen Gesichtszügen, und
zugleich furchtbar fester Entschlossenheit in seinen Blicken, bezauberten
zugleich und erschreckten die Braut. Alles was ihn je in ihren Augen
liebenswürdig gemacht hatte, erschien jetzt noch liebenswürdiger.
Die Erinnerung seliger Stunden erwachte. Statt des Zornes brannte
ein zärtliches Feuer in den träumerischen Blicken, mit denen sie an
ihm hing. Ihr Wesen und Leben schien wieder in Gluth aufzuleben,
während sie aus der todtenhaften Ruhe seines Aeußern ahnete, ihr
sterbe ein Herz ab, das ihr eigener Hochmuth gebrochen haben könne.

„O!" rief sie endlich mit weicher, zitternder Stimme: „ich kenne
mich selbst nicht mehr, und muß mich hassen, weil ich zu sehr liebe!"
Sie schlug ihre beiden Arme um seinen Nacken und schluchzte laut
an seiner Brust, und rief: „O du göttlicher Bösewicht! was hast
du aus mir geschaffen?" Und ihre heißen Lippen hingen an seinen
Lippen, als wollte sie die von ihr weichende Seele des Bräutigams
in sich trinken.

Lange schien er gefühllos ihre Liebkosungen nur zu dulden. Der
warme Hauch ihres Odems, das Brennen ihrer Lippen, die stille
Gluth der Blicke, welche wie voll süßer Berauschung in seinen Blicken
untergingen, äußerten bald aber ihre unbesiegbare, Seel' und Sinnen
überwältigende Macht. Er zog sie an sein Herz und sprach in einem
Seufzer: O warum bist du nicht so arm, wie schön!"

„Was willst du, Gangolf?" erwiederte sie schmeichelnd: „Bin
ich nicht eigentlich die Gabe, die sich dir gibt, und alles Andere
nur zufällige Mitgabe, die du in den Kauf erhältst?"

— Verflucht sei jeder Heller, den ich von deiner Mitgabe be=
rühre, rief er wieder heftiger: und Unsegen bringe auf die väterliche
Burg Rore, was aus deinem Gut sie schmücken will!

Sie strafte mit sanften Fingerschlägen seinen Mund, wand sich

lächelnd aus seinem Arm und sagte: „Die Mitgabe deiner Braut,
nun du sie zur Missethat machst, wird im Freihof von Aarau wenigstens Zufluchtsstätte haben, wie jeder arme Sünder, der dort
seine Hand an das heilige Gestein legt. Aber....“ Hier trat sie
vor den Spiegel, hauchte in ihr Taschentuch und drückte es sich auf
die Augen, um die Spur der Thränen zu vernichten: „Aber es ist
genug gezankt, junger Herr! Nun führet mich zum Schultheißen.
Seid freundlich und artig, und vergesset!“

„Fräulein!“ sagte er, mit sich verdüsterndem Blick auf die blitzenden Diamantringe an ihren Fingern: „Warum mußtet Ihr mir
etwas zu vergessen geben!“

7.

Das Gastmahl des Schultheißen.

Beinahe eilf Uhr Vormittags war es, als sie in das Zimmer
des Schultheißen traten, wo man ihrer schon geraume Zeit gewartet
hatte. Der greise Effinger führte alsbald nach feierlicher Verbeugung gegen die junge Freiherrin von Falkenstein, diese, kaum ihre
Fingerspitzen berührend, in das Speisezimmer; Gangolf Trüllerey
begleitete des Schultheißen artige Sohnesfrau; die Uebrigen folgten
unter tausend gegenseitigen Höflichkeiten, Bitten und Entschuldigungen, weil sich, nach den Gesetzen feiner Lebensart, niemand des
Vortritts anmaßen wollte.

Vom langen Tisch, den ein blendend weißes, großgeblümtes Tuch
bedeckte, dampften Gemüse, mancherlei Geflügel, Salme aus dem
Rhein, Forellen und Wildpret, anlockenden Duft durch einander.
Fünf hohe Weinkannen von Silber in getriebener Arbeit ragten
schimmernd über das steigende Gewölk hinweg, wie die Kuppeln der
Kirchthürme über den Rauch der Stadthäuser. Vor jedem der Gäste

glänzte der Silberbecher, abwechselnd mit einem kleinen vergoldeten Pokal.

Das Tischgespräch, bei den ersten Gerichten stockend, halblaut und arm, wurde nach und nach, sobald auch die Weine versucht waren, voller, wärmer und fröhlicher. Ein lebhafter, hübscher Mann, und zwar derselbe, welchen Gangolf aus Ursula's Zimmer kommen gesehen hatte, weckte zuerst mit heitern Scherzen die gute Laune der Gesellschaft. Es war Herr Bentelin von Hemmenhofen, den, außer Gangolf, alle Uebrigen wohl kannten. Ursula behandelte ihn sogar mit einer Art Vertraulichkeit, welche der gewandte Mann mit jener schmeichelhaften, fast zärtlichen Ehrfurcht erwiederte, die jedes Frauenzimmer am liebsten für gegebene Freundlichkeit zurückempfängt. Ihn unterstützte in der Unterhaltung ein hagerer, kleiner Mann von etwa vierzig Jahren, der ihm gegenüber saß und sehr einfach gekleidet war. Man nannte ihn Isenhofer. Gangolf hatte von demselben schon zuweilen gehört. Einige hielten ihn für einen großen Gelehrten, Andere für einen Halbnarren, Andere ihn für einen durchtriebenen Schlaukopf, Andere ihn für einen Schwärmer. Sein blasses schmales Gesicht, mit kurzer Spitznase, spitzem Kinn, tiefen Augenhöhlen, in denen ein paar kleine, lachende Augen blitzten, verrieth weder das Eine noch das Andere.

Niemand fühlte sich bei diesem Freudenmahl fremder, als Gangolf. Was er seit vierundzwanzig Stunden erlebt und erfahren hatte: die nothwendige Verzögerung seiner Vermählung, die schlechte Aussicht für Aargau's Unabhängigkeit, der Gold- und Ahnenstolz seiner Braut, die Kränklichkeit seines Vaters, das Alles schied ihn von bisher gewohnten Hoffnungen, Aussichten und Verhältnissen. Seine Stille und Einsilbigkeit ward von Jedem bemerkt, am meisten und nicht ohne kleine Gewissensunruhe vom Fräulein von Falkenstein. Sie wendete ihm oft den traulichen Blick, oft das neckende Wort zu, bis seine unwandelbare eiskalte Höflichkeit ihren Stolz von neuem reizte. Da brehte sie sich von ihm hinweg, und widmete dem Herrn von Hemmenhofen eine Aufmerksamkeit, für welche dieser dankbarer zu sein wußte. Vielleicht hoffte sie auch den sterbenden Liebesfunken im Gemüth ihres Bräutigams durch Eifersucht wach zu blasen. Er aber, in todter Gleichgültigkeit, achtete kaum darauf.

Drei Stunden dauerte dies Spiel, bei dem sich Herr Ventelin am besten befand. Gegen Ende der Mahlzeit aber ward es am andern Ende des Tisches desto lauter, wo von den Männern Gang und Gefahr des unvermeidlich gewordenen und nahen Krieges besprochen wurde. Darin waren sie alle einig, es müsse zwischen Oesterreich und den Eidgenossen Kampf auf Leben und Tod werden; entweder gesammter Adel im Schweizerland verderben, oder dieses wieder unterjocht sein. Wenn schon einige der Gäste, meistens Glieder vom Rath der Stadt Brugg, heimlich zweifeln mochten, daß die Pfauenfeder — damals das Sinnzeichen der österreichischen Partei — den wilden Geist der unerschrockenen Gebirgswohner zähmen werde: wagten sie doch nicht, in Gegenwart der fremden Ritter ihre Besorgnisse kund zu thun, sondern nickten höchstens schweigenden Beifall, wenn man die ungeheure Macht des Kaisers und Reichs, die vereinte Stärke des Adels und die im Anzug begriffenen Heerhaufen Frankreichs mit großer Uebertreibung schilderte.

Herr Isenhofer hob den vollen Becher und sprach im Tone des Begeisterten folgende Verse aus dem Spottlied*), welches er in diesen Tagen gegen die Eidgenossen gemacht hatte:

„Die Wolken sind zum Berg gedrückt,
Das schafft der Sonne Glanz;
Den Bauern wird die Macht entzückt,
Das thut der Pfauenschwanz!"

*) Es ist in Tschudi's Chronik ganz aufbewahrt und beim Jahre 1444 aufgeführt.

„Brav, Ifenhofer!" rief der Ritter Bentelin: „Doch vergiß den Uebermuth der Städte nicht. Luzern hält's offen mit den Melkerbuben, Basel trägt den Schalk im Nacken, und Bern läßt seine Tücke nicht."

— Ihr habt Recht, erwiederte der Dichter.

> Ob Städte oder Bauern?
> Klein ist der Unterscheid,
> Den machen ein paar Mauern,
> Und das ist ihnen leid.
> Sie wären selbst gern Herren,
> Sie sind sich nur zu grob.
> O König, du sollst wehren,
> So mehret sich dein Lob!

„Diese Verse, Ifenhofer," sagte Bentelin lachend, „haben ein frisches Herz trotz ihrer Gliederfucht."

— Darum eben sind sie gut österreichifch! erwiederte der Dichter: Der König hat den rechten Muth; aber er sucht ebenfalls bessere Glieder. Das Reich ist störrisch, die Ritterschaft faul, nur hinter Weinkannen nicht; und Frankreich will helfen, aber nicht dem römischen König, und nicht dem Adel, sondern sich selber. Sind das nicht schlechte Glieder für Oesterreich?

„Gott's Blut!" schrie Bentelin: „Und bist du nicht das faulste von Allen? Mich nimmt Wunder, ob du nicht unterm Wamms ein weißes Kreuz trägst? *)"

— Besser, als das rothe, wenn's Euch die Schweizer mit Hellebarden auf den Rücken malen, daß Ihr darunter pfuchſet, wie pipfige Hühner! erwiederte Ifenhofer. Viele der Anwesenden lachten.

„Ihr Herren von Brugg!" rief Bentelin: „Der Witzbold führt

---

*) Das weiße Kreuz auf den Kleidern trugen die Eidgenossen, um sich in Schlachten zu erkennen; die Oesterreicher das rothe.

euch auf's Glatteis! Ist euch zu rathen, so lachet mit denen, die zuletzt lachen. Manch Städtlein wird ein rothes Kreuz von Feuer und Flammen empfangen, und Bern das erste. Ihr seid unter dem Hause Habsburg reich geworden, und von Kaisern und Königen mit Freiheiten und Rechten beschenkt. Warum wollet ihr nicht zu Habs= burg zurück, und lieber undankbar mit den Feinden desselben gegen eure alten Wohlthäter ziehen?"

Da nahm der greise Schultheiß Effinger das Wort und sagte: „Meiden wir solche Gespräche, sie führen zu keinem guten Ende! So lange die Städte im Aargau Oesterreichs Schirm genossen, haben sie treulich dessen Kriege gethan und mit Gold und Blut die Gnaden= geschenke der Könige abbezahlt. Als uns Habsburg fahren ließ, haben wir zu Bern geschworen. Wie könn' uns der König vertrauen, wenn wir Verräther würden an unsern lieben Herren zu Bern und den Eidgenossen? Das sei ferne von uns. Es ist leichter, daß unsere Brückenthürme an den Bötzberg hinauftanzen, als daß wir von Treu und Glauben lassen."

„Das nenn' ich mir einen Trumpf!" rief Isenhofer: „Doch wollen wir sehen, wer im Spiel den letzten Stich macht! Im Grund, ihr Herren Aargauer, scheint mir's, euch sollt' es gleich gelten, wessen Schleppe ihr nachtraget, Habsburgs oder Berns. Ihr seid in jedem Fall doch nur gehorsame Diener; und ein Herr ist zuletzt wie der andere."

„Gott's Wetter schlag' drein!" schrie Bentelin: „Macht dich der Wein so früh verkehrt, Isenhofer? Ein Herr, wie der andere? Willst kaiserliche Majestät in Reih' und Glied stellen mit dem Küh= melker von Schwyz, oder dem Metzgermeister von Bern?

„Hei!" rief der Dichter von Waldshut lachend: „Thron oder Melkstuhl, ist beides zuletzt Wurmfraß; der Mann darauf gilt, der der Herr ist! Die Eidgenossen wissen, wofür sie fechten. Frei wollen sie sein, Könige in ihren Hütten. Kein übler Einfall! Die Menschen haben dem Zufall und Scharwenzel in die Karten gesehen. Sie halten den Thron für einen vergoldeten Melkstuhl, und wollen nicht des Herrn Kühe sein. Ihr Aargauer aber, was wollet ihr? — Für die Ehre eurer Kuhschaft die Hörner abstoßen?"

„Verdammter Frevler!" sagte der Herr von Hemmenhofen, indem er aus vollem Halse lachte: „Säß' ich neben dir, ich würde dir die Ohren zupfen!"

„Und ich," fiel Gangolf ein, indem er Isenhofern die Hand über den Tisch reichte, „drücke dir dafür die Hand, Biedermann! Du hast ein wahres Wort gesprochen."

„Wie, Herr Gangolf?" schrie Bentelin: „Ist's also gemeint? Bleibet auch Ihr nur auf der Halbscheid? Treibet keinen Scherz. Wer das Glück hat, die Schönste aller Schönen zum Altar zu führen, wird ihr nach der Hochzeit lieber eine Grafenkrone, als eine Bürgerhaube schenken. Ach, mein himmlisches Fräulein," setzte er hinzu, indem er sich an Gangolf's Verlobte wandte, „ich würde sterben vor Schmerz, oder vor Lachen, wenn Ihr zuletzt eine ehrbare Base und Gevatterin aller Metzger, Bäcker und Schuhmacher werden müßtet, und auf die gnädigen Blicke einer dicken Frau Schultheißin warten sollltet."

Ursula warf ein freundliches Auge auf den Herrn von Hemmenhofen, nahm dann die Miene der stillen Dulderin, ohne doch ihre Schalkheit ganz zu verbergen, und sagte: „Herr Gangolf ist sehr genügsam, glaubt mir's. Der Thurm Rore im Freihof zu Aarau ist ihm so werthvoll, wie ein Palast, und er würde nicht zürnen, wenn ich zum Brautkleide den Kittel einer Begutte wählte."

Herr Trüllerey ward bei diesen kränkenden Worten feuerroth. Er richtete auf die Verlobte einen Seitenblick, in welchem weniger Liebe, als Verachtung, zu lesen war. Nicht Purpur, nicht Zwillichkittel, das Herz macht die Braut!" sagte er.

„Da hört Ihr es selber, lieber Bentelin!" rief Ursula lächelnd:

„Helft mir wenigstens, daß ich an der Hochzeit nicht in den Holz=
schuhen der Schwyzer tanzen muß."

„Ich würde ihm lieber gestatten," erwiederte der Ritter, „mir
zuvor auf dem Nacken zu tanzen."

„Dazu könnte mich fast Lust anwandeln," sagte Gangolf trocken,
„wenn der unzeitige Schirmherr meiner Braut nicht so gut schweigen,
als prahlen gelernt hat."

„Was ficht Euch an?" schrie Bentelin mit funkelnden Augen:
„Danket's dieser achtbaren Gesellschaft und der Gegenwart des Fräu=
leins von Falkenstein, daß Ihr nicht schon zum Fenster hinausgeflogen
und den Gassenbuben ein Gelächter seid!"

„Still, liebe Herren und Freunde!" rief der alte Schultheiß,
indem er sich vom Tische erhob und die ganze Gesellschaft seinem
Beispiel folgte: „Keine Händel. Es soll nicht gesagt werden, daß
zwei tapfere Edelleute feindselig von meinem Tische aufgestanden
sind, an dem wahrlich nichts Schlechtes, als der Wein war. Aber
begleitet mich in's Nebenzimmer, da wird uns mit besserem aufge=
wartet werden. Herr Gangolf ist etwas übler Laune, und nicht ohne
Grund, weil er vernommen, wie sein Herr Vater krank und siech
worden ist."

„Herr Schultheiß, Ihr mahnet mich zur rechten Zeit daran!"
sagte Gangolf: „Erlaubet, daß ich nach Aarau aufbreche und mich
bei Euch beurlaube."

Ursula erschrack vor diesen Worten, ging mit zwei raschen Schrit=
ten zu ihrem Bräutigam, ergriff seine Hand und sagte halbleise:
„Gangolf, Gangolf, ist's dein Ernst? Kaum zu mir gekommen, mich
wieder verlassen? O Gangolf, ist das deine Liebe?"

„Ich muß meinen alten Vater sehen. Ihr höret, daß er krank
ist, vielleicht dem Tode näher, als wir wissen!" antwortete er.

„Reise morgen, Gangolf, ich bitte! Reise morgen, Gangolf!"
setzte sie mit leiser Stimme hinzu und mit gesenkten Augen: „Ich

habe dich in Unbesonnenheit beleidigt, ich muß dich diesen Abend allein sehen und versöhnen. Morgen reise! Ich befehle es, du Trotzkopf."

„Könnet Ihr auch dem Tode befehlen, daß er das Leben meines alten Vaters um eine Nacht verschone?"

„Aber niemand hat gesagt, daß die Gefahr groß sei!" versetzte sie.

„Laß mich ein gutes Kind sein," erwiederte er, „wie Ihr eine gute Tochter seid, die auch im Taumel des Entzückens ihre Ahnen nicht vergißt."

Empfindlich trat das Fräulein zurück und sagte: Ich gelt' Euch nichts. Ich fühle es. Ihr werdet mich also nicht zu meinem Vater nach Seckingen führen?"

„Wann gedenket Ihr abzureisen, Fräulein?"

„Uebermorgen."

„Gestattet es die Gesundheit meines Vaters, bin ich schnell zurück, und, befehlt Ihr, diese Nacht noch."

„Und ich," rief Isenhofer dazwischen, „bürge für ihn, gnädiges Fräulein. Wenn er's erlaubt, begleit' ich ihn und bring' ihn selber zu Euch zurück."

„Ihr seid mir willkommene Gesellschaft!" sagte Gangolf zum Dichter, „wenn Euch ein strenger Ritt so leicht wird, als ein Vers. Es sind vier Stunden; wir machen sie in zween."

Gangolf küßte zum Abschied des Fräuleins Hand, und stahl sich nebst Isenhofer aus der muntern, geräuschvollen Gesellschaft, nachdem er dem Schultheißen noch ein dankbares Lebewohl zugeflüstert hatte.

———

8.

Der Ritt nach Aarau.

„Gottlob!" rief Herr Trüllerey fröhlich, da er mit seinem Gefährten aus dem obern Thor über die Brücke des Stadtgrabens in
die grünen Wiesen hinausritt: „Ich mag wieder athmen, nun ich
meinen Aarstrom, meine Wälder und dort hinten die Berge meiner
Heimath wieder sehe! Mir war gar nicht wohl da drinnen im engen
Städtchen."

— Ei, ei! versetzte Isenhofer: Ich möchte das für keine Tonne
Goldes der schönen Tochter des Falkensteiners beichten.

„Kann ich dafür? Ich liebe sie, muß sie lieben, aber es waltet
über dieser Liebe, glaub' ich, ein böser Stern. Es zieht mich aus
weitester Ferne zu ihr mit unüberwindlicher Gewalt; aber in ihrer
Nähe werd' ich alsbald elend; unter ihren Liebkosungen wird mein
Herz zerrissen. Die arme Mücke muß und muß zum feurigen Licht,
und dann jämmerlich in der Flamme vergehen."

— Ich merk' es, Herr Gangolf, Euch thut Zerstreuung noth;
die beste Arznei gegen verliebten Verdruß. Und wollt Ihr einen
guten Rath nebenbei? Denn glaubet mir, ich kenne den Sitz Eures
Uebels.

„Laß hören!"

— Ihr macht aus Euch selber allzuwohlfeile Waare, wie es
junge, warmblütige, leichtgläubige Leute machen. Ihr verschenket
Euch jeden Augenblick mit Leib und Seele; gehöret Euch nie selber
an; und als fremdes Eigenthum könnet Ihr den Schmerz nicht ertragen, wenn der Andere Euch nimmt und hält, wie es ihm eben
behagt. Versteht Ihr mich? Wenn Ihr dürstet, bleibet am Ufer,
trinket; aber stürzet Euch nicht in den Strom, er verschlingt Euch.
Gebet Allem, was Euch freundlich anspricht im Leben, den Finger
oder die Hand, aber Keinem Euch ganz. Die Welt steht fest, aber

VII.   3

nichts in der Welt; darum halte an dem, was bleibt, aber an nichts in der Welt.

Gangolf nickte mit dem Kopf und dachte der wunderlichen Rede nach. Er fühlte darin etwas Wahres, und sein Inneres davon getroffen. Isenhofer wollte aber den jungen Mann nicht zu lange dem Nachdenken überlassen, sondern dessen Gedanken nach andern Dingen leiten. Er zeigte auf den grauen Thurm des Schlosses Habsburg empor, der links vor ihnen von der Höhe des walbigen Wülpelsberges herab, wie ein König, mit alterthümlicher Würde durch's Land sah.

„Ist das nicht das Stammschloß unsers Kaisers?" fragte er.

— Allerdings! erwiederte Gangolf: Die Sägesser von Brunegg haben es von Bern zum Lehen.

„Sic transit gloria mundi! Der Adler ist aus seinem Nest geflogen, nun hecken die Dohlen darin mit ihrer Brut!" sagte Isenhofer, der das begonnene Gespräch nicht wieder stocken ließ, sondern es über Alles verbreitete, was er in der ihm fremden Landschaft erblickte, deren Schönheit er nicht genug preisen konnte.

Sie ritten im raschen Trabe durch die grünen Wiesen und Aecker des rechten Aarufers am Fuße des Wülpelsberges dahin. Jenseits des breiten Stromes, dessen unruhiger Lauf vielerlei Sandbänke und kleine Inseln schuf, bildete das Juragebirge seinen weiten Bogen. Sie sahen drüben die Hütten des Hofes Schinznach gelagert, der Sägesser Eigenthum, berühmt und besucht wegen benachbarter Heilquellen. Diese stiegen damals noch am linken Ufer des Flusses aus dem Boden, bis die Aare sie in einer ihrer verwüsterischen Launen verschlang*). Hinter den Hütten jenes Hofes tiefte sich im grünen

---

*) Erst im Jahr 1690 wurde die Quelle mitten in der Aare auf einer Insel wieder gefunden. Jetzt fließt sie am rechten Ufer aus.

Schoos der Berge ein geräumiges, heiteres Thal ein, worin die finstern Burggemäuer von Castelen*), und darüber an den Felsen hängend die Thürme und Zinnen von Schenkenberg sich sonneten.

Jeder Schritt verwandelte um die Reisenden her das Schauspiel. Die Gebirgslandschaft regte und bewegte sich durch einander wie ein Zaubergemälde, in welchem Dinge Leben haben, die sonst starre Massen sind. Eben gesehene Thäler verschwanden in Wäldern, und neue schlossen dem Auge freundlich ihr Inneres auf, während Berg= höhen sich unter Hügeln bald versteckten, bald wieder überraschend hervortraten.

Nach einer Stunde streckte links und rechts das Gebirge seine Arme näher gegen einander. Hüben und drüben des Stroms erhoben sich zwei gewaltige Felsenschlösser, Schildwachten vor dem Eingang in eine neue Thalwelt; links auf schroffer, buschigter Felswand, mit vielen kleinen Thürmen und Angebäuden, die Veste Wilbegg, wo Petermann von Greifensee hausete; rechts, im Schatten finsterer Tannen, das romantische Wildenstein über dem Aarufer. Dann schloß sich vor den Blicken der Reiter eine große Ferne auf, wie mit einem unendlichen Wald überkleidet. Die unübersehbare Bergkette des Jura zur Rechten zeigte ihre steilen Höhen, ihre Zacken und Gipfel, je weiter hin, um so viel erhabener, zahlreicher und blauer. Links strahlten über den Wipfeln des Forstes, im Abendlicht, die Zinnen der Lenzburg von einer Felshöhe; und von einem andern Hügel da= neben die weißen Mauern des Kirchleins der alten Grafen von Lenzburg.

Doch nach kurzer Zeit schwand Alles, da der Weg immer rauher und übler ward, und die Reisenden mit sich in die finstere Einöde eines Waldes zog.

———————

*) Das jetzige Schloß ist erst im Jahr 1643 gebaut, weil das alte, der Schenken von Castelen Stammhaus, dem Zusammensturz nahe war.

„Mich nimmt nicht Wunder," sagte Isenhofer, „wenn es dem Abel von Oesterreich gelüstet, dies prächtige Land wieder dem Bären*) aus ben Zähnen zu reißen. Darüber aber wird der fette Bissen selber am meisten zerfetzt werden."

— Dächten die Andern im Aargau wie ich, erwiederte Herr Trüllerey, sollten dem Adler und Bären Schnabel und Zähne an unsern Felsen stumpf werden. Wir könnten uns gar wohl unserer Haut wehren, wenn wir Herren und nicht Knechte sein wollten.

„Grämet Euch kein graues Haar darum an, Herr Gangolf. Der ungeheure Mehrtheil unsers Geschlechts besteht aus Narren und Bestien, die mit Seifenblasen spielen oder im Koth wühlen; für ein paar Plappart**) Lohn, für ein Weibergesicht, für ein Pfaffen= geschrei, für einen windigen Namen ihre gesunde Vernunft in die Pfanne schlagen und dem Tode in den Rachen springen. Das Leben hat wohl etwas, wofür das Leben selbst der Preis sein könnte. Aber . . . ."

Und das wäre?

„Das, was Bestien und Narren nicht haben: schlichter Menschen= verstand und was aus ihm hervorwächst, das Rechte, das Wahre und Gute. Merket's Euch, Bestien und Narren, mehr nicht!"

— Wie kann dir bei der Art zu denken unter den Menschen wohl sein?

„Himmlisch wohl! Ich heule mit den Wölfen, gaukle mit den Narren, und lache in der Einsamkeit. Macht's wie ich, wenn Ihr froh sein wollet."

— So stehst du ja einsam mitten in der Welt und siehst Deines= gleichen nicht mehr.

„Ich bin so einsam nicht; hab' einen guten Freund; kann zu ihm,

---

*) Der Bär war in Berns Wappen, wie noch heut.

**) Eine damalige Scheidemünze, etwa drei Kreuzer werth.

wenn ich will, und der ist Gott! Ihr habet ohne Zweifel von ihm reden gehört, aber kennet ihn schwerlich."

Gangolf sah bei dieser Wendung des Gesprächs seinen Nachbar seitwärts mit großen Augen an und sagte: „Wie meinst du das?"

— Buchstäblich. Ihr wißt's von Pfaffen und Schulmeistern, die wissen's wieder von ihren Meistern; einer plappert dem andern nach, wie der Staar, und so ist Alles todtes Geplapper. Glaubet mir, wenn Ihr's auch nicht versteht, Gott ist ein ganz anderer Gott, als der Gott in den engen Kirchen und Schulen.

„Woher weißt du es besser, als sie, Freund Isenhofer?"

— Ich habe eine geschriebene Bibel; lese oft die geschriebenen eigenen Worte Christi; habe noch eine ungeschriebene Bibel, und die ist Gottes eigenes, ausgesprochenes Wort, nämlich seine Schöpfung, die Natur, das All der Wesen vom Aufgang bis Niedergang. Alles Andere ist Traum, Geckerei, Pfaffendunst. Glaubt mir's!

„Du hast ein loses Zünglein im Munde!" sagte Gangolf: „Es kömmt dir zu statten, daß diese Tannen und Eichen keine Ohren haben. Die Kirchenversammlung sitzt heut' noch in Basel beisammen, und sie könnte dir leicht ein warmes Bett machen, wie vor dreißig Jahren dem böhmischen Huß zu Konstanz."

— Und was wär' es mehr? entgegnete Isenhofer gleichgültig: Der Böhme war kein Narr, sag' ich Euch, sondern ein Mensch, der wohl wußte, warum er zu Bette ging. Ich ginge, sobald man's verlangte. Alles ist Traum, der Tod neue Schöpfung, die Todesart nur Vorurtheil unserer armen Narren. Und es ist wohlgethan, daß rechte Menschen hier und da einmal das Leben auf eine Karte in's Spiel setzen, auf die es kein anderer wagen würde. Der übrige Janhagel wird wenigstens dadurch stutzig und neugierig, ob noch etwas Anderes zu gewinnen sei, als Seifenblase und Koth.

Hier schwieg der wunderliche Waldshuter, und nach einigen Augenblicken sang er plötzlich einen Gassenhauer aus dem Appenzellerkriege mit lauter Stimme. Gangolf unterbrach ihn und gestand, daß er an dem Liede weniger Gefallen habe, als an dem vorigen Gespräch. Er bat, dasselbe fortzusetzen, weil er im Stillen schon viel Aehnliches gedacht habe, und hub nun wieder an zu fragen, um den Dichter in's alte Geleise zurückzubringen. Es gelang ihm damit nach einiger Mühe, denn Isenhofer wollte lange seinen Singsang nicht lassen. Meine Leser hingegen werden mit mir zufrieden sein, wenn ich die Unterredung der beiden Reisenden übergehe. Denn sie dauerte durch den ganzen Wald hindurch, aus dem sie bei einem kleinen Dorfe hervorkamen, bis zur Brücke über den unbändigen Strom der Suren. Da erblickten sie, als sie den Weg steil aufwärts geritten waren, in lachender, freier Ebene vor sich das Städtlein Aarau, dahinter den schwarzen Teppich der Tannenwälder am Gebirge. Im Hintergrunde ragten hoch von den Zwillingsgipfeln eines fernen Berges die Trümmer der Waldburgen, einst der Hallwyle Bergvesten, von den Bernern und Solothurnern gebrochen. Links über den bescheidenen Hütten des Hofes Suhr, dessen eine Hälfte noch den reichen Geßlern angehörte, sah man auf der Waldhöhe im Thale die weißen Schloßgemäuer von Liebegg. Es war dies alte Haus durch die Hand seiner Erbtochter vor Kurzem erst an die Edeln von Luternau gekommen.

Damals streckte vor dem St. Lorenzenthor von Aarau noch keine Vorstadt ihre langen Häuserreihen, mit geschmackvoll aufgeführten Gebäuden, aus. Sondern Gangolf und Isenhofer ritten auf müden Rossen schrittlings zwischen Wiesen und kleinen, umhägeten Gärten, worin die bürgerlichen Hausfrauen mit ihren Mägden eben mit Frühlingsarbeit auf Gemüse- und Blumenbeeten beschäftigt waren. Wo heutiges Tages Platanen und Akazien von einem Thore zum andern geräumige, freundliche Schattengänge bilden, zog sich damals ein breiter, tiefer Graben um die hohe, mit Schießscharten wohlversorgte Ringmauer.

Rechts vor der Stadt, auf niedern Felsen an der Aare, hob die

Burg, ein uralt=heidnisches Gemäuer*), ihren gevierten Thurm
in die Luft; gleich Zyklopenthürmen aus gewaltigen Steinmassen
emporgehäuft. Die Sage rückte seine Erbauung bis in die Tage der
Römerherrschaft in Helvetien zurück. Eher mag geglaubt werden,
daß ihn die Hand der Burgunden zum Schutz ihrer unsichern Erobe=
rungen gegen die Wildheit der Allemannen aufgeführt habe. Denn
hier vorüber ging einst der alte Straßenzug von der untergegange=
nen Vindonissa nach Solothurn und Aventicum, den Ufern des Aar=
stromes nach, so lange südwärts noch Alles unermeßlicher Wald war,
von keiner Art gelichtet.

Gangolf grüßte freundlich zum Thurm hinauf, wo aus dem
schmalen Fensterlein der alte Herr von Luternau die Vorüberwan=
delnden betrachtete. Sein Geschlecht hatte die Burg schon seit alten
Zeiten von den Königen zum Lehen getragen, und Gangolf hatte
mit den Kindern Luternau's einst seine Jugendspiele getrieben.

Ueber die Brücke des städtischen Ringgrabens ritten unsere Reisen=
den wohlgemuth durch das hochgethürmte Thor, mit dicken Pforten=
flügeln und Fallgattern wohlversehen, zu der noch ungepflasterten
Straße des Städtleins Aarau hinein. Links und rechts in den Häusern
war es von mancherlei Gewerb und Handwerk laut; und neugierige
Köpfe fehlten nicht an den Fenstern, die Eintretenden zu betrachten.
Ueber den Brücken des schmalen, rauschenden Stadtbachs wandelten
ehrbare Bürger gemächlich auf und ab in Gesprächen von Stadt=
und Hausdingen. Alle zogen freundlichgrüßend Baret und Kappen
vom Haupt, als sie den Junker Trüllerey erblickten, der ihnen lieb
war, wie von jeher sein Geschlecht. Denn dasselbe hatte sich jeder=
zeit an der Stadt Aarau löblich verhalten und derselben viel Gut=
thaten und treue Dienste erwiesen.

---

*) Jetzt „das Schlößli", und im fünfzehnten Jahrhundert, selbst
noch im folgenden, „der alte Thurm" genannt.

Rechts, am Ende einer Seitengasse, stieg abermals ein mächtiger, gevierter Thurm mit niedrigem Seitengebäude empor, durch
den Burggraben und die starke Ringmauer von der übrigen Stadt
getrennt. Eine schmale Zugbrücke an Ketten lag über dem Graben.
Das war die alte Veste Rore, der Freihof von Aarau. Man
hatte damals in mehreren Städten Freihöfe, worin jeder verfolgte
Unglückliche Zuflucht und Sicherheit fand, er mochte schuldig oder
unschuldig sein. Die Wildheit der Sitten in jenem Zeitalter, wo
ungestüme Selbstrache nicht selten der unbehilflichen und langsamen
Gerechtigkeitspflege vorgriff, entschuldigte das Dasein dieser Stiftun-
gen, die endlich nach fester Ausbildung der Staaten verschwunden
sind *).

Der alte Thurm Rore stand hier schon seit manchem Jahrhundert. Einst war er der Grafen von Rore Sitz gewesen, deren Gebiet sich, in heut' unbekannten Grenzen, von hier und der Aare bis
an die Reuß hinauf, über das Kloster von Muri hinweg, ausgedehnt
hatte. Hier war des ganzen Landes Mallstätte gewesen, wohin das
Volk gekommen war, vor dem Stuhl des Grafen Recht zu nehmen.
Daher vermuthlich hatten nachmals die Fürsten von Oesterreich, als
sie Gebieter dieser Landschaften geworden waren, die Freiheit oder
Zufluchtstätte der Verfolgten und Missethäter dahin gelegt. Das
Geschlecht des Grafen von Rore selbst war schon um die Mitte des
neunten Jahrhunderts erloschen. Aus den Wohnungen, die sich um
die Veste des Grafen nach und nach erhoben hatten, mag die Stadt

---

*) Nach dem Absterben des Geschlechts Trüllerey kaufte im Jahr
1515 die Stadt Aarau die Veste Rore an sich, füllte die Burggraben aus, veränderte das Gebäude, machte daraus ihr Rathhaus (doch steht der Thurm Rore noch in alter Gestalt mitten
im Gebäude) und verlegte den Freihof oder das Zufluchtsrecht
auf ihren Kirchhof.

Aarau ihren Ursprung empfangen haben. Man nennt auch einen Landolin oder Laudolus, der um das Jahr Christi 806 als der letzte seines Stammes gelebt haben soll. Aber nicht unmerkwürdig ist, daß bis zum heutigen Tage unter den Landleuten der benachbarten Gegend, im Solothurner=Gebiet, ein Geschlecht fortblüht, welches uralte Vermächtnisse und Schenkungen, als unveräußerliches Familiengut genießt, und nicht nur in männlichen, sondern auch in weiblichen Nachkommen stets den Namen „Rudolf von Rore" trägt und forterbt.

9.

Der alte Rüdiger.

„Wo ist mein Vater?" rief Gangolf den beiden Knechten zu, welche aus dem Seitengebäude hervorrannten, sobald sie ihren jungen Herrn mit dem Fremden über die Zugbrücke in den engen Zwinger hineinkommen und vom Rosse steigen sahen.

„Im obersten Gemach des Thurms, gestrenger Herr!" entgegnete der Jüngere, der Gangolfs Pferde am Zügel nahm: „Er läßt keine Seele vor sich."

„Halt's Maul, Irni Fäsen!" rief der ältere Diener, Hemman Enderli, welcher Isenhofers Roß hielt: „Mußt du den Schnabel immer voraus haben?"

„Du Narr!" erwiederte Irni: „Keinem wächst der Schnabel hinten aus. Und was ich gesagt habe, ist wahr. Der alte Herr läßt Niemanden vor. Ich muß Jedermann abweisen: er hat's mir bei Leib und Leben geboten."

„Aber der Sohn vom Hause gehört doch nicht unter die Jedermanns, Gelbschnabel! Achtet doch nicht auf des Tölpels Gewäsch, Junker. Seid willkommen!" sagte Hemman: „Wir haben Euch

lange nicht mehr bei uns gesehen. Das Umherfahren in Deutsch-
und Welschland ist Euch nicht übel bekommen; der alte Herr wird
sich freuen, Euch wieder zu haben."

"Nun, bei St. Lorenz!" schrie Irni dazwischen: "Das wäre
seit langer Zeit die erste Freude. Ich will's dem gestrengen Herrn
wohl gönnen. Aber ich sag's Euch, liebster Junker, der alte gnädige
Herr läßt Niemanden vor sich, ist trübselig, wie der König Saul
im Evangelio, und thut den Mund so wenig zu Frag' und Antwort
auf, als ein Stummer am Teich Bathseba."

"Bethesda, du Esel, Bethesda!" rief der alte Hemman ärgerlich: "Du aber thust dein ungewaschenes Maul viel zu weit auf.
Muß man denn gleich Alles anbringen und mit der Thür ins Haus
hineinplatzen? Schickt sich das, du struppiger Strubelkopf? — Es
ist wahr, liebster Junker, der alte Herr ist seit einiger Zeit etwas
still und unpäßlich."

"Was? seit einiger Zeit!" unterbrach ihn Irni: "Dein Gedächtniß, Hemman Enderli, hat kurze Waare feil. Nein, liebster Junker,
es ist schon seit dem Tage vor Lichtmeß, als die Zigeunerin bei ihm
war, die sich vor den Stallknechten in den Freihof rettete."

"Schwatz du und der Kukuk!" schrie Hemman: "Ich glaube, Irni
Fäsen, deine Mutter hat sich an Bileams Esel versehen. — Nun ja,
lieber Junker, weil der Kerl denn nichts bei sich behalten kann, so
gesteh' ich, seit Lichtmeß mag es sein. Doch was die Zigeunerin betrifft, so kann Niemand eigentlich sagen . . ."

"Ich aber, bei St. Lorenz, bin Jemand!" fiel Irni ihm in die
Rede: "Und ich sage, die schwarzgelbe Hexe vom Herzog Michel aus
Aegyptenland hat's ihm angethan. Hemman Enderli hat's nicht ge-
sehen, aber ich kniete hinter dem Stallthürlein und melkte die Geiß.
Lieber, gestrenger Junker, der alte, gnädige Herr stand dort an der
Thurmecke, und die Vettel mit pechschwarzen Augen vor ihm und sah
ihm in die Hand. Der Stadtknecht Heini Joberist hat auch Beide

- 75 -

aus der Ferne beobachtet, denn er paßte vor dem Burggraben auf, weil die Zigeunerin eine Henne auf der Gasse gestohlen hatte. Die Henne gehörte des Hansen Heinkers Mutter. Es ist gewißlich wahr. Und wenn die ausgesuchteste Diebin nicht mehr Teufel im Leibe gehabt hat, als kohlrabenschwarze Haare auf dem Kopf, so will ich weder leben noch sterben. Denn sie ist in der Nacht aus dem Freithof entkommen, Niemand weiß, wie? und wohin? Und der alte, gnädige Herr ist den ganzen Abend stumm und still, starr und steif am Wappenfensterlein gestanden, als wäre er zur Salzsäule geworden, wie Sodom und Gomorrha."

„Ist's nun heraus?" rief Hemman Enderli: „Kann ich nun zum Wort kommen? Was muß unser Herr Junker nun von dir denken, du plumper, ungeschliffener Block?"

„Hei, ich meine, er wird wohl denken, ein ungeschliffener Diamantblock sei mehr werth, als ein abgeschliffener Kieselstein, wie du, dergleichen man tausend an der Aare findet!" entgegnete Irmi.

„Haltet euch Beide ruhig!" sagte der Junker gelassen: „Besorget unsere Rosse wohl. Warum zeigt sich Meister Langenhardt nicht, der Hofmeister?"

„Stracks wird er erscheinen, sobald er Eure Ankunft vernimmt!" antwortete Hemman: „Er begab sich auf ein Abendtrünklein zu meinem wohlweisen Herrn Schultheißen Zehnder."

„Und Heini Entfelder, der Jäger?"

„Unten an der Aare mit allen Hunden!" erwiederte, sich jedesmal ehrerbietig verneigend, der alte Knabe des Hauses: „Es ist eine Schmach, meiner Treu, daß bei der Ankunft des gnädigen Junkers Alles ausgeflogen sein muß und das liebe Nest leer steht. Sogar Frau Elsbeth, die Beschließerin, und Marelli sind zum Herrn Leutpriester in die Messe."

„Führe die Rosse umher, Hemman, daß sie sich abkühlen!" sagte

Gangolf: „Du Irni Fäsen, suche die Leute zusammen. Wir gehen indessen in's Haus."

Mit diesen Worten trat der Junker voran, dem Gaste den Weg zu zeigen. Er ging eine schmale Wendeltreppe innerhalb der dicken Thurmmauer hinauf. Die ausgetretenen steinernen Stufen beurkundeten ihr hohes Alterthum, gleichwie die häusliche Sparsamkeit des Burgherrn. Nur durch eine enge, schuhlange Oeffnung in der Mauer floß so viel Licht auf den Wendelsteig, daß eine karge, doch nützliche Dämmerung darüber schwebte. Vermittelst derselben erkannten bald die Hinaufsteigenden im Winkel der Mauerblende seitwärts Etwas, das durch Bewegungen sich als Lebendiges andeutete. Gangolf, ungewiß dessen, was er erblickte, blieb stehen.

„Bist du es, Gangolf?" sprach eine dumpfe, halblaute Stimme aus der Blende: „Ich sah dich gegen die Stadt reiten."

Ein mattes Licht fiel auf die Gestalt, als sich hinter derselben die Thür eines Zimmers öffnete. Gangolf erkannte seinen Vater, dem er, sobald sie mit einander in das Gemach eingetreten waren, ehrfurchtsvoll die Hand küßte. Zugleich stellte er ihm den Gast vor, zu dessen Empfehlung er einige Worte beifügte. Der alte Ritter that mit der Hand eine langsame Bewegung, welche den Fremden willkommen hieß, während sich dieser tief verbeugte.

Es war aber etwas Schauerliches in der Art des Greises, der fast gar nicht sprach, und selbst durch keinen Blick, durch keine Aenderung der starren Gesichtszüge das Dasein einer Empfindung verrieth, welche wohl sonst das Vaterherz beim Wiedersehen eines lange abwesenden Kindes bewegt. Man entdeckte keine Spur von Ueberraschung, von Freude, oder auch nur von Neugier; eben so wenig ein Zeichen des Verdrusses oder der verhehlten Unzufriedenheit, sondern eiskalte Gleichgültigkeit eines Leichnams gegen das, was ihn umgibt. Das Aeußere des Mannes verstärkte noch auf Isenhofer den Eindruck. Eine hohe breite, würdevolle Gestalt war ganz und gar,

vom Hals bis zu den Füßen, in einen schwarzen, weiten Pelzrock
gehüllt, von dessen Gürtel, an einer Silberkette, ein Dolch mit
silbernem Gefäß und ein Rosenkranz hing. Ueber den Kopf war
kappenartig ein schwarzes Wolltuch geschlagen und um den Hals
befestigt, daraus das bleiche, stille Antlitz mit den großen, an nichts
haftenden Augen, mit langer, gebogener Nase, harten, scharfen
Gesichtszügen noch düsterer hervortrat, und das kurze graue Haar
um das Kinn, und den Spitzbart über der Oberlippe, wie eine ab-
wechselnde Schattung zeigte.

„Mein Herr Vater, Euch scheint nicht wohl zu sein?" stammelte
Gangolf etwas beklommen, nachdem er viel erzählt und weder dessen
Aufmerksamkeit, noch dessen Antwort gewonnen hatte.

„Wohl!" erwiederte der alte Rüdiger, und ging mit langsamem
aber festem Schritt durch das geräumige, gewölbte Zimmer hin, dann
wieder zurück.

Gangolf beobachtete mit Absicht langes Stillschweigen, in der
Hoffnung, seinen Vater zu einer Frage zu zwingen. Doch irrte er sich.
Jener ging in der Stube auf und nieder, als wär' er einsam. Er bemerkte weder den Fremden, noch den Sohn. Nach und nach wurden
seine Schritte rascher. Es schien fast, als trieb ihn innere Unruhe.

„Gewiß, mein Herr Vater, Ihr leidet an einer Krankheit!" sagte
Gangolf wieder nach einer guten Weile, und ging ihm nach. Herr
Rüdiger schien ihn weder zu hören, noch ihn an seiner Stelle zu
bemerken, sondern setzte den Schritt stumm und still fort. — Ein
langes Schweigen folgte abermals.

Plötzlich blieb der Alte stehen, hob die Augen zu seinem Sohn
auf, und sagte: „Gut, daß du hier bist, Gangolf. Morgen laß ich
dich zu mir rufen. Bewirthe den Gast, wie sich's gebührt." Darauf
wandte er sich zu einer schmalen Seitenthür und ging mit schnellem
Schritt hinaus. Gangolf eilte ihm nach.

Herr Isenhofer war indessen mit peinlichen Empfindungen Zeuge

des seltsamen Empfanges gewesen, und hatte den alten Herrn mit
unverwandten Blicken verfolgt. Zuerst war ihm dieser wie ein bei
Tag umgehendes Gespenst, dann wie ein von stillem Wahnsinn be=
fallener Mensch vorgekommen.

Er athmete tief und froh auf, sobald er den alten Rüdiger ver=
schwunden und sich allein sah. Zu seiner Zerstreuung betrachtete er
nun das geräumige, längs den Wänden mit Nußbaumholz getäfelte
Zimmer, worin jedes Geräth von Wohlstand und bescheidener Pracht
des Burgherrn zeugte. Auf dem Gesimse, über welchem ein goldener
Helm glänzte, sah man die Reihe hoher und niederer Silberbecher
nach ihrer Größe geordnet; an der Wand gegenüber hingen in präch=
tigen Wehrgehenken zwei Schwerter kreuzweis, darüber ein blanker
Stahlhelm mit rother und weißer Feder. Ein zierlich gewirkter, bunter
Teppich, mit langen Franzen bedeckte den breiten Tisch, ohne jedoch
dessen in dicke Löwenklauen ausgehende, kunstvoll geschnitzte Füße
ganz zu verbergen. Gleiches Schnitzwerk verzierte die damit fast über=
ladenen eichenen Zimmerthüren und die etwas schwerfälligen Stühle
von braunem Nußholz. Blaue Polster, mit großem, vielfarbigem
Blumenwerk darauf, lagen sowohl auf den Sesseln, als auf den
schmalen Wandsitzen am Fenster.

So viel Lebensbequemlichkeit hätte Isenhofer, beim ersten Anblick
des finstern Thurmes, weder von dessen Innerm, noch so viel Ge=
schmack dafür von dessen düsterherzigem Gebieter erwartet. Es that
ihm aber wohl, zu glauben, daß Beide, der Thurm und der Herr,
sich nicht weniger von innen glichen, wie sie von außen gleich ab=
schreckend waren.

Am meisten zog ihn die heitere Aussicht an, als er zum Fenster
trat, durch dessen obere bunte Glasscheiben die niedergehende Sonne
in mancherlei Lichtern spiegelte. Der Fuß der Veste ruhte drunten
auf Felsen, von welchen eine berasete Halde schräg, wie die Böschung
vom Walle, zur niedern Ringmauer lief, an deren Stelle heutiges

Tages eine in derselben Richtung gekrümmte Linie Häuser steht. Damals aber schlugen die Wellen der Aare fast bis an die Ringmauer. Jenseits des Stromes, der vor der Stadt eine Weideninsel gebildet hatte, stieg das Gebirg des Jura mit hinter einander aufschwellenden Hügeln stufenweise zu den Wolken. Drüben schmiegten sich zur Linken malerisch in den Busen der Berge die Hütten des Dörfleins Aerlis=bach, rechts schimmerten die Zinnen des Schlosses Biberstein, wo Johanniter=Ritter hauseten, am Fuß der Gisuläflue, deren sanft gebogenes Felsenhorn im Wiederschein des Abendgewölks über das Thal leuchtete.

Isenhofer hatte Zeit genug, die heitern Umgebungen zu betrach=ten, und seinen Einbildungen und Gefühlen ungebundenes Spiel zu gönnen; denn Gangolf kehrte erst nach einigen Stunden zurück, da draußen schon die Sterne, im Zimmer des Thurmes schon die hellen Lampen brannten, und von der Dienerschaft der Tisch mit Wein und Speisen besetzt war.

„Du hast Langeweile gehabt, Freund Isenhofer!" sagte der Junker, als er in's Zimmer trat: „Aber seit Neujahr sah ich das väterliche Haus und die Stadt nicht. In Brugg hättest du fröhlichere Unterhaltung gehabt, wärest du dort geblieben!"

— Ihr irrt Euch. Ich bin nie in schlechterer Gesellschaft, als in großer; nie in besserer, als in keiner. Habt Ihr Euerm Vater Rede abgewonnen? Wie verließet Ihr ihn?

„Wie du ihn sahst!" erwiederte der Junker mit dem Ausdruck geheimer Besorgniß: „Ich folgte ihm bis zur Thür des obersten Saales. Ich redete ihn an, bat ihn um Gehör. Er schüttelte den Kopf, wies mit der Hand zurück, und sagte: „Morgen!" Dies war sein einziges Wort, und damit schloß er sich ein. Es ist etwas Fremdes in ihm, oder an ihm. Ich erkenne von außen noch die väterliche Gestalt; aber es ist in diese ehrwürdige Behausung seines Geistes ein unbekannter Gebieter eingezogen."

— Puh! rief Isenhofer, und stellte sich, als schüttle ihn Fieber-
frost: Das wäre, so wahr ich lebe, Seelenwanderung vor dem Tode.
Jagt mir keine Furcht ein; es ist Nacht und in Eurer tausendjährigen
Burg vielleicht sonst nicht ganz geheuer. — Scherz beiseite oder
unter'n Tisch! Hättet Ihr lieber den Arzt, oder das Hausgesinde,
oder andere Leute befragt, die in der Nähe des alten Herrn leben,
was ihm in Eurer Abwesenheit begegnet sei? Denn er scheint mehr
am Gemüth, als am Leibe erkrankt.

„Hörtest du nicht, Isenhofer, was Irni Fäsen, der Knecht, von
der Zigeunerin sagte? Darüber stimmt Alles im Freihof zusammen,
die Here hab' es ihm angethan mit ihrer Teufelskunst."

— Das möcht' ich glauben, wenn sie jünger und schöner gewesen
wäre. Verlaßt Euch auf mein Wort, der Teufel mag die alten
Weiber so wenig, als ich.

„Es kömmt darauf an. Ueber dergleichen Dinge scherz' ich nicht.
In der Stadt gibt es noch einen andern Argwohn. Es geht die
Rede, daß die alte Here nicht von ungefähr nach Aarau gekommen,
sondern abgeschickt sei."

— Doch nicht vom Beelzebub? Was hat der wider die gute
Stadt Aarau? Ist sie zu fromm?

„Vierzehn Tage vor Erscheinung des wüsten Weibes war Thomann von Falkenstein hier und hatte mit meinem Vater Wortwechsel.
Thomann verließ ihn — Alle haben es gehört — unter den fürchterlichsten Drohungen."

— Junker, wenn der Falkensteiner eine Sache abzuthun hat, ist
er Mannes genug, sich mit Hilfe des Schwertes Recht zu schaffen.
Fürwahr, der hat nicht die Miene, sich an eine Zigeunerin zu
hängen. Ihr kennet den Oheim Eurer Braut schlecht. Indessen
laßt hören, was hat Thomann mit Euerm Vater?

„Es betrifft einen alten Handel. Vor etwa siebenundzwanzig
Jahren hatte Ulrich von Herrenstein, als Vogt von den unmündigen

Söhnen des Hans Werner von Königstein, die Beste und Herrschaft desselben feil. Die Burg jenseits der Aare, in den Bergen, eine halbe Wegstunde von hier, war den Aarauern wohlgelegen. Da rieth mein Vater zum Ankauf dieser Herrschaft mit aller Zugehörde, hohen und niedern Gerichten, Wohn' und Weid', Holz und Feld. Denn der Bann unserer Stadt war gering und so klein, als ihn vor anderthalb- hundert Jahren Kaiser Rudolf von Habsburg festgestellt hatte. Nach großer Mühe gelang's. Die Stadt kaufte das Schloß Königstein nebst der Herrschaft an sich, und damit erhob sich die Feindschaft des Adels ringsum gegen Aarau."

— Weil die lockern Freiherren besorgten, es werde zwischen ihren Nestern ein zweites Zürich oder Bern aufsteigen. Der Gebrannte scheut das Feuer. Wohl sah'n es mitunter Eure gnädigen Herren und Obern zu Bern selbst ungern, daß sich das Reichsstädtlein Aarau heben wollte.

„Richtig, Isenhofer, das war's! Hätte unsere Stadt jederzeit tüchtige Männer im Rath gehabt, sie wäre längst Herrin weit umher, gleich Zürich und Bern. Denn die Aarauer sind ein mannhaftes, freiheitliebendes Völkchen, welches für die Ehre seines Gemeinwesens den letzten Heller und Blutstropfen nicht theuer achtet. — Nun gab's mit allen Anstößern Ungemach und Spann. Die Falkensteine, die Rechberge, die Johanniter zu Biberstein, lebten um die Wette den Aarauern zum Verdruß; wollten die Zollstätte in Küttigen nicht gelten lassen, welche Aarau errichtete; thaten dem Vogt, der Namens der Stadt auf Königstein saß, jedes Leid, und waren besonders meinem Vater gram, der den Ankauf am meisten betrieben hatte, und der sich jetzt am heftigsten widersetzt, wenn Rede ist, die schöne Er- werbung wieder zu veräußern. Nun, Isenhofer, du kennst den Thomann von Falkenstein! Der schwarze Heide schlägt Vater und Mutter todt, wenn's seinen Vortheil gilt."

— Nun ja, Junker, ein wilderes Thier in einer Menschenhaut

VII.   3*

hab' ich noch nicht gesehen. Aber welchen Verband findet Ihr zwischen ihm und der Zigeunerin?

„Seine ganze Höllennatur. Er ist verschmitzt wie ein feiger Fuchs, tapfer dazu wie ein Leu, grausam wie der hungrige Wolf, und Tugend und Verbrechen wiegen in seiner Waagschale gleich schwer, wie dem Teufel, wenn er auf Beute ausgeht. Ich schwöre dir, fesselte mich nicht die Hoffnung eines großen Gewinnes, nicht die Huld des Markgrafen, nicht die Liebe der schönen Ursula, ich hätte mich längst den Eidgenossen hingegeben, unter ihrem Freiheitspanier gefochten, den verdorbenen Adel ausrotten zu helfen, und den Schändlichsten von Allen zuerst, den Thomann von Falkenstein. Die Eidgenossen, bei Gott, sind ehrlich und wahr und gerecht; die Edelleute weit um uns her in der Runde selbstsüchtige Allesfresser."

— Oho, Ritter Trüllerey, nichts für ungut, nehmt's nicht mit dem Thomann auf! Wie wollt Ihr doch mit dem Fuchs, Leu, Wolf und Teufel zugleich anbinden, und seid doch so zart, daß Euch ein Regenbogen, eine Seifenblase todtschlagen, ein Spinnenfaden erdrosseln kann.

„Wie meinst du, Isenhofer?"

— Lähmt oder tödtet nicht Euern bessern Geist die bloße Hoffnung großen Gewinnes, dieser Regenbogen in der Ferne, der in der Nähe Nichts wird? Der Spinnenfaden einer Mädchenliebe? Die Seifenblase eines Fürstenwortes? — Ritter Trüllerey, Ihr seid mir lieb, und werdet mir jede Stunde lieber. Ich will Euch ein Geheimniß sagen oder vielmehr singen:

Wer viel begehrt,
Was ihm nicht gehört,
Ist leibeig'ner Mann,
Gehört Andern an;
Wer den Ruhm verschmäht,
Der wird erhöht;

Wer nichts will, als Recht,
Ist Niemands Knecht,
Der ist Gottes Held,
Dem gehört die Welt!

So sang Isenhofer. Gangolf ward plötzlich still und schien nach-
zusinnen; dann zuckte er die Achseln, indem er lächelnd zu Isenhofer
hinblickte, der sich unterdessen an einem Becher Wein gütlich that.
„Ich versteh' dich, Isenhofer," sagte er, „aber . . ."

— O die ungeheure Seifenblase! O der furchtbar starke Spinnenfaden! rief der Waldshuter Dichter: Sagtet Ihr nicht vorhin, Euerm
Aarau hab' es nur an Männern im Rath gefehlt? — Die Bürger
sind doch Narren, daß sie Weiber hineinwählten. Ich bitt' Euch,
Ihr müsset nicht Schultheiß von Aarau werden, Herr Ritter, der
guten Stadt zu lieb. —

Gangolf lachte, setzte sich zum Tisch, indem er Isenhofers Beispiel folgte, und den Teller vor sich mit Speisen, den Becher mit
Rebensaft füllte: „Weißt du, Isenhofer, was Schultheiß Effinger von
dir urtheilt? Du taugest zu nichts Rechtem, als Feuer anzublasen,
wo du eigentlich löschen solltest. Bei meinem armen Leben, ich glaube,
er hat Recht."

— Vollkommen Recht, Junker; wiewohl der alte Mann seine
eigene Weisheit nicht ganz verstand! erwiederte der Dichter: Das ist
mein wahres Handwerk! Die Menschen haben in der Welt nichts
eifriger zu thun, als das göttliche Feuer mit vollen Backen auszu-
blasen, was ihre Kinderspiele und Kartenhäuser zu verbrennen droht.
Sie wollen die heilige Himmelsflamme der Wahrheit überall löschen.
Ich blase immer an. Freilich, das versengt manchen grauen Bart,
Hermelin und Stammbaum, und die Leute sind mir übel an.

„Aber es scheint mir, Ihr hetzet auch den Adel eben so gern
gegen die Städte?"

— Natürlich. Man legt Holz hinzu, daß das Feuer nicht aus=
gehen soll; und es ist bessen noch mehr als genug vorhanden. Wohnt
ein starker Abel um Aarau?

„Mein Vetter Johannes, der zu Schönenwerth Propst ist, ein
gewaltiger Geschichtskllitterer, rechnete mir vorigen Sommer der
Burgställe und Schlösser, die bei einer Meile um die Statt liegen,
mehr her, als der Schiffer Winde zählt."*)

— Daß sich's Gott erbarme! rief Isenhofer mit spaßhaftem
Schrecken: Da habt Ihr noch Wald auszuroden. Und sind die Nester
noch voll?

„Mit nichten, wohl zur Hälfte schon öb und leer."

— Nun denn! rief Isenhofer lachend und hob den Becher auf:
Glück zu! Die Menschen sind auf dem besten Wege, Menschen zu
werden. Ich dank' es wahrlich meinem Vater schlecht, daß ich zu
voreilig, id est, nur um ein paar hundert Jahre zu früh, in die
liebe Welt hinein mußte. Was hab' ich jetzt in diesem Narrenkasten
zu schauen, wo die Leute noch auf allen Vieren kriechen, zur Narrheit
in die Schule gehen, und den ehrlichen, gesunden Menschenverstand
für den leibhaften Satan halten? Laßt Euch eins singen, Ritter:

---

*) Frohberg, hinter Olten, Hagkberg, zwischen Olten und Trim=
bach, Winznau, Hochwartburg, Niederwartburg, Gößgen,
Obergößgen, Iffenthal, Kienberg, Wartenfels, Jarnsburg,
Saffenwyl, Reitnau, Rued, Beinwyl, Rynach, Hallwyl,
Fahrwangen, Seengen, Schafisheim, Liebegg, Trostburg,
Lenzburg, Meisterschwanden, Königstein, Ruppertswyl, Lörach
(bei Kilchberg), Biberstein, Auenstein, Alten=Thierstein (ver=
muthlich Ursitz bei Dentsbüren, Schenkenberg, Rauchenstein
und Castelen, Wildenstein, Wildegg. Mehr als diese wüßt'
ich dem Propst Johannes Trülleren nicht nachzuerzählen.

Sind die Heyren nicht Götzen mehr,
Steben Klöster und Burgen leer,
Sind die Dörfer den Städten gleich,
Kömmt auf Erden das Himmelreich.

„So wahr ich lebe!" sagte Gangolf, ihn unterbrechend: „Ich
glaube, du bist ein Lollhard, nur mit bunten Federn. Gestern traf
ich solchen an der Stilli; er predigte mir Zeugs, wie du. Hätt' er
nicht einen Engel vom Himmel bei sich gehabt, ich hätte wohl mehr
von ihm gelernt."

— Aha, den Engel, Herr Trüllerey, den Ihr zu Brugg vom
Esel herablüpftet, und ein Weilchen über Gebühr an Eure Brust
drücktet?

„Wer sagte dir das?" entgegnete Gangolf, der ein Erröthen
nicht von seinen Wangen abwehren konnte.

— Jedes meiner Augen! erwiederte Isenhofer: Die Jungfrau
von Falkenstein, mit welcher der Herr von Hemmenhofen und ich
eben vorübergingen, erkannt' Euch auf der Stelle. Ihr waret blind,
weil Ihr nicht sahet, daß wir still standen. Der gern gefällige,
geschmeidige Ritter Bentelin übernahm es noch denselben Abend, den
Engel in der Herberge näher zu beschauen.

„Wie, war er dort?"

— Aus Auftrag Eurer Braut, die vielleicht Ursach haben mochte,
neugieriger zu werden, als sonst Weiberlein sind.

„Sag' mir, ehrlicher Freund, wie steht Bentelin mit dem Fräulein von Falkenstein?"

— Seid Ihr eifersüchtig? Wohlan, ich will mein Handwerk
treiben, anblasen statt zu löschen. Bentelin ist reich, großen Geschlechtern verwandt, künftiger Erbe ansehnlicher Güter, ein feines
Männlein, hat welsches Wesen, ein artiges Gesicht! . . .

„Blase! Isenhofer, blase!"

— Item: Fräulein Ursula ist ein Mädchen, zweitens ein Mädchen, drittens ein Mädchen, id est: sie weiß, daß sie schöner ist, als sie selbst; gefällt gern, ist reizbar, stolz, warmblütig, ewiger Aprilhimmel. Sie macht nichts aus Augenblicken und Jahren; der Augenblick aber aus ihr Alles.

„Blase, blase!"

— Brennt's noch nicht?

„Es glimmt noch eine letzte Kohle. Blase!"

— Der Mensch hat viel Odem in der Lunge; das Schicksal noch mehr. Laßt diesem auch etwas übrig.

So plauderten die beiden Reisegefährten bis in die Nacht hinein; aber zu viel für das Maß eines Kapitels und für des armen Gangolfs Herz.

10.

Die nächtliche Erscheinung.

Der junge Ritter stieg sehr verstimmt und düster in sein hochgethürmtes Bett. Er befand sich an einem großen Scheideweg des Lebens. Seine Eitelkeit, sein Ehrgeiz, seine Liebe zur reizenden Ursula lockten ihn links, zeigten ihm den Besitz eines schönen Weibes, die Verbindung mit mächtigen Häusern, die Erbschaft reicher Güter, die Huld des Markgrafen von Hochberg, die Wiederauffrischung des alten Glanzes vom ritterlichen Stamme der Trüllerey. Aber männlicher Stolz, Liebe des Vaterlandes und des Rechts mahnten ihn, den entgegengesetzten Weg einzuschlagen, als freier, frommer, selbstständiger Mann, der für die bessere Ueberzeugung das Theuerste opfern müsse. Dort winkten Einbildungskraft und Leidenschaft zum Genuß der Liebe, des Ruhms, des Reichthums; hier warnte der Verstand, nicht den Frieden des Gemüths und das Glück des Lebens um fremdes Geld, um ungewisse Fürstengunst und um die Hand eines gebieterischen und wankelmüthigen Weibes zu verkaufen. Vielleicht würde der Streit bälder entschieden gewesen sein, wäre Ursula minder schön oder Gangolfs Neigung zu der verführerischen Braut weniger tief gewesen.

Er mochte kaum einige Stunden unruhigen Schlummers genossen haben, als ihn ein Geräusch an der Thüre des Gemachs weckte. Die Thür ging langsam auf; ein dunkelrothes Licht strömte immer heller und falber durch die sich erweiternde Oeffnung. Gangolf richtete sich mit halbem Leibe nicht ohne Bestürzung auf, als er seinen Vater eintreten sah, der in der Hand eine brennende Lampe trug. Die Lampe, der lange schwarze Pelzrock, das blasse Antlitz, welches aus dem um das Haupt geschlagenen und unter dem Kinn zusammengehefteten Tuche hervorschaute, gaben der hohen Gestalt des Greises etwas Gespensterhaftes.

„Seid Ihr es, mein Vater?" fragte Gangolf mit ungewisser Stimme.

— Steh' auf, Gangolf, und folge mir! antwortete jener.

Gangolf gehorchte, sprang aus dem Bette und warf die Kleider um. Sobald er seinen Anzug vollendet hatte, ging Herr Rüdiger voran und winkte dem Sohn. Dieser folgte ihm die engen Wendeltreppen hinab, dann unten in einen schmalen Seitenweg, wo in der dicken Mauer des Thurms eine kleine Thür angebracht war, welche Gangolf wohl kannte, und für die Thür eines Mauerschrankes gehalten hatte.

„Rede kein Wort, Gangolf," sagte der Alte: „sondern höre und gehorche schweigend." Er zog einen großen Schlüssel hervor, öffnete die Thür, kroch durch das Pförtlein gebückt voran, ging wieder einige Stufen abwärts, öffnete eine zweite niedere Thür und trat in ein enges Gemach, kaum sechs Schuh hoch und eben so lang und breit. Dem jungen Ritter ward es in dieser ihm bisher fremd gebliebenen Gegend des Thurms etwas unheimlich; noch mehr, als zu seinen Füßen im Stroh eine menschliche Gestalt lebendig ward, die er beim Eintritt nicht bemerkt hatte. — Ein altes Weib, in Lumpen gewickelt, schwarzgelben Gesichts, mit hervorstehenden Backenknochen, spitzem Kinn, spitzer Nase und dünnen Lippen richtete sich auf. Es strich die schwarzen Haupthaare, welche, wie aus dem Wasser gezogen, in einzelnen, geraden, naßglänzenden Zotteln um den Kopf hingen, vom Gesicht hinweg, und zeigte gähnend, den zahnlosen, finstern Rachen. Der junge Ritter trat mit Grausen so weit zurück, als ihm der enge Raum gestattete. Er zweifelte keinen Augenblick, daß dies eben jene Zigeunerin sein müsse, die Irni Fäsen beschrieben hatte, und nicht entwischt, sondern hieher in der Veste verborgen gehalten worden war.

„Steh' auf, du bist frei!" sagte der greise Rüdiger zu dem Weibe: „Mein Sohn bringt dich hinaus." Dann wandte er sich mit halbem Leibe zum Sohne um und sagte: „Führe das Weib durch das Hinterpförtlein; hier ist der Schlüssel zur Stadtmauer. Du wirst eine Leiter vom Stall nehmen, das Weib über die Mauer gehen lassen. Aber, Gangolf, Alles in der Stille, daß dich Niemand bemerke. Du wechselst mit dieser Vettel kein Wort, beantwortest keine Frage und fragst nicht." Darauf sprach er wieder zur Alten, die nun aufgestanden war, ihre Röcke schüttelte und ein schmutziges Bündel unter den Arm nahm: „Bist du über die Stadtmauer, so halte dich links, immer der Mauer entlang, um die Stadt herum, in die Schachen; von da aufwärts zur Landstraße, die nach Schönenwerth führt. Ueber die Bäche und Graben findest du Stege. Noch ist's von den Sternen hell genug. Der Tag graut schon. Fort!"

Er selber zündete mit der Lampe voran, öffnete Gangolfen und der Zigeunerin die Thurmpforte zum Schloßzwinger und ließ Beide gehen. „Leb' wohl, alter Schatz!" sagte die Zigeunerin mit vertraulichem, wiederholtem Kopfnicken gegen Rüdiger: „Du hast mich bewirthet mit Lems, Johanns und Wendrich, du hast mich geschirmt vor den Schubers, als sie mich drucken wollten in der Gabel. Fahre wohl, alter Schatz. Halt wohl meinen Fingerreif in Ehren!"

„Schweig', Vettel, verdammte!" rief der greise Rüdiger mit zorniger, aber sehr gedämpfter Stimme: „Oder ich breche dir das Genick, eh' es der Henker bricht." Damit schloß er die Thurmpforte.

Gangolf, welcher von dem Rothwelsch der Zigeunerin wenig verstanden hatte, glaubte doch so viel daraus folgern zu können, daß sie zu seinem Vater in einem besondern und geheimnißvollen Verhältnisse gestanden habe und im Thurm More keineswegs hart behandelt worden sein müsse. Es that ihm fast leid, daß ihm Schweigen auferlegt war. Doch beobachtete er's gewissenhaft, indem er seine verzeihliche Neugier mit kindlicher Ehrfurcht überwand. Er fand die Leiter; er öffnete das hintere Pförtlein; er führte die Alte zwischen Felsstücken und Gesträuchen an der schroffen Halde unter dem Thurm nieder zur Stadtmauer, lehnte die Leiter an, stieg zuerst hinauf und ließ die Zigeunerin nachklettern. Als sie droben war, zog er die Leiter auf und setzte sie von außen an.

„Gibst du mir einen Zehrpfennig, sag' ich dir Schönes!" redete ihn die Alte an, indem sie jenseits der Mauer schon den Fuß auf der obersten Leitersprosse hielt. Gangolf suchte einige Geldstücke und gab sie der Zigeunerin, nicht sowohl aus Mitleiden, als aus Furcht vor geheimen Künsten, oder gefährlichen Verwünschungen der Aegypterin. wenn er sie im Zorn von der väterlichen Burg scheiden ließe.

„Goldsöhnchen! sagte sie, indem sie mit den Fingern derselben Hand, in der sie das Geld empfing, die Stücke behend hin und her schob und zählte: „Laß dich's nicht reuen. Du wirst hochalt, ein steinreicher Mann; und das schönste Kind ist deine Frau, wenn du pfiffig bist. Es hat dich lieb. Mach' bald Hochzeit. Es wartet auf dich. Greif' zu; schnappt's dir sonst ein Anderer weg. Warte nicht, bis dein Väterchen heimkehrt; Väterchen kömmt lange nicht heim."

— Du meinst meinen Vater? fragte Gangolf.

„Ich sage dir's ja, schmuckes Kind. Denk' an mich. Ihn jagen die Hornissen. Thut nichts. Fängt Jeder seine Mücken; aber Mücken stechen. Thut nichts. Gehab' dich wohl, Goldkind!"

Die Alte machte eine Bewegung, hinabzusteigen.

„Noch einen Augenblick!" rief Gangolf: „Wer schickte dich nach Aarau?"

— Wer kann mich schicken? Bin ein armes Ding. Suche gute Leutchen, barmherzige Leutchen; sind selten. Meinst du, mich schickt wer? Rathe, wer? Ich sag' dir's, wenn du's triffst.

„Zum Beispiel, ein Freiherr? Antworte!"

— Nenn' ihn, Schätzchen!

„Thomann von Falkenstein."

— Nichts! nichts! Mich schickt Keiner. Gehab' dich wohl. Der Morgen kömmt.

„Noch eins. Ich gebe dir eine Handvoll Gold, wenn du meinen Vater wieder gesund machst, wie er war, eh' du zu ihm kamst. Warum hast du ihm Uebels angestellt?"

— Goldsöhnchen, was konnt' ich ihm Leibes thun? Meinst, unser eins hat kein Herz? Wir haben's, wie Ihr. Väterchen soll an mich denken. Hab' ihn lieb. Hat mich gepflegt, hat mich gehütet. Hältst du Wort, wenn ich ihn heile?

„Gewiß."

— Sprich, auf deine ritterliche Ehre!

„Bei meiner Ehre."

— Ich such' ihm Balsam. Halt' Wort, dann siehst du mich wieder.

„Rede Wahrheit."

— Was soll ich dir lügen? Zahlst mir für's Lügen nichts.

„Woher willst du den Balsam holen?"

— Goldsöhnchen, vom End.

„Was fehlt meinem Vater?"

— Vom End. Gehab' dich wohl. Siehst du die rothe Wolfe?

„Wohin gehst du?"

— Zum End. — Und mit diesen Worten war die Alte behend an der Leiter hinab. Sie verschwand längs der Mauer.

Gangolf zog die Leiter zurück, stieg nieder, gab ihr den alten Ort und eilte in die Veste zurück. Die Pforte des Thurmes war nur angelehnt; er sah seinen Vater noch auf der Wendeltreppe mit der Lampe stehen.

„Du lässest mich lange warten!" sagte Herr Rüdiger: „Ich hoffe, du wirst nicht mit der Zigeunerin gewortwechselt haben. Oder hast du?"

— Sie bettelte. Ich gab ihr ein Almosen. Ich verstand kein Wort von allem, was sie mir sagte. Es war Unsinn! — erwiederte Gangolf.

„Schließ leise die Pforte und folge mir!" sagte der alte Herr. Gangolf gehorchte und folgte seinem Vater, der ihn mit sich in denselben Saal führte, in welchem Gangolf und Isenhofer den vorigen Tag geplaudert hatten. Es schien sich während dieser Nacht mit dem alten Herrn eine große Veränderung begeben zu haben. Seine starre, todtenartige Ruhe oder Unempfindlichkeit war gewichen; seine Augen, seine Gesichtszüge hatten Leben und Beweglichkeit erhalten; doch lag darin ein furchtbar finsteres Wesen, welches dem Sohne nicht minder beängstigend entgegen trat, als die frühere leichenhafte Kälte.

„Welche Nachrichten bringst du aus Frankreich?" sagte Herr Rüdiger nach einer Weile. „Man spricht davon, der Tag zu Baden sei eitel geblieben, der Krieg der Eidgenossen wider Zürich und Oesterreich hebe von Neuem an."

Gangolf erzählte vom Anzuge der französischen Kriegsmacht gegen Basel und den Rhein, von den Rüstungen der Zürcher und des römischen Königs, von den neuen Ansprüchen desselben auf den Aargau, von den unzweideutigen Gesinnungen des Adels für Oesterreich, und

von der Erwartung des Markgrafen von Hochberg, daß sich alle
Städte im Aargau für das Erzhaus vereinigen würden.

Herr Rüdiger schüttelte den Kopf und sprach mit starker Stimme:
„Kein Meineid, Gangolf, kein Meineid! Behüte dich Gott vor
Meineid! Wir haben zu Bern geschworen; wir sind Lehensträger der
Stadt. Gangolf, wenn dir deine Seele lieb ist, kein Meineid! —
Was gedenkst du zu thun?"

— Mein theurer Herr Vater, nichts wider Euern Willen! versetzte Gangolf: Und wenn Ihr befehlet, verlaß' ich selbst die Dienste
des Markgrafen und des Königs.

„Das will ich nicht!" entgegnete der alte Herr: „Aber folge
deinem Gewissen. Du bist frei. Der König kann dich zu Ehren erheben; Bern kann und wird dir nichts verleihen. Du bist daran,
dich durch die Hand deiner Braut mit den Falkensteinern zu verbin-
den. Ich wollt', es wäre schon geschehen; mein Herz würde um
vieles erleichtert sein. — Gangolf, ich sage dir noch mehr. Du bist
arm. Nichts wirst du von mir erben, als den Freihof. Alles Uebrige,
was ich habe, gehört nicht dir, nicht mir, sondern einem Dritten.
Frage nicht weiter. Schlage dich durch die Welt, wie du es ver-
magst; aber Gangolf, kein Meineid, um Gottes und deiner Seele
willen, kein Meineid! Thu' Alles, nur hüte deine Seele, daß sie
nicht Beute des Teufels wird. Du bist arm. Geh', diene dem
Könige mit deinem Leibe; er kann dir's lohnen, Bern dir's nicht
verargen. Es dient mancher Ehrenmann um Geringeres, als du.
Aber kein Meineid! Diene ehrlich. Lieber Bettlerbrod, lieber
Hungertod, als Falschdienerei! Bist du mit Urlaub nach Baden
gekommen?"

— Ich wollte gen Baden oder Zürich zum Markgrafen! entgegnete
Gangolf: dann aber zog mich die Nachricht vom Aufenthalt meiner
Braut zu Brugg dahin, und was mir der Schultheiß Effinger von
Cuerm Uebelsein meldete, hieher zu Euch

„Uebelsein? Er hält mich ohne Zweifel für siech. Nein, ich bin gesund. Du aber bist zu guter Stunde angekommen. Ich verlange, daß du einige Tage im Freihof bleibest. Wir haben Vieles abzuthun; denn, Gangolf..." Hier brach Herr Rüdiger plötzlich ab, und ging mit langsamen Schritten durch das Zimmer, wandte sich aber schnell wieder um und sagte: „Also in Schaffhausen warst du? Sahst du die Trüllerey's, unsere Vettern?"

— Ich traf sie im besten Wohlsein. Zufällig war von Rothweil auch Hans Trüllerey, der Kommenthur, bei ihnen. Doch mein Aufenthalt war kurz. Wir hatten ...

„Da fällt mir ein, Gangolf," unterbrach ihn sein Vater mit einem gleichgültigen Ton und einer Miene, als dächt' er ganz andere Sachen, „du hast viel gesehen und gehört. Vernahmst du vielleicht zufällig vom Junker Jörg von Ende, dem Freiherrn? Er soll, glaub' ich, im Rheinthal auf dem Schloß Grimmenstein sitzen oder gesessen haben?"

Gangolf erinnerte sich des Namens nicht, sondern fuhr fort, von den Vettern zu Schaffhausen zu erzählen.

„Erwartet dich der Markgraf von Hochberg zu bestimmter Zeit in Zürich bei sich?" unterbrach ihn der alte Herr von neuem.

— Ich glaube nicht! antwortete Gangolf: Denn er ließ mir durch Marquard von Baldegg unterwegs Aufträge zukommen, ich solle Aarau dem Hause Oesterreich günstig machen.

„Bluten, bluten kannst du, sterben kannst du für den König!" rief Herr Rüdiger heftig: „Aber kein Meineid, Gangolf! Gangolf! ich würde dich enterben, verstoßen, verfluchen! Ja, das würd' ich!"

Gangolf erschrack fast vor der Heftigkeit seines Vaters und versicherte, daß er lieber des Königs Dienst verlassen würde.

„Auch das nicht, es darf das nicht sein!" erwiederte Herr Rüdiger: „Dann verlierst du die Hand deiner Braut; dann wärest du Bettler. Fei're zuvor die Hochzeit; nachher bindet dich Niemand.

Fei're sie bald, auch wenn ich nicht zur Hochzeit erscheine. Es liegt eine große Reise vor mir. Ich weiß nicht, wann ich zurückkomme."

— Wie? Ihr wollet eine Reise thun? fragte Gangolf erstaunt, und ihm fielen die Reden der alten Zigeunerin bei: Wohin? Darf ich Euch begleiten?

„Frage nichts. Ich habe dem Himmel Gelübbe gethan, sie sollen gelöset werden!" antwortete ihm der Vater düsterer als vorher: „Frage nichts. Hemman Enderli soll mich begleiten. Er ist ein treuer Mensch. Ich bin zu ihm gewöhnt. Er kennt meine Bedürfnisse, wie Keiner. Darum beruhige dich."

— Doch werdet Ihr so bald nicht von hinnen ziehen wollen, Herr Vater?

„Morgen, übermorgen, in drei, vier Tagen, sobald ich dir Alles übergeben habe. Du bist gekommen, vom Himmel in der Glücksstunde gesandt. Eine Woche später, du hättest mich nicht mehr gefunden. Alle Titel und Briefe werd' ich dir übergeben und erläutern. Wir wollen heut' und morgen die Marchen unsers Eigens und Lehens umreiten. Auf unsern Grundstücken haften keine Schulden. Ich überantworte dir Großes und Kleines. Eins bleibt verschlossen: das ist die Eisenkiste im obersten Gemach des Thurmes. Die wirst du nicht öffnen, bis du gewisse Botschaft von meinem Hinscheid hast, oder wenn von heut' an zehn Jahre vergangen sind, ohne Nachricht von mir. Dann in Gottes Namen, ja dann! In der Kiste sollst du meinen Willen finden, und ich binde dir die Erfüllung desselben auf die Seele."

Der Jüngling ergriff tief erschüttert die Hand seines Vaters und beschwor ihn mit Thränen im Auge und mit zitternder Stimme, daß er, wenn es möglich sei, den Freihof in dieser Zeit nicht verlassen solle; müßt' er aber, daß er dann den Sohn zum Begleiter mit sich nehmen möchte, zum Schutz und zur Pflege. Der alte Herr blieb unbeweglich.

„Ich hab' ein heiliges Werk zu thun!" sagte Rüdiger: „ich soll mich entsündigen, eh' ich zu den Vätern gehe, und das Gelübbe erfüllen. Störe mich nicht. Du bleibst im Lande, und leistest der Stadt deine Bürgerpflicht. Seit mehr denn zweihundert Jahren haben unsere Altvordern diesen Thurm bewohnt, und der Stadt in bösen und guten Tagen treulich beigestanden*). Vergiß das nicht. Müßtest du der letzte der Trüllerey's werden, sollst du der erste unter den Besten von ihnen sein. Hab' Acht auf die Falkensteine, auf Thomann insbesondere. Er ist der Stadt und mein geschworner Feind. König Rudolf hat Aarau befreit; vor ihm war die Stadt lange Zeit ein dienstbares Hündlein, das von den Grafen von Rore und den Habsburgern am Halsband gezogen ward; nun ist es ein auffliegender Adler geworden**). Gangolf, wache, daß der Adler nicht abermals ein Hund sein muß! — Ich werde dir noch Vieles sagen. Jetzt aber sollst du für deinen Gast sorgen. Die Sonne will aufgehen."

Mit diesen Worten entfernte sich Herr Rüdiger.

11.

Der Zug nach Seckingen.

Die Bewohner des Freihofes waren nicht wenig überrascht, als sie die unerwartete Verwandlung bemerkten, welche sich in einer

*) Schon zum Jahre 1229 wird ein Kunzmann Trüllerey, Ritter, als Schultheiß der Stadt Aarau aufgeführt.
**) Vermuthlich Anspielung auf das Wappen der Stadt, ein ausgebreiteter Adler, während vordem im Wappen von Rore ein schwarzer Hund mit einem Halsband gestanden war. Es ist unbekannt, seit wann die Stadt ihr eigenes Wappen geführt haben mag.

einzigen Nacht mit ihrem Herrn und Gebieter zugetragen hatte. Sie
hielten dieselbe für eine natürliche Wirkung seiner Freude über das
Wiedersehen seines Sohnes, den Alle lieb hatten. Die Theilnahme
an dieser Genesung würde wohl noch froher beim Anblick des alten
Herrn gewesen sein, als er wieder, wie ehemals, im Baret, hirsch-
ledernen Wamms, und in klirrenden Reiterstiefeln rüstig umherwan-
delte, Keller, Stallungen und Fruchtschütten besuchte, Befehle ertheilte, Rechenschaften forderte, wenn ihm nur nicht die Blässe des
Antlizes, der düstere Blick und der zurückschreckende Ernst der Geberden geblieben wäre. Dazu kam etwas Beängstigendes, was jedes
Geheimnißvolle für die Neugier der Zuschauer mit sich führt. Man
bemerkte die Vorrichtungen, welche zu einer nahen Abreise des Herrn
Rüdiger getroffen wurden. Niemand kannte Ziel und Zweck der
Reise, selbst Hemman Enderli nicht, der sie mitmachen sollte. Hemman ließ nur errathen, daß sie von langer Dauer sein werde; vielleicht eine Wallfahrt zu den Schwellen der heiligen Apostel in Rom,
oder gar nach Jerusalem zum heiligen Grabe.

Auch Herr Isenhofer, der einen langen, guten Schlaf gethan
hatte, war erstaunt, als er bei der Morgensuppe seinen Reisege-
führten Gangolf nachdenkend mit zerstörter Geberde, und dessen Vater
hingegen lebhaft und gesprächig erscheinen sah. Er erkannte diesen
kaum wieder. Man sprach vom Züricherkriege, von Reisen, von Bekanntschaften. Der alte Rüdiger verrieth große Welterfahrung.

Doch in allen seinen Aeußerungen sprach eine gewisse Verachtung
des Lebens mit, und ein unheimliches, düsteres Wesen, wie es in
seinen bleichen Mienen unwandelbar lag.

Noch während der Unterhaltung erschien ein Bote des Fräuleins
von Falkenstein aus Brugg. Er brachte die Nachricht an den Bräutigam, daß dessen Verlobte schon diesen Morgen über den Bözberg
nach Seckingen reisen werde; daß sie ihn, nebst Isenhofer, unter-

wegs in Frick zu finden hoffe, wohin er auf kürzerm Weg über
das Gebirg gelangen könne.

Herr Rüdiger heftete einen verdrossenen, still fragenden Blick
auf seinen Sohn. Dieser aber, welcher den Gedanken des Vaters
errieth, sagte sogleich: „Ich werd' Euch nicht verlassen, mein Herr
Vater, sondern so lange hier verweilen, als Euch gefällt, oder bis
Ihr abgereiset sein werdet." Zugleich bat er Isenhofern, ihn bei
dem Fräulein zu entschuldigen, indem er ihm über die bevorstehende
Abreise seines Vaters, und über die Nothwendigkeit von mancherlei
Abreden mit demselben Auskunft ertheilte, da dessen Entfernung von
Aarau lange dauern könne.

„Ihr traget mir böse Gesandtschaft auf, Junker!" sagte Isen=
hofer, sich hinter den Ohren krauend: „Ich billige Euern Entschluß
zwar; aber Ihr gebt mir zu, daß es kein Spiel sein werde für mich,
den ersten Sturm des jungfräulichen Zorns auszuhalten. Nun denn,
es sei, weil es nicht zu ändern steht. Wetterwolken sind nur in der
Ferne schwarz. Lasset mich in einer Stunde aufbrechen, damit ich
den Zug der Reisenden bei Frick nicht verfehle."

In einer Stunde standen die Rosse gesattelt vor der Veste. Gan=
golf hatte inzwischen Zeit gefunden, seinen neuen Freund von Allem
zu unterrichten, was ihn zurückhielt, dem Ruf der Braut zu folgen.
Doch von der Zigeunerin schwieg er, weil ihm sein Vater auf's
strengste verboten hatte, die Anwesenheit derselben im Thurm, und
die Art ihrer Entfernung irgend Jemandem zu verrathen.

Isenhofer nahm freundlichen Abschied von dem Jüngling, der ihm
in so kurzer Zeit durch schlichten und reinen Sinn theuer geworden
war, desgleichen von dem alten Rüdiger, welcher sich mit jugend=
licher Raschheit auf's Pferd schwang, um in Begleitung des Sohnes
die Hausgüter zu besichtigen. Noch einmal rief Isenhofer sein Lebe=
wohl, und ritt, während jene quer durch die Stadt trabten, links
einen steilen Rain abwärts zum nahen Thor. Beim ersten Schritt

VII. 4

aus demselben betrat er sogleich eine lange hölzerne Brücke, die- ihn zum andern Ufer des Aarflusses hinüberbrachte.

Eine Zeit lang ritt er längs grünen Vorhügeln des Jura hin, bis der Weg seitwärts, durch eine geräumige Thalung und das Dorf Küttigen, in das Innere des Gebirges zog. Da sah er links die gewaltige Wasserfluh aus der Tiefe emporsteigen, an deren graue Kalkgipfel sich einzelne Tannen, wie zartes Epheu schmiegten. Zu den Füßen derselben hoben auf schroffen Felsen die Mauern des Schlosses Königstein im Buschwerk ihrer Zinnen empor. Er aber verfolgte den steinigten Bergweg seitwärts um einen weiten, sumpfigen Grund zu den Höhen der Staffelegg, deren kahler Rücken vor ihm lag. Dann leitete er das Roß langsam die steile, von Regengüssen zerfressene Straße aufwärts, wo er von droben, wenn er zurückschaute, zwischen einer Klüftung der nahen, dunkeln Vorberge, das helle Grün der Aarufer, die fern im Sonnenglanz schwimmende Stadt, und im Hintergrund, wo Erd' und Himmel schieden, die weiße, ewige Wand erblickte, welche, von Schnee und Eis gebaut, große Länder und Völker von ungleichen Denkarten und Sprachen sondert.

Er blieb mehrmals stehen, betrachtete mehrmals das Wunder-bild, und hob stumm und unwillkürlich Antlitz und Blick und Hände gen Himmel. Dann, als er die Höhe erstiegen hatte, sah er vor sich unter seinen Füßen ein stilles, ödes Thal; in der Ferne den welchen Umriß des Schwarzwaldgebirgs. Er ritt hinab zur Tiefe, wo sich die Berge enger an ihn drängten, und kesselartig ein arm-seliges Dörflein umfingen. Doch bald erweiterten sie sich wieder zu einem schmalen, freundlichen Grunde voller Hütten, Höfe, hellgrüner Wiesen, blühender Kirschbäume, welcher immer offener ward, und sich zuletzt in den hintern Frickgau am Rheine zwischen Jura und Schwarzwald aufschloß.

Da ward er zur Rechten, von wannen die große Landstraße über den Bötzberg aus dem Seitenthal hervortrat, eines langen und glän-

zenben Zuges von Reisigen gewahr, Herren und Frauen in freundlichem Gekose neben einander reitend. Bald erkannt' er an der Spitze
des Zuges das Fräulein Ursula von Falkenstein auf einem weißen
Zelter, an jeder ihrer Seite einen Ritter. Einer derselben war
Bentelin von Hemmenhofen, der andere ein unbekannter, aber schöner,
junger Mann, schlank und stolz, in scharlachrothem, goldgesticktem
Wamms, mit himmelblauer, goldgestickter Schärpe, und blau und
weiße Federn anmuthig um den kleinen Hut wehend, unter welchem
schwarze Locken hervorringelten.

„Ah, so allein, Isenhofer?" rief das Fräulein mit vornehmem
Lächeln ihm entgegen: „Herr Gangolf, scheint's, will Krankenwär-
ter bleiben?"

— Mit nichten! antwortete Isenhofer, ehrerbietig die Kommenden begrüßend: Er könnte aber selbst ein Kranker aus Liebe und
Sehnsucht werden, da die Rüstungen seines Vaters zu einer Reise
nach dem gelobten Lande, oder Gott weiß wohin, ihn abhalten . . .

„Nichts davon!" fiel ihm Ursula lachend in's Wort: „Wir kennen
den frommen Schneemann besser. Er wartet vermuthlich, bis wir
ihn selbst aus seinem Thurm Rore abholen."

— In wenigen Tagen, denk' ich, wird er in Seckingen zu den
Füßen seiner Angebeteten liegen! sagte Isenhofer: Inzwischen sendet
er der Braut die zärtlichsten Grüße und Seufzer . . .

„O!" unterbrach ihn Ursula spöttelnd: „Ich habe sie empfunden,
ehe Ihr kamet. Sie hatten die Luft so eiskalt durchdrungen, daß
wir Alle fast erstarrten. Indessen bitt' ich Euch, erzählt weiter."

Die Ritter lachten mit lauter Stimme. Isenhofer, welcher sich
dem Gefolge, zunächst hinter dem Zelter des Fräuleins, anreihte,
stattete fernern Bericht ab; bemerkte aber bald, wie wenig Antheil
an seiner Erzählung genommen wurde, und stimmte daher sogleich
in die muthwilligen Scherze der Gesellschaft ein. Sowohl Bentelin,
als das Fräulein, schienen mit dem fremden, jungen Rittersmann

sehr vertraut zu sein, der mancherlei lustige Schwänke und Abenteuer von den Höfen Königs Friedrichs und des Herzogs von Oesterreich erzählte. Doch inmitten aller Scherze entging es dem Waldshuter Dichter nicht, daß weder der fremde Jüngling, noch die Jungfrau einander ganz unbefangen sahen. Nie fiel der Blick des Ritters
auf die Freiherrin, ohne daß er lange und brennend an deren Reiz
behangen blieb; und Ursula, als könne sie den Flammenblick dieser
schwarzen Augen, die sie doch suchte, nicht ertragen, mußte jedesmal erröthend und lächelnd die Augen vor sich niedersenken. Dies
stille Gespräch der Mienen, zwischen dem hellen Gespräch oder Gelächter der Andern, bemerkte selbst Bentelin nicht, welcher auf der
entgegengesetzten Seite ritt.

Isenhofer, den die Neugier stach, blieb im Zuge, wie zufällig,
zurück, bis er in die Nähe einer von Ursula's Kammerfrauen gerieth,
mit der er wohl bekannt war. Von ihr vernahm er, daß der junge
Ritter mit den Flammenaugen ein Freiherr, Hinz von Sar, ehemaliger Jugendgespiele des Fräuleins, nun Verlobter einer schönen
Gräfin von Zollern und Bentelins von Heinmenhofen treuester Freund
und Waffengefährte sei. Er war am vorigen Tage von Zürich gen
Brugg gekommen, um zu den Falkensteinern nach Seckingen zu reisen;
hatte unvermuthet daselbst den Freund und die reizende Gespielin
seiner Kindheit gefunden und mit Beiden bis tief in die Nacht einen
fröhlichen Abend genossen. Selbst die Kammerfrau sprach mit unwillkürlicher Wärme von dem liebenswürdigen Manne. Isenhofer
gesellte sich nachher zu dessen Knechten, und diese erzählten tausend
Dinge von des Jünglings Waghalsigkeit und verwegenen Streichen
stundenlang.

Schon war Mittag vorüber, als man endlich den blaugrünen
Rheinstrom und drüben am Fuß des Waldgebirgs in anmuthiger
Ebene das Städtlein Seckingen erblickte, über welchem die grauen
Thürmlein von St. Fridolins ehrwürdigem Stift und der Kirche

längst gesehen worden waren. Da wurden Trompetenstöße gehört, und von der Brücke her kam dem Zuge der Reisenden eine Schaar zu Pferd entgegen; alles auf prächtigen Rossen, alles festlich gekleidet. Voran ritt Ursula's Vater, Freiherr Hans von Falkenstein, und dessen Bruder, Thomann, Landgraf von Buchsgau und Sißgau. Ihnen folgte Mar von Ems, Graf Görg von Sulz, Hug von Hegnau, Fritz vom Haus, Görg von Knöringen, Balthasar von Blumeneck und viele andere Edelherren, welche während der Friedenstage mit den Falkensteinern zu Seckingen wohllebten.

12.

Ritterliches Wohlleben.

Ich will hier weder den bunten Wechsel, noch die Pracht der Lustbarkeiten und Feste schildern, welche die fröhliche Ritterschaft bald in dieser Stadt, bald auf den Burgen des benachbarten Abels beging. Jeder Tag brachte der lebenslustigen Menge neuen Genuß, welchen Witz und Anmuth, Umtriebe und Liebschaften der schönen Edeltöchter und Frauen aus der weiten Umgegend würzten.

Die Königin aller Feste aber schien Gangolfs Braut zu sein, welche in der verschwenderischen Freigebigkeit ihres reichen Vaters jede ihres Geschlechts an Pracht, wie täglich an neuen Reizen, übertraf. Sie selbst eine volle Blüthe der Lust, sog gleichsam ihr Leben aus dieser Fülle mannigfaltiger Freuden; und, wo sie erschien, verbreitete sich wie durch Zauber rauschendes Vergnügen. Was sie unter den Weibern, war Hinz von Sar unter den Männern. Man würde das schöne Paar für mehr als ehemalige Gespielen gehalten haben, hätte nicht Jeder gewußt, daß er der Bräutigam einer Fremden, wie sie die Verlobte Gangolfs, war. Auch wußte Ursula mit mädchenhafter Feinheit alle Uebrigen auf gleiche Weise zu behandeln, so daß weder der junge Freiherr, noch ein Anderer sich eines Vorzugs bei ihr rühmen konnte, wenn nicht der Zufall dem Einen zuweilen in ihrer Nähe holder, als dem Andern ward. Nur Isenhofer, der in diesem Getümmel den überall willkommenen Freudenmeister und Possenmacher spielte, und doch der einzig Nüchterne blieb, blickte heller. Ihm ahnte, wenn er zuweilen die trunkenen, blitzenden Augen Weider sich verstohlen begegnen sah, welche verbotene und verhehlte Gluth da glimmen möge.

„Ach, der arme Gangolf!" seufzte er eines Abends, da er im kerzenvollen Saale still am Fenster den Reihen der Tänzer zusah, aus welchen Ursula glühend hervorkam, um auf einem Sessel in seiner Nähe zu ruhen.

— Ist's nicht wahr, Isenhofer? fragte sie vertraulichleise und hastig: Der böse Mensch! Ist's zu verzeihen, daß er mich so lange vergessen kann?

„Der arme Gangolf!" seufzte Isenhofer abermals, doch spaßendmitleidig: „Er soll sich nicht hieher sehnen. Ihm ist besser im Thurm von Rore."

— Wie meinet Ihr das? sagte sie, das Köpfchen spöttisch und vornehm zurückwerfend.

„Fröhlich würd' er nicht sein," antwortete jener, „uns aber manche unschuldige Freude stören."

— Nun ja, Isenhofer, wie er immer pflegt. Ich könnt' ihn fast hassen darum. Denkt nur, wie er's in Brugg trieb!

„Fräulein, was thun?" sagte Isenhofer, und rasch mit ernster Miene setzte er hinzu: „Sieh da, er kömmt!"

— Wo? fuhr erschrocken Ursula auf, und verließ schnell den Sitz.

Lachend antwortete Isenhofer: „Bleibt ruhig, mein Fräulein, ich irrte mich, als ich drüben Herrn Veit von Ast hereinschreiten sah."

— Narr und Tölpel, mir Schreck zu machen! sagte das Fräulein zwar lächelnd, doch verdrießlich.

„Soll ich's wieder gut machen?" fragte Jener mit schalkhafter Furchtsamkeit.

— Auf der Stelle! Und womit? fiel Ursula neugierig ein.

„Mit der Botschaft, daß er bald hier ist. Ihr werdet schon wieder ernst, mein Fräulein? Mich freut's, beide, den Herrn von Sar und Herrn Trüllerey, beisammen zu sehen, und durch Vergleichung zu erfahren, wer doch eigentlich der schönere Mann sei?"

— Aber ich, erwiederte Ursula, ich zittere, sie werden keine Freunde werden. Mein edler Bräutigam ist von wunderlichen Launen heimgesucht. Ich muß gestehen . . .

Sie sagte nichts weiter. Sie drehte den Kopf gegen das Fenster zurück, nach den Sternen zu sehen, wie in einer Verlegenheit von Wünschen.

Doch Isenhofer schien sie zu errathen. „Ihr habt Recht! sagte er: „Gangolf ist ein vortrefflicher Mensch, aber fast zu vortrefflich. Er fügt sich nicht in die Welt unsers Jahrhunderts. Er gehört in die alten Zeiten seines Thurms. Es würde mir wenig kosten, ihn zu bereden, im Freihofe von Aarau zu bleiben, so lange es Euch gefiele."

— Ach! stammelte Ursula verlegen und zerstreut, indem ihre Augen unter den Tänzern dem jungen Freiherrn von Sar magnetisch folgten: Nur noch wenige Zeit, nur wenige, bis . . . Ihr begreifet es ja selber. Ich bitt' Euch, denket an den Handel mit Bentelin über Tisch beim Schultheiß Effinger! Sollt' er uns dergleichen hier erneuern? Ich bitt' Euch, wenn Ihr etwas über ihn vermöget, thut uns Allen ein Liebeswerk!

„Ihn noch eine Weile zu entfernen?" fragte Isenhofer.

— Ich bitt' Euch! Nun ja doch! flüsterte sie schmeichelnd, und legte traulich auf seinen Arm ihre Finger: Nur kurze Zeit.

„Bis etwa . . ." sagte Isenhofer leiser, indem er ihr schelmisch lächelnd in's Auge sah, als hätt' er ihre Seele ausgeforscht: „Bis . . .

nun es ist natürlich. Es muß geschehen! — Bis der junge Freiherr von Sar . . ."

Ursula fühlte sich von dem Laurer ertappt und ward roth. „Spitz= bube!" sagte sie verschämt und doch mit schmeichelndem Lächeln, wie eine Gefangene, die um Gnade flehen will, und gab ihm mit der Hand einen leisen Streich auf die Backen: „Möchtest du gern stehlen?"

Mit diesen Worten entfernte sie sich von ihm, wandte sich aber ein paar Schritte von ihm noch einmal mit dem Finger drohend, und mischte sich in das glänzende Gewühl. Ihr Herz pochte. Sie fühlte, es sei etwas verrathen, das sie sich selber noch nicht gestanden haben wollte.

Aber in demselben Augenblick fühlte sie von einer ganz andern Unruhe ihr Herz zusammengezogen. Ein Schauer von Eifersucht überflog sie. Sie wollte hinweg aus dem Saale, sie konnte den Fuß nicht vom Boden heben. Ihr Jugendgespiele tanzte voll un= aussprechlicher Anmuth mit dem Fräulein Hagenbach.

In der That, von allen Nebenbuhlerinnen bei den Huldigungen der Männer war die niedliche Hagenbach weitaus die gefährlichste. Ursula hatte anfangs diese Geliebte ihres Vaters, des Freiherrn Hans von Falkenstein, für die er ungeheure Summen verschwendet hatte, von Herzen gehaßt oder verachtet; aber damit geendet, sie nicht nur liebenswürdig zu finden, sondern ihre vertrauteste Freundin zu werden. Dies Mädchen stand durch sein Treiben und Thun im vollsten Widerspruch mit dem Ruf, der von ihm verbreitet worden war. Es lebte eingezogen, fromm und anspruchlos; kleidete sich geschmackvoll, aber höchst bescheiden und schamhaft, und war von allen Künsten des Gerngefallens so entfernt, daß selbst Frauenzimmer an dieser Verläugnung der Mädchen=Natur irre wurden.

Hans von Falkenstein, der erklärte Liebhaber dieser seltsamen Schönen, bis zur Narrheit in sie vergafft, behandelte sie mit ehr= furchtsvoller Schüchternheit, so wenig er übrigens sonst viel auf die

Fesseln des Anständigen halten mochte. Mit allen andern Frauenzimmern waren die Männer freier, als mit ihr, und doch konnte keiner von diesen die niedliche Verführerin mit Gleichgültigkeit ansehen. Die Natur hatte in der Bildung ihrer Gesichtszüge zwar nicht die gewöhnlichen Regeln des Schönen beobachtet, aber in jeden Zug Seele und Feinheit gelegt. Zwar ihr Wuchs war nicht hoch, aber er hatte das zarteste Ebenmaß, und jeder Theil war zierlich gedreht. Sie vereinte in sich eine wahrhaft kindliche Blödigkeit und Furcht mit der Harmlosigkeit und dem Muthwillen der unerfahrnen Unschuld. Jene ernste, unentweihbare Schüchternheit hielt alle Männer zurück, und dieser kindische Frohsinn und Uebermuth unter ihren Freundinnen zog unwiderstehlich an sie. Das Gerücht ging, mehr als ein Mann wäre demungeachtet der Beglückte gewesen; aber die Beglückten selbst schienen ihre Eroberung nur wie Beute der Gewalt und Ueberraschung zu betrachten, und sich selber um so mehr darum mit Vorwürfen zu strafen, weil sie von da an nur Abscheu gegen sich in jeder Geberde der Angebeteten fanden. Und doch behauptete die böse Zunge des weiblichen Neides oder Scharfblicks, gerade das sei das klugberechnete Spiel des schlauen und lebenslustigen Mädchens. Sie tanzte jetzt mit dem jungen Freiherrn Hinz; aber so kalt, so ängstlich, daß jede ihrer Bewegungen einen Widerwillen, einen innern Zwang verrieth, und doch tanzte sie gleich einer blöden Grazie. Mitten im Tanz bemerkte sie Ursula's Unruhe, und die eifersüchtig = finster nachschleichenden Blicke derselben. Sie verstand sie noch besser, als sie darauf zu ihr trat und Ursula's Eintönigkeit und Wortarmuth vernahm.

Unter unbedeutendem Vorwand lockte sie dieselbe in die Einsamkeit eines kleinen Nebenzimmers, schloß sie an ihre Brust und sagte: „Mein Urst, du leidest. Warum quälst du dich, liebe Seele, im Kampf mit deinem Herzen? Du bist die Verlobte eines Andern, aber dein Herz hatte sich schon in der Kindheit dem Einzigen verlobt, den du mir selber kaum zu nennen wagst. Und der arme Unglückliche!

ihn verzehrt die stille Gluth um dich. Ich beschwöre dich, süßer
Engel, folge dem heiligen Zug des Gemüths! Bringe dich nicht
fremden Berechnungen zum Opfer. Du machst mich elend, wenn
du nicht wieder frei wirst."

Ursula umklammerte mit wildem Schmerz die Freundin und
weinte heftig an ihrem Halse: „In Ewigkeit nicht! Nie werd' ich
froh. Ich möchte mich selber verabscheuen. Ja, ja, magst du es
wissen, aber nur du! Ich bin eine Wahnsinnige. Ich vergehe für
den, den ich fliehen sollte. Wär' er nie erschienen! Wir hingen
schon als Kinder zu fest an einander. Gott, und jetzt, wie ist er
herrlich verwandelt und doch immer derselbe noch!"

Mit aller Leidenschaftlichkeit, die dem Fräulein von Falkenstein
eigen war, erzählte sie nun von den seligen Tagen ihrer Kindheit,
vom Wiedersehen des frühern Geliebten in Brugg, und von tausend
kleinen Dingen, die einem so tief ergriffenen Gemüth in solchem
Augenblick wichtig sein können. Ihre Freundin hatte Mühe, sie zu
beruhigen, und bat sie, noch einige Augenblicke allein zu bleiben,
um sich zu fassen, und in die Gesellschaft treten zu können, ohne
durch ihr verweintes Auge auffallend zu werden.

Die Hagenbach trat allein in den Saal zurück. Wie Zufall war's,
daß sie mit dem Freiherrn von Sar zusammentraf, der sie abermals
zum Tanz aufforderte.

Sie stieß fast mit Zürnen seine Hand zurück und sagte: „Leicht-
sinniger, wenn die liebenswürdige Ursula weint, möget Ihr noch
tanzen?"

Er entfärbte sich. Er fragte nach Ursula's Aufenthalt. Seine
Wangen brannten. Sein Auge ward Flamme. Er fragte dringend,
flehend, wiederholt, wo das Fräulein sich befinde? Er erfuhr's
endlich und verschwand.

Als nach langer Zeit das Paar, welches man in dem bunten
Getümmel kaum vermißt hatte, zurückkehrte, leuchtete aus des

jungen Freiherrn Gesicht das Entzücken. Ursula schien heiter, doch verlegen.

„Wie stehst du mir so wunderbar drein?" flüsterte ihr das Fräulein Hagenbach zu.

Ursula lächelte und sagte: „Was steht man mir an?"

— Ich frage, Urst, süßes Urst, bist du ruhig, bist du glücklich?

„Du hättest mich doch nicht verrathen sollen. Nur in dem Augenblicke nicht, wo ich mir zu wenig gehörte."

— Bist du beruhigt, süßes Urst?

„Ja!" sagte Ursula ganz leise: „Wenn er nicht ein Bösewicht ist."

Einige Tänzer erschienen und unterbrachen das Gespräch der Jungfrauen.

13.

Erklärung.

Dem Falkenblick des Dichters von Waldshut entging es nicht, daß seit diesem Abend Ursula's Verhältniß zum Freiherrn von Sax andere Natur angenommen hatte. In die Stelle ihrer Zweifel war Sicherheit, an den Platz der Sehnsucht Genugthuung getreten. Es gab kein Fliehen, kein Suchen der Blicke mehr, sondern das zufriedene Lächeln gegenseitigen Verständnisses. Gangolf war von seiner Braut nicht vergessen, weil er von ihr nun gefürchtet war. Wie sehr wünschte sie, von ihm vergessen zu sein! Fast hoffte sie es zuletzt, weil eine Woche um die andere verstrich, ohne daß er sich im freudereichen Seckingen zeigte. Isenhofer mochte am besten wissen, warum der Verlobte den Thurm seiner Väter nicht verlassen wollte. Aber ihn fragte sie nicht. Isenhofer belustigte sich indessen, Spottverse auf Treue der Weiber und Flattersinn der Männer zu machen. Beide

Theile lernten seine Reime auswendig, in Ermangelung eigenen Witzes ihre Unterhaltungen oder Neckereien damit zu würzen.

Der damalige Leichtsinn des weiblichen Geschlechts aus höhern Ständen, und die Sittenlosigkeit des Adels war so bekannte und allgemein angenommene Sache, daß sich die Vornehmen dessen nicht schämten, die Unterthanen es für Vorrecht oder eigenthümliches Wesen der adelichen Natur hielten und die Priester es nicht zu tadeln wagten, weil sie selbst häufig mithielten. Ging doch sogar Rede, daß der schöne Hinz, während sich das Fräulein von Falkenstein seiner Eroberung freute, in St. Fridolins Stift nicht minder zärtliche Verbindungen mit einer der jüngsten Domfrauen gepflegt habe, die seine Verwandtin war; aber für ihre frommen Gelübbe zu reizend und zu reizbar gewesen sein soll.

Der junge Freiherr hatte jedoch, über die Schönen von Seckingen, keineswegs die Männer daselbst vergessen, derentwillen er vom Hoflager Herzogs Albrecht von Oesterreich mit Aufträgen hieher gekommen war. Er sollte die Ritterschaft dieser Gegenden nicht etwa für das Haus Oesterreich gewinnen, denn ihm gehörte sie schon mit Leib und Seele, sondern für irgend ein großes Unternehmen gegen die Städte und Landschaften des Aargau's. Diese für Oesterreich wieder zu erringen: das war die Aufgabe. Ritter Marquard von Baldegg, welcher vom Adel des Schwarzwaldes die glänzendsten Zusagen nach Seckingen gebracht hatte, war jenes Freiherrn eifrigster Beistand geworden. Viele andere Herren, Grafen und Ritter ließen sich zu Allem willig finden. Sie würden insgesammt eingestimmt haben, wenn nicht eben Thomas von Falkenstein durch Unentschlossenheit eine große Anzahl schüchtern gemacht hätte.

Mit allerlei Entwürfen, mit Unterhandlungen, Empfangen und Versenden von Botschaften war die Zeit verstrichen und beinah der St. Georgentag herangenaht, an dem der Waffenstillstand auslief. Schon wußte man, daß die Schweizer in den Bergen laut wurden;

daß sich um ihre Banner in allen Thälern kampflustiges Volk schaarte: daß ihre Absicht gegen die Stadt Zürich und die Veste Rapperswyl gerichtet sei; daß Bern zu ihnen halte und daß das Land Appenzell den Zürichern, weil sie eidgenössischen Rechtstag ausschlugen, und dem Herzog Albrecht von Oesterreich Krieg ansagen wollten, weil er der abgefallenen Schweizerstadt Beistand gab.

Da beschlossen sie zu Seckingen, man solle gesammte Ritterschaft der Umgegend auf einen Tag versammeln. Man müsse zum Entschluß kommen, um so mehr, da der Markgraf von Hochberg befohlen hatte, der Freiherr von Sar solle mit der Erklärung des Adels zurück nach Zürich kommen, um dann zum Herzog Albrecht zu gehen.

Der Mittwoch vor St. Georg war zur Zusammenkunft in Seckingen bestimmt. Schon am Vorabend traf von allen Seiten die eingeladene Ritterschaft so zahlreich ein, daß kaum die Herbergen Raums genug behielten. Selbst derjenige kam, an dessen Erscheinen Alle gezweifelt hatten, Gangolf Trüllerey.

Ursula von Falkenstein saß mit dem Fräulein von Hagenbach, dem Freiherrn Sar, Ritter Marquard von Balbegg und Bentelin von Hemmenhofen in fröhlichen Plaudereien beisammen, als die Thür des Zimmers geöffnet ward, und Freiherr Hans von Falkenstein hereinschritt, seinen künftigen Eidam an der Seite.

„Denkt doch!“ rief lachend Freiherr Hans: „Dieser gottesvergessene Mensch wollte vor einer Herberge absteigen, statt bei der Braut einzukehren. Aber Isenhofer verrieth ihn, und ich nahm den blöden Schäfer gefangen.“

Herr Gangolf stammelte Entschuldigungen. Die Anwesenden wandten mit sehr verschiedenartigen Empfindungen ihre Augen auf den Jüngling. Ursula war leichenblaß geworden. Sie behielt kaum Macht genug, sich vom Sessel aufzurichten und ihm einen Schritt entgegen zu gehen. Gangolf verbeugte sich auf, die zitternde, kalte Hand seiner Verlobten mit Ehrfurcht zu küssen; dann verneigte er sich grüßend gegen die Uebrigen. Fräulein Hagenbach bemerkte die tödtliche Unruhe ihrer Freundin und beugte sich flüsternd zu ihr, ohne sich doch enthalten zu können, einen furchtsamen Blick von der Seite auf den fremden Jüngling fallen zu lassen.

„Willkommen, Herr Gangolf!" rief Marquard von Baldegg, ihm mit drolligem Lachen die Hand bietend: „Wir wollen wieder Freunde sein! Straf mich Gott, jetzt ist Noth an Mann, und es würde mich doch nun ärgern, hätt' ich Euch bei der Stilli eine Spanne kürzer gemacht, und zwar solches Lumpenpacks und Strolchens gesindels willen. Laßt's gut sein!"

Gangolf schüttelte ihm treuherzig die Hand und erwiederte: „Einem Biedermann zürnt man nicht lange."

Herr Bentelin von Hemmenhofen drehte sich in Verlegenheit her und hin, streckte aber endlich Herrn Trülleren die Hand ebenfalls dar und sagte: „Haltet Ihr auch mich für einen Biedermann? Ich glaube, der Schultheiß von Brugg gab uns bösen Wein. Wir müssen bekannter mit einander werden beim guten aus Falkensteins Kellern."

„Was Teufel!" schrie Freiherr Hans, während sich Bentelin und Gangolf freundliche Höflichkeiten sagten: „Hat denn der Spring-ins-die-Welt mit allen Raufbolden Händel gehabt? So recht, schließt Frieden zusammen. Wir werden in wenigen Tagen Kriegs vollauf haben. Freiherr Hinz von Sar, begrüßt auch Ihr meinen künftigen Eidam freundlich; ich will nicht hoffen, daß Ihr schon einander in's Gehege gelaufen seid."

„Der Ritter wird mich deß nicht anklagen können!" sagte Hinz: „Und ich habe von ihm des Lieben zu viel gehört, daß ich nicht um seine Freundschaft werben sollte." Darauf neigte er sich mit den artigsten Worten zu Gangolf.

Weder Ursula, noch die Hagenbach, konnten sich in diesem sonderbaren Augenblick erwehren, die Augen zu den beiden Männern aufzuschlagen, welche, im Gespräch mit einander, beisammen zu stehen

schienen, um vor biesen Richterinnen ihren Werth einer über den
andern geltend zu machen. Anmuthiger in jeder Bewegung, lieb=
licher im Spiel der Mienen, einnehmender im ganzen Wesen war
offenbar der Freiherr von Sar. Ein reicher, mit Sorgfalt gewählter
Anzug erhöhte den Zauber, welchen ihm die Natur gegeben. Und
doch schienen biese Vorzüge neben Gangolfs ruhiger Würde, neben
dem stillen Abel eines Antlißes zu verschwinden, in welchem alle
Klarheit und Macht eines lautern Gemüthes strahlte. Er stand,
gleich einem Weltgebieter, vor dem schmeichelnden Vasallen, und seine
schlichte Reisetracht schien auszeichnungsvoller, als aller Sammet=,
Gold= und Silberschmuck des Freiherrn.

„Weiß Gott!“ flüsterte die Hagenbach in Ursula's Ohr: „Der
Gangolf wird jeden Augenblick schöner!“

Ursula hatte indessen ihre natürliche Farbe und Fassung wieder
erhalten. Aber die Worte der Hagenbach trieben ihr eine bunkle,
flüchtige Röthe über das ganze Gesicht.

„Was benn? Bist bu närrisch, liebe Seele?“ flüsterte die Hagen=
bach, als sie die Gluth in Ursula's Gesicht bemerkte: „Soll ich an
dir irre werben?“

Das Gespräch unter den Männern ward lauter. Bald wurden
auch die Frauenzimmer hineingezogen. Ursula fand ihre gewöhnliche
Laune und gefiel sich in den unbefangensten Scherzen, selbst gegen
Gangolf, als wäre zwischen ihnen am alten Verhältniß nichts ver=
wandelt. Nur er schien den alten Ton nicht wieder finden zu kön=
nen, sondern blieb, wie er gekommen, fremd und ernst, doch voll
gefälliger Höflichkeit. Der ungezwungene Ton, welchen Ursula gegen
den Herrn von Sar, wie gegen ihn, führte, erregte seine Verwun=
berung über so viel Gewandtheit und Selbstbeherrschung, hinterließ
aber nur wachsenden Widerwillen. Sogar die einsilbige, schüchterne,
stilsame Verlegenheit des Fräuleins Hagenbach zog ihn mehr an, als
der lustige Witz seiner Verlobten und ihrer heitern Umgebungen.

Die Gesellschaft vermehrte sich von Rittern und Freunden des Freiherrn von Falkenstein, die er zum Nachtschmause eingeladen hatte. Man verlor sich im Getümmel von einander. Doch, als der Freiherr zum Abzug in den Speisesaal mahnte, gesellte sich, wie es schon der Anstand gebot, der erklärte Bräutigam zum Fräulein von Falkenstein. Sie lehnte sich, doch nur leise, auf den von ihm dargebotenen Arm und sagte im Herangehen halblaut, mit der Miene stolzer Empfindlichkeit: „Wie kommet Ihr dazu, daß Ihr meinen Arm verlangt, da Euch an meiner Hand so wenig gelegen ist? Werft doch den Zwang ab, der Euch so lästig fallen muß, als er mir peinlich ist!"

„Fräulein," flüsterte Gangolf zurück, „würdet Ihr mir zwei Worte unter vier Augen erlauben, ich dürfte hoffen, meine scheinbare Unart gegen Euch entschuldigen zu können."

„Ihr macht mich fast neugierig!" sagte sie und trat mit ihm seitwärts, um die plaudernden und fröhlichen Herren vorüber zu lassen, die dem Eßzimmer zugingen: „Uebrigens nach solchem Betragen, wie Ihr gegen mich zu beobachten gut fandet, scheint's mir, komme jede Entschuldigung zu spät. Ich kann höchstens nur Erklärung erwarten.

„So steh' ich wenigstens um die Gnade, mich erklären zu dürfen!" antwortete er mit einer Bescheidenheit, die fast an Traurigkeit grenzte.

„Ich gestatt' es! Doch kurz, mit zwei Worten!" sagte das Fräulein ernst und mit dem eigenen Ton, welchem man demjenigen zumißt, dem man nicht zu verzeihen geneigt ist. Dabei öffnete sie das Zimmer, welches sie erst vor einem Augenblick verlassen hatten. Sie traten hinein.

„Noch einmal bitt' ich," sagte sie mit Hoheit und Strenge, als sie allein beisammen standen: „seid kurz. Man erwartet uns. Ihr verbienet nie, daß ich Euch wieder unter vier Augen hörte. Ich bin vollkommen Euretwillen enttäuscht."

„Und ich, Fräulein, enttäuscht über Euch!" antwortete Gangolf.

„Desto besser, Herr Trüllerey. Was habt Ihr mir also zu sagen?"

„Das Lebewohl!" antwortete Gangolf trocken, und reichte ihr einen diamantreichen Ring.

Ursula ward blaß. Sie erkannte den Verlobungsring. Obgleich in ihr selber der Wunsch gewaltet haben mochte, daß die Erklärung zuletzt eine Trennung herbeiführen sollte, damit sie dem Freiherrn von Sar näher treten könne, hatte sie doch den Augenblick gefürchtet. Dieser Augenblick war aber vorhanden, und brachte ihrem Stolze die schmerzlichste, unerwartetste Demüthigung. Denn sie hätte den Bräutigam verabschieden, nicht von ihm verworfen werden mögen.

„Was wollt Ihr?" rief sie, und es war eben so viel Erschrockenheit als Zorn in ihrer stammelnden Sprache, wie in dem ungewissen und doch funkelnden Blick ihres Auges.

— Habt Ihr dieses Ringes und unserer heiligsten Stunde vergessen? erwiederte der junge Mann: Sehet hin! Er ist das Allerletzte, was Ihr von mir nehmen könnet, und das Letzte, was Ihr einem Andern geben könnet, dem Ihr schon mehr gegeben habet, als die Jungfrau durfte.

„Elender!" schrie das Fräulein, trat hochroth glühend einen Schritt zurück und sagte, indem sie ihn mit Verachtung und Grimm über die Achseln seitwärts betrachtete: „Seid Ihr gekommen, zu allen Kränkungen, die ich von Euch ertrug, noch die blutigste zu fügen? Ich werd' einen Andern senden, der für mich Rechenschaft forbert. Die Tochter der Falkensteine entweihte sich nur einmal, und zwar, als sie Euch erheben wollte. Entfernet Euch von meinen Augen."

Gelassen versetzte der Jüngling, indem er sein halbgesenktes Haupt

VII.   4*

langsam erhob: „Nehmet das Letzte, was Ihr mir nehmen könnet; nehmet diesen Ring. Meine Ehre liegt außer Euerm Bereich; nicht die Eure außer dem meinigen. Denn wisset es: ich selbst war jenen Abend Augenzeuge Eurer Untreue und meines Unglücks. Gekommen war ich in großer Heimlichkeit, die Geliebte zu überraschen, und fand — o laßt mich schweigen! — — Hat Euch nicht Isenhofer meine Nähe verkündet? Und als Euer Verbrechen — o! als es vollendet war, warum erschracket Ihr, da Ihr mich Verhüllten in der Fensterblende des langen Ganges erblicktet, durch welchen Ihr mit Freiherrn von Sar zum Tanz heimschlichet? — Brechen wir ab. Hier ist der Ring."

Jedes dieser Worte, wie leise und traurig sie auch hingesprochen waren, trug etwas Zermalmendes an sich. Ursula stand ohne Bewegung, ohne Sprache. Das brennende Roth ihrer Wangen ward von Schneebläße umzogen. Ihr Auge starrte gläsern und düster. „Er weiß Alles!" war ihr einziger, heller, tödtender Gedanke. Sie wollte den vorigen Ton fassen, ihrer mächtig werden, wollte antworten, und konnte nicht. Sie zuckte mit den Lippen.

„Warum zaudert Ihr, Fräulein?" fragte Gangolf milder.

— Geht! antwortete sie kaum hörbar und mit schwerer Anstrengung: handelt's mit meinem Vater ab.

„Das sei ferne!" entgegnete Gangolf: „Meine Dankbarkeit will Euch eine Schuld für Zeiten abtragen, da mich eine Liebe beglückte, die Ihr nicht hattet. Euer und Eures Hauses Name soll nicht durch unsere Trennung zum Weltgespött werden. Entsaget mir öffentlich zuerst; dann wird's nicht befremden, daß ich zurücktreten muß. Es steht Euch besser an, dem Vater zu bekennen, daß Ihr kein Herz für mich habet. Ich hingegen müßte ihm sagen, seine Tochter sei meine Braut und eines Dritten zugleich das Eigenthum gewesen."

Er schwieg. Sie blieb tonlos; ihr Inneres voller Vernichtung. Ihr Herz schlug mit harten Schlägen. Um ihre Ohren brausete es,

als ginge die Welt in Nichts aus einander, und doch klang Gangolfs
Stimme entsetzenvoll aus dem betäubenden Rauschen hervor. Um
ihre Augen schwamm Verworrenes und Gestaltloses. Alles ward Auf-
lösung. Die Luft fing an zu fehlen. Sie that angstvolle Odemzüge.

Gangolf, welcher ihren Zustand nicht ahnete, sagte: „Kehren
wir zur Gesellschaft zurück, daß man uns dort nicht vermisse. Ver-
rathet das Geheimniß nicht selber!" Dabei legte er ungeduldig den
Ring in die herabhangende Hand. Sie ließ ihn bewußtlos fallen.
Er bot ihr mit Höflichkeit den Arm, sie hinwegzuführen. Sie aber
seufzte heftig athmend: „Ich kann nicht! — Ich kann nicht!"

In diesem Augenblicke öffnete sich die Thür. Fräulein Hagenbach
trat herein und erschrack beim Anblick ihrer entstellten Freundin.
„Ihr ist nicht wohl!" rief sie: „Geht, laßt uns allein; man erwartet Euch am Tische." Gangolf gehorchte und entfernte sich, zufrieden, ein unangenehmes Geschäft abgethan zu haben.

14.

Der Nachbesuch.

Im hochgewölbten Speisesaal scholl an wohlbesetzter, langer
Tafel lautes, fröhliches Getöse der schmausenden und zechenden Gäste.
Gangolf empfing seinen Platz neben einem leer gebliebenen Sessel,
welcher seiner Braut bestimmt sein mochte.

Die ganze Pracht und Ueppigkeit der Falkensteine schien hier im
glänzenden Silbergeschirr aufgetischt zu sein, in welchem von hundert brennenden Kerzen die Strahlen zurückspiegelten. Zwanzig reich
gekleidete Diener waren geschäftig, mit dem Auf- und Abtragen der
Speisen, oder die Wünsche der Gäste zu befriedigen. In langen
Reihen dampften abwechselnd Lamm- und Rinder-, Hasen- und
Hirschbraten, Milchschweine und Wildschweine, Lachsforellen, Hechte,

Karpfen, zahmes und wildes Geflügel; Alles köstlich bereitet und
für die Augenlust mit Blumen, Lorbeeren, Zitronen und Granaten
aufgeschmückt. Dazwischen stiegen künstlich geordnete Thürme von
Backwerk und andern Leckereien empor. Landwein, edler Rheinfall,
Malvasier und griechischer Rebensaft umringten in schimmernden
Silberkannen die Gäste.

Gangolf befand sich in diesem Paradiese der Gaumseligen bald
heimisch und wohlgemuth. Er gedachte seiner verlornen Braut mit
einer Gleichgültigkeit, als hätte er sie nie geliebt; ja, ihm kam es
fast unglaublich vor, daß er für sie habe Neigung empfinden können.
Er schämte sich, ihr einst Gefühle bekannt zu haben, die weniger
aus ihm selber hervorgegangen, als vielmehr von Außen her, durch
Wünsche des Markgrafen, durch Aussicht auf Verbindung mit einem
mächtigen Hause, durch Vertraulichkeiten mit einem reizvollen weiblichen Geschöpf erregt und erkünstelt worden waren. Er trank den
fröhlichen Nachbarn fröhlich zu, und leerte fleißig die Teller mit der
Behaglichkeit eines Feinschmeckers.

Schon mochte eine Stunde vergangen sein, als das lauter wer-
dende Geräusch der Tischgenossen um ihn her, die jetzt mit gehobenen
Kelchen sich jauchzend gegen den Eingang des Saales drehten, seine
Aufmerksamkeit anzog. Es traten die Fräulein Falkenstein und Hagenbach herein, ohne Zweifel vom Geber des Festes, dem Freiherrn
Hans herbeigeholt, der sie begleitete. Nicht bloß Zufall mochte es
sein, daß die Frauenzimmer die ihnen bestimmten Plätze verwechsel-
ten, und statt der Braut die Freundin derselben an Gangolfs Seite
den Sessel, Ursula aber den leeren auf der entgegengesetzten Tisch-
seite einnahm, so viel auch Ursula's Vater, aber zu spät, dagegen
eifern wollte.

Die Erscheinung störte indessen nicht im mindesten Gangolfs Zufriedenheit, um so weniger, da das Fräulein von Falkenstein durch
keinen Zug verrieth, welchen schrecklichen Augenblick sie bei ihm ver-

lebt hatte. Ein schärferer Beobachter, als er, hätte freilich aus dem
Gezwungenen ihres Lächelns, aus der Einsilbigkeit ihrer Reden, und
daß sie mehr Zuschauerin als Mitgenießende an der Tafel blieb,
anders geurtheilt. Auch den Uebrigen würde es aufgefallen sein,
wären sie nicht zum Theil von der Unpäßlichkeit schon benachrichtigt
oder zu sehr mit sich selber beschäftigt gewesen.

Desto gesprächiger wurde Gangolfs Nachbarin mit ihm, ganz
wider ihre Gewohnheit. Alte Bekanntschaft, und ihr Verhältniß zum
Fräulein von Falkenstein, berechtigten sie jedoch wohl zu größerer
Vertraulichkeit. Er hatte sie jederzeit im Umgange einnehmend gefunden, und so oft er in ihrer Nähe war, konnte er die thörichte
Leidenschaft ihres bejahrten Anbeters, des Freiherrn Hans, verzeih-
lich heißen. Doch traulicher, gütiger, als diesen Abend, war sie nie
gegen ihn gewesen. Man hätte argwohnen können, als wäre ihr
darum zu thun, in seinem Herzen das leer gewordene Plätzchen einzunehmen. Aber ein Einfall von so frevelhafter Art würde nie
Gangolfs arglosen Sinn, auch nur aus der Ferne, berührt haben.

Schon nach einer halben Stunde gab das Fräulein von Falkenstein von drüben her, ihrer Freundin wieder das Zeichen zum Aufbrechen. Diese, ehe sie den Sitz verließ, flüsterte Gangolfen freundlich in's Ohr: „Es ist nothwendig, daß ich Euch diesen Abend noch
wegen Ursula's spreche. Ich erwarte Euch nach aufgehobener Tafel
in meinem Zimmer." — Gangolf verhieß zu gehorchen. Die Frauenzimmer beide verschwanden.

Unterdessen nahm er an den Verhandlungen der Herren über die
bevorstehende Eröffnung des Krieges lebhaften Antheil. Es war lär-
mendes Streiten zwischen Allen, welche Partei ergriffen werden
müsse? Die Gluth des Weins, welche die Gemüther entflammte und
die Zunge beflügelte, äußerte zugleich ihre überreizende Wirkung
auf die Einbildungskraft der Habernden, also daß die Unterhaltung
in bunten Sprüngen wild umherflatterte, ohne je ihr Ziel zu erfassen.

Man trank auf den Untergang aller Eidgenossen, und vertheilte deren Städte und Länder in große Vogteien, die, wie billig, dem tapfern Abel im Namen Oesterreichs zu verwalten gebührte. Man fluchte der Saumseligkeit des Dauphins und seiner Feldherrn, welche mit ihren Schlachthaufen längst schon über Mümpelgard und Altkirch vor Basel, wo nicht an der Aare, stehen sollten. Viele meinten, der französische König sei mehr wegen Straßburg, als der Schweiz wegen, in's Elsaß gezogen.

Schon rückte Mitternacht heran, da sich Gangolf seines Versprechens erinnerte und die zankenden Ritter verließ. Es schlug im benachbarten Thurm der Stiftskirche eilf Uhr, als er durch einen langen, halbdunkeln Gang vor das Zimmer der Hagenbach trat. Fast däuchte es ihm zu spät oder unziemlich, in solcher Stunde das Gemach eines Frauenzimmers zu betreten. Doch vernahm er darinnen Geräusch, und bei seinem leisen Anpochen schien es sich zu vermehren. Er hörte eine Thüre darin verschließen, während die, vor welcher er stand, von innen entriegelt ward. Sie öffnete sich, und schloß sich hinter ihm nach seinem Eintritt schnell.

„Heiliger Himmel!" rief halblaut das Fräulein, welches im Nachtgewand, halb entkleidet, schamhaft in sich selber zu versinken schien: „Seid Ihr's noch? Ich hätt' Euch in Wahrheit nicht mehr erwartet. Und doch — Ihr wollet uns morgen schon verlassen, und wir müssen zuvor mancherlei mit einander . . ."

— Verzeiht, Fräulein; unterbrach sie Gangolf mit Verlegenheit, indem er die Augen zur Erde senkte: Ich werde Euch morgen vor der Abreise suchen. — Er machte eine Bewegung, sich zu entfernen.

„Wir müssen unbelauscht und ungestört reden. Das erlaubt der Tag unmöglich, zumal bei der Menge der Fremden!" sagte sie, hüllte den Obertheil ihrer Gestalt in ein leichtes Tuch und schmiegte sich in einen Lehnsessel eng zusammen. Dann wies sie ihm einen Platz nahe vor ihr an; gern wäre er weiter zurückgesessen, hätte es nicht die

Wand hinter ihm gehindert. Die Spitze ihres kleinen Fußes stieß zuweilen an den seinigen.

Nun begann sie das Gespräch mit sanften Vorwürfen über seine Grausamkeit gegen Ursula. Sie gab eine Schilderung der drohenden Folgen, welche aus so plötzlicher und auffallender Trennung entspringen würden. Sie behauptete, er sei nur von Ohrenbläsern getäuscht, und die Unschuld seiner Braut wäre verläumdet worden. Sie redete für ihre beklagenswürdige Freundin mit so großem Eifer, daß sie oft darüber sich selbst und die flüchtige Art ihrer Bekleidung vergaß. Verführerischer konnte sie unmöglich sein, als wenn sie in solcher Selbstvergessung mit bittender, schmeichelnder Stimme, und die Augen durch den Thau einer Thräne verschönt, vor ihm stand.

Er nahm endlich zur Rechtfertigung seines Schrittes das Wort, so ruhig und doch so siegend mit allen Gründen, daß am Ende selbst die Vertheidigerin nichts mehr erwiedern zu können schien, sondern nur zum Versöhnen und Verzeihen mahnte.

„Und gesetzt,“ sagte sie endlich mit fast muthwilligem Ton, „das gute Ursi hätte sich einen Augenblick vergessen können! Ihr, mein schöner junger Herr, waret ihr denn noch niemals schwach? Wollet Ihr nicht einem armen Mädchen verzeihen, was Ihr, starker Held, Euch selber vielleicht nur allzugern verziehen habt? Gesteht mir's nur!“

— Erlaubt, Fräulein, antwortete er, und sah sie ruhig mit seinen hellen Augen dabei an: Ich hatte mir nie in dieser Art etwas zu verzeihen.

Sie drohte schalkhaft mit dem Finger und rief: „O, wer doch Alles wüßte! Auch in keinem Gedanken hättet Ihr gegen die Treue gesündigt? Geschwind beichtet mir, und ich will Euch Absolution ertheilen.“

— Wofür haltet Ihr mich? antwortete er mit einer Stimme und Miene, welche fühlen ließ, daß ihn der Zweifel kränkte.

„Nun denn, mein lieber Heiliger," sagte sie, indem sie den blendend weißen Arm gegen ihn ausstreckte und seine Hand ergriff: „der Himmel hat Vergebung für alle Sünden, und Ihr versagt sie einer einzigen, kleinen, flüchtigen?"

— Der Himmel vergibt die Sünden, antwortete Gangolf lächelnd: aber er vergibt sich nicht selber an Sünder. Ich bin im nämlichen Fall, und möchte so wenig, als er, Sündendeckel werden.

„O, Ihr seid ein böser, sehr böser, harter Mann!" seufzte das Fräulein und stand auf: „Und wenn ich Euch nun gar schön, gar rührend bitten würde, mir die kleine Freude zu gönnen, eine Versöhnung zu stiften?"

— Sie ist Euch schon geworden! antwortete er, indem er sich ebenfalls vom Sitze erhob: Hab' ich nicht gesagt, daß ich das Fräulein nie hassen, aber auch nie lieben könne?

„Ach, das ist eine Versöhnung," erwiederte sie, „schauerlicher, als der wildeste Groll. Ich wollte, Ihr haßtet mein Urst. Dann säh' ich doch mehr als die todte Kohle dieser Versöhnung. Es wäre doch ein Fünkchen da, aus dem sich ein Flämmchen, in anderer Richtung, blasen ließe! Ich bitte, ich beschwöre Euch, trauter Gangolf, lasset Euch erweichen. Ist denn dies Herz von Felsen?" — — Sie legte bei letztern Worten ihre Hand auf seine Brust, die andere auf seine Achsel, und nahe an ihn gelehnt, sah sie so zärtlich schmeichelnd zu ihm empor, daß er den Blick kaum ertragen konnte.

Verwirrt schwieg er. „O, wie dies Herz schlägt!" sagte sie leise und lehnte ihr Haupt an seine Brust: „Schlägt es im Erbarmen? Laßt mich doch horchen. Was spricht es?"

Allerdings schlug es dem Jüngling. Er warf verlegene Blicke im Zimmer umher, als fall' er mit sich selber in Noth. Es war ihm unmöglich, eine Antwort hervorzubringen. Sie legte indessen schmeichelnd ihren Arm um ihn, und stand lange neben ihm in einer liebkosenden, unschuldigkranklichen Selbstvergessung, die uns in

Chriſtens von Unterwalden ſchöner Zuſammenſtellung Amors und Pſyche's rührt.

„Urſula iſt gewiß nur Opfer grundloſen Verdachtes!" flüſterte ſie an ihm auf: „Denket, wenn ſie erſchiene; wenn ſie uns Beide in dieſem Gemach, in dieſer Stunde, in dieſer Traulichkeit überraſchen würde.... müßte uns nicht der Schein bei ihr anklagen? und wären wir nicht ſchuldlos, wie ſie es war, obwohl ſie uns ver- dammen müßte?"

— Ihr habt Recht. Auch den Schein ſollen wir meiden! rief er: Gute Nacht Fräulein! — Und mit dieſen Worten ging er plötz- lich von ihr, und riß, ehe ſie es, nachſpringend, verhindern konnte, die Thür auf, — aber in Verwirrung nnd Eilfertigkeit die unrechte, welche nur in ein Seitenzimmer führte. Und hart neben dieſer Thüre ſtand — man male ſich ſein Erſtaunen! — in der Stellung einer Horchenden, das Fräulein von Falkenſtein. Sie trug noch die Prachtkleider, in denen er ſie vor mehreren Stunden geſehen hatte. Stumm und betroffen ſah er die vom Schreck Erblaßte an; dann umher durch das Zimmerchen, welches keinen andern Aus- und Ein- gang zeigte; dann auf die Hagenbach zurück, welche, ihr Geſicht mit beiden Händen verbergend, wie närriſch in der Stube umherlief.

„Was ſoll das?" rief der Jüngling empört mit ſeiner vollen donnernden Stimme: „Welch loſes Spiel gedachtet ihr Beide mit mir zu treiben? Verabredung alſo?"

„Jeſus, Maria und Joſeph!" winkte ihm die Hagenbach leiſe und ängſtlich zu: „Mäßigt doch Euer Geſchrei! Wecket nicht das ganze Haus, wie ein Raſender, wegen eines Zufalles."

„Ich verlange Licht!" donnerte er, wie vorher: „Hier ſind Tücke! Meinethalben, ich will das Haus, ich will ganz Seckingen und geſammten Adel hier zum Zeugen."

„Um Gotteswillen, Gangolf!" rief Urſula, und ſank von Scham und Furcht überwältigt auf das Knie, indem ſie die Hände flehend zu ihm streckte: „Wenn Ihr mich je geliebt habet, machet keinen Zusammenlauf! Bändiget Euch! Wollt Ihr uns Alle verderben und zum Gassenlied hingeben? Geht, geht! Aus Barmherzigkeit, geht!"

„Und warum argwohnet Ihr das Schlimmste sogleich?" setzte gefaßter Fräulein Hagenbach hinzu, doch mit noch verstörter Geberde: „Nun ja, ich verbarg meine Freundin, damit ich sie alsbald Euerm Herzen hätte zuführen können, wenn mein Versöhnungsversuch gelungen wäre. Welche andere Absicht hätte ihr und mir wohl das zügelloseste Mißtrauen beimessen dürfen?"

„Verzeiht, Fräulein," entgegnete Gangolf kälter, „dazu, scheint mir's, sei weder die nächtliche Stunde, noch eine Bekleidung von nöthen gewesen, die mit Eurer Sittsamkeit im Widerspruch ist."

Das Fräulein von Hagenbach ward feuerroth. Ursula riegelte zitternd die andere Thüre des Zimmers auf, öffnete sie dem Ritter und faltete die Hände, unter einem stumm flehenden Blick gegen ihn.

Er begab sich schweigend, sogar ohne Abschied, hinweg, und überließ die Beiden ihrer Reue oder ihren gegenseitigen Vorwürfen.

15.

Die Ritterversammlung.

Ohne Zweifel hatten seine Vermuthungen das Ziel dieser angestellten Gaukelei nicht allzusehr verfehlt. Er kannte die herrschende Leichtfertigkeit der meisten Frauen höhern Standes; aber kaum, wessen die gereizte Bosheit derselben sich vermessen konnte. Wahrscheinlich hatte die verschmitzte Geliebte des Freiherrn Hans von Falkenstein nur die Versucherin gespielt, damit ihn seine verstoßene Braut in deren Armen überrasche, sich an seiner Demüthigung weiden und über Entweihung der Treue, wie des Gastfreundschaftsrechts, vor dem Vater klagen könnte. Dem Jüngling schauderte. Solcher Ausschweifung blinder Rachsucht hätte er das weiche, spielende, zärtliche, schmeichelnde, thränenselige Evensgeschlecht nicht, oder wenigstens nicht die schöne Ursula, gewachsen geglaubt. Unter Betrachtungen dieser Art entschlummerte er erst spät, mit Verachtung und Ekel wider gesammte weibliche Bevölkerung des Erdkreises.

Zum Glück war der Traumgott, welcher in dieser Nacht über dem unruhigen Schläfer schwebte, klüger, als der junge Mann, welcher in Gefahr stand, vollkommener Weiberhasser zu werden. Denn da erschien ihm in verklärter Gestalt ein frommes Mädchen, dessen Schönheit und stille Milde ganz dazu geschaffen war, die Hölle selbst gottesfürchtig zu machen. Dieselbe Gestalt war's, die er einst von der Stilli nach Brugg begleitet und unter den Trümmern der Freudenau gefunden hatte. Er konnte sich nicht enthalten, vor allen Dingen wieder, wie damals, das Schneegrübchen im Kinn zu bewundern und sie, auf ihrem Esel reitend, einer fliehenden Mutter Gottes zu vergleichen. Aber der Traumgott machte sie unendlich schwesterlicher, als sie in der Wirklichkeit erschienen war. Gangolf fühlte sich in beklemmender Sehnsucht zu der Heiligen gezogen. — Und was er empfand, das schien auch sie zu fühlen. Er las in ihrem Wesen, ob sie auch schwieg. Sie beschenkte ihn mit einem Strauße dunkelblauer Blumen. Das aber war die letzte Huld des Traumes. Als Gangolf die Augen aufschlug, ergossen sich die Sonnenstrahlen schon warm und blendend durch die runden Scheiben des Gitterfensters.

Er kleidete sich eilfertig an. Keine Erinnerung an das Abenteuer des gestrigen Abends schien ihm geblieben, Alles vom Zauber des Traumes verwischt zu sein. Er sann sich gern in diesen zurück; er spann ihn gern fort. Es war, als müsse er die dunkelblauen Blumen wieder finden. Er konnte sich's selber kaum verzeihen, das Edelste und Schönste, was seinen Augen je begegnet war, vergessen gehabt zu haben. Nun wiederholte er im Geist ihre Worte und das Unnennbarfüße ihres Tones; nun die Zartheit ihrer Gesichtsbildung, das Heilige im Blick ihrer Augen, ihr ganzes Aeußere, bis auf den schönen Faltenwurf der groben Beguttentracht. Nun nannte er sich ihren Namen Veronika. Er empfand im Innersten der Brust noch das Beklemmende der Sehnsucht aus dem Traum; es war ein Weh voll geheimer Wonne.

Zuweilen, wenn zwischen diesem Treiben seiner trunkenen Einbildungskraft der Blick seines gesunden Verstandes heller ward, lächelte er über sich selbst.

Indessen ward leise an die Thüre gepocht. Zwei Diener brachten die Morgensuppe und den Wein. Sie waren schon dreimal vergeblich da gewesen. Er erfuhr, die Ritterschaft sei längst zur letzten Berathung versammelt. Man mußte ihn dahin führen.

In einem hohen, gevierten Saale von St. Fridolins Stiftsgebäude saßen bei vierzig Grafen, Freiherren, Ritter und Edelknechte längs den Wänden auf Polsterbänken umher. Ueber ihren Häuptern sah man rings an den übertünchten Mauern die Wappenbilder der Aebtinnen des Klosters seit den Tagen Bertha's, der frommen Schwester Kaiser Karls des Dicken; auch betende Heilige und Engelsgestalten zwischen Wolken, bunt in Kalk geätzt. — In des Saales Mitte saßen um einen schwarzbehangénen, viereckigen Tisch mehrere Ritter; Freiherr Hans von Falkenstein oben an, als Führer der Versammlung; ihm unten gegenüber Herr Isenhofer von Waldshut, emsig schreibend, als Kanzler der Ritterschaft. Sowohl das allgemeine Vertrauen, als seine Gelahrheit, machten ihn dieses Amtes würdig.

Es redete so eben, bei tiefer Stille der Uebrigen, ein Benediktinermönch des Klosters St. Blasien im Schwarzwalde, welcher von seinem Abt Nikolaus zur Kirchenversammlung nach Basel abgeordnet war. Auf der Durchreise in Seckingen hatte man ihn erbeten, dem Zusammentritt des Adels durch seine Gegenwart größere Würde und

durch sein Gebet heilige Weihe zu geben. Er war ein schöner, voll=
blütiger Mann, und galt für den vorzüglichsten Redner St. Blasiens.

„Das göttliche Zorngericht, rief er, „ist bereit, über die frevel=
vollen Häupter der Schweiz auszubrechen. Wenn ihr auch furchtsam
wanket, das göttliche Zorngericht wanket darum keinen Augenblick.
Es wird die sogenannten Eidgenossen, jene wilden Empörer, zer=
schmettern, welche die Satzungen Gottes und der Natur mit Füßen
treten, und die es wagen, ihre Hand gegen den König, gegen den
Gesalbten des Herrn, gegen ihre rechtmäßige Herrschaft zu erheben.
Jedes Volk des Erdkreises gehorcht Königen; diese Bauern aber
wollen Herren heißen; das will sagen, sie rufen die höllische Zwie=
tracht zu ihrer Fürstin aus.

„Vortrefflich spricht St. Hieronymus zum rusticum Monachum:
Vielherrschaft taugt nicht. Rom, kaum erbaut, konnte nicht zwei
Brüder zu Königen haben, darum ward es mit Brudermord einge=
weiht. Esau und Jakob fingen schon Krieg vom Mutterleibe an. Im
Himmel ist nur ein Gott, auf Erden nur ein Haupt der Kirche; in
der Welt nur ein Kaiser; im Schiff nur ein Steuermann; im Hause
nur ein Hausherr; im Heere nur ein Feldoberst. Die Bienen folgen
nur einem Führer; die Störche, wenn sie in langen Reihen durch die
Wolken ziehen, nur einem, der voranfleugt.“

Gangolfs Augen ruhten mit Wohlgefallen auf der stattlichen Ge=
stalt des Mönchs, der zum Schlusse seine Zuhörer gegen die unzähm=
baren Rotten der Schweizerbauern mit einer Inbrunst ermahnte, als
wär' es zu einem Kreuzzug wider die ungläubigen Sarazenen.

„Straf' mich Gott, wenn der wohlehrwürdige Vater nicht Recht
hat!“ rief aus der Ferne eine Stimme. Es war die des begeisterten
Herrn Marquard von Balbegg: „Man muß die verdammten Küh=
melker mit Stumpf und Stiel austilgen, wie der wohlehrwürdige
Vater sagte, gleich der Rotte Koran, Dathan und Abimelech. Nun,

Vetter Thomas von Falkenstein, wie steht's jetzt? Erkläre dich vor uns Allen. Alle fordern wir es! Entscheide dich!"

Thomas von Falkenstein erhob sich. Gangolf mochte ihn kaum ansehen, so widerwärtig war ihm dieses Gesicht von jeher gewesen. Ein schwarzbrauner Kopf mit dickem, schwarzem, zottigem Haupthaar und Knebelbart, großer Nase, vorstehenden, trotzigen Augen, scharfen Gesichtszügen, deren Härte kaum durch das Sinnlich-Ueppige um den Mund und um das feiste vorstehende Kinn gemildert ward. Es war übrigens eine breite, untersetzte Gestalt, die, ihrer Leibes-stärke bewußt, mit jeder Bewegung zu drohen oder loszuschlagen zu wollen schien.

„Meint Ihr," rief Freiherr Thomas aus gewaltiger Kehle, und seine beiden Hände krallten sich vor der Brust: „es jucke mir nicht die Faust, mehr denn Euch Allen, den Tanz mitzumachen? Lieber heut', als morgen, möcht' ich die Nester der Eidgenossen mit eisernen Besen fegen. Aber ihrer sind viel. Wo bleibt des Königs verheißene Hilfe? Wo das Heer der Franzosen und Armagnaken? Wenn ich die Staubwolken vom Anzuge des Dauphins erblicke, dann soll Ihr die Rauch- und Feuersäulen sehen, welche Thomas von Falkenstein vor ihm her schicken wird. Alles Andere ist Tollheit! Meine Burgen längs der Aare liegen zwischen Bern, Basel und Solothurn im Sack. Es wird mir Keiner eine Fensterscheibe zahlen, wenn meine Schlösser von den Eidgenossen berannt und zerstört sind, und ich um Hab' und Gut gebracht bin."

„Hundert- für einmal hab' ich's Euch gesagt, und vor versammelter Ritterschaft hier wiederhol' ich's Euch feierlich," entgegnete Freiherr Hinz von Sar: „Herr Landgraf von Buchsgau und Siß-gau, das ist der Wille meines gnädigen Herrn, des Herzogs Albrecht von Oesterreich: wie viele Burgen Euch im Krieg verloren gehen, so manches Schloß an der Elsch will Herzog Albrecht Euch wieder-geben!"

„Hättet Ihr mir sein fürstliches Wort in Brief und Siegel gebracht, Herr von Sar, so dürft' es sich hören lassen!" antwortete
Thomas: „Die Lippen der Fürsten, weiß man, sind jederzeit freigebig, aber ihre geizigen Hände taugen besser zum Griff. Wer ge-
währleistet mir, am Ende der Dinge, Albrechts Zusage?"

Da erhoben sich fast alle Ritter lärmend von ihren Bänken und
riefen: „Wir sind Bürgen, wir, wir, Herr Landgraf! Wir gewähren, wir Alle!"

Nachdem das Getümmel gestillt ward, sagte der Landgraf: „Sei's
darum! So gilt's! Euer Aller Ritterwort wiegt mir ein Fürstenwort.
Doch rühr' ich mich nicht, bevor wir der Städte Zofingen, Aarau,
Brugg und der übrigen im Aargau versichert sind. Sie könnten uns
ein Seil spannen, darüber wir im Lauf den Hals brächen. Für
Aarau haben wir Sicherheit. Trüllerey ist unter uns. Er gibt mir
jeden Tag die Stadt, wenn sie nicht gutwillig geht. Wie halten
wir's mit den andern?"

„Macht keine falsche Rechnung, Herr Landgraf!" unterbrach ihn
Gangolf: „Aarau und der Thurm Rore haben zu Bern geschworen
und werden fest und ehrlich zu Bern halten. Ihr aber, wie möget
Ihr vergessen, daß Bern so lange Eure Vormundschaft geführt und
Euch, bis Ihr unmündig watet, vertreten hat, daß Ihr nun Eurer
Wohlthäterin so untreu werden wollet?"

Es entstand Todtenstille. Jeder richtete den Blick auf den Jüngling. Langsam wandte auch Thomas von Falkenstein das eiserne,
braune Gesicht nach ihm und sagte: „Wer will uns hier lehren, was
ein Edelherr bürgerlichem Volk schuldig sei? Ihr doch nicht, Junker
Gangolf? Laßt mich's noch einmal hören: Ihr also haltet mit Aarau
zu Bern . . . sagtet Ihr so? He?"

„So sag' ich!" versetzte Herr Trüllerey.

„Warum kamet Ihr denn in die Versammlung des Adels, wenn
Ihr wider uns seid?" fragte Thomann.

„Warum ließet Ihr mich berufen?" antwortete jener: „Uebrigens werd' ich nicht wider Euch sein, wenn ich nicht für Euch bin."

„Aber, straf' mich Gott! so habt Ihr ja den Markgrafen angelogen!" schrie Marquard von Balbegg: „Der Markgraf Hochberg baut Häuser auf Eure Ergebenheit, Herr Trüllerey!"

„Er ist von meinen Entschlüssen vollkommen unterrichtet!" erwiederte Gangolf: „So lange die Abwesenheit meines Vaters und der Krieg dauert, weich' ich nicht aus Aarau."

„So wahr mir Gott und seine Heiligen beistehen, Gangolf," schrie Ursula's Vater, Freiherr Hans von Falkenstein, dazwischen: „Es soll' Euch bitter bekommen, wenn Ihr den Ausreißer machtet. Was zum Hause Falkenstein gehört, soll und muß mit den Falkensteinern gehen. Meine Tochter ist der Preis der Dienste, so Ihr noch der guten Sache zu leisten habet. Wisset Ihr's noch?"

„Soll mein erster Dienst ein Meineid sein, Freiherr?" fragte Gangolf.

„Meine Tochter ist der Preis der Dienste, die Ihr uns zu leisten habet!" wiederholte warnend Freiherr Hans und erhob sich stolz vom Lehnstuhl.

„Ich bin ein freier Rittersmann, adelichen Stammes, aber keines Menschen Sklav!" entgegnete mit starker Stimme Gangolf: „Behaltet Euern Preis, ich behalte Freiheit und Ehre!"

„Ihr Herren alle, Ihr seid Zeugen!" schrie Hans von Falkenstein hastig, als käme ihm Gangolfs Wort eben zu rechter Zeit: „Ihr habt es angehört; er sagt sich von der Hand meiner Tochter los! So will ich sie denn lieber einem meiner leibeigenen Knechte antragen, eh' ich gestatte, daß Ihr sie Braut heißet. Kein Markgraf, kein König und kein Kaiser soll's je ändern, so wahr Gott helfe!"

„Gangolf, Herzensschatz, Trotzkopf!" rief Marquard von Balbegg: „Plagt Euch der lebendige Satan? Kehrt um, es ist hohe Zeit! Die schönste aller Jungfrauen steht auf dem Spiel."

„Die Ehre des Mannes ist schöner, als die Schönheit des schön=
sten Weibes!" versetzte Herr Trüllerey sehr ruhig.

„Ha!" schrie jetzt Landgraf Thomas erbost: „Ungezüchtigt sollst
du, Milchbart, fürwahr nicht eine Tochter von Falkenstein dem
Bürgergeschmeiß deiner Städte opfern. Und will ich Aarau, sieh'!
morgen soll's mir gehören, und hätt' es die Mauern von Eisen.
Deinen Thurm stürz' ich, wie einen mürben Sandblock, in die
Fluthen des Stromes hinab. Sag's deinem Vater, dem Tückmäuser,
ich will aus den Schloßfenstern von Königstein lachen, wenn er und
seine Spießbürger mit dir, Bettel = und Brandbriefe durch's Land
tragen."

„Thomas von Falkenstein, wahre dein Lästermaul!" rief Gangolf:
„Mische den Namen meines Vaters nicht in deinen Geifer. Hier stehst
du unter uns Rittern, nicht aber unter deinen bezahlten Zigeunern."

Brüllend schoß der Landgraf von seinem Sitz auf und gegen
Gangolf in drei Sprüngen: „Frecher Knabe! schrie er: „Zu wem
sprachst du? Wessen unterfängst du dich?"

Langsam richtete sich der Jüngling vor ihm auf und sagte:
„Meinst du, mein Wort könnte einem Einzigen in dieser ehrbaren
Versammlung gelten, wenn nicht dir?"

Der Landgraf riß die nahe Saalthür auf und brüllte: „Hinaus!
hier hinaus! bernischer Spürhund! Hinaus, wenn ich dich nicht durch's
Fenster stürzen soll! Wird's?"

„Thomas Falkenstein, du bist ein so gemeiner Bösewicht," sagte
Gangolf kaltblütig, „daß der Koth deiner Worte meine Ehre so
wenig besudeln kann, als ein Fliegenfleck meinen Schild."

Aus dem ganzen Saale traten bestürzt und langsam die An=
wesenden näher. Freiherr Thomas aber stand, wie vom Starrkrampf
gebunden, lange Zeit unbeweglich. Seine Gesichtsfarbe ward im
Zorn zum häßlichen Rothgelb, seine bebende Unterlippe veilchenblau.
Könnte ein Mensch, wie ein Basilisk, durch vergiftetes Anschauen

VII.   5

tödten: ſicherlich hätte der ſtierglotzende Blick des Freiherrn, aus welchem Wuth herüber funkelte, den Mord vollendet. Sein Anblick war ſchauderhaft. Man ſah das krampfhafte Zucken ſeiner Finger und der Geſichtsmuskeln.

Jählings, mit dem Satz eines Tigers gegen die Beute, ſprang Thomas gegen den ihn furchtlos betrachtenden Jüngling und krallte ſeine ſtarken Fäuſte in deſſen Achſeln. Dieſer aber wich nur einen Schritt, ſtämmte ſich dann und Beide fingen unter furchtbarem Geſchrei an zu ringen.

„Friede! Friede!" brüllten die Stimmen der Zuſchauer durch einander: „Gangolf! Thomas! Laßt ab! Thut's auf ritterliche Weiſe!" Aber die beiden Erbitterten hörten nicht mehr. Nach einer Weile anhaltenden Ringens fühlte ſich Freiherr Thomas, durch Gangolfs Armeskraft ergriffen, dem Fußboden entrückt, und von deſſen Fäuſten wie ein Knabe in die Luft gehoben. Der Freiherr ſtieß einen entſetzlichen Schrei aus, und fuhr, gleich einem wilden Thier, mit den Zähnen ſchnappend, rechts und links. Gangolf ſchleuderte ihn aber ſo mächtig zur Erde, daß das Haus erdröhute.

Jedermann glaubte, die ſämmtlichen Rippen des Landgrafen müßten von dem ungeheuern Wurf gebrochen worden ſein. Der Freiherr lag wie ein Zerſchmetterter da, die mörderiſchen Augen noch ſtarr auf den Gegner gerichtet. Eben wollten ſich einige der Umſtehenden nahen und ihm aufhelfen, als er von ſelbſt jach empor ſprang. Er riß das Schwert aus der Scheide, und rannte ſchnaubend gegen Gangolf. Dieſer begegnete ihm behend mit der Klinge. Doch zehn andere Degen ſtreckten ſich zwiſchen Beide, und rücklings zerrte man die Kampfſüchtigen von einander unter tobendem Rufen: „Halt! Hier iſt heiliger Boden! Kein Mord im Kirchentwing!"

Viele umringten den Freiherrn, Andere aber Herrn Gangolf, den ſie zu beſänftigen trachteten. Sie führten ihn hinweg, und baten ihn, Seckingen zu verlaſſen, denn der raſende Thomas ſei jeder That

fähig, und von seinem aufgebrachten Bruder Hans zu Allem unter=
stützt. Gangolfs Roß ward gesattelt. Einige der Ritter, die den
unerschrockenen Jüngling liebgewonnen hatten, begleiteten ihn noch
zur Rheinbrücke und hinüber an's jenseitige Ufer.

* * *

18.

Die nächsten Folgen der Versammlung.

Der Vorfall hatte nicht nur jener Versammlung ein unerwartetes
Ende gemacht, sondern den ganzen Rittertag aufgelöset. Der größte
Theil des nach Seckingen gekommenen Adels verließ eilfertig noch
desselbigen Tages die Stadt und kehrte auf seine Schlösser zurück,
als stände, beim nahen Ausbruch des Krieges, jedem die Gefahr
schon vor den Mauern. Vieles blieb ganz unausgemacht, was noch
im Wurf gelegen gewesen war.

Es versteht sich, daß alle Schuld dieser störenden Begebenheit
dem erklärten Abfall Trüllerey's angerechnet wurde. Jeder im Hause
der Falkensteine sandte ihm Verwünschungen nach; die fürchterlichsten
von allen der Landgraf Thomas. Zehnmal wiederholt' er an dem
Tage seinen Schwur, er wolle sich keines gesunden Schlafes mehr
erfreuen, wolle nicht selig sterben, wenn Aarau nicht zum wüsten
Steinhaufen werden, und der Thurm des Freihofes nicht in den
Grund der Aare stürzen sollte. Und man wußte gar wohl, daß der
Landgraf Mann genug war, sein schreckliches Wort zu erfüllen.

Freiherr Hans fluchte zwar auch brüderlich mit, doch in den
Flüchen, die dieser ausstieß, war eine gewisse Zufriedenheit mit dem
Ausgang des Ereignisses unverkennbar. Er freute sich heimlich, daß
er es diesem Anlasse danken konnte, auf gute Art eines Schwieger=
sohnes losgeworden zu sein, der seinem Stolze nie anständig gewesen

war. Auch Fräulein Ursula würde frohe Miene zu dem unverhofften Spiel des Schicksals gemacht haben, das ihre Wünsche über alle Erwartung begünstigte, hätte nicht die bevorstehende Abreise des Freiherrn von Sar, dem sie ihrerseits nun ohne Hinderniß angehören konnte, sie zur bittersten Traurigkeit gestimmt. Es that ihr wohl, ihrem Schmerz keine Gewalt anthun und die Thränen nicht zurückhalten zu müssen. Wer sie nicht näher kannte, schrieb diese Betrübniß dem plötzlichen Bruch mit dem ehemaligen Bräutigam zu. Freiherr Hans, ihr Vater, erschöpfte sich in Trostgründen.

Schon am zweiten Tage in der Frühe reiste der schöne Freiherr von Sar zum Markgrafen von Hochberg nach Zürich ab, mit den besten Zusicherungen des Beistandes von Seite der Falkensteine, so wie des argauischen und breisgauischen Adels für das Haus Oesterreich. Ihm ward auch, auf Verlangen gesammter Ritterschaft, Herr Isenhofer von Waldshut als Rathgeber und Geheimschreiber zugegeben, der die Falkensteine ununterbrochen von Allem unterrichten sollte, was in Zürich und beim Markgrafen und in den Kriegshändeln der Eidgenossen Merkwürdiges geschehen möchte.

Ursula war nach der Abreise ihres geliebten Jugendgefährten untröstlich, ob er ihr gleich noch vor dem Abschiede den Schwur der Treue und das Versprechen erneuert hatte, ohne Verzug auch seinerseits mit der ihm Anverlobten brechen, und dann öffentlich um die Hand der Erbin von Falkenstein anhalten zu wollen. Isenhofer hatte dem Fräulein in die Hand geloben müssen, da der Freiherr selber nicht schreiben gelernt, ihr vom Befinden, Thun und Lassen desselben fleißige Meldung zu machen.

Inzwischen schon nach einigen Tagen gerieth Ursula in keine geringe Bestürzung, als sie durch Zufall erfuhr, daß ihre schönen Augen nicht allein dem liebenswürdigen Hinz nachweinten. Man sprach von einer seltsamen Entdeckung, die im Domstift gemacht worden sei, wo eines der frommen jungen Fräulein, oft nächtlicher Weile, die Besuche des Freiherrn angenommen. Diese Entdeckung veranlaßte im Stift viele Unruhen und Untersuchungen. Das Gerücht davon, welches sich bald durch das ganze Städtchen verbreitete, führte aber unvermuthet zu einer zweiten, ihr ähnlichen. Die hübsche Tochter eines reichen Bürgers, in dessen Hause Freiherr Hinz Wohnung gehabt hatte, verfiel in Verzweiflung und Wahnsinn, als die Nachricht von dem, was inner den heiligen Mauern geschehen war, zu ihren Ohren kam. Denn Hinz hatte ihr ausschließliche und unvergängliche Liebe gelobt gehabt. Das Entsetzen, sich betrogen zu sehen, raubte ihr den Verstand. Sie erzählte Jedem, der es hören wollte, ihre Leidens- und Liebesgeschichte.

Da Niemand, außer der Hagenbach, die geheimen Verhältnisse Ursula's kannte, berichtete man dieser um so unbefangener die Stadtmährchen, und mit immer neuen Ausschmückungen. Alle Kunst und Macht weiblicher Verstellung mußte Ursula aufbieten, um nicht zu verrathen, wie bei diesen Nachrichten in ihrem Innern der Schmerz wüthete. Ihr Wesen ward zerrüttet und zerrissen. Selbst des einzigen Trostes noch entbehrte sie, ihren Kummer an der Brust einer treuen Freundin auszuweinen; denn seit wenigen Tagen hatte sie auch gegen die Hagenbach einen Argwohn gefaßt, der vielleicht nicht ganz grundlos sein mochte. Dies Mädchen, obwohl immerdar blöde und schüchtern in männlicher Gesellschaft, doch darum nicht minder anlockend und geistvoll, hatte eben in den letzten vier Tagen vor der Abreise des schönen Hinz den unverhehltesten Abscheu gegen ihn geäußert. Er hingegen hatte sie seitdem mit größerer Ehrerbietung behandelt, angelegentlicher ihre Nähe gesucht, und in seinen Augen war, man hätte sagen sollen, eine Abbitte voll zärtlicher Traurigkeit zu lesen gewesen.

Es blieb zwar noch zu errathen, was zwischen beiden vorgefallen sein konnte, das einer Abbitte bedurft hätte. Ursula kannte aber die schlaue und wunderliche Geliebte ihres Vaters, kannte deren Art und

Weise gegen Anbeter, die sie beglückt hatte; und nach Allem, was sie von der beispiellosen Untreue des Freiherrn von Sar vernehmen mußte, behielt sie keinen Zweifel, daß auch die Hagenbach verrätherisch gehandelt habe. Sie verbannte dieselbe aus ihrem Umgang, und verschloß sich tagelang in ihr Gemach. Da saß sie, starr und thränenlos. Nur dann und wann löste sich ein tiefer Seufzer aus dem Innern ihrer Brust, bis der zusammengepreßte Schmerz ihre Gesundheit zerriß.

Sie fiel in ein hitziges Fieber, das dem Leben Gefahr drohte. Selbst dem Krankenbette durfte sich die Hagenbach nicht nahen. Ursula gerieth jedesmal, beim Anblick derselben, in wahrhafte Raserei. Die Kunst der Aerzte, und noch mehr ihre jugendliche Lebenskraft, retteten zwar die Kranke vom Tode; doch auch beim Genesen blieb Ursula düster und sprachlos. Nur zuweilen entschlüpfte ihr halbleise das Wort „Ungeheuer!" Aber Niemand wußte es zu deuten. Zuweilen küßte sie still weinend den prächtigen Diamantring, welchen ihr Gangolf am letzten Abend zurückgegeben hatte. Man sah es; man rieth umher nach den Ursachen; man fragte sie. Ursula weinte heftiger, und schwieg. Sie ließ Niemanden das finstere Heiligthum ihrer Geheimnisse sehen.

Unterdessen war der Freiherr Hinz von Sar, unbekümmert um die Thränen, welche seinetwillen zu Seckingen von so viel schönen Augen flossen, mit Isenhofern glücklich am letzten Tage des Waffenstillstandes, oder des faulen Friedens, in Zürich angekommen. Hier herrschte lautes kriegerisches Leben. Außer den Ringmauern und Festungswerken wurden neue Bollwerke und Gräben aufgeworfen. Die Straßen der Stadt wimmelten von bewaffneten Bürgern, Landsleuten und Söldnern. Oesterreichisches Kriegsvolk wachte an den unverschlossenen Thoren. Furcht vor den Eidgenossen erblickte man nirgends, obwohl Jedermann wußte, daß sie wie Waldströme aus ihren Bergen hervorgebrochen, und mit ihren Bannern in vollem Anzuge gen Kloten, in der Grafschaft Kyburg, waren. Die Herberge, in welcher die beiden Reisenden einkehrten, erscholl vom fröhlichen Gelärm zechender, habernder, singender Gäste. Da wurde die Stärke der französischen Heeresmacht und der kaiserlichen Hilfe aus Deutschland besprochen; der Tag berechnet, an welchem die Fahnen der Armagnaken am Zürcher Seeufer flattern könnten; und Spottlieder auf die Eidgenossen tönten dazwischen von andern Stuben und Tischen her.

Der Freiherr begab sich folgenden Tages zum Markgrafen Wilhelm von Hochberg, seine Verrichtungen zu melden. Er brachte aber böse Botschaft heim, als er, nach dem Mittagsmahle, in die Herberge zu Isenhofern zurückkam.

„Schreib den Falkensteinen!" rief er mit einem Gesicht, welches noch vom Weine der markgräflichen Tafel glühte: „Du wirst des Schreibens vollauf haben. Die Feindseligkeiten sind angehoben. Den ersten Gruß haben die Schweizer aus Höflichkeit dem Herrn Markgrafen selbst gemacht, und ihm seine zwei Schlösser im Thurgau, Spiegelberg und Grießenberg, in vergangener Nacht niedergebrannt."

— Das ist schlimme Vorbedeutung! antwortete Isenhofer: Es hätte fröhlicher gelautet, wenn die Oesterreicher oder Zürcher den ersten Streich geführt hätten.

„Sprichst du doch, wie der alte Rathsherr am Markgrafentisch!" entgegnete der Freiherr: „Der wollte sogar von einer Prophezeiung melden, Kaiser und Könige müßten in der Schweiz zu Grunde gehen. Wir aber lachten den alten Narren gebührlich aus. Ist mir doch auch von einer Zigeunerin schon in der Kindheit geweissagt, ich werde in Purpur sterben, und sehe doch zur Stunde keine schöne Prinzessin, die mir Krone und Thron bietet."

— Ihr seid auch noch jung, um Vieles zu erleben! versetzte Isenhofer: Was aber hat der Markgraf vor? Denkt er an keine Unternehmung, die Eidgenossen einzuschüchtern? Es ist wahrlich ein unluftiges Ding, sich seine Burgen vor der Nase wegbrennen zu sehen, auch wenn man deren ein Dutzend hätte.

„Nichts!" erwiederte Hinz: „Ich stimme dem Markgrafen bei. Man muß es ihm lassen: er ist ein gemachter Feldherr, kalt, bedächtig, schlau. Er lachte, als der Eilbote zitternd die Botschaft von dem Brand der zwei Schlösser auskramte. Er sagte bloß: Die Schweizer trinken mir früh zu; ich will ihnen Bescheid thun, ehe sie sich's versehen."

— Gut gesprochen! bemerkte Isenhofer: Aber gutgeschlagen, wäre besser. Was hat er im Wurf?

„Nichts, sag' ich dir!" antwortete der Freiherr: „Bis zur Ankunft der Armagnaken, Nichts! Unsere Besatzungen halten indessen den Feind vor den Städten fest. Wir andern machen Streifzüge, gehen auf Abenteuer und Beute aus, damit wir nicht vor Langeweile sterben, oder ..."

— Schmausen, saufen, und erobern Weiberherzen, fiel Isenhofer spottend ein, während die Schweizer Euer Land verheeren und Euch zuletzt hinauspeitschen.

Der Freiherr lächelte höhnisch-stolz und erwiederte: „Wenn sie es mit Helden deines Gleichen zu thun hätten, deren Schwerter im Gänsestall geschmiedet sind! — He, Meister Scriblifax, begleitest du mich, wenn's in ein Gefecht geht? Der Markgraf hat mir verheißen, beim ersten Stück Arbeit mich zu wählen, wo es Kopf und Kragen gilt."

— Kopfarbeit der Art ist mir nicht neu. Ich komme! sagte Isenhofer mit gleichgültigem Ton.

„Kommst du?" rief Hinz von Sax einige Tage später, als er abermals vom Markgrafen zurückkehrte: „Nun gilt's Kopf und Kragen! Diesen Augenblick laß' ich mein bestes Roß satteln. Ich muß zum Wildhaus nach Greifensee. Alle Schweizer sind von Kloten dahin im Anzug. Und gilt es Kopf und Kragen, ich muß vor ihnen in Greifensee hinein."

— Ihr allein, oder mit Kriegsvolk? fragte Isenhofer.

„Ich allein, und mein gutes, hartes Schwert!" antwortete der Freiherr: „Ich bringe dem Wildhans die letzten Befehle. Er muß das Schloß halten, bis die Franzosen herankommen und ihn befreien. Nicht zwei Wochen währt's, ist der Dauphin mit vierzigtausend Mann zum Entsatz da. Hans von Rechberg hat Freudenbotschaft aus dem französischen Lager gesandt. Kömmst du?"

— Ich komme. Lasset für mich satteln. Mir ist das Abenteuer nicht ungelegen.

„Geht's gut, sind wir noch diesen Abend zurück!" sagte der Freiherr fröhlich: „Drei Stunden Wegs fliegen wir in halber Zeit, wenn uns die Schweizer nicht den Paß verrennen."

Die Pferde wurden gesattelt. In Eil flogen die Reiter durch die engen, krummen Gassen der Stadt, durch die Thore, über die donnernden Zugbrücken hinaus in's Freie. Es war der erste Maitag. Die Mittagssonne brannte. Der Weg ging rauh und mühsam durch ein Hügelland nordwärts.

Als sie nach scharfem Ritt an die Ufer der Glatt kamen, sahen sie links aus der Ferne die Schlachthaufen der Eidgenossen schon in vollem Anzuge. Blitze von Schwertern und Harnischen aus wehenden Staubwolken längs den Höhen; flatternde Banner inner Wäldern von Speeren. Rechts, wohin sich unsere Reisigen eilig wandten, wimmelte die Landstraße, von Greifensee her, mit flüchtenden Leuten bedeckt, die ihnen entgegen kamen. Der Wildhans, schon vom Aufbruch der Schweizer unterrichtet, hatte die Einwohner des Städtleins Greifensee ermahnt, mit ihrer besten Habe davon zu gehen, wenn sie nicht die Schrecken der Belagerung, vielleicht die Einäscherung ihrer Häuser sehen wollten.

„Platz!" schrie Freiherr Hinz, und sprengte durch die kläglichen, stillen Haufen, die ihm links und rechts erschrocken auswichen. Isenhofer folgte mit einem Blicke des Bedauerns dem Jammerzuge der

Auswanderer. Weiber trugen auf ihren Häuptern schwere Lasten Gepäcks, oder in den Armen schreiende Säuglinge. Männer trieben Kühe vor sich her, oder Schweine. Kleine Knaben führten Ziegen am Seil. Keiner wanderte ganz leer. Selbst jüngere Kinder, die mit einer Hand den Rock der Mutter festhielten, trugen im andern Arm ihr Spielzeug, oder ihr Lieblingskätzchen, oder ein anvertrautes Bündlein. Kranke lehnten sich ächzend auf den Arm der Gesunden. Karren, ohne Ordnung, mit Hausgeräth, Waaren und Lebensmitteln beladen, brachten den Zug bald in's Stocken, bald durch Eilfertigkeit, in's Gedränge. Jeder war da mit sich beschäftigt und sah kaum zu den beiden Reitern hinauf, die an ihnen vorüber trabten.

„Es ist hohe Zeit für uns, Isenhofer!" rief der Freiherr von Sax vergnügt, als sie an den kleinen See gelangten, der zwischen dunkelgrünen Matten, Hügeln und rauhen Felsbergen seinen hellen Spiegel anmuthig ausbreitete. Bald erblickten sie auf einem schmalen Vorgebirg des Ufers die alte Burg von Greifensee und darunter die Häuser des ummauerten Städtleins.

— Heut' kehren wir dieses Weges schwerlich zurück nach Zürich! antwortete Isenhofer: Wir haben der Thorschließer zu viel hinter uns.

„So setzen wir Nachts bei Sternenschein über den See!" entgegnete Hinz: „Siehst du des Wildhansen Schiffe dort unter den Weiden? Der Weg über den Berg gen Zürich ist bös, aber kurz."

17.

Schloß Greifensee.

Sie erreichten endlich die kreisförmige Ringmauer der Stadt und das kleine finstere Thor, welches schon verschlossen war und eben von innen verrammelt werden sollte. Nur das enge Pförtlein, in einem der Thorflügel angebracht, stand noch offen. Einige gemeine

Kriegsknechte, in Panzerhemden und Pickelhauben, befanden sich wie Wächter draußen, und lüpften ihre Hellebarden, als sie die fremden Ritter heransprengen sahen.

„Oeffnet die Thore, lasset uns ein!" rief Freiherr Hinz: „Ich komme vom Markgrafen mit Anträgen an euern Befehlshaber."

„Es hätte wohl mancher Lust, hineinzukommen!" sagte einer der Söldner mit rauher Stimme, und streckte den Spieß vor: „Haltet Euch aber zehn Schritte von der Brücke, oder ich lasse Euerm Roß und dann Euch selbst zu Ader."

„Ungewaschener Schnauzbart!" schrie Hinz: „Ich werde dich lehren, Rittern gebührende Achtung beweisen; oder sind deine Eulen= augen bei Tage blind?"

„Nicht halb so sehr, daß ich Euch nicht mit der Partisane ein neues Knopfloch in's Goldwamms bohren sollte, wenn Ihr Euch nicht auf der Stelle zurückzieht!" rief der Söldner, und that einen Schritt vorwärts.

Während des fortgesetzten Gesprächs, das eine ernste Wendung zu nehmen drohte, kroch aus dem Thorpförtlein ein schlichtgekleideter Mann hervor, in breitem rundem Hut, von dem eine schwarze Feder über das Gesicht niederhing. Der lange Degen an seiner Seite ver= rieth, daß er ein Kriegsmann sei.

„Was ist Euer Begehr?" fragte er mit ernstem Gesicht und gebieterischem Tone.

„Ich will zum Herrn Hans von der Breitenlandenberg!" ant= wortete der Freiherr.

„Der bin ich!" sagte Jener und trat näher.

Hinz sprang vom Pferde, zog hinter seinem goldbesetzten Brustlatz einen Brief hervor und überreichte ihn dem Ritter, der ihn sogleich erbrach und las.

Während des Lesens hatten sowohl Hinz, als Isenhofer, Zeit genug, den vielgefürchteten Wildhans zu betrachten, dessen wirkliche

Gestalt gar nicht dem Bilde entsprach, das sich Beide in ihrer Einbildung aus den Erzählungen von dessen verwegenen Kriegsstreichen
zusammengesetzt hatten. Er war eher klein als groß, aber von körnig-
tem, gedrängtem Gliederbau. Sein Gesicht, welches einen Mann
in den Vierzigern verrieth, hatte etwas Zusammengedrücktes; nichts,
was den herrischen Trotz, die wilde Entschlossenheit, das jähe Auf-
brausen ankündigte, welches Kriegsleuten so leicht zur Gewohnheit
wird. Vielmehr glaubte man in den Mienen einen hohen Grad gut-
müthiger Biederkeit und menschenfreundlichen Wohlwollens zu lesen.
Nur aus seinen schwarzen Augen flammte zuweilen unter den überhangenden, finstern Brauen ein Blitz hervor, der von Gewittern im
Innern redete. Auch sein übriges Aeußere zeigte einen vernachlässig-
ten Anstand, gemeine Haltung, aber dabei bewegliche Gewandtheit
und Ausdauer.

„Die Schweizer rücken an; Ihr könnt den gleichen Weg nicht
mehr zurück!" sagte der Wildhans und legte den Brief zusammen:
„Folgt mir in die Stadt. Ihr müßt zu einem andern Loch hinaus."
Dann befahl er, der Rosse willen die Thore zu öffnen, und darauf
sogleich zur Verrammlung derselben zu schreiten. Er selbst blieb, bis
diese vollendet war. Einer der Knechte führte die Pferde hinweg;
ein anderer die beiden Reisenden in ein benachbartes Haus, wo an-
gesehene Herren von der Besatzung lustig zechten. In den Straßen
war es todt. Die Häuser standen öde und offen. Man vernahm in
der weiten Stille des Städtchens nur von Zeit zu Zeit das schallende
Gelächter vom Trinkhause, oder das Gepolter der Arbeiter am Thore,
oder das Rufen der Wächter auf der Stadtmauer.

Es währte nicht zwei Stunden, als ein naher Schuß von grobem
Geschütz zur Bemannung der Ringmauer rief. Isenhofer und der
Freiherr von Sar eilten mit den Andern dahin. Die Eidgenossen
rückten an, aus Städten und Landschaften, was Stab und Stangen
tragen mochte, in ungeheurer Menge. Man sah ihre Schlachthaufen

im Abendsonnenglanz langsam daherwogen, dann nach verschiedenen
Richtungen aus einander fließen. Vor dem Eichenwäldchen oberhalb
der Burg flatterte das blutrothe Banner von Bern, diesem zunächst,
weiter aufwärts, das von Luzern und Zug in den Wiesen am See.
Uri, Schwyz, Unterwalden und Glarus lagerten sich im Dörflein ob
Greifensee, wo die Straße herein geht. So ward die ganze Stadt
in kurzer Zeit umlegt; und alsbald begann auch der Donner der
Feuerschlünde gegen die Veste und die Ringmauer. Vom Schlosse
herab, auf dessen Thurm Wildhans die Reichsfahne wehen ließ, antwortete das Geschütz der Züricher. Zwar fielen die Schüsse nur einzeln, in beträchtlichen Zwischenräumen, denn die Kunst der Stückschützen stand damals noch tief unter der heutigen Vollkommenheit;
dennoch war die Luft von einem ununterbrochenen Donner des Ge-
schosses in Bewegung, den der Widerhall des Gebirges verlängerte,
bis er längs See und Wald in dumpfes Schnarchen dahin starb.
Einzelne Schweizerrotten liefen von allen Seiten gegen die Mauer,
drückten ihre Armbrüste auf die Belagerten hinter den Brustwehren
ab, und riefen ihnen mit jedem Pfeil zugleich einen Fluch oder ein
kräftiges Schimpfwort zu. Diese hingegen antworteten spottend und
lachend mit nachgemachtem Gebrüll der Kühe.

„Der Spaß wird endlich kurzweiliger!" sagte Isenhofer zum
Freiherrn von Sax, der neben ihm an der Brustwehr stand und hinab
sah: „Betrachte mir einer das närrische Volk da! Wahrhaftig, die
Leute sind Kinder, wenn sie nicht wilde Bestien sind. Wär' ich nicht
selbst in die Menschenhaut eingespannt, ich würde mich meines Geschlechts schämen."

— Was schwatzest du wieder Wunderliches durch einander, selt-
samer Kauz? sagte Hinz: Das ist Krieg! Hier erkennt man das
Heldenherz. Zwischen Leben und Tod schreitet der Mann einher,
höher als Leben und Tod, wie ein Gott, und fürchtet und sucht
weder eins noch anderes. Sieh' dort, wie am Hag unter den alten

Buchen die Rotte der Schweizer aus einander fährt! Eine Stückkugel vom Schloß hat glücklich in den Haufen geschlagen; vier, fünf Knechte zappeln am Boden. Die übrigen ziehen aber frech wieder gegen unsere Mauer an.

„Die wissen, warum sie kommen und wofür sie sterben wollen!“ antwortete Isenhofer: „Die leben für etwas Besseres, als das Leben; für Freiheit, für Gedanken des Rechts, für Unabhängigkeit ihres alten Bundes. Aber unsere Leute hier auf der Mauer? Wofür streiten und sterben die? Für die Herrschaft, für den Ehrgeiz, für die Habsucht Anderer, zu deren Werkzeugen sie sich verkauft haben. Es ist das Menschengeschlecht eine bis zum Ekel dumme Thiergattung; denn anderes Vieh, wenn es sich gegenseitig zerbeißt und zerreißt, hat noch die Entschuldigung, keine Vernunft zu haben. Ist wohl eine Heerde von Wölfen und Bären so albern, sich, weil es einem oder dem andern Wolf oder Bär so gefällt, von ihm sammeln und in den Tod schicken zu lassen?“

Hinz wollte eben auf die Bemerkung, welche hier ganz am unrechten Ort gemacht zu sein schien, eine derbe Antwort geben, als die ganze Mauer unter ihnen von einer feindlichen Stückkugel erdröhnte. Kalk und Steine fielen durch die Erschütterung von der Brustwehr ab.

„Teufel!“ schrie Hinz, und sein schönes Gesicht ward etwas bleich: „Das war nahe genug; hart unter uns. Komm, suchen wir eine andere Stelle.“

Isenhofer lachte und sagte: „Possen! soll ich den Platz verlassen, von dem ich nun weiß, daß sie gegen ihn zu tief schießen? Ich bleibe. Auf einer andern Stelle zielen sie vielleicht richtiger.“

Indem kam der Wildhans längs der Brustwehr zu ihnen heran und sagte zum Freiherrn: „Es ist mir leid um Euch. Die Berner Stückschützen haben meine Schiffe in Grund geschossen. Ihr könnet nicht mehr über den See zurück, und müßt bei mir bleiben, bis wir Entsatz bekommen."

„Das ist schlimme Botschaft!" rief Hinz erschrocken: „Der Markgraf erwartet mich diese Nacht zurück."

„Will er Euch, so schicke er uns Kriegsvolk zu Hilfe. Es ist kein Loch mehr offen!" sagte der Herr von der Breitenlandenberg und fuhr fort, während die Mauer unter ihnen von einem Glückschuß abermals bebte: „Es beginnt dunkel zu werden. Schließt Euch an, wenn der Zug in die Festung geht. Ich habe zu wenig Leute, die Stadt zu behaupten; keine hundert Mann. Die Ringmauer ist zu weit aus= gedehnt und zu schwach. Schon hat sie beim obern Thor einen Riß erhalten."

Mit diesen Worten entfernte sich der Wildhans gelassen und setzte die Musterung längs der Mauer fort. Hinz fluchte über das ihn ge= troffene, widrige Geschick. Isenhofer lachte und rief lustig: „Mit= gefangen, mitgehangen! Das Abenteuer sollte Euch schon der Ab= wechselung wegen gefallen. Was hättet Ihr doch bei den schönen Frauen in Zürich Anderes, als bei den Falkensteinen in Seckingen gefunden? Bisher hab' Ihr nur belagert, und die spröbesten Weiber, ich glaube selbst die schlaue, niedliche Hagenbach, erobert. Nun ver= sucht's, laßt Euch einmal von den krausbärtigen Schweizern belagern, aber haltet fester gegen sie, als die reizende Ursula gegen Euch.

Dem Freiherrn war's nicht um Scherze zu thun. Er fluchte und schwor, der Teufel habe ihn zur Unglücksstunde in dies elende Nest geführt, das er nun wider Willen vertheidigen helfen müsse. Wenn er das Leben wagen müsse, wolle er's tausendmal lieber im offenen Felde und in freier Mannsschlacht daran setzen.

„Oho! habt Ihr schon Todesgedanken!" rief Isenhofer: „Denkt an die Wahrsagung, daß Ihr als Prinz im Purpur sterben sollet! Was mich betrifft, halt' ich's für einerlei, ob ich kunstgerecht durch die Pille eines Arztes oder durch eine Karthaune das Loch finde, aus

welchem meine Seele von einem Traum in den andern überführt." —
Darauf fing er nach seiner Gewohnheit an, lustiger Weise ein Lied
zu dudeln.

Sowohl aus der Festung, als aus dem Lager der Schweizer
fielen die Schüsse immer seltener, je finsterer es ward. Zuletzt schwieg
das Geschütz von beiden Seiten. Man erblickte in der Dunkelheit,
ringsum in der Weite, nur die Flammen von Wachtfeuern, neben
welchen sich undeutliche Gestalten, wie düstere Schatten, bewegten,
und Bäume und Gesträuche ihre Aeste und Blätter wie glänzende
Zungen und Arme aus dem schwarzen Schoos der Nacht gespenstisch
vorstreckten.

Da wurden Isenhofer und Hinz von ihrem Stand auf der Ringmauer abgerufen. Sie folgten einer vor ihnen herwandernden Reihe
Kriegsknechte, die von der Mauer nieder in die Stadt ging, dann
durch ein enges Gäßlein auf hölzerner Stege gegen das Schloß
hinanzog, endlich auf einem schmalen Wege zwischen Felsen und
Gesträuchen, in verschiedenen Krümmungen, zum Thor in der Ringmauer des Schlosses gelangte. Der Raum zwischen dieser Mauer
und der alten Veste war mit Gras bewachsen, nur wenige Manns-
schritte breit, und mit bewaffneten Männern angefüllt. Alles hielt
sich still. Man hörte nur das Rauschen und Klappern der Panzerhemden, zusammenstoßenden Harnische oder anschlagenden Schwert-
scheiden. Zwo dunkelbrennende Laternen, mit denen von den Stufen
der Schloßpforte herabgeleuchtet wurde, warfen über die bärtigen
Gesichter unter den Pickelhauben und Helmen widerliche Lichter.
Hans von Landenberg ging lebhaft in den Haufen umher, die sich
von Frischankommenden aus der Stadt verstärkten. Er gab allerlei
Befehle; stellte Wachten im Schloßhof aus; schickte Mannschaften
in die Stadt hinunter, andere in's Innere des Schlosses. Als er zu
Isenhofern und dem Freiherrn von Sar kam, sagte er: „Tretet
in die Burg und laßt euch bei uns wohl sein. Es wird euch an

nichts fehlen. Wir wollen gute Tage leben. Der Feind kann uns
nicht an. Er muß mit blutigem Haupt von hinnen."

Hinz und Isenhofer folgten einigen Andern in's Schloß. Sie
gingen durch einen winkelvollen Gang neben einer großen Küche vorüber, worin mehrere Feuer brannten und Speisen in Fülle bereitet
wurden; dann traten sie, als sie eine steinerne gewundene Stiege
emporgestiegen waren, in einen geräumigen Saal. Hier saßen, beim
Schein von Lampen und Kerzen, zehn bis zwanzig Bewaffnete an
einem langen Tisch, die den Weinbechern fleißig zusprachen und die
Eintretenden ermunterten, dem löblichen Beispiel zu folgen. Bald
füllte sich nicht nur dieser Saal mit Kriegsmännern, sondern auch
jedes der vier kleinern Gemächer, welche, vermuthlich in den an's
Hauptgebäu stoßenden Thürmlein, mit dem Saal in Verbindung
standen. Man legte die Waffen ab, oder hing sie an hölzerne Nägel
längs den Wänden. Das Nachtmahl ward aufgetischt. Jeder setzte
sich, wie sich's fügte, und langte zu. Das Gespräch war fröhlicher,
bunter Art, und ward, je tiefer in die Nacht hinein, je lauter und
ausgelassener. Isenhofer ergötzte seine Nachbarn durch lustige Schwänke
und Witzreden, mit denen er zuweilen sehr ernsthafte, oft unverständliche Einfälle verband, bis ihn die Sache selbst nicht mehr ergötzte,
weil er ermüdet war.

Er entfernte sich am ersten unter Allen, um das Nachtlager zu
suchen. Man führte ihn eine Wendeltreppe hinauf in einen andern
Saal, der sich über demjenigen befand, welchen er verlassen hatte.
Rings umher war der Fußboden mit Betten und Kissen aller Gattung belegt, die man ohne Zweifel, wie manches andere Geräth,
aus den Bürgerwohnungen der Stadt heraufgeschleppt hatte. Der
verworrene Lärmen und Sang der Kriegshelden im untern Saal
hinderte ihn am Einschlafen. Dann störte ihn eine andere unerwartete
Erscheinung.

Der finstere Saal bekam Klarheit. Bald ließ er sich deutlich von

VII.   5*

einem Ende zum andern übersehen. Isenhofer vermuthete Mondens
aufgang; aber die wunderbare Helligkeit vermehrte sich, wie zur
Tageshelle. Tische und Stühle warfen scharfe Schatten auf die
Betten und die weißen Mauern, und die hölzernen Balken der
Zimmerdecke leuchteten wie vom Morgenroth. Er sprang verwundert
vom Lager auf, öffnete das schmale Fenster und sah mit Schaudern
unter sich ein weites Meer von Flammen und glühend aufwirbelnden
Rauchwolken. Spielende Lichtstreifen fuhren über den zitternden
Spiegel des Sees, dunkelroth und bleichgelb, bis zum jenseitigen
Ufer, die im Halblicht zuweilen nebelhaft hervortraten und wieder
verschwanden. Die Wolken des Himmels schienen von der Brunst
entzündet zu werden, hingen mit blutigem Schein über die Gegend
und leuchteten das schlummernde Gebirg an. Brennendes Getreide
und Stroh aus den Ställen und Speichern, von der Macht der Gluth
emporgejagt, sank auf allen Seiten, wie ein Sternenregen, aus der
Höhe. Die ganze Stadt Greifensee brannte. Der Wildhans hatte
sie anzünden lassen, da er sie nicht behaupten zu können glaubte.

Durch die schauerlich beleuchtete Gegend, welche zuweilen wieder
im Schatten aufwärts gewälzter Rauch- und Staubwolken unter-
ging, oder im Spiel und Wechsel der Flammen sich lebendig her-
und hinzuregen schien, waltete die tiefste Stille. Um so grausenhafter
und bestimmter vernahm man das Gesurr und Gewirr der aufflackern-
den Lohe, das Krachen und Geprassel der zeitweise zusammenstürzen-
den Wohnungen. Schrecklicher noch tönte dazwischen das Gebrüll von
Rindern, Pferden, Schafen und anderm Vieh, welches in den Ställen
der Stadt lebendig verbrennen mußte; man hörte bald das herzzerreißende Geheul von Menschen, meistens Kinder- und Weiber-
stimmen. Nicht alle mochten auf des Wildhansen Mahnung gestohen,
sondern im Städtlein bei ihrem Vermögen heimlich zurückgeblieben
sein. Nun halfen sie einander, wie sie konnten, aus Fenstern und
Löchern der Stadtmauer. Man sah sie einzeln, nackt und bloß, über

die hellen Wiesen rennen, dem Lager der Eidgenossen entgegen, die in der Ferne, wie drohende Gespenster, umherschwebten.

Isenhofer kehrte zurück in den Speisesaal, um unter Menschen zu sein; denn droben war ihm geworden, als schaue er in den Flammenrachen der Hölle. Viele der Trinker saßen, wie er sie verlassen hatte, wohlgemuth an den Tischen; andere sangen; andere standen neugierig an den Fenstern.

„Schau hinaus," rief Wildhans Isenhofern zu, „kannst das Trauerbild in schöne Reime fassen, daß die Eidgenossen es singen."

„Ritter," antwortete Isenhofer, „Ihr habet den armen Teufeln zu Greifensee eine heiße Nacht bereitet. Gnade Euch Gott, wenn Ihr den Schweizern in die Hände fallet. Ich wette, sie verfertigen zu Euerm Fegfeuer schon die Schwefelhölzlein."

„Mögen sie sich wahren und ihre Finger nicht selber daran verbrennen!" erwiederte der Herr von Landenberg gleichgültig, indem er seinen Silberbecher mit Wein füllte: „Ich zahle den Grüningern heut' verdienten Lohn aus. Zweimal inner zwei Jahren haben sich die Ketzer feigerweise an den Feind ergeben, und sie hätten mich dem Schwyzervogt, Werner von Ruße, längst in die Hand gespielt, wenn die Verräther Meister gewesen wären."

„Ohn' Erbarmen!" rief Meister Felix Ott von Zürich: „Markgraf Wilhelm wird diese Nacht das rothe Wahrzeichen am Himmel sehen und denken: „Wildhans bezahlt mir die Thurgauer Schlösser."

„Noth rechtfertigt Vieles, Wildhans," sagte Hans Escher, und warf einen finstern Blick auf den Herrn von Landenberg, der aber ruhig den Becher an seine Lippen setzte: „wenn Noth Eisen bricht, soll sie nicht Recht und Menschlichkeit brechen. Du hättest zuvor das arme Vieh wohl, oder wenigstens die noch zurückgebliebenen Weiber aus den Thoren jagen sollen. Was hatten dir die gethan und die nackten Kindlein?"

„Das sag' ich auch!" lallte lachend der Freiherr von Sar mit

weinschwerer Junge: „Hätt' er Verstand gehabt, würd' er den
Schweizern die alten Vetteln des Städtchens zugeschickt und die
jungen Mädchen auf's Schloß genommen haben. Werden wir nicht
bald des Feindes entschüttet, müssen wir bei unserm Cöllbat, in
der verdammten Klausur, ohn' ein Gelübde gethan zu haben, wie
nonnenlose Mönche Horas singen, oder vor Langeweile sterben.
Männer und Männer, ach! sind trockene Gerichte!"

18.

Belagerung und Mording.

Die Eidgenossen waren am folgenden Tage schon früh in Bewegung; alle dem Schlosse näher. Ringsum flatterten ihre viel-
farbigen Fahnen, donnerten ihre Feuerschlünde, brüllten ihre Schlachthaufen. Ihr kriegerischer Grimm schien durch den Anblick der
verbrannten Stadt in blinde Wuth verkehrt worden zu sein. Bläu-
licher, stinkender Qualm stieg noch von den Kohlen und zerfallenen
Mauern der schwarzen Brandstätte auf, und schwamm darüber, wie
eine pestbringende Nebelwolke. Doch die Glückkugeln der Belagerer
schlugen vergebens gegen die dicken Schloßgemäuer, an dem sie, wie
leichte Ballen aus Thon, zerschellten, oder zurückprallten. Vergebens
rannten die kühnsten Rotten bis zum Fuß der Burg an, wo sie
unter herabgeschleuderten Steinen, Gebälken und Pfeilen Tod und
Wunden, aber keine Stelle fanden, Leitern anzulegen, oder in
Steinfugen aufwärts zu klettern, oder zwischen Fels und Mauer-
grund einzubrechen. Sie mußten wieder in ihr Lager zurück, nachdem sie manchen tapfern Mann eingebüßt hatten. Alle aber schrien
beim Abzuge noch hinauf zur Mauer: „Wildhans, wir kommen
wieder! Wildhans, das kostet dir doch den Hals!"

Der Herr von der Breitenlandenberg befahl der Besatzung, die feindlichen Drohungen, Flüche und Schimpfreden nicht zu erwiedern, sondern zu schweigen und zu handeln. „Das geziemt Männern!" sagte er: „Weibern überlasset die Zungenschlacht. Wir können auf diesem Schlosse keinen Ruhm ärnten, als den der Standhaftigkeit. Unser Häuflein ist zu gering, glückliche Ausfälle in's Lager der Schweizer zu thun. Doch haben wir deren Macht und Wuth keineswegs zu fürchten. Diese Mauern durchbohren und ersteigen sie nicht; und unsere Vorräthe schützen vor Hungersnoth. Binnen vierzehn Tagen, oder drei Wochen, sind wir sicherlich erlöst durch den König von Frankreich."

Die Schweizer setzten indessen täglich ihre Arbeiten und Angriffe ohne Furcht, aber auch ohne Glück, fort. Es verstrichen vierzehn Tage oder drei Wochen; die Burg blieb gewaltig und stark, wie das Herz der Heldenschaar darinnen. Schon verzweifelten die Eidgenossen, welche durch das Geschütz des Schlosses manchen Schaden erlitten, am Gelingen ihres Unternehmens. Nur Furcht vor Spott hinderte sie, abzuziehen. Das ganze Land hatte auf diese Belagerung die Augen.

Alltäglich stieg indessen der Wildhans selbst zum obersten Thurmkranz hinauf, um zu spähen, ob von nirgendsher Ersatz sichbar sei? Es beugte seinen Muth nicht, als er endlich schon in der vierten Woche vergebens umhersah. Von allen Verbindungen mit der Umgegend abgeschnitten, wußte er sogar nicht, wie es um Zürich stand, oder ob je die verheißene Hilfe der Armagnaken erscheinen werde? Doch dies machte ihm wenig Unruhe; mehr aber, als er wahrnahm, daß die Eidgenossen seit einigen Tagen ihre ganze Thätigkeit auf einen einzige Punkt des Zwingolfs oder der Vormauer des Schlosses richteten. Bald rannten einzelne Verwegene aus den feindlichen Haufen zu der Stelle, sie zu untersuchen; bald schlugen da die Kugeln des feindlichen Geschützes mit vereinter Kraft ein. Da ließ der Wildhans ben in der Kirche gewesenen großen Altarstein auf die Zinne der Mauer führen, senkrecht über die Stätte, wo die Schweizer den Zwingolf zu untergraben gedachten. Diese hingegen bauten ein starkes Schirmbach, in damaliger Kriegssprache, Katze geheißen; fuhren damit Nachts an die Mauer und zerstörten darunter mit Pickeln, Hauen und Schaufeln die Grundfeste. Wie aber der Tag zu leuchten begann, befahl der Wildhans, den Altarstein fallen zu lassen. Er fiel, und zermalmte mit großem Gekrach das Schirmbach. Die Männer, welche darunter waren, wurden zerschmettert und erschlagen.

Der Unfall erschütterte die Schweizer nicht. Bald schickten sie eine stärker gerüstete Katze gegen das begonnene Mauerloch aus, um die Mäuse dort aus ihrer Falle zu holen. Die Belagerten stürzten nun zwei Fässer, mit Steinen gefüllt, darauf nieder; aber nicht ohne Entsetzen wurden sie gewahr, daß die Wucht derselben zu gering blieb. Fortgesetzt dauerte die Arbeit unter dem Schutzbach fort; man hörte das Hämmern und Schlagen die ganze Nacht. Feldsteine, Mauerkitt, Balken und Mörtel wurden herausgebrochen. Die Stunde war vorauszusehen, da der unabwehrbare Feind mit Brand und Schwert in die Veste eindringen würde. Denn eben hier war der den Schweizern verrathene schwächste Punkt des Zwingolfs; hier hatte, und in solcher Tiefe, die Mauer keine Schießlöcher; und wer so nahe einmal war, befand sich unter dem Schuß in Sicherheit.

Da beredete sich der Herr von Landenberg mit seinen Tapfern, von welchen schon neun während der Belagerung getödtet worden waren. Die noch Vorhandenen fürchteten den Tod nicht, wohl aber, weil kein Priester bei ihnen war, ohne Beicht' und Ablaß von hinnen zu fahren. Also ging der Wildhans auf die Mauer und rief hinunter, daß er zu unterhandeln begehre. Es trat lachend Itel Reding von Schwyz zur Mauer und sagte: „Nun wir Euch im Sack halten, meint Ihr noch Unterhandlung pflegen zu können?"

„Ihr uns im Sack?" rief der Wildhans droben mit furchtbarem
Tone nieder: „Freier Mannen Seele ist ewig frei. Ich zünde die
Burg an mit Allem, was darin ist. Wir sterben unter Trümmern
und Flammen, und hinterlassen euch Schutt und Stank zum Erbe.
Saget mir, ob ihr uns im Sack habet?"

„Du hörst, wovon die Rede ist?" sagte der Freiherr von Sar
zu Isenhofer im Zwinghof und machte traurige Miene: „Es gilt
Gefangenschaft oder Tod."

„Es ist die Frage, wo sich's behaglicher sitzt," erwiederte Isen=
hofer: „ob in Abrahams Schoos, oder im Kerker der Schweizer?
Ein weiser Mann muß jedes Bett weich finden. Ich drehe nicht die
Hand dafür um, ob, wie seit vier Wochen, hier im Schlosse, oder
in einem andern Loch eingesperrt zu sein, oder einen Sprung in's
zweite Leben zu thun. Denn ich glaube fast, ich bin nur in diese
Welt geschickt, Augenzeuge menschlicher Narrheiten zu sein; und ich
meine, ich habe deren genug gesehen, um des Schauspiels satt zu
bleiben."

„Höre, Isenhofer," sagte der schöne Hinz: „sollte ich Seckingen
nun so bald nicht, oder nie wieder erblicken: so bringe dem lieblich=
sten aller Geschöpfe unterm Himmel die zärtlichsten Grüße meines
treuen Herzens."

„Sprecht doch nicht diesen Augenblick von Treue," sagte Isen=
hofer, „da wir vielleicht in's Paradies wandern sollen, wo es von
schönen Mädchen wimmeln muß."

„Du frecher Lästerer!" rief der Freiherr: „Hier ist die Zeit
nicht zum Spaßtreiben. Aber, wie gesagt, grüße mir, wenn's dir
vergönnt wird, — doch heimlich, Keiner darf's wissen — dir ver=
trau' ich's — die himmlische Hagenbach!"

„Oho!" schrie Isenhofer: „ich dachte an Fräulein Ursi, nicht
an die irdische Hagenbach, von der noch zu erwarten stand, ob sie
im Himmel selbst himmlisch werden kann! Aber denn, beim Him=

miel! fo habt Ihr auch das schöne Urfi hinter's Licht geführt, und
feufztet, während Ihr vor ihm knietet, zur Hagenbach? Seht Euch
nach einem guten Beichtvater um, denn Ihr müffet fonft einen
schweren Pack Sünden auf der Reife in die andere Welt mit=
schleppen."

Während dieses Gesprächs, welches beide noch eine Weile in
gleichem Tone fortsetzten, ward die Unterhandlung mit den Eidge=
noffen geschlossen. Wildhans und die Seinen ergaben sich zur Gnade,
das Schloß zur Ungnade. Nachdem dies beredet worden, halfen die
Belagerten ihren Ueberwindern selbst über die Mauer. Man warf
alles Holz der Burg hinunter, daraus eine Biege und Steige zu
machen; denn das Thor war über die Maßen verrammelt, daß es
Keiner leicht öffnen konnte. Alsbald ward die Besatzung entwaffnet,
dann auf den Abend mit gebundenen Händen über die Mauer hin=
ausgeführt. Es waren ihrer noch zweiundsiebenzig Mann, alt und
jung. Man vertheilte sie unter starker Wacht in die Orte über Nacht.

„Bist du nicht Meister Isenhofer von Waldshut?" fragte biesen
ein von Kopf bis zu Fuß geharnischter Ritter, welcher nach Mitter=
nacht die Wache befehligte, deffen Gesicht aber, wegen des geschloffe=
nen Visirs, unkennbar blieb: „Bist du's nicht?"

„Leider!" antwortete Isenhofer.

„Wie aber kömmst du zu den Zürchern nach Greifenfee?" fragte
Jener weiter.

„Ganz so planlos, wie ich in die Welt gekommen bin und wahr=
scheinlich dereinst wieder hinausfahre!" entgegnete Isenhofer und er=
zählte, welche Umstände ihn in die Burg gebracht hatten.

Als der Ritter Alles vernommen hatte, hob derselbe warnend
die Hand und sprach: „Meisterlein, Meisterlein, du spielst ein böses
Spiel mit!" Darauf wandte er sich und ging davon, ohne wieder
zu kommen. Isenhofer glaubte die Stimme des Ritters zu erkennen:
doch errieth er den Mann nicht, wie lange er auch umhersann. End=

lich entschlummerte er, wie unbequem er auch auf harter Erde in einer elenden Hütte, mit hartgebundenen Händen, dalag.

Folgenden Morgens — es war am Donnerstag vor Pfingsten — ward er, nach empfangenem Frühmahle, nebst seinen übrigen Un= glücksgefährten erst spät fortgeführt. Auf den Wiesen, zwischen Greifensee und dem Dorfe Mänikon, standen die Schlachthaufen der Eidgenossen, alle unter ihren Panieren, in Waffen, einen geräumi= gen Kreis bildend: im Innern des furchtbaren Ringes die Häupter und Feldobersten der Städte und Länder. Sie hielten Gemeinde über das Schicksal der Gefangenen, die in den Kreis hineingeführt wurden. Es herrschte große Stille. Eben redete der Landammann Itel Reding von Schwyz. Er sprach von der grausamen Einäsche= rung der Stadt, von der Rache, die zu nehmen sei, auf daß durch ein großes Strafbeispiel die Zürcher geschreckt würden: denn die Gnade, welche der Besatzung des Schlosses verheißen worden, sei ein zweideutiges Wörtlein.

Darauf trat ein Mann von Schwyz vor, warf einen ergrimmten Blick auf die Gefangenen und schrie: „Ich stimme, daß Alle vom Leben zum Tode gebracht werden, bis auf Einen, das ist Ulrich Kupferschmied von Schwyz, ein Ehrenmann, dessen man sich erbar= men muß.“

„Meinethalben!“ rief ein Anderer, „führt den Wildhans und alle Fremden zum Tode, die keine Zürcher sind, und schnöden Soldes willen den Eidgenossen Leides anthaten. Aber das dünkt mich un= billig, daß dreißig Mann den Tod leiden sollen, die aus dem Amt Greifensee sind, und als Unterthanen von Zürich auf Befehl ihrer Obrigkeit treulich gestritten haben.“

Nun schritt Holzach, Hauptmann der Männer von Menzingen am Zugerberge, weiter in den Ring vor, und sprach: „Eidgenossen, biderbe Männer! Fürchtet Gott, schonet unschuldiges Blut! Wenn auch Hans von Landenberg kein geborner Bürger von Zürich ist, so

ist er doch der Stadt durch den Bürgereid verwandt. Konnte er sich
dem Gebote der Stadt entziehen, ohne Eidbruch, ohne ewige Schande,
wenn er für die Stadt, der er geschworen, zu den Waffen gerufen
ward? Hätten wir ihm sein Vermögen ersetzt, wenn er, als Ehr-
und Treuloser, dessen durch Zürich verlustig gemacht worden wäre?
Und die Andern, wer sind sie? Seine Dienstleute. Sollten diese
ihren Herrn in der Gefahr verlassen? Oder arme Leute, die, Weib
und Kind daheim zu nähren, um Kriegssold dienen? Wollt Ihr sie
tödten, dieweil sie sich anders nicht zu helfen wußten? Oder Unterthanen der Stadt Zürich, welche ihrer Obrigkeit gehorchten und für
sie stritten. Ist das todeswerth? Eidgenossen, fürchtet Gott! Gedenket Eurer eigenen Armen daheim, Eurer Unterthanen und Verwandten!"

Als Holzach schwieg, lief ein dumpfes Gemurmel durch die Versammlung, vermischt mit Getöse der Harnische und Waffen. Viele
riefen dem Holzach Beifall. Aber die große Menge fluchte. „Sie
haben uns mehr Leute getödtet," hieß es, „als wir ihnen zu tödten
haben. Sie müssen sterben, Alle sterben!"

„Butz und Benz, Alle müssen daran!" brüllte der, welcher zuerst
zum Tode gerathen hatte, und die blutgierigen Haufen, besonders
die von Schwyz und Unterwalden, brüllten ihm nach.

Rebing aber wandte sich gegen den Hauptmann Holzach und
schrie: „Bei Gottes Wunden, Holzach, wer wie du redet, ist ein
heimlicher Zürcher!"

„Fürwahr!" rief Holzach mit lauter Stimme: „Ich bin ein
Eidgenoß und bieder, so sehr, Rebing, wie du und alle die Deinen,
und habe zu Ehren der Eidgenossen Rath gegeben. Stelhans, wahre
dich! denn unschuldiges Blut schreit zum Himmel!"

„Ich merk' wohl an deiner Rede," fuhr ihn der Landammann
von Schwyz an, „daß dir noch eine Feder vom Pfauenschwanz am
Steiße steckt!"

Da geriethen Beide grimmig an einander, daß man ihnen mit
Gewalt Frieden gebieten mußte. Aber in der Versammlung haberten
blutdürstiger Zorn und Menschlichkeit, Rache und Edelmuth. Eine
Partei überschrie die andere; keine hörte die andere. Es war unter
den Schlachthaufen eine Bewegung, ein Getöse, als wollten sie alle
die Schwerter wider sich selbst zucken.

Als Reding die Uneinigkeit sah, bat er um Stille. Sie wurde
nach langem Rufen bewirkt. „Sei es denn!" rief er: „So mögen
die Leute aus dem Amt Greifensee das Leben erhalten; aber der
Wildhans und die Andern müssen sterben. Dabei bleibt's."

„Heuchler, so saufe dich denn satt im Blut!" schrien einige
Stimmen: „Gott fordert dich vor sein Gericht! Ueber dein Haupt
die Blutschuld!"

„Keine Schonung! Alle, Butz und Benz! Alle müssen daran!"
brüllten plötzlich tausend Kehlen durch einander.

Da entstand allgemeine Stille. Der Kreis öffnete sich. Ein Zug
von wankenden Greisen an Stäben, Jungfrauen, Weibern mit Kindern an den Händen oder Säuglingen an der Brust, schwankte laut
weinend mit herzzerschneidendem Jammer daher. Es waren die
Väter, Mütter, Söhne und Töchter der Gefangenen aus dem Amt
Greifensee. Einige derselben sanken ohnmächtig zur Erde nieder, als
sie ihre Verwandten, bleich und mit kreuzweis gebundenen Händen,
dastehen sahen. Andere fielen auf die Knie und streckten wehklagend
mit flehenden Geberden ihre Arme gegen die eisernen Reihen aus.
Andere rangen unter kläglichem Gewinsel die Hände zum Himmel.
Das Geschrei Aller drang in die Wolken empor, aber nicht in die
verpanzerten Herzen der Krieger.

Da erhob der Wildhans seine gewaltige Stimme und sprach zur
Gemeinde: „Tödtet mich, Männer! Aber was haben diese hier ver-
brochen?"

„Fort, fort mit ihnen!" schrien die Haufen: „Hinaus mit dem

Weiber= und Kinderpack!" — Als wenn eine ganze Meeresfluth über das Gebirg mit betäubendem Donner herniederrauschte, so furchtbar war der Sturm von tausend und tausend Stimmen unter dem Ge= prassel der Waffen und Harnische. Man schleppte die Jammernden hinweg. Ihr Zetergeschrei drang weit umher. Man hörte es noch in der Ferne.

Sobald die Ruhe wieder hergestellt war, gebot Reding, über Tod und Leben abzustimmen. Es entstand tiefe Stille. Er setzte zuerst in's Mehr den Tod.

„Der Teufel hat den Itelhans durstig gemacht nach der armen Leute Blut!" tönte eine gellende Stimme. Aber wie es still ward, sah man die Hände der Tausende schauerlich für den Tod Aller emporgestreckt. Darauf gingen Viele aus der Gemeinde hinweg, die an der Blutschuld keinen Theil haben wollten; Viele fluchend, Viele mit thränennassen Augen. Aber Reding blieb und sagte zu den Umstehenden: „Wenn das öffentliche Wohl nur durch Schrecken zu behaupten ist, soll es der Mann von Herz nicht fürchten."

Der Scharfrichter von Bern trat in den Kreis und entblößte sein breites Schwert, welches im Licht der schon niedergehenden Sonne, wie ein blutrother Strahl, schimmerte. Den Gefangenen aber näherte sich, mit Kreuz und Rosenkranz, ein hagerer, langbärtiger Mönch, ihnen die letzte Beichte abzunehmen. Sie standen düster, stumm und fast sonder Bewegung, Alle noch die Hände kreuzweis gebunden, in einem Haufen beisammen. Einige schienen still mit den Lippen Ge= bete zu sagen; Andere schossen grimmige Blicke auf ihre Mörder, unter tiefgesenkten Augenbrauen, hervor; Andere trugen im starren, entstellten Antlitz das über sie gekommene Todesschrecken zur Schau; Andere, doch die Wenigsten nur, zeigten unerschütterlichen Muth ohne Trotz, und Ergebung in das entsetzliche Schicksal, ohne Verzweiflung.

„Männer!" redete sie der Herr von Landenberg an: „Der All= mächtige will's, was geschieht; der Allwissende sieht's! Ich hab' in

Eurer Mitte gelebt, an Eurer Spitze gefochten. So will ich gern
mit Euch sterben und der Erste in den Tod gehen!" Dann wandte
er sich zum Scharfrichter und sagte zu ihm: „Meister Peter, ver=
richte dein Amt!" — Er kniete nieder, warf einen Blick gen Him=
mel, schloß die Augen und sein Haupt fiel.

Da ward Grabesstille weit umher. Eine schwarze Wolke legte
sich über die Abendsonne und warf weiten Schatten über Thal und
Berg. Isenhofern durchzuckte ein Schauer. Sein Haar sträubte sich
empor. Er war bisher mit vieler Fassung Beobachter des gräßlichen
Schauspiels gewesen. Aber als der Wildhans in seinem Blute fiel,
da entwich ihm schier die Besinnung. Er stierte düster vor sich hin,
und bemerkte nicht, daß auch der zweite, auch der dritte seiner
Schicksalsgenossen, nachdem jeder zuvor gebeichtet, den Tod empfan=
gen hatte. Jählings störte ihn aus seiner Verlorenheit ein seltsames
Geräusch, ein leises, allgemeines Flüstern, auf. Die Augen aller
Anwesenden waren gen Himmel gerichtet. Es flog eine schneeweiße
Taube über den Blutplatz; ihr folgte eine zweite; dieser eine dritte;
dann mit glänzenden Fittigen ein ganzer Flug unter den dunkel=
grauen Wolken, als wären sie, wie Zeugen der Unschuld, gesandt
worden.

Der Scharfrichter sah es, senkte das Schwert gegen die blutige
Erde, und wandte sein Antlitz zum Itel Reding, als erwarte er
von diesem den Befehl zur Schonung der Uebrigen. Der Landam=
mann aber erhob die Stimme und sprach: „Fahr' fort! Muß ein
Anderer statt deiner kommen, so fängt er bei deinem Kopf an."

Die Hinrichtungen begannen von neuem. Noch einmal durchbebte
Isenhofern ein Frostschauer, als sein Blick von ungefähr auf den
Freiherrn von Sar fiel, der sich eben dem Mönch zum Beichten
näherte. Kaum war der schöne Jüngling noch zu erkennen. Das
ehemalige Lächeln seiner Augen und Mienen war in einer leichen=
haften Starrheit aller Züge untergegangen; er hatte ein Gesicht

wie aus bleichgelbem Wachs gebildet. Vom Mönch zurückkehrend, schwankte er langsam an Isenhofern vorüber und sagte mit eintöniger Stimme: „So sterb' ich im Purpur, wie geweissagt ist." — Zween Männer führten ihn fort. Wie er wegging, schien sein Antlitz erdgrau, sein Mund bleifarben. Er kniete. Sein Haupt fiel.

Schon lagen der entseelten Leichname nenn an der Zahl beisammen. Da stellte der Scharfrichter den zehnten Mann besonders: „Laut Kaiserrecht gebührt bei großen Hinrichtungen der Zehnte dem Nachrichter!" sagte Meister Peter von Bern. „Aber bei uns gilt Landrecht, nicht Kaiserrecht!" fuhr ihn der Landammann an: „Thu', was deines Amtes! Schweig', Klaffer!" — Er hatte diese Worte kaum beendet, ließ sich aus den Haufen des Kriegsvolks abermals die gellende Stimme hören: „Stelhans! Nicht Kaiserrecht, nicht Landrecht wird dich treffen, aber Gottesrecht wird dein Blut vergießen, wie du heut' Blut vergießest*)."

An Isenhofern schien alles Todesgrauen vorüber gegangen zu sein, als er das Haupt des schönen Hinz fallen gesehen hatte. Der Aufruhr seiner Natur war gestillt, sein Gemüth wieder in gewohnter Kraft aufgerichtet. Er sah gelassen dem Blutwerk zu, und eine stille Freudigkeit, im Gedanken an ein unsterbliches Dasein geboren, erhob ihn über die Schrecken der Gegenwart.

„Seid Ihr nicht Meister Isenhofer von Waldshut?" fragte ihn Jemand von hinten. Als er dies hörte, schickte er sich munter an, zum Mönch hinüber zu gehen und die Beichte abzulegen; denn er glaubte, man rufe ihn. Er ward aber von dem Frager am Arm zurückgehalten und mit den vorigen Worten angeredet; dann, als er geantwortet, wurde er durch einen unbekannten alten Mann in einiger Entfernung von den Uebrigen seitwärts geführt.

---

*) Er ward im August 1466 zu Schwyz von einem unbekannten Menschen erstochen. Zwei Stunden nach dem Stiche starb er.

„Was habt Ihr mir noch zu sagen?" fragte ihn Isenhofer.

„Ihr sollt auf diesem Platze stehen," erwiederte der Alte, „und die Stätte nicht verlaffen, bis man Euch fordert. Ich sag' Euch, lieber Herr, gehorchet."

„Von wem kömmt der Befehl?" fragte Isenhofer.

„Ei nun, gleichviel das!" stotterte der Alte etwas verlegen; setzte dann aber leise hinzu: „Es kömmt vom Freihof von Aarau." Damit begab er sich eilfertig hinweg in die Volkshaufen.

Isenhofer war verwundert, daß man ihm in seiner Todesstunde den seltsamen Auftrag überbrachte. Sein Geist sagte dem edeln Gangolf, welchen er ungemein lieb gewonnen, das Lebewohl. Dann stieg sein Gedanke wieder über die Welt empor, betend zum Urheber seines Daseins.

Das Häuflein der dem Tode Geweihten ward immer kleiner. Mehrmals ruhte der Scharfrichter und sah mit jämmerlichem Blick auf Reding. Dieser winkte zur Fortsetzung des Werks. Vierzig Leichen lagen neben einander gereiht auf dem Boden. Das Blut floß zusammen; der Wiesengrund trank es nicht mehr. Als der fünfzigste Mann fiel, war's schon nächtlich dunkel geworden. Der Scharfrichter sprach: „Ich kann nicht mehr sehen!" Reding entgegnete: „Man wird dir zünden, Petermann!" Und er befahl, Fackeln herbei zu bringen. Ihr flatterndes Licht warf über die bewaffneten Zuschauer, über die Leichen im blutigen Grase, über die noch vorhandenen Opfer einen düstern Schein. Als das neunundfünfzigste Haupt zur Erde fiel, war es volle Nacht. Die meisten Zuschauer hatten sich schon verloren. Als der sechszigste Mann zum Scharfrichter begleitet wurde, begab sich auch Itel Reding hinweg; sei es, daß er selber des wüsten Schauspiels müde, oder von andern Geschäften abgerufen war.

Sobald man seine Abwesenheit bemerkte, lösete sich der Ring der Zuschauer auf, und Alles ging durch einander, wie wenn die Handlung beendigt wäre. Petermann von Bern warf das blutige Schwert

zur Erde und trocknete den Schweiß vom Gesicht. Man zog nach
allen Seiten davon. Isenhofer fühlte seine Hände berührt, und das
Seil, welches fie band, aufgelöfet. Der Alte, welcher ihn auf die
Stätte, wo er stand, hingeführt hatte, nahm ihn von da mit sich
zu dem nahen Dörflein Mänikon.

<hr />

19.
Die Hütte am Katzenfee.

„Gott sei mit all' seinen Heiligen gelobt und gepriesen!" rief der
Alte, der wie ein rafcher Jüngling lief: „Meister, Euch hat der
Himmel wohl gewollt. Nur noch dreizehn sind übrig geblieben. Eilet,
eilet von dem verfluchten Ort hinweg. Jesus, Maria und Joseph!
ich sehe noch immer Petermanns Schwert und wie er so kläglich zum
Landammann hinschaute, wenn wieder ein Rumpf vorwärts gefallen
war."

„Wohin bringt Ihr mich?" fragte Isenhofer.

„An guten Ort, fraget doch nicht!" rief keuchend der Alte:
„Ich mußt' Euch ja auf den Rettungsplatz hinstellen, damit Ihr
einer von den letzten wäret. Petermann that auch sein Theil, zog
das Blutwerk in die Länge; der alte Mönch desgleichen. Man
hoffte Erbarmen von der Zeit: der Itelhans hatte keine. Gott sei
gelobt in Ewigkeit!"

Damit lief der Alte in einen Stall, zunächst dem Dorfe, führte
zwei gesattelte Pferde hervor. Auf das eine hieß er Isenhofern sitzen,
auf das andere schwang er sich selbst; dann ritt er im scharfen Trabe
davon, Isenhofer ihm nach. Dieser bemerkte, so viel es die Eile der
Reise und das zweifelhafte Sternenlicht gestattete, daß fie beide denselben Weg machten, auf welchem er von Zürich vor vier Wochen mit
dem unglücklichen Freiherrn von Sar nach Greifensee gekommen war.

Es währte aber kaum eine starke Stunde, so ward ihm die Gegend wild und fremd. Der Weg lief rauher bergauf, bergab, bald durch Bäche, bald durch Waldgestrüpp; verlor sich, fand sich wieder und mied die bewohnten Ortschaften. Umsonst trachtete Isenhofer, seinem Führer Rede abzugewinnen. Der ritt auf seinem behenden Klepper stumm vor ihm her durch die Nacht, immer im strengen Trotte. Die nächtlichen Gestalten der Felsen und Baumstämme wanderten links und rechts, wie eilende, finstere Gespenster, vorbei.

Es mochte um Mitternacht sein, da brach der Mond hinter Gewölken hervor, indem er sein blasses Licht über Waldhügel und den zitternden Spiegel eines Sees warf. In nicht großer Entfernung schimmerte röthliches Licht, wie von einem erleuchteten Fenster. Der Alte nahm in gerabester Richtung über feuchte Wiesen dahin den Lauf. Rechts rauschte der Wind durch Schilf und Binsen im Moor, links auf einem Hügel ragten im Mondglanz Thurm und gebrochene Mauern eines Schlosses. Vor einer ärmlichen Hütte, unter deren niedrigem Strohdach das erleuchtete Fenster strahlte, sprang der Alte vom Rosse.

„Wo sind wir?" fragte Isenhofer.

„Gott sei gelobt, bei meiner Schwester, am Katzensee!" antwortete jener: „Nun können wir ruhen. Steigt ab."

Es trat ein Knabe aus der Hütte, hinter ihm ein altes Weib.

„Bist du's, Hemman?" rief das Weib: „Jesus Maria, mir ward schon bange um dich, Brüderlein."

„Das war aber auch ein Ritt!" sagte der Alte und streckte die steif gewordenen Glieder: „Hör'! der gestrenge Herr ist doch bei dir, hoff' ich?"

„Schon lange vor Nacht kam er," antwortete jene, „wollt' aber nicht essen, nicht trinken. Halt' dich fein still. Er sitzt im Winkel am Tisch und nickt ein wenig; wollte nicht auf's Lager, bis er dich gesehen."

VII.   6

— 162 —

„Felix," rief nun wohl zufrieden der Alte dem Burschen zu, „die Rosse sind erhitzt, führe sie auf der Wiese um, bis ich wieder zu dir komme."

„Bist du es, Hemman?" rief eine Stimme durch's Fenster, die Isenhofer wohl kannte. Es war die Stimme des geharnischten Ritters, der vorige Nacht ihn und andere Gefangene bewacht hatte: „Bist du es, Hemman? Langst du allein an?"

„Nein, mein allerliebster, gnädiger Herr!" schrie der Alte zurück gegen das durchsichtige Fenster: „Alles ist wohl gelungen. Er ist gerettet!" Bei diesen Worten ergriff der Alte Isenhofers Hand und führte ihn in die Hütte. Eine vom Küchenrauch geschwärzte niedere Stubenthür öffnete sich. Isenhofer trat in ein enges, kaum sechs Fuß hohes Gemach, das zum vierten Theil von einem gemauerten, breiten Ofen ausgefüllt war. An einem dicken Tisch, von Tannenholz gezimmert, der fast die Hälfte des kleinen Raums der Wohnung einnahm, saß beim Schimmer der dampfenden Oellampe ein betagter Herr, dem Freude aus dem Antlitz lachte.

„Willkommen, Meister Isenhofer, in's Leben!" rief derselbe und streckte in froher Bewegung beide Hände nach ihm über den Tisch: „Wie starret Ihr mich doch an, als wär' ich ein Gespenst! Möget Ihr Euch mein nicht mehr erinnern?"

Allerdings war Isenhofer überrascht. Denn er erkannte, nach einigem Besinnen, Herrn Rüdiger Trüllerey, den er im Freihof zu Aarau, freilich in nur jedesmal kurzen Erscheinungen, gesehen hatte.

„Wie nun lief's auf der Wiese von Mänikon ab?" fragte der Ritter weiter: „Erzähle mir du, Hemman, denn der Meister von Waldshut ist von seinem Entsetzen noch nicht genesen. Aber Petermanns scharfe Klinge stand ihm schon nah' am Genick. — Else! Wo ist die alte Else? Nun tische deinen Karpfen auf, Else, und vom guten Klosterwein der Herren von Wettingen!"

„Ritter!" sagte Isenhofer, und seine Augen glänzten feucht, und gerührt drückte er die Hand des frohen Greises: „Ihr also seid mein rettender Schutzgeist gewesen?"

„Das nun wohl nicht!" erwiederte der greise Rüdiger: „Meister, du warst der Einzige, den ich von allen Gefangenen aus Greifensee kannte. Da wir Andern nun den Tod Aller unvermeidlich sahen, traten wir aus dem Kreis und beredeten uns. Es waren eitel wohlgesinnte Herren von Bern, Zug, Luzern. Sie wurden einig, in den Gang des blutigen Geschäftes auf alle Weise so viel Langsamkeit zu bringen, daß bei Einbruch der Nacht noch kaum die Hälfte der armen Sünder abgethan sein sollte. Dann wollte man den Uebrigen, wo sie bis zum Morgen in Verwahr gethan waren, durch List oder Gewalt zur Freiheit helfen. Nun empfahl ich Euch dem Hauptmann von Glarus, der im Kreise Wacht hielt über die Todesopfer, daß er den armen Meister von Waldshut zu den Letztern in der Reihe stelle. Das war Alles. Ich hinterließ darum den Hemman mit guten Rossen und ritt hierher, um nicht das Elend von Mänikon zu sehen und um auf jeden Fall Euch sichere Herberge zu bereiten. Nun, Hemman, erzähle du! Wie wurden die armen Leute aus den Krallen des Itelhans erlöset?"

Der alte treue Diener Rüdigers verbeugte sich tief, und berichtete mit umständlicher Breite, wie er zum Hauptmann von Glarus gekommen; wie dieser ihm befohlen habe, selber den rechten Mann unter den Gefangenen auszusuchen und zu stellen; dann wie nach der Entfernung des Landammanns Reding weiter keine Ordnung geherrscht, und jeder von denen, die noch hingerichtet werden sollten, seinen guten Freund gefunden habe.

Während dieser Erzählung hatte Mutter Else gar rührig den geräumigen Tannentisch mit schwarzem Brod, Emmenthalerkäse, Wein in zinnernen Kannen und gekochten, gebratenen, gebackenen Fischen besetzt, welche eben sowohl den Reichthum des Katzensees in seinen

verschiedenen Fischgattungen, als die Kunst der alten Else darthaten,
sie schmackhaft zuzubereiten.

„Laß' dir's wohl sein!" sagte der greise Rüdiger zu Isenhofern:
„Else hat mir lange im Freihof zu Aarau die Küche bestellt, bis sie
das Weib des Wettinger Klosterknechts ward. Auch da hat sie nichts
verlernt. Das wissen die geistlichen Herren zu ehren. Bei jedem
großen Schmause in der Fastenzeit muß Else noch heut' zur Hilfe in
die Klosterküche. Vor allen Dingen, Meisterlein, versuch' hier den
Karpfen an der braunen Brühe mit Zwiebeln und Mohrrüben! Er
wird dir besser schmecken, als das magere Henkersmahl von diesem
Morgen."

Der Gast ließ sich nicht lange bitten. Nüchtern seit dem Früh=
stück, hatte der Stand auf dem Richtplatz, dann der scharfe Ritt von
fast sechs Wegstunden seine Kräfte zur gänzlichen Neige gebracht. Wie
diese aber bei der nahrhaften Kost und dem goldhellen Rebensaft vom
Markgrafenland allmälig zurückkehrten, gewann er auch die Lust zum
Gespräch und seine eigenthümliche Laune wieder.

„Fürwahr," sagte er, „der Mensch ist ein gemeines Uhrwerk,
das seiner Zeit aufgezogen sein will, wenn's gehen soll. Hat der
Magen sein Gewicht, läßt sich das Glockenspiel der Zunge lustig
hören, und der Verstand, als Zeiger, weiset die rechte Stunde.
Meine Augen sehen nun selbst die heutige Mörderei bei Mänikon
schon anders an, als diesen Mittag."

Auf Rüdigers Begehren mußte Isenhofer berichten, durch welche
Umstände er zum Wildhans gekommen und in dessen Schicksale ver=
flochten worden sei. Der alte Ritter hörte ihn mit Vergnügen, und
gewann immer größeres Gefallen an dem sonderbaren Mann, der so
richtig und redlich urtheilte und auch noch über die schreckenvollsten
Augenblicke seines Lebens Scherze fallen ließ.

„Doch heut' ist dir," sagte Rüdiger, „bei Petermanns Arbeit
das Lachen schwer geworden?"

„Wie Ihr's nehmen wollt, gestrenger Herr!" antwortete Isen=
hofer: „Ich mag ein ernstes Gesicht gewiesen haben, wenn sich das
Leben gegen das Sterben in mir sträubte. Aber meine Seele lachte
zum Himmel. Ich würde so ruhig vor Petermann in's Gras gekniet
sein, wie jeden Abend in's Nachtlager, wenn ich's besteige. Auf der
Wiese von Nänikon, nicht eine Spanne stand ich da näher dem Tode,
als an diesem Tische. Möge d'rum der liebende König des Lebens
walten, der uns hieher schickt und wieder abruft, und es nimmer
böslich meint, weder das eine noch das andere Mal."

Rüdiger setzte, als Isenhofer diese Worte sprach, den schon ge=
hobenen Zinnbecher wieder auf den Tisch, und sah den heitern Redner
ganz unerwartet mit derselben Verstorbenheit des Blicks, mit dem=
selben Todesernst an, wie er zum ersten Male im Thurm Nore ge=
zeigt hatte. Isenhofer erschrack beim Anblick der Verwandlung, und
wollte eben den Mund öffnen, ihn zu fragen, ob ihm unwohl sei?
als jener, wie warnend, die Hand mit vorgestrecktem Zeigefinger
um etwas hob und eintönig sagte: „Der eifrige, starke Gott, der
die Sünden der Welt heimsucht . . . !"

„Das ist der Priestergott, nicht der Gott des Heilandes, zu dem
wir rufen: „Abba!" entgegnete Isenhofer.

„Wie?" rief der Alte: „du hattest auf dem Richtplatz vor
wenigen Stunden keine Furcht, vor sein Angesicht zu treten?"

„Mit nichten!" erwiederte der Waldshuter: „Glauben, Liebe,
Hoffnung! Wir stehen auch jetzt vor diesem Gottes=Angesicht."

„Dem Schuldbeladenen ist's verhüllt in tausend Finsternissen!"
sagte der Greis und ließ die noch immer gehobene Hand zitternd
sinken.

Isenhofer ward verlegen. Er sah, daß Herr Rüdiger in seine
vorige Schwermuth zurückgesunken war. Er wollte dem Gespräch
eine heitere Wendung geben. Doch wagte er keinen Scherz beim
Anblick dieses schreckhaften Gesichts, welches immer starrer und

leichenhafter ward. Ohne Zweifel quälte den Greis ein Geheimniß. Isenhofer empfing durch Rüdigers seltsame Reden davon Ahnung, und beschloß, wenn es möglich sei, zur Beruhigung des Mannes beizutragen, dem er sich so viel verpflichtet fühlte.

„Erlaubt mir," sagte er, „ein wenig unbescheiden zu sein, Herr Rüdiger. Ihr glänztet eben erst in der fröhlichsten Stimmung. Warum vertauscht Ihr nun so plötzlich das Freudenkleid, welches Euch so wohl anstand, mit dem Trauermantel?"

Rüdiger saß starr da, mit in sich zurückgewandten Sinnen. Er schien nichts zu vernehmen.

„Ich sollte denken," fuhr jener fort, „heut' mehr, denn jeden andern Tag müsse der ganze Himmel in Eure Seele hineinlächeln, da Eure Menschenliebe eines Menschen Leben rettete."

Rüdiger verrieth durch keine Bewegung, daß Isenhofers Rede zu seinem Ohr gekommen sei. Die ganze Gegenwart schien dem Alten verloren, dessen Leib wohl in der Fischerhütte, dessen Geist in anderer Gegend war.

„Mich dünkt, Herr Rüdiger, Euch wandelt ein übler Zufall an!" sagte Isenhofer nach einer langen Stille, in welcher er den Greis nicht ohne Grauen und Furcht betrachtete: „Eure Gesichtsfarbe ist anders geworden. Eure Augen und Wangen scheinen eingesunken. Ihr seid krank. Wollt Ihr Euch mir vertrauen? Ich war zu Bologna und Paris unter großen Meistern der Arzneikunst obgelegen. Laßt mich wissen, wie Euch ist? wo Ihr den Schmerz fühlt? Schon zu Aarau im Freihof bemerkt' ich, daß Eure Gesundheit schwer erschüttert sei. Reicht mir Eure Hand. Der Puls wird mir mit seinen Schlägen sagen, ob nicht vielleicht ein schleichendes Fieber an Euerm Leben zehrt."

Als Isenhofer Rüdigers Hand ergriff, den Puls zu suchen, wandte Rüdiger stillschweigend und wie träumend den Kopf nach ihm, zog die Hand zurück, stand rasch auf hinter'm Tisch, ging hervor, und im engen Raum des Gemachs unruhig auf und ab. Auch Isenhofer erhob sich und folgte dem Alten lange mit den Augen. Dann redete er ihn abermals an und sprach: „Mach' mich glücklich. Ich habe eine schwere Schuld abzutragen."

Rüdiger blieb bei diesen Worten vor Isenhofern stehen, seufzte und sagte: „Eine schwere Schuld? Du, Meister?"

„Die Schuld eines ganzen Lebens!" antwortete Isenhofer.

„Und kannst sie nicht mehr abtragen?" fragte Rüdiger, mit düsterm, forschendem Blick.

„Wohl kann ich's, wenn Ihr nur wollt!" antwortete jener: „Ich bin Euch die Lebenstage schuldig, die mir noch vergönnt sind. Ohne Eure Sorge läge diesen Augenblick mein Leichnam bei den neunundfünfzig Enthaupteten auf der Wiese zu Nänikon. So gestattet mir, erkenntlich zu sein, und dies Leben, das ich Euch danke, dem Dienst und Wohl des Eurigen zu widmen, ja, wär' es nöthig, für das Eurige zu opfern."

Herr Rüdiger schüttelte den Kopf, setzte den unruhigen Gang im Gemach wieder fort, hielt dann wieder vor Isenhofern still und sagte: „Gut, gut! Ich will. Mach' eine Wallfahrt mit mir gen Rom."

— Warum nach Rom?

„Daß ich meine Ruhe finde an den Schwellen der heiligen Zwölfboten, wenn mir der Himmel es versagt, meinen Frieden anderswo zu finden."

— Wer könnt' Eure Ruhe nehmen oder genommen haben?

„Die Hölle."

— Das kann sie nicht, Herr Rüdiger.

„O sie kann's! Sie streckt ihren scheußlichen Arm tief hinein in mein Leben. Glaub' mir's! — Geh' schlafen. Heut' nichts mehr. Ziehst du mit mir im Land umher oder nach Rom?"

— Wohin Ihr wollet. Aber darf ich . . .

„Morgen, Isenhofer, du mußt es wissen, sollst es hören. Geh'

schlafen. Sieh, im Kämmerlein hier ist uns gebettet. Ich folge
dir bald nach. Geh' schlafen." Damit öffnete der Ritter das Seiten-
kämmerlein, wo der Erdboden mit frischem Stroh belegt und mit
grobem, doch sauberm Linnen bedeckt war.

Isenhofer gehorchte und warf sich auf dies Lager. Rüdiger verschloß die Kammer. Isenhofer hörte ihn aus dem Zimmer gehen und
aus der Hütte. Er wollte ihm nacheilen, denn es ward ihm für den
Greis bange. Doch gab er den Vorsatz wieder auf, in Besorgniß,
dem Ritter mißfällig zu werden, oder durch Zudringlichkeit ein eben
ankeimendes Vertrauen zu zerstören. Er erwartete ihn lange vergebens und entschlummerte. Der schicksalsschwere Tag mit seinen
Wechseln hatte die Kraft des Mannes erschöpft.

<hr>

20.

Die Erzählung.

Spät Morgens erwachte Herr Isenhofer von einem langen und
tiefen Schlaf. Das Gestrige war durch den Zauber desselben zum
schattenhaften Traum geworden, der neben Glanz und Wärme der
Gegenwart, erbleicht und werthlos, zurückzutreten begann. Selig
der Mann, welcher eine Gegenwart lebt, und sie nicht in Sehnsucht
oder Klage um das Vergangene vergißt, oder sie leichtsinnig gegen
Hoffnungen des Künftigen wegtauscht.

Keine Spanne weit von sich ward er auf dem Strohbett an seiner
Seite den Greis gewahr, gestiefelt und gespornt, aber in einen braunen,
groben Wollmantel gewickelt, dessen Kutte, von hinten über den Kopf
gezogen, die Stelle einer Kappe versehen mußte. Neben demselben
lag das entblößte Schwert. In den auf der Brust gefalteten Händen
hing ein Rosenkranz. Blässe hatte die scharfen Züge des Antlitzes
überflossen. Er glich einem zur Schau gelegten Todten, der, obwohl

Ritter, nach damaliger Sitte der Frömmigkeit, in einem Mönchskleid zur Erde bestattet werden sollte.

Doch bei Isenhofers erster Bewegung schlug auch Herr Rüdiger Trüllerey die Augen auf. Man begrüßte sich mit freundlichen Wünschen, ordnete den zerstörten Anzug, wusch Kopf, Bart, Hals und Hände im kalten Waffer; that seine Morgengebete und entnüchterte sich durch einen kräftigen Imbiß, während die geschäftige Else mit tausend Worten die schlechte Bewirthung entschuldigte.

Als sie darauf vor die Hütte hinaus traten, die Reinheit und Frische des Maimorgens zu athmen, sprach Herr Rüdiger: „Freund, du versprachst, mein Wandergefährte zu werden, mich sogar nach Rom zu begleiten. Ich entlasse dich des Wortes, wenn es dich gereut."

„Nein," erwiederte Isenhofer, „entbinbet mich der Zusage nicht, in so fern sie Euch gefällig kam. Ich hab' Euch eine große Schuld abzutragen, und bin froh, diese Blutbühne des gräuelhaft geführten Krieges nicht länger zu sehen. Ihr aber werdet Euch erinnern, daß Ihr mir das mitzutheilen verhießet, was Euch bedrängt und zur Fahrt nach den heiligen Gräbern treibt."

„Das hab' ich Niemanden noch offenbart!" sagte der Alte ernst: „Meister, ich habe zu dir Zuversicht gewonnen, wie noch nicht leicht zu einem Sterblichen. Was ich dir anvertrauen will, wird selbst Gangolf, mein Sohn, erst vernehmen, wenn ich nicht mehr am Leben bin. Du hingegen gelobst mir Verschwiegenheit, bis ich im Grabe liege."

Isenhofer streckte die Hand zum Himmel und sagte: „Bei Gott und seinen Heiligen allen!" Dann reichte er dieselbe Hand bekräftigend dem Ritter.

Beide gingen in Gesprächen über die feuchten Wiesen gegen den Berg, auf dessen Rücken hoch über dem Thale das Städtlein Regensberg im Sonnenlichte glänzte. Daneben streckten, schwarz und rußig, Thurm und gebrochenes Gemäuer des ausgebrannten alten Schlosses

Regensberg ihr Gestein in die Luft, ein Bild schauerlicher Wehklage über der Menschen Wahnsinn. Es war erst vor zwölf Monaten von den Eidgenossen zerstört worden, nachdem es in ehrwürdiger Herrlichkeit beinahe fünf Jahrhunderten Stirn geboten hatte.

Die Sonne stand schon hoch. Die Lustwandelnden suchten am Bergabhang einen Schattenplatz unter wilden Birnbäumen. Vor ihnen, hinter den grünen Wiesen, zog spielend der Morgenwind im beweglichen Spiegel der Zwillingsseen weitgekrümmte Furchen. Isenhofer hatte bisher von seinen Reisen in Deutsch- und Welschland, von seinen Verhältnissen zu den Falkensteinen, von seiner ersten Bekanntschaft mit Gangolf, von Ursula's Untreue, von dem stürmischen Rittertag zu Seckingen und dem Tode des Freiherrn von Sar erzählt. Der greise Rüdiger, welcher ein aufmerksamer Zuhörer gewesen, seufzte und sprach: „So mög' es sein. Er ist ein starker und eifriger Gott, der die Sünden der Väter heimsucht an den Kindern! Der Glanz meines alten Hauses ist erloschen. Gangolf muß, als ein armer Söldner, durch die Welt ziehen, bis er dem Tode begegnet. Ich hoffte noch, daß er sich durch Verbindung mit dem Hause Falkenstein aufrichten werde. Nun ist auch das vereitelt!"

— Wollet Ihr für den Gangolf Kummer leiden, dem sein Arm und sein Herz Ueberfluß gewinnen, sobald er ihn will? sprach Isenhofer: Erbe dereinst Eurer Güter und . . .

„Nein," unterbrach ihn rasch Herr Rüdiger: „Er hat kein Erbe. Er wird Bettler sein. All mein Besitzthum hat einen andern Herrn. Und entdeck' ich diesen nicht, so fällt Alles der Kirche zu, damit meine Seele Ruhe finde."

— Die Kirche wird das Geld nehmen, die Geistlichkeit wird dabei wohlleben; aber Ruhe gibt nur Gott! sagte Isenhofer lächelnd. Doch bitt' ich, lasset mich erfahren, wie Ihr die Sache meint. Wer ist der andere Herr, von dem Ihr nicht einmal zu wissen scheint, wo Ihr ihn entdecken müsset?

„Es ist der Freiherr Jörg von Ende, Herr zu Grimmenstein, im Rheinthal. Hast du jemals von ihm gehört?" fragte Rüdiger.

— Von manchem Ende, antwortete Isenhofer, aber von keinem Menschen, der sein Ende schon im Namen hat.

„Ich war ein wilder Gesell," fuhr der Ritter fort, „zur Zeit, als die Berner, auf Befehl des Kaisers Siegmund und der Kirchenversammlung zu Konstanz, den Aargau einnahmen. Mein Vater hielt mich streng, wie ein unmündiges Kind, doch hatt' ich meine dreißig Jahre damals schon voll. Wir waren selten zusammen eins. Er hielt zu den Bernern; ich mit dem übrigen Adel zum geächteten Herzog Friedrich von Oesterreich. Im Zorn stieß er mich endlich von sich aus, und verbot mir, je wieder vor seinen Augen zu erscheinen. Ich ging lachend in die Welt hinaus, froh, der Mißhandlungen meines Vaters und seiner magern Kost los zu sein. Ein gutes Pferd, ein gutes Schwert, das war mein Reichthum. Damit hofft' ich mir genug zu erwerben. Ich trieb mich eine gute Weil' umher, anständigen Herrendienst zu finden. Als aber mein geringes Geld zur Neige ging, gerieth ich in's Verzagen. Heimzukehren in den Thurm Rore und des Vaters Gnade zu erflehen, verdroß mich; als gemeiner Söldner und Knecht mit niedrigem Dienst den altadelichen Namen meines Hauses zu beflecken, schämt' ich mich. Da nannt' ich mich Günther von der Weide, entschlossen, des schlechtesten Gewerbes wegen nicht roth zu werden, und müßt' es auch Räubergewerb sein."

— Wie kamet Ihr zu dem zarten, bürgerlichen Gewissen? sagte Isenhofer: Dies Gewerb ist rein adelich, und eine freie Kunst, vor der kein Kaiser und kein König roth wird, wenn er fremdes Land überzieht. Aber Kleinigkeiten rauben, nur arme Pilger und Kaufleute überfallen und ausplündern, nun freilich, das ist stinkend. Wie triebt Ihr's?

„Es kam anders!" sagte Rüdiger, dessen ernstes Gesicht zu ver-

rathen schien, er habe an Isenhofers Scherz keinen Gefallen: „Zu
St. Gallen in der Herberge, als ich traurig da saß, redete mich ein
reicher Herr an, von etwa fünfunddreißig Jahren, der mit großem
Troß von Pferden und Hunden angekommen war, den Abt zu be-
suchen. Er war schlank und schön, von ungewöhnlicher Größe, präch=
tig gekleidet, freigebig, lebhaft und gesprächig. Sobald er von mir
vernahm, wo mich's drücke — ich erzählte ihm ein Mährchen von
Kriegsunglück —, sprach er mir zu: Wohlan, Günther von der
Weide, Leute deines Schlages kann ich brauchen. Tritt in mein Gefolge. Dich soll's nicht gereuen! — Das war der Freiherr Jörg von
Ende. Ich folgt' ihm. In manchem Fürstenschloß wohnte nicht so
viel Wohlleben und Pracht, als auf der Burg Grimmenstein.

„Nicht Alles ist Gold, was glänzt, sagt's Sprichwort. Der
Freiherr lebte in unglücklicher Ehe und täglichem Streite mit seinem
Weibe und den Verwandten desselben. Jörg war ein edler Mensch,
aber reizbar, stürmisch, jähzornig; seine Gemahlin hingegen ein Aus-
bund des Schlechtesten, verlogen, verbuhlt, rachsüchtig und verschmitzt.
Sie lebte mit einem jungen Edelknecht, der Konrad genannt ward,
in heimlicher Unzucht. Sie wiegelte nicht nur ihre Brüder gegen den
Freiherrn auf, sondern stiftete selbst zwischen ihm und seinen eigenen
Blutsfreunden Todfeindschaft. Er aber, dessen wilden Zorn im Hause
Alle fürchteten, hatte Händel mit sämmtlichen Nachbarn weit umher;
damals, als ich zu ihm kam, noch Fehde dazu mit einigen Reichs=
städten. Sein böses Weib wünschte ihm gern den Untergang.

„Jörg gewann mich lieb. In manchem blutigen Strauß stand
ich ihm wacker zur Seite. Er beschenkte mich fürstlich aus jeder gemachten Beute. Ich wußte mich in seine Launen zu schicken, sein
Auffahren zu ertragen. Ich ward sein Freund, sein einziger in der
Welt. Mir vertraute er Alles.

„Nun begab sich ein großer Unfall. Es war im Frühjahr 1416,
daß sich Junker Jörg nach Konstanz begeben hatte, um mit einigen

Prälaten und Herren der Kirchenversammlung Unterredung zu pflegen.
Er wohnte aber daselbst in großer Heimlichkeit, denn er hatte Fehde
mit der Stadt. Niemand war mit ihm, als Konrad, der Edelknecht.
Am Palmabend erhob sich heftige Klage in der Stadt, es hätten
die Diener des Freiherrn von Enb ein Schiff auf dem Bodensee
aufgefangen, darin viel Korn und anderes Gut gewesen, das denen
von Feldkirch, Konstanz und andern Leuten gehört habe. Schon
zuvor hätten des Freiherrn Diener einige geistliche Personen, Bischöfe
und Aebte, die zur Kirchenversammlung reisen wollten, angerannt
auf den Landstraßen und beleidigt. Der Lärmen ward groß in Konstanz. Da ging Konrad der Edelknecht tückisch und verrieth seines
Herrn Aufenthalt. Konrad aber entwich dann aus der Stadt über
den See. Man eilte ihm jedoch nach, fing ihn und ertränkte ihn
im See mit Harnisch und Gewand."

— Wohlgethan! rief Isenhofer dazwischen.

„Als die Botschaft nach Grimmenstein kam, daß die von Konstanz wollten über den Junker Hochgericht halten," fuhr Rüdiger
fort, „spottete die Freifrau, und sagte: so ist der Wolf in der Falle!
Ich glaube noch heut', daß dies Weib, in Abwesenheit ihres Ge-
mahls, den wüsten Handel ihm zu Leid angestellt habe. Denn er
selbst wußte von dem Vorgefallenen nichts. Doch ehrenhalber gingen
einige seiner Freunde nach Konstanz, für sein Leben zu bitten Ich
gesellte mich zu ihnen. Sie erreichten beim Rath zu Konstanz ohne
große Mühe, daß sein Leben gefristet, seine Burg Grimmenstein
aber den Konstanzern eingeantwortet und zerstört werden sollte. Bis
dahin müsse er gefänglich in der Stadt bleiben, und dann Urfehde
schwören, weder denen von Konstanz noch andern Reichsstädten
Leibes zuzufügen.

„Wie wir in den Thurm kamen, dem Junker dies harte Urtheil
zu hinterbringen, gerieth er in erschreckliche Wuth über seine Dienerschaft und über den Rath zu Konstanz. Doch mußt' er sich darein

ergeben. Da seine Blutsfreunde von ihm gingen, behielt er mich
allein bei sich und sagte: Sie sind allesammt Verräther und Schelmen an mir, die mich verderben wollen. Es soll ihnen allen nicht
gelingen. Ich habe wohl noch, daß ich mehr als zwei neue Schlösser,
wie Grimmenstein, bauen kann! — Dann fiel er mir um den Hals
und sagte: Mein lieber Freund Günther, auf dich allein setz' ich
meine Zuversicht, du kannst mich retten. Schwöre mir vor Gott,
daß du gehorsam und verschwiegen sein wollest. Ich möchte dir
etwas Wichtiges vertrauen. — Darauf that ich auf den Knien einen
theuern Eid, nach seinem Willen zu leben."

Hier hörte der greise Rüdiger auf zu erzählen. Er faltete seine
Hände krampfhaft vor sich hin. Seine Augen waren halb geschlossen,
die Mienen seines Gesichts schmerzhaft verzogen. Es zuckte sein Odem,
als wenn er weine; doch entkam seinem Auge keine Thräne. Mit
den Lippen sprach er einigemal leise das Wort: „Meineid! Meineid!" aus. Herr Isenhofer betrachtete den alten Mann neben sich
mit Grausen und Mitleiden, doch wagt' er denselben durch kein
Wort zu stören.

Erst nach geraumer Zeit sammelte sich der Greis wieder und
sagte: „Nun, Meister, du sollst ja Alles wissen. Der Freiherr
offenbarte mir nun, er habe eine Truhe, nicht nur voll geprägten
und ungeprägten Goldes, sondern auch zum Theil voll von Perlenschmuck und edeln Steinen. Er bezeichnete mir den heimlichen Ort
in der Burg, wo der Schatz wohl verborgen und verwahrt war,
und sagte: Eile nach Grimmenstein und bemächtige dich der Truhe.
Bringe sie anher, und wär' ich noch nicht frei, so überantwortest
du sie Niemanden, am wenigsten meinem Weibe, oder deren und
meinen Blutsfreunden. Sondern, lieber Günther, du bewahrst
sie, bis ich sie selber von dir abfordere, oder der dir in meinem
Namen — hier zog er mir den Ring vom Finger ab — diesen deinen
Ring zurückbringt, den ich von nun an bis dahin behalte. — Nach-

dem Freiherr Jörg dies gesprochen hatte, eilt' ich, seinen Auftrag
zu vollstrecken. Ich fand den Schatz von Grimmenstein und hob ihn
am Ostertag, kurz zuvor, ehe die Veste am Abend denen von Kon=
stanz eingeantwortet wurde. Ich verbarg mich, weil die Gegend
unsicher war, in einer Bauernhütte. Ich sah am Dienstage die
Flammen aus der Burg aufsteigen. Wie ich nach Konstanz kam,
sagten sie mir, der Freiherr Jörg von Enb sei losgelassen; man
wisse nicht, wo er hingekommen sei."

Rüdiger schwieg hier abermals, als müsse er Kraft schöpfen.
Dann fuhr er mit niedergeschlagenen Augen und leiser Stimme fort:
„Isenhofer, da ward ich vom Teufel versucht und vollkommen über=
wältigt. Denn ich eignete mir den Schatz zu, floh nach Straßburg,
kaufte mir prächtige Kleider, legte meinen falschen Namen ab, und
kam gar stattlich wieder gen Aaran in die Veste Rore zu meinem
Vater. Als dieser von mir erfuhr, daß ich im Kriege reiche Beute
gemacht habe, womit ich sein verpfändetes und verschuldetes Gut
frei machen könne, ward er mir sehr hold und gewogen; ließ mich
nicht mehr von sich, vermählte mich, und war bis an das Ende seiner
Tage ein zärtlicher Vater. Ich aber konnte nicht alle Tage froh
sein, wie er. Mein Weib war die zärtlichste Gattin und Mutter,
ein Muster christlicher Frömmigkeit Sie starb heiter, gleich einer
Heiligen, und pries das Glück ihres Lebens, das sie in meinem Arm
genossen hatte. Ich aber war nicht alle Tage froh gewesen.

„Erst zwanzig Jahre nach der Zerstörung des Grimmensteins
forscht' ich, doch heimlich nur, nach dem Loose des Freiherrn Jörg
von Ende. Ich durchreisete die Gegenden im Rheinthal. Ich sah
die Trümmer seiner Veste. Acht Tage lang hatten sechszig Mann
arbeiten müssen, um die dicken Mauern zu schleifen. Ich sprach die
Verwandten des Freiherrn. Sie besaßen sein Gut. Die Zugehörden
von Grimmenstein hatte Ludwig von Ende dem Spital der Stadt
St. Gallen verkauft. Aber Niemand wußte, wohin der Freiherr

Jörg gekommen sei, der nach Einäscherung seines Schlosses noch einige Jahre am Bodensee auf seinen Gütern gewohnt hatte, und dann, nach dem Tode seiner ruchlosen Frau, für immer verschwunden war. Einige sagten, er sei in ein Kloster gegangen; Andere, er sei nach Jerusalem auf die Wallfahrt; Andere behaupteten, Reisende hätten ihn im Tirol, als Waldbruder gesehen.

„Nun aber bin ich auf, ihn zu suchen. Ich weiß, er lebt! — Gottes Erbarmen ist mit mir; will nicht des Sünders Tod, sondern meine Erlösung vom Meineid! — Ja, er lebt! Es ist mir vom Himmel selber offenbart. Nun, Meister Isenhofer, weißt du Alles. Bewahre mein Geheimniß! Du willst mein Gefährte sein. Ich suche den betrogenen, verrathenen Freund, daß ich ihm das Seine zurück-gebe. Noch kann ich Alles zurückerstatten. Aber ich und mein Sohn Gangolf sind Bettler. Wir haben nichts mehr. Und sollt' ich seines Todes sicheres Zeugniß empfangen, gehört mein Hab' und Gut der Kirche an. In der Trüllereyen-Hand soll kein ungerechtes Gut liegen. Ich hab' daheim mein Haus bestellt!"

Hier schwieg der Alte. Meister Isenhofer betrachtete ihn seit-wärts, wie er mit in den Schoos gefalteten Händen, auf die Brust niedergesenktem Haupte, bleich und erschöpft neben ihm saß, und sagte dann: „Ritter, Euer Meineid, Euer Verbrechen jagte mir einen Schauder ab. Aber seid getrostes Muthes. Ihr waret ein arger Sünder; schon jetzt seid Ihr das nicht mehr. Ich helf' Euch den unglückseligen Freund suchen, und wär' es am Ende der Welt. Indessen müßt' Ihr mir doch sagen, woher Ihr wisset, daß er noch lebt? Denn unter uns, ich traue den himmlischen Offenbarungen in unsern Zeiten nur halb."

Rüdiger seufzte schwer auf, gab jedoch keine Antwort.

„Sind zum Beispiel bei dieser Offenbarung Kloster- oder Welt-geistliche beschäftigt gewesen?" fuhr Isenhofer fort, indem er die Achseln zuckte und die Unterlippe in die Höhe drückte: „Pah! ich gebe keinen Ängster *) dafür. Diese Herren treiben heutiges Tages in ihrem geistlichen Arzneiladen mit allen überirdischen Dingen Handel für das liebe Geld. Sie können Sünden-Ablaß und Gespenster, Erlösung vom Fegfeuer und Kobolde, Wunder und Teufelsverbannungen, Offenbarungen und Geisterbeschwörungen, kurz Alles feil haben, was man sucht."

„Nichts, nichts!" rief Rüdiger heftig: „Jörg von End ist mir selber erschienen!"

„Wie, er selber?" fuhr Isenhofer mit Erstaunen auf: „Im Traum?"

„Nicht im Traum!" sagte Rüdiger: „O das war kein Träumen! Lebendig war's. Wie du hier neben mir, so stand er vor mir im Thurm Rore zu Aarau. Es sind noch keine zwölf Wochen, da stand er vor mir."

„Warum denn ließet Ihr ihn von hinnen ziehen, ohne ihm sein Eigenthum zuzustellen?" fragte Isenhofer etwas ungläubig: „Warum müssen wir ihn jetzt suchen? Warum scheint Ihr zu zweifeln, ob Ihr ihn je finden werdet? Die Offenbarung ist mir etwas verdächtig. Verzeiht meiner Thomas-Natur."

„Isenhofer, du wirst nicht mehr so sprechen," sagte der Greis, „wenn du Alles gehört hast. Seit manchem Jahr schon hatt' ich die Edelsteine und das Perlengeschmeide nicht betrachtet; denn ich konnte das nie ohne Zittern. Nun geschah es dennoch. Es sind noch nicht zwölf Wochen seitdem. Mein Sohn Gangolf war auf der Heimkehr von Paris. Und als ich den Reichthum beschaute, gerieth ich in schwere Versuchung; der größte Theil des Goldes war zur Zahlung von meines Vaters Schulden verwendet worden. Aber der übrige Schatz, wem gehörte er? Es gelüstete mich, ihn mir

---

*) Eine damalige kleine Scheidemünze.

VII.   8*

anzueignen; meinem Hause dafür Zehnten und Bodenzinse oder eine
Herrschaft anzukaufen, auf daß die Falkensteine sähen, Gangolf sei
kein armer Ritter, der sich von ihnen müsse füttern lassen. Doch
gelobt' ich der heiligen Jungfrau in der Kapelle der Klosterfrauen
zu Aarau den schwersten Perlenschmuck, daß sie meine Fürbitterin bei
Gott werden möge. Ich schrieb der Priorin und dem Konvent der
Klosterfrauen wirklich den Uebergabebrief, und gedachte ihn folgendes
Tages selber in deren Hofstatt zu tragen.

„Darüber war es Nacht geworden. Als ich zu Bett gegangen
und noch nicht ganz eingeschlafen war, ward ich aus dem Halbschlummer geweckt. Denn in der Stube ward ein Geräusch und ich
hörte mich bei meinem falschen Namen deutlich und von einer bekannten Stimme rufen: Günther von der Welde! — Ich erschrack
außer der Maßen. Ich hielt die Augen verschlossen. Mich fror.
Ich wollte mir selber weiß machen, es sei Traumwerk. Darauf
ward ich noch einmal gerufen, viel heller, denn das erste Mal. Die
Stimme hallte im Thurm wieder. Beim dritten Ruf aber konnt'
ich mich selbst nicht mehr täuschen. Der Mund dessen, der mich
beim falschen Namen nannte, war hart vor meinem Ohr; ich fühlte
seinen eiskalten Odemzug; — ich fühlte — seine kalte Hand fühlt'
ich, wie sie sich in meine Brust tief einkrallte, als wollte sie mir
das Herz aus der Brust reißen. Ich that einen Schrei vor Schmerz.
Ich sprang aus dem Bett. Der Mond im letzten Viertel leuchtete
hell über den Hungerberg in mein Gemach.“

Isenhofer lächelte mitleidsvoll und hätte den Greis, dessen Gesicht
immer verstörter ward, gern beruhigt. „Laßt's gut sein, sagte er:
„also doch zuletzt ein schwerer Traum und nichts weiter.“

„Ein schwerer Traum?“ entgegnete der alte Ritter, nestelte
dabei Wamms und Leibchen auf, entblößte weit die breite Brust und
deutete mit dem Finger auf die Stelle des Herzens. Da sah man
noch die Stätte blaugelb unterlaufen, und ringsum fünf Wunden,

die geblutet hatten, wie von den Fingernägeln eines Mannes ein-
geschlagen, alle noch vom verhärteten Blut deutlich gezeichnet. Genau
ließ sich die Stelle, wo der Daumennagel gelegen, durch die größere
Narbe und ihre gleichweite Entfernung von den vier übrigen Wund-
maalen erkennen. „Heißt das träumen?" sagte der Alte mit gedämpfter Stimme, und bedeckte sich die Brust wieder. Isenhofern
ward etwas wunderbar zu Muth. Er konnte seine Augen nicht
Lügner heißen, und wollte doch seinen Augen zu gefallen nicht den
Verstand weggeben.

    „Aber nun sah ich ihn ja selber!" fuhr Rüdiger fort: „Jörg von
End saß auf der Eisenkiste, worin die Truhe mit dem Schatz liegt.
Der Mond beschien ihn zur Hälfte klar, daß ich jedes Zucken seiner
Mienen, jedes Haar seines Kopfes deutlich sah. Ich bin kein Furcht-
samer. Doch bei dem Anblick empfand ich, daß sich mein Haupthaar
vor Entsetzen emporsträubte. Da streckte er die Hand in den Mond-
schein aus und sagte: Kennst du den hier noch, Günther? — Er
zeigte mir meinen Ring, mit dem grünen Smaragd darin, den er
mir in Konstanz vom Finger gezogen hatte, und drehte ihn links und
rechts im Licht des Halbmondes. Ich erkannte meinen Ring. Nach
diesem steckte er denselben wieder an seine linke Hand und sagte:
Keinen Stein, keine Perle sollst du von meinem Eigenthum ver-
geuden, meineidiger Günther, oder ich fordere dir deine Seele ab.
Bilde dir morgen nicht ein, ich sei nicht bei dir gewesen. Morgen
hast du zum Wahrzeichen diesen Ring an der Hand. Wo ich aber
bin, sag' ich dir nicht. Es ist an dir, Meineidiger, mich zu suchen.
Ich habe dir nun den Sündenfrieden aus der Brust gerissen! —
Als ich dies hörte, ging ich zitternd gegen ihn, kniete vor meinem
alten Herrn und Freunde nieder und sagte: Seid Ihr es denn wirklich selber, oder ist's Euer abgeschiedener Geist, der wegen des
Schatzes umgeht? — Er aber setzte seinen Fuß gegen meine Brust,
und stieß mich mit solcher Gewalt, daß ich weit zurückflog und, mit

dem Gesicht gegen die Mauer geschmettert, die Besinnung verlor. Ich lag noch Morgens am Erdboden, als ich mein Bewußtsein wieder erhielt. Ich fühlte mich sehr schwach. Die Fußdielen des Gemachs waren weit mit Blut überflossen. Mein Gesicht war blutig. Ich hatte den Schmerz der Wunden auf der Brust. In meinem Gemach lag Alles in unbegreiflicher Zerstörung, und die Uebergabe-Schrift fand ich zerrissen in meinem Blute."

Isenhofer schüttelte, als der Alte schwieg, ernsthaft den Kopf, wie einer, der mit sich selber uneins ist. „Indessen könnte es doch Traum, fieberhaftes Delirium mit halbdunkelm Bewußtsein verbunden gewesen sein!" sagte er zu Herrn Rüdiger: „Euer Geblüt mochte vom Gedanken an die vergangene Zeit, oder vom Schreiben und Nachdenken erhitzt sein. Ihr fühltet Fieberangst, hörtet Stimmen, empfandet Schmerz, krallet vielleicht bewußtlos unter krampfhaftem Weh Eure eigene Faust in Euer Fleisch ein, spranget aus dem Bett, träumtet mit offenen Augen, richtetet die Zerstörung an, während die Einbildungskraft in Fieberwehen Gespenster zeigte, bis Ihr in einer Art Betäubung das Gesicht an der Wand zerschluget, und in starker Verblutung ohnmächtig wurdet. Es könnte doch sein, Herr Ritter, denn Krankheitszustände dieser Gattung gehören nicht zu den unerhörten."

Der Alte verneinte aber mit stillem Kopfschütteln; hob die Hand, und zeigte an derselben einen dicken goldenen Ring, in dessen Kästlein ein grüner, zierlich geschliffener Smaragd mit der Trüllereyen Wappen zu sehen war. „Da ist der verheißene an meiner Hand wieder!" sagte Herr Rüdiger: „Vor achtundzwanzig Jahren zog ihn mir Jörg von End ab. Seit drei Monaten trag' ich ihn wieder."

Verblüfft starrte der weltkluge Waldshuter bald den verhängnißvollen Ring, bald den Nachbar an. Sein Verstand zermarterte sich vergebens, den Knoten des grauenvollen Räthsels zu lösen, und behielt doch die feste Ueberzeugung, daß hier Selbsttäuschung oder fremder Betrug obwalte. In diesem Widerspruch mit sich verzog er die Miene zum Lachen über sich selber. Rüdiger bemerkte es mit verdrießlichem Blick, und sagte: „Du zweifelst noch an der Wahrheit?"

— Verzeiht, Herr Ritter! antwortete Isenhofer: mein eigener Verstand wird mir lächerlich, wie ein Schulbube, der vor einem Taschenspieler mit Entsetzen Reißaus nimmt. Seid Ihr gewiß, daß Ihr den Jörg von Enb und keinen Andern in der Nacht bei Euch sahet? Woran erkanntet Ihr ihn sogleich und so bestimmt?"

„An seinen Geberden, an seiner Stimme, ich möchte sagen, an seiner Kleidung sogar!" antwortete Rüdiger: „Er war ganz so, wie ich ihn immer gesehen hatte."

— Nun denn, schrie Isenhofer lebhaft, so konnte das der Freiherr nicht sein, sondern Eure Einbildungskraft entlehnte dessen Gestalt aus Euerm Gedächtniß. Bedenket Ihr nicht, daß der Mann, welcher vor achtundzwanzig Jahren erst fünfunddreißig alt war, jetzt ein Greis von dreiundsechszigen sein müsse?

Herr Rüdiger ward durch diese einfache Bemerkung sehr überrascht. Er schaute ein Weilchen sinnend und an sich selber irre geworden, in's Blaue hinaus; dann sagte er halblaut: „Aber dieser Ring! er ist doch wahrhaft der, welchen ich dem Freiherrn gegeben."

— Und Ihr hattet ihn Morgens nach der Erscheinung am Finger? fragte Isenhofer.

Der Ritter antwortete: „Das nicht! Aber am Abend desselben Tages, als ich unter der Pforte meines Thurmes stand, stürzte ein häßliches Zigeunerweib in den Freihof, das von den Stadtknechten verfolgt war. Es hatte ein Huhn gestohlen. Wegen so unehrbarer Sache wollt' ich der Herre keine Freistatt gewähren; sie aber betrachtete mich scharf mit den schwarzen Augen, und sagte: Sei gegrüßt, Herr Günther von der Welde; wenn du mich aus dem Freihof stößest, hast du dein Glück verstoßen. Du kennst mich nicht, aber ich dich an der Schramme über der linken Augenbraune. Weißt du, wir sahen uns im alten Bauernhaus, da du die Truhe von Grimmen-stein verstecktest, und das Schloß des Jörg von End brannte! — Isenhofer, da erstarrte ich, als das Weib solches sprach. Es nahm meine Hand und betrachtete darin die Linien, und sagte: Du suchst Verlornes, ich bring' es dir, wenn du mich verbirgst und aus den Händen der Verfolger rettest. Du hast Kummer, ich kenne das Kräutlein dafür. — Ich verbarg darauf die Aegypterin in eine ver-borgene Kammer des Thurms. Da fragt' ich: Wenn du wahr redest, so zeige mir das Verlorne, was ich suche. — Sie übergab mir grü-send den Ring, welchen sie in einem Walde bei Winterthur gefunden zu haben vorgab. Und als ich in sie drang, mir zu sagen, von wem sie wisse, daß er der meinige sei, sagte sie: vom Wappen über der Pforte des Freihofes."

— Die Diebin hat ihn gestohlen! rief Isenhofer: Doch ein selt-samer Zufall — oder wenn Ihr lieber wollt, Werk der ewigen Vor-sicht ist's, daß Euch der Goldreif zukam, während Ihr die Nacht zuvor im Rausch des Fiebers Dinge träumtet und sahet, welche Euch beinahe schon dreißig Jahre lang heimlich gefoltert hatten.

„Nenn' es, Meister, wie du willst!" sagte Herr Rüdiger: „Hier aber ist eine furchtbare Hand geschäftig! Auch ich glaubte, die Zigeu-nerin habe den Ring entwendet, und wem anders, als dem Freiherrn Jörg? Sie läugnete, selbst als ich mit Folter und Galgen drohte, beharrlich. Doch behauptete sie, ihm noch vor mehrern Monaten bei Eglisau begegnet zu sein, und, wenn ich ihr zur Freiheit helfe, ihn zu finden; denn das sei mein Kummer, dafür sie das Kräutlein kenne."

Ungläubig lächelte Isenhofer und sagte: „Ich kenne dies Ge-sindel. Es lebt vom Wahrsagen, aber nicht vom Wahrreden!"

„Ich aber muß dem Weibe vertrauen!" entgegnete Rüdiger: „Denn es hat mir viele Geheimnisse entdeckt. Auch kann ich mir

vorstellen, wie dies ägyptische Volk, das in allen Ländern umher=
zieht, Alles erforscht und erspäht, und sich einander auf Kreuzwegen,
in Ställen und Wäldern begegnet, leichter denn wir andern, aus=
kundschaftet, was es wissen will."

„Wo ist die Zigeunerin geblieben?" fragte Isenhofer: „Ihr
ließet sie entwischen? Die Here weiß ohne Zweifel vom Freiherrn
Jörg mehr, als sie gut fand, Euch zu sagen."

„Ich gab ihr die Freiheit, nachdem ich sie lange verpflegt hatte!"
erwiederte der Ritter: „Entdeckt sie den Aufenthalt des Freiherrn,
hat sie ein reiches Geschenk zu erwarten. Sie weiß jederzeit mich
zu finden, so wie auch in Aarau Gangolf immer von meinem Auf=
enthalt Nachricht hat. Beim Heer der Eidgenossen vor Rappers=
wyl, wo ich den unglücklichen Jörg suchte, auch im Lager vor Greifen=
see ist er nicht. Doch hab' ich Spuren, er sei in ein schwäbisches
Kloster gegangen. Dahin will ich. Für mich ist auf Erden keine
Rast mehr. Es drängt und treibt mich Tags und Nachts. Ich bin
unstet, gleich dem ersten Brudermörder. Und hab' ich vom Tode des
Freiherrn Gewißheit, bleibt mir nichts, als der Zug nach Rom."

Hier schwieg der Greis, welchen seine alte Bangigkeit wieder zu
überfallen schien. Er schloß seine dürren Hände krampfhaft in ein=
ander und starrte mit erstorbenen Blicken vor sich hinaus. Isenhofer
neben ihm verfiel in ein langes Nachdenken über die seltsame Be=
gebenheit, welche ihn zum Gewerbe der irrenden Ritterschaft einlud.
Er bemerkte wohl, daß der alte Herr durch die Bisse des Gewissens
krank am Gemüth geworden, dabei, wie jeder Unglückliche, aber=
gläubig sei, und nicht immer die kürzesten Wege zum Ziele wähle.

„Euer Geheimniß bleibt und stirbt in mir!" sagte er endlich
zum Ritter: „Ich verlaß' Euch nicht, bis Ihr getröstet seid. Aber,
Alles wohl erwogen, gewährt mir eine Bitte. Erwartet mich bis
zum dritten Tag. Ich thue eine Reise nach Aarau zu Gangolf,
mancherlei mit ihm zu bereden. Dann lasset uns vor allen Dingen

von hier in's Rheinthal gehen und nach Schwaben, sämmtliche nahe und ferne Verwandte und Bekannte des Freiherrn Jörg von Eud wiederholt auszuforschen, und erst dann, als fahrende Ritter, in der weiten Welt umherkreuzen. Ich wette, wir treffen, was wir jagen, ohne Zigeunerkunst."

Herr Rüdiger, nach einigen Bedenklichkeiten, willigte in die Vorschläge. Sie kehrten über die Wiesen zu Elsens Hütte zurück. Hemman Enderli führte bald darauf Isenhofers Roß gesattelt vor, und der Meister aus Waldshut eilte durch das Hügelland den Ufern der Limmat entgegen.

21.

Das Wiederfinden.

Das Abendroth eines der schönsten Maitage war schon verglüht, als Isenhofer über Baden nach Aarau gelangte und durch die Straßen des Städtleins in den alterthümlichen Freihof einritt. Aus dem Thurm Rore, der sich in der Dämmerung riesenhaft aufstreckte, trat der Jüngling Gangolf ihm zum gastfreundlichen Empfang entgegen und führte ihn in den hell erleuchteten Saal der Veste.

"Du bist mir wohl willkommen!" sagte Gangolf: "Denn ich lebe wie ein Einsiedler, und bewache gegen Thomas von Falkenstein mein Haus und die Stadt. Doch vernimmt man nicht, daß er Rüstungen veranstalte. Unsere Bürgerschaft ist indessen schlagfertig. Bringst du mir neue Mähr vom Kriege bei Zürich, Greifensee und Rappers-wyl? Es soll da blutige Köpfe setzen, und von den Eidgenossen schon manche Burg und manches Dorf in den Rauch geschickt sein. Acht Tage lang und länger mußt du mir erzählen von Allem."

"Lieber Junker, es sind mir bei Euch kaum acht Stunden vergönnt," versetzte Isenhofer, "denn mich treiben ernste Geschäfte von hinnen, glaubt mir's. Frühmorgens in der Kühle reit' ich über Lau-

fenburg nach Walbshut, mein Haus vielleicht auf geraume Zeit zu
bestellen, und am Pfingstmontag muß ich wieder bei Euerm Herrn
Vater eintreffen."

Nun, beim heitern Abendmahle, erzählte Isenhofer seine Aben=
teuer, den unglücklichen Ausgang des Freiherrn von Sar und die
eigene wunderbare Rettung, welche seine Dankbarkeit dem greisen
Rüdiger zueignete. Darüber ward von Beiden lange her und hin
gesprochen; zwischenhinein that Isenhofer, wie von ungefähr, mancher=
lei Fragen, bald über Gangolfs Vater, bald die Zigeunerin betref=
fend, ob diese seitdem im Freihof wieder erschienen sei, oder statt
ihrer vielleicht ein fremder Rittersmann, und Anderes mehr. Gan=
golf bemerkte wohl, daß die Fragen auf das geheimnißvolle Schicksal
und die Erinnerung seines Vaters Bezug haben mochten; doch drang
er nicht weiter in Isenhofer, was er von Herrn Rüdigers unglück=
lichen Verhältnissen kenne, zu offenbaren, sobald jener erklärte, daß
er eidlich angelobt habe, zu schweigen. Es war für den Jüngling
Beruhigung und Trost genug, daß ein so treuer und einsichtsvoller
Mann, wie Isenhofer, sich entschlossen habe, der Begleiter und
Rathgeber des Vaters zu bleiben. Auch versprach er demselben,
die verschiedenen Aufträge, welche er von ihm empfing, in allen
Stücken zu erfüllen, wiewohl er von mehrern die wahren Zwecke
nicht einsah.

Es war tief gegen Mitternacht, als die Freunde von einander
schieden, einige Sommernachtsstunden dem Schlummer zu geben; und
kaum schimmerte am Jura das Felsenhorn der Gisulaflue im Morgen=
licht über das Thal, saßen sie schon am Frühmahl beisammen, um
die letzten Abreden zu nehmen, wie sie sich oft und mit Sicherheit
von einander Kunde mittheilen könnten. Da Isenhofer über die Zug=
brücke des Freihofs hinausritt, gab ihm Gangolf, neben dem Rosse
herwandernd, das Geleit zum Stadtthor hinab, über die beiden Aar=
brücken zu den Hügeln am Fuß des Gebirgs. Die ganze weite Land=

schaft mit den schroffen Felsgipfeln des Jura, den fernen Silber-
streifen der Schneegebirge, den weichen Anhöhen und Halnen rings
umher, schwamm in zartem durchsichtigem Duft, wie ein Zauberbild.
Es sang im Himmelsblau die Lerche, am Bache die Amsel, im Gebüsch der Buchfinke. Von der Blüthe des Apfelbaums wehte süßer
Odem umher. Von Zeit zu Zeit schauerten alle Halmen und Blumen der Wiesen sanft zusammen unter dem wollüstigen Seufzer der
Morgenluft, und es regnete von den Spätkirschenzweigen schimmern-
des Silber.

Die Anmuth des Tages und der Gegend lockte Gangolfen, die
Begleitung weiter fortzusetzen, als er anfangs beschlossen hatte. Und
wie er vom Hügel, über welchen der Weg ging, rechts über Anhöhen, Thälern und Gebüschen unfern auf dem Kirchberg die
weißen und grauen Gemäuer der einsamen Pfarrwohnung und des
Kirchleins sah, daß sich dort schon seit dem zehnten Jahrhundert für
die Andacht der benachbarten Ortschaften Küttigen und Biberstein
erhob, beschloß er, mit hinaufzusteigen in das Dorf von Küttigen,
welches im Thale drunten seine braunen Strohhütten zur Hälfte in
einem Wäldchen krauser Obstbäume versteckte. Hier schied er von
seinem Freunde, welcher rechts den Weg über die wilde Staffelegg
einschlug, die er schon einmal vor zwei Monaten überstiegen hatte,
als er zum ersten Mal den schönen Hinz von Sar im Gefolge des
Fräuleins Ursula erblickte.

Gangolf aber wandte sich, links aus dem Dorfe, dem Fuße der
hohen Wasserflue und des Benkenberges zu, wo ihm die Fenster vom
Schlosse Königstein über dem Felsen röthlich im Morgenschein entgegen glänzten. Er schritt pfeifend durch das stille Thal, in dessen
Hintergrund sich Wälder und Bergwände zusammendrängten, und
stieg, ohne andern Zweck, als sich in der Frische des Morgens zu
ergehen, den Schloßberg hinan. Droben ruhte er im Schatten breiter Ahornen und alter Linden neben den Burgmauern, die weit hin-

auf von dunkelgrünen Ranken des Epheus umsponnen waren. Er
verlor sich in ein behagliches Träumen, zu welchem die Seele am
liebsten geneigt ist, wenn sie sich, von keiner Hoffnung und keiner
Sorge bewegt, im reinen und harmlosen Leben der Natur auflöset.
Die Einöde des Bergthales links, die großen Umrisse der Gebirgsmassen, die weite Stille dieser Gegend erweckten in ihm die Empfindungen einer erhabenen Ruhe, wie sie das Gemüth der Unschuld nach
Stürmen und Anfechtungen der Welt genießt.

Das Gebell eines kleinen, schneeweißen Hundes, der gegen ihn
schmeichelnd ansprang, dann zurück lief in's Gebüsch, wieder bellend
hervor kam, und wieder verschwand, störte ihn aus seiner Selbst-
vergessenheit. Das muntere Thierchen schien ihn durch die vielen
Hin- und Hersprünge aufzufordern, mitzugehen. Er folgte ihm
endlich auf einem schmalen, selten betretenen Fußwege, der durch's
Gebüsch abendwärts lief, und über den Bergrücken jenseits in ein
ödes Thal hinabführte. Das Hündchen sprang lustig durch die Wiesen, über einen schmalen Bach, jenseits wieder bergan. Auch dahin
folgte Gangolf mit behendem Schritte. Der Berg zog sich nur allmälig aufwärts, doch zu einer beträchtlichen Höhe. Ein uralter
Rothtannenwald beschattete die breite Fläche des Bergrückens. Gangolf, so weit gelockt, folgte dem kleinen Wegweiser noch gern in die
Kühle des Forstes; denn die Sonne brannte schon heftig. Hier aber
war er kaum unter das schwarzgrüne Obdach der wehenden Tannen-
zweige getreten, sah er seinen bisherigen Führer im Gebüsch verschwunden; kein Rufen, kein Pfeifen brachte den Treulosen wieder.
Indessen setzte er seinen Gang über den weichbemoosten Boden des
Waldes fort, und erkannte leicht, daß er auf der Harb sei, einer
hohen Bergebene, wo schon damals, zwischen Wäldern und Wiesen
zerstreut, wenige einsame Hütten gefunden wurden. Er hatte die
Einöde oft mit seinen Jagdhunden durchstrichen, wenn er den Wild-
schweinen und Rehen nachgegangen war. Daher kannte er sie.

Nach einer Weile wurde es um ihn lichter. Er trat in eine kleine
Wiese hinaus, und erblickte am Ende derselben im Schatten zweier
hohen weitzackigen Eichen ein kleines Bauernhaus gelegen, ganz neu
von behauenen und in einander gefügten Baumstämmen aufgeführt.
Das gelbe Strohdach hing, nach ländlicher Bauart, weit vor, um
den kleinen Fenstern und dem nächsten Raum vor der Hütte Schatten,
oder beim Regenwetter Schirm zu verleihen. Ein kunstlos um die
Wohnung gezogener Hag von zusammengeflochtenen Holzscheiten deutete auf die Anlage eines kleinen Gemüsegartens der Eigenthümer.

In selten besuchter Wildniß den Spuren der schaffenden Menschenhand begegnen, spricht jedes Gemüth freundlich an. Doch Gangolfs
Aufmerksamkeit ward plötzlich von einem ganz andern Gegenstand
gefesselt. Neben der Stelle, wo er aus dem Walde hervorgegangen
war, bildeten die vielblüthigen Aeste eines wilden Quittenbaums,
durchflochten vom Laubwerk der Waldrebe und vom Grün und Roth
eines dazwischen aufgeschossenen Weinrosenstrauchs, ein vorhangendes,
zitterndes Dach, in dessen leichten Schatten ein junges Mädchen schlief.
Aber eine große, schwarzbraun geschuppte Juraviper bewegte sich in
engen Windungen über die Schlummernde hin, streckte gegen Gangolf Kopf und Hals auf, und züngelte ihn drohend an, als wäre sie
zum Schutz der Schläferin da. Gangolf erstarrte. Zwar das Antlitz
der Jungfrau, von ihm abgewandt, seitwärts auf dem Arm liegend
und vom vorgefallenen Goldgeflecht des Haupthaares zum Theil bedeckt, erblickte er nicht. Doch die zarte, in das weite, aschfarbene
Kleid verhüllte Gestalt, diesen schönen Kopf, und im sichtbar gebliebenen feinen Kinne das Grübchen erkannte er. Es war die Begutte Veronika.

Jach fuhr er zur Seite, ergriff einen dürren Baumast, und verfolgte mit demselben die Schlange, welche von der Begutte hinweg
durch's dünne Gras dem Dickicht zufloh. Mit wenigen Schlägen
tödtete er sie. Wie er sich wieder zurückwandte, sah er die vom

Geräusch erwachte Begutte aufgerichtet, in holdseliger Verwirrung vor ihm stehen. Ihre Wangen glühten dunkler, als die Röthe der Weinrosen zwischen den weißen Blüthen des Quittenstrauchs. Ihre Augen, noch schlaftrunken glänzend, staunten den Schlangentödter an, und senkten sich beschämt vor ihm, als er nahete und sich ehrerbietig verbeugte.

„Es war eine Schlange, die über Euch kroch!," sagte er halblaut und stammelnd: „Verzeiht meiner Verwegenheit, Euch gestört zu haben." Er schwieg, er hätte nichts mehr hinzufügen können. Er wagte kaum aufzublicken. Aber in diesem plötzlichen Vonsichselbstkommen lag eine Beredtsamkeit, welche wohl fühlig war, die Furchtsamkeit der schüchternen Veronika zu mildern.

Dennoch antwortete sie mit niedergeschlagenen Augen und flüsternd: „Es muß wohl immer eine Gefahr sein, bereitwillen Euch Gott zu mir sendet." Es umschwebte bei diesen Worten ein freundliches Lächeln ihren Mund, und ihr leises Vorneigen der Stirn schien der Ausdruck ihres stillen Dankes zu sein.

Beide, ohne Zweifel gleich sehr durch unverhofftes Zusammentreffen überrascht, fühlten ihre Zungen, wie von unbekannter Macht, gebunden. Gangolfs Herz schlug, er wußte selber nicht, ob von Bangigkeit oder Entzücken. Und die Begutte, bei der leisesten Bewegung des Jünglings, zog sich scheu in sich selbst zusammen, wie die schamhafte Mimosa, wenn sie von einer Hand berührt wird. Sie warf ihre Blicke umher, und streifte nur flüchtig mit denselben über die edle Gestalt Gangolfs, der vor keiner Königin hätte ehrfurchtsvollere Stellung annehmen können.

Sie spannen endlich von sehr gleichgültigen Dingen ein Gespräch an, während dessen die Begutte mehrmals mit Unruhe die Augen nach der Hütte im Hintergrund der Wiese wandte.

„Ist jenes Eure Wohnung in dieser Wildniß?" fragte er.

„Nicht unser Eigenthum," erwiederte sie; „mein Vater hat nur

Haus und Garten von einem Landmann des Dorfes Erliebach ge=
miethet. Beliebt es Euch, mir zu folgen und auszuruhen? Der
Tag wird heiß! und Ihr habt Euch vielleicht in der Hard verirrt.
Wollt Ihr Euch bei uns erquicken, so steht unser mäßiges Mahl von
Brod und Milch bereit."

„Nur einen kühlen Trunk Wassers erbitt' ich von Eurer Güte!"
antwortete Gangolf, froh der empfangenen Erlaubniß. Selig ging
er ihr nach. Die Einöde war ein neues Eden. Die hohen Tannen
rings umher in ihrer finstern Majestät schienen stolz dies verborgene
Paradies zu hüten. Als Veronika der Hütte nahte, säuselten ihr
freundlich, wie zum Gruße, die Wipfel der halbtausendjährigen Eichen
entgegen, welche links und rechts der bescheidenen Wohnung über
derselben ihre grünen Arme verschränkten.

Tiefgebückt unter der niedern Hausthür trat ein langer, hagerer
Mann hervor, den Gangolf am eisgrauen Haar des Hauptes und
Bartes und an den harten Zügen des Gesichts sogleich erkannte. Es
war der Lollhard.

„Tretet gesegnet in den Schatten meiner Hütte!" sagte derselbe
und reichte dem jungen Mann die knöcherne, dürre Hand zum Will=
kommen: „Welch ein Geschäft führt Euch diesen Berg herauf, den
man sonst selten besucht?" Dabei lud er ihn ein, sich auf dem hölzer=
nen Bänkchen unter dem Hüttendach niederzulassen. Gangolf nahm
gern die Ruhe an, und erzählte, indem er seinen Namen und Wohn=
ort nannte, welche Zufälligkeiten ihn in die Hard gebracht hätten,
wo er die Jungfrau schlafend neben der Schlange gefunden.

„Es war eine laue, sternhelle Nacht," sagte der Lollhard, „und
das Kind durchwachte sie mit mir fast gänzlich, unter Betrachtungen
und Gebeten. Darum ist es von Müdigkeit überfallen. Warum aber
erschluget Ihr die Schlange? Die Unschuld schlummert sicher, wie,
zwischen den Löwen, Daniel; denn es wachen die Engel des All=
mächtigen über sie."

Veronika hatte sich schon entfernt, als der Jüngling sein Gespräch mit dem Alten begonnen; aber noch sah er sie, in seiner Einbildung, schlummernd unter den Weinrosen und silbernen Quittenblüthen, und als der Greis von wachenden Engeln redete, strömte himmlischer Glanz über das ganze Bild.

Bald nach diesem trat die Begutte aus der Hütte hervor, in ihrer Hand eine hölzerne Schale voll krystallhellen Wassers. Damit ging sie zum Gaste und überreichte sie ihm schweigend und zitternd.

„Möge," rief der Lollhard, als er den Jüngling trinken sah, „möge Euch bald, edler Herr, der Brunnen des Wassers, der in das ewige Leben quillt, die dürstende Seele laben!" Er ging mit diesen Worten in die Hütte, um Brod herbei zu bringen. Aber Gangolf setzte nach einigen Zügen die Schale von den Lippen ab, und blickte zur Jungfrau mit dankbarer Rührung hinauf. Sie stand vor ihm in stiller Demuth, die Augen gesenkt zur Erde, das schöne Haupt, wie im stillen Sinnen, ein wenig seitwärts geneigt. Dann sah sie ihn an, wie er vor ihr saß. Aber wie ihr Blick in dem seinigen versank, löste sich ihr Ernst in ein unschuldiges, wahrhaft göttliches Lächeln auf, während das Rosenlicht der Scham ihr ganzes Gesicht umfloß. Er aber, in der zitternden Hand die Schale, konnte die Augen nicht wieder von ihr wenden. Sein Herz pochte. Er wollte zu ihr sprechen; doch die Stimme erlosch im Munde. Eine plötzliche Gluth überlief seine Glieder. Der Odem fehlte. Die ganze Welt versank in Dämmerungen. Die Schale fiel aus seiner Hand.

„Wie werdet Ihr so blaß; Euch ist nicht wohl!" rief sie besorgt: „War Euch der Trunk zu kühl?" Sie fürchtete, er würde sinken, und streckte ängstlich schon die Hand gegen ihn. Da verneinte er, genesend, mit stummem Lächeln den Kopf schüttelnd, ergriff die Spitzen ihrer zarten Finger, führte sie zu seinen Lippen, und das entflohene Roth kehrte schnell in seine Wangen zurück. Veronika aber erblaßte und zitterte und that einen Schritt zurück.

„Mir ist wohl!" sprach Gangolf sanft. Er nahm die Schale vom Erdboden, stand auf, und blieb vor Veronika unbeweglich

„Daß ich jetzt sterben könnte!" sagte er endlich mit Hinblick zum Himmel, indem der Greis mit Brod und Wein aus der Thür hervorging.

„Sterben!" rief der Lollard und sah, indem er das Brod und den irdenen Weinkrug auf ein Tischchen am vordern Ende der Bank setzte, den Jüngling seitwärts voll Ernstes an: „Sterben, Herr Gangolf? Habt Ihr schon gelebt?"

Die Begutte wandte sich mit gesenktem Haupte von den Männern hinweg und begab sich mit schwankendem Schritte in die Wohnung, als Gangolf sagte: „Ich habe gelebt."

„Irret Euch nicht, edler Herr!" sprach der Lollhard: „Traum ist kein Leben. Im Leben ist Klarheit und Wahrheit; kein eigener Wille, sondern nur Wollen Gottes durch uns; denn nur in Gott ist Klarheit und Leben. Werfet ab die Banden des Schlafes, worin Welt und Teufel die Kinder der Menschen gefangen halten, und erwachet in Gott. Der Herr aber verleihe mir Kraft, Euch zu wecken; Euch vor tausend Andern; denn Ihr scheinet die Zeichen der Berufung und Erwählung an Euch zu tragen."

Der Lollhard fuhr noch lange fort in diesem Geiste zu reden, welcher wenigstens die heilige oder unheilige Wirkung auf den Junker Trüllerey hatte, daß er, nachdem er die Predigt eine volle Stunde, mit geringer Andacht freilich, angehört hatte, in der That wie aus einem Traum wach, oder wie aus einem Rausche nüchtern geworden war. Die schöne Begharde war nicht wieder gekommen. Aber seltsam genug, Gangolf fürchtete, sie wieder zu sehen. Er hielt es für Zeit, die heilige Familie nicht länger in ihrer Einsamkeit zu stören, sondern sich auf den Heimweg zu begeben. Der Lollhard ergriff den langen Wanderstab, um den Gast eine Strecke zu begleiten. Sie gingen. Aber indem sie aufbrachen, durchbebte noch ein wunderbarer Schauer das Innerste des Jünglings, als von der Hüttenthür hinter ihm ein Geräusch kam. Er sah zurück; doch die Vermuthete war es nicht, sondern ein junges Bauernweib, welches aus der Hütte in den kleinen Garten ging.

Der Lollhard knüpfte unterwegs seine Predigt wieder an, wo sie abgerissen war. Als sie beide den Wald durchwandert hatten, senkte sich der Weg in ein Thal, das oben, wo sie aus dem Gebüsch traten, zwischen Laubhölzern und Felsen schmal, aber nach unten erweitert, den Berg hinablief. Drunten wanderten sie an einem langen, verfallenen Gebäude vorüber, welches vorzeiten zur Benutzung einer Heilquelle für Kranke errichtet war, die da baden wollten. Ohnweit davon erhob sich eine kleine dem heiligen Laurentius geweihte Kapelle in offenen Wiesen, am Fuße des grauen Felsens der Ramsflue. Ringsum Gebirg und Wald. Der Thalkessel schloß sich links gegen die Hütten des Dorfes Erlisbach auf.

Hier verließ der Lollhard seinen jungen Freund, welchen er schon wie einen Halbbekehrten betrachtete und den er wohlwollend ermahnte, zuweilen in die Einsamkeit der Hard zurückzukehren, wenn ihm daran gelegen wäre, seine verirrte Seele zu retten. Gangolf schüttelte ihm dankbar die dürre Hand, und schlug seitwärts wohlbekannte Wege durch die finstern Tannenwälder des Hungerberges ein, um schneller Aarau und den Freihof zu erreichen.

22.

Der zweite Besuch.

Einen heiligern, als den heiligen Abend vor Pfingsten, glaubte Gangolf nie erlebt zu haben. Die weite Welt hatte Feierlichkeit empfangen. Die Häuser der Stadt, die ländlichen Strohhütten am Gebirg, die Gärten, die Höhen, die Thalungen, die Nähen und

VII.   7

Fernen lagen in überirdisches Licht getaucht; die Wellen der Aare rauschten wie Gesang am Thurm und an der Stadt vorüber; die Winde schienen mit leisen Engelsstimmen zu singen und die bewegten Zweige sich in Schauern der Ehrfurcht vor dem unsichtbaren Göttlichen zu neigen. Er war mehr als glücklich. Niemand besuchte am Pfingstsonntage mit tieferer Andacht, die von grünen Zweigen geschmückte und durchduftete Pfarrkirche der Stadt. Auch über sein Gemüth war die Fülle des heiligen Geistes ausgegossen, wie vor Jahrhunderten über die Zwölfboten und Jünger des Herrn. Er sandte reiche Almosen durch die Stadt allen dürftigen Haushaltungen, die er kannte. Einigen trug er es selber hin in großer Demuth und Freude.

In seiner Begebenheit auf der Harb erblickte er übernatürliche Verumständungen. Die Gottheit selbst hatte ihn zu jener geweihten Einöde gesandt. Das weiße Hündlein, welches ihn geführt hatte, war nicht durch Zufall gekommen und verschwunden; und die Schlange, welche, wie ein böser Geist den Schatz, Veronika's Schlummer bewacht hatte, schien sich, wie ein Sinnbild der mißgünstigen Hölle, zwischen ihm und dem Himmel gelagert zu haben. Doch war es keine üble Vorbedeutung gewesen, daß das Giftthier von ihm erlegt worden war. Es zog ihn Sehnsucht nach der Einöde; aber er wagte es nicht, sie zu stillen. Er zitterte vielmehr vor dem Gedanken, die Heilige jenes Waldes wieder zu sehen; denn er fand sich unwürdig, ihr in seiner Unvollkommenheit nahe zu sein, ihr, die an Schönheit und Heiligkeit des Sinnes, an innerer und äußerer Herrlichkeit über alle Kreaturen erhöht war. Mehrere Tage vergingen, ohne daß er sich mehr erlaubte, als von seinem Fenstersitz im Thurmsaal hinüber zu schauen in die dunkeln, über einander aufragenden Berge jenseits der rauschenden Aare. Dort, wo die Sonne Abends untergehen, und dann, durch schwarze Zweige und Wipfel der Tannen, ihr brennendes, blendendes Roth zu strömen pflegte, dort war die ver-

dedte Höhe des geweihten Gebirgs. Doch dachte er sich die Tochter und Erbin des Himmels im Strahlenglanz des Sonnenuntergan-
ges, wie in einer Verklärung auf Tabor. Dort bezeichnete ihm noch
in der Nacht der ruhige Glanz des Abendsterns, wohin er den Blick
zu wenden habe: denn der Stern schwebte ja über ihrer niedrigen
Hütte, wie einst den Weisen aus Morgenland der Wunderstern über
der bethlemilischen Krippe

Zuletzt würde er sich in stiller Schwärmerei die einsame Bewoh-
nerin der Hard, als ein ätherisches Wesen im Umgang mit den Se-
raphinen des Himmels, vorgestellt haben, wenn die Sehnsucht nicht
endlich seine Schüchternheit überwältigt, und er sich nicht auf die
Wallfahrt zur heiligen Höhe gemacht hätte. Es geschah nicht ohne
langen Kampf mit sich selbst. Er hatte sich auch, er wußte selber
nicht recht, wozu? mit größerer Sorgfalt gekleidet, nicht prächtiger,
aber einfacher, sauberer, gewählter. Und, o des irdischen Menschen!
vor dem kleinen Spiegel im väterlichen Zimmer hatte er sogar hoffnungslos und traurig die Augen niedergeschlagen, denn da war ihm
plötzlich aufgefallen, daß er so ganz und gar nicht angenehm, sondern
weit eher häßlich zu nennen wäre.

Als er jenseits des Hungerberges in's Thal niedergestiegen, und
in die Nähe der kleinen Kapelle des heiligen Laurentius gekommen
war, wo eben hoch um den zerrissenen Gipfel der Ramsflue ein
Steinadler in weiten Kreisen schwebte: befiel ihn neue Bangigkeit,
wahres Zittern vor dem Herannahen des großen Augenblicks, wenn
er den Wald, die Wiese, die Hütte unter den schirmenden Eichen
sehen würde. Er stieg langsam hinauf in's Gebirg; er trat mit
Herzpochen in den geheiligten Wald; kalt und heiß, wie Fieber-
schauer durchzuckte es ihn auf der Wiese beim Gewahrwerden der
Hütte, welche wie von Engeln aus einem heiligen Lande hierher getragen zu sein schien; es ergriff ihn fast Schwindel, als er unter
das vorragende Strohdach trat. Er mußte zuvor auf dem Bänkchen

niederfißen und Kraft und Odem fchöpfen. Niemand war zu fehen; doch die Thür der Wohnung halb offen. Er hörte darinnen eine Stimme, doch war es weder der weiche Ton der Begutte, noch die knarrende, harte Stimme des Alten, sondern eine fremde.

Tritte gefchahen. Eine fchlechtgekleidete Pilgerfrau ging aus dem kleinen Haufe, bleichgelben, krankhaften Gefichts, in der einen Hand einen großen, weißen Stab und langen Rofenkranz, in der andern ein geringes Reifebündlein. Ein Auge fchien ihr erft neulich durch Unglück verloren gegangen zu fein; denn unter dem darüber gebundenen fchwarzen Bande erkannte man noch Blutfpuren. Ihr Haupt war größtentheils verhüllt, und von einem breitkrämpigen Hut bedeckt; ihr Mantel, nach Pilgerweife, mit einzelnen darauf befeftigten Aufterfchalen und andern Meermufcheln gefchmückt. — Hinter diefer betagten Wallfahrerin trat, ihr das Geleit gebend, jenes junge Bauernweib aus der Wohnung, welches Gangolf fchon das erfte Mal hier wahrgenommen hatte.

Es fiel ihm auf, daß das bußfahrende Weib bei aller Gebrech= lichkeit, Ermüdung oder Altersfchwäche, den Kopf behend rückwärts, rechts, links drehte, fobald es in's Freie kam, und ihn felber zwei Mal flüchtig, doch fcharf, mit dem übriggebliebenen, funkelnden Auge betrachtete. Nicht minder erregte es feine Verwunderung, welche das junge Bauernweib unter der Thür mit ihm zu theilen fchien, daß die fchwankenden Schritte der Pilgerin beim Weitergehen immer mehr Feftigkeit gewannen und, auf der Wiefe, bei zunehmen= der Entfernung an Schnelligkeit wuchfen. Plötzlich war die Alte in Gebüfch und Wald verloren.

„Wer ift diefe Wallfchwefter?" fragte der junge Ritter die Bäuerin an der Thür.

„Ach!" antwortete die Befragte, welche fich erft von ihrem Er= ftaunen erholte: „fie ift gar weit her; kömmt von den heiligen Der= tern; verfprach, um ein Almofen, St. Johannes Evangelium für

uns zu beten. Doch der Alte hier im Hause mag die herumziehenden
Beter nicht leiden, gab ihr eine harte Mahnung, Brod und einige
Angster, und hieß sie weiter gehen. Ich hatte Erbarmen mit der
Frau, aber, segne mich Gott! ich glaube fast, sie ist etwa nichts
Natürliches. — Wollet Ihr eintreten, Herr?"

Bei den letzten Worten hatte sich die Bäuerin von der Thür
zurückgezogen, um ihm Platz zu machen. Er ging unwillkürlich. Auf
dem Herde brannte ein halb erloschenes Feuer. Die Bäuerin öffnete
seitwärts eine andere Thür. Er stand in einem niedern Zimmer,
dessen Wände und Decke mit feingehobelten Tannenläden vertäfelt
waren. Am kleinen, saubern Tische saßen der Lollhard und die Begutte bei ihrem Mittagsmahle, welches in zwo irdenen Schüsseln
aufgetragen war; in der einen ein Stück Lammbraten, in der andern
Brunnenkresse an Salz, Essig und Nußöl.

Bei diesem Anblick, bei den freundlichen Begrüßungen, und wie
er sich zu Tische setzen sollte, wußte Gangolf kaum, wie ihm geschah.
Es war, als fiele ein langer Zauber von ihm ab. Statt der himmlischen Licht- und Glanzgestalt seiner Träume, saß ihm nur ein
schönes, zartgebautes, irdisches Mädchen an der Seite, welches die
eben empfundene Ueberraschung mit einem Erröthen bezahlen mußte.
In stummer Verwirrung und sprachlos blickte Veronika vor sich nieder,
während er muthiger, denn je, und sich selber unbegreiflich, sie
einige Male seitwärts betrachtete, um gewiß zu werden, ob sie wirklich es sei, oder ob er sich täusche, oder bisher sich getäuscht habe?
Bald aber, wie er sie anredete, wie sie mit holdseliger Schüchternheit, und doch nicht ohne trauliches Wesen antwortete, ward er von
neuem ungewiß, ob sie in diesem Augenblick, oder unter der Ver-
götterung seiner Träume, liebenswürdiger sei? Er fand ihre und
seine Verwandlung wunderbar, aber in jedem Fall dabei Gewinn.
Er begann die Sprache des Hausfreundes, oder wenigstens des Bekannten zu führen. Er nahm an dem einfachen Mahle Theil, wie-

wohl es ihm fast Versündigung schien, in Veronika's Nähe einen
Bissen zum Munde zu führen. Auch kam ihm beinahe unglaublich
vor, daß die zarte Heilige wirklich, gleich andern Sterblichen, essen
könne. Aber sie aß, wenn auch nur, daß ihr Mahl kaum einen
kleinen Singvogel des Waldes gesättigt haben würde; und dabei
lächelte sie ihn zuweilen im Gespräch mit verschämten Wangen an.
Fast dünkte ihn das Menschliche, worin sie ihm näher ward, weit
göttlicher, als das Himmlische vordem.

Nach Beendigung der einfachen Mahlzeit, welche sich durch Gangolfs Erzählungen von seinen Reisen, von seinen Bekanntschaften,
von seiner Lebensweise im Freihof zu Aarau sehr verlängert hatte,
faltete der Lollhard betend die Hände, fiel auf die Knie und senkte
Arme und Stirn demuthsvoll auf den Fußboden des Zimmers. Auch
die Begutte warf sich in einen Winkel des Gemachs betend nieder,
und legte ihr Antlitz über die gefalteten Finger auf die hölzerne
Wandbank. Der Ritter, den die Sitte der Andacht rührte, folgte
dem Beispiel. Er konnte nicht beten, und doch war sein ganzes Gemüth Gebet. Es ergriff ihn bei dem Gedanken an das höchste Wesen,
vor welchem jetzt ein Greis und ein Engel im Staube lagen, un-
aussprechliche Ehrfurcht und Wehmuth. Er stammelte leise, mit dem
Gedanken an den, der allgegenwärtig lebt, drei Namen, die ihm
theuer waren: den seines Vaters, den des Lollharden und Veronika's.
Er stützte sein zur Brust gesenktes Haupt an die Wand, in solcher
frommen Selbstvergessung, daß er noch kniete, als die Andern schon
aufgestanden waren. Ihr Geräusch rief ihn in die Wirklichkeit
heim.

Er stand vor Veronika, nur noch halb gesammelt. Sie sah
Thränen an seinen Wimpern, und blickte ihn mit sichtbarer Rührung, stumm und stilllächelnd an. Auch der Alte bemerkte Gangolfs
nasse Augen. Er führte ihn bei der Hand hinaus unter das Schirm-
dach vor der Hütte auf die Bank, entschlossen, die Bekehrung des

Jünglings keinen Augenblick zu verzögern, die er zum Heil an dessen Seele längst beschlossen haben mochte.

„Ritter," sprach er mit einem Tone von Herzlichkeit, der ihm sonst nicht eigen war, „es will mich bedünken, als hab' Euch der Geist Gottes heraufgeführt in diese Einöde der Harb, daß Ihr die höchste Seligkeit finden möget, nach der Euer innerstes Verlangen dürstet."

„Ich selbst fast glaub' es!" antwortete Gangolf bestürzt und verlegen, mit niedergeschlagenen Augen; denn er gedachte anderer Seligkeit, als der Alte, und zitterte heimlich vor dessen Eröffnungen.

„So legt ab," fuhr der Lollhard fort, „Eure weltliche Furcht, Eure Knechtschaft in der Gewalt der eingeführten Sitten des Lebens, Eure abgöttische Schätzung der Gefäße des Staubes, der steinernen Altäre und Tempel der gelehrten und verkehrten Pfaffen und ihrer Baalslehren. Sehet hier, vom Wiesengrund bis zum Firmament, den Tempel des Allerheiligsten, der nicht von Menschenhand gebaut worden ist! Schauet aufwärts zur Sonne und den Sternen, dort sind die wahren, ewigen Lichter! Eure Gebete sind die rechten Wall-fahrten, Eure Seufzer die Heiligenfeste. Alles Andere ist Priester-trug von Anfang bis zum Ende. Werfet ab das Joch Eurer Vor-urtheile, Eurer Einbildungen von Geburt, Stand, Reichthum, Ehre. Lasset Euch nicht durch die Welt, nicht durch Euch selbst bewegen. Werdet frei, handelt wie die Macht des Geistes Euch treibet, und Ihr werdet, als wahres Kind Gottes, nichts mehr wollen, denn was Gott in und durch Euch will. Es gibt keine Sünde, es gibt keine Hölle, als in unserer schnöden Selbstsucht und Verwachsung mit Schein und Trug der Welt."

— Wie werd' ich das können? fragte Gangolf, von der frevel-vollen Frömmigkeit des Alten betroffen und verlegen.

„Ihr fraget," antwortete dieser, „wie der reiche Jüngling Christum, den Herrn, unser Vorbild. Ich aber spreche: Waget es, streifet die Welt ab; gebet, was Ihr habet, den Armen, und selb reich; schleudert Stammbaum und Abel in die Flammen, und seid edel; verachtet, um in Gott zu wandeln, das Urtheil der blinden, befangenen Menschheit, und Ihr seid göttlich und sündenlos, eine reine Ausstrahlung des Wesens aller Wesen. Der innere Mensch muß rein flammen, als ein heiliges Feuer; alles Aeußere ist Todten= werk. Denn was kann Euch das Besprißen mit Taufwasser, was Seelenmesse, was priesterlicher Ablaß frommen?"

— Wie? seid Ihr auch wahrhaft ein Christ, oder ein Heide? rief Trüllerey ganz erschrocken, und rückte dabei etwas auf der Bank zurück.

„Höret mich an, ich will Euch ein Geheimniß offenbaren!" sagte der Alte halblaut, doch würdevoll: „Ein neues Weltalter ist nahe, das lezte vor dem Untergang aller Dinge! Nachdem Gott Vater in den Tagen des alten Bundes vergebens durch den Mund der Pro= pheten, dann vergebens der Sohn durch die frommen Zwölfboten zum sündlichen Geschlecht der Menschen geredet, wird nun, im dritten Alter der Welt, nach dem Rathschluß Gottes, der vom Vater und Sohn ausgehende Geist das ewige Evangelium offenbaren. Denn was der Allmächtige zweimal begonnen, kann er das unvollbracht lassen, und was sein Mund verheißen, kann das unerfüllt bleiben? Siehe, da sendet er nach Christum nun den Tröster der kranken Welt, den heiligen Geist."

— Ich bin ein ungesattelter Theologus, versezte der Ritter: und weiß nichts zu erwiedern. Doch möcht' ich wissen, von wannen Euch die Offenbarung der geheimen Dinge geworden sei?

„Durch den Geist Gottes, der mich ergriffen und zu seinem Werkzeug erkoren hat!" antwortete der Lollhard mit Wärme: „Ich stand einst hoch, er stürzte mich in den Abgrund; ich war einst irdisch begütert, er schleuderte mich hinaus in Elend und Noth; ich ward durch die zärtliche Liebe einer Gattin getröstet, und er brach auch diese Naturbande, und ich weinte mit meinem Kinde über dem Leich=

nam einer Heiligen. Da verblutete mein Herz. Meine Tochter sandt'
ich in ein Kloster, sie Gott zu weihen. Damals aber wandelte ich
noch in Blindheit des Herzens, im todten Naturlicht, und wußte
nichts vom Gotteslicht. Ich floh in die Einöden. Da erweckte mich
der Geist zum wahren, innern Leben, als ich des erleuchteten Predigers Johannes Tauletus Buch deutscher Theologie durchforschte,
und endlich zum rechten Verstand dessen, was Adam und Christus
sei, gelangte. Dazu half mir insonderheit der gottbegeisterte Mann,
Niklaus von Buldersdorf, der mir das Licht des ewigen Evangeliums
angezündet hat. Und ich erhob mich und ging aus der Einöde hervor, gerufen vom heiligen Geist, nahm die arme Veronika aus dem
Kloster, aus den Klauen des ehebrecherischen Roms. Wir besiegten
die Welt, indem wir ihr entsagten!"

— Ihr nanntet vorhin den Niklaus von Bulders dorf! sagte schaudernd der Ritter: Wisset Ihr denn nicht, daß er von den zu Basel
versammelten Vätern ergriffen, verdammt und in den Gefängnissen
für die Flammen des Scheiterhaufens aufbewahrt ist? Sehet Euch
vor, daß Ihr nicht den Ausgang dieses Mannes nehmet!

Mit Erhabenheit und glänzendem Blick und Antlitz, worin wirklich der Schwärmerei überirdische Heiterkeit wohnte, erwiederte der
Greis: „Was mehr, wenn sie den Leib tödten? Wer sich ewigen
Seins erfreut, achtet des nichtigen Lebens wenig. Täglich sterben
Tausende; warum soll mir, der ewiglich ist, wichtig sein, ob ich zu
den Tausenden heut' oder morgen zähle? — Sie haben die Propheten des alten Bundes gesteinigt und getödtet; sie haben Christum,
die Apostel und Märtirer gekreuzigt und getödtet. Heut' überant-
worteten sie die Auserwählten Gottes den Flammen. Des Teufels
Macht ist groß. Immerdar hat sich die abtrünnige Welt gesträubt
wider diejenigen, welche zur Heilung und Rückkehr ermahnten. Es
ist keine Wahrheit, keine Freiheit, kein Recht oder anderes Kleinod
von der Menschheit empfangen worden, ohne blutige Opfer. Herr

Trüllerey, Ihr werdet mich Lobgesänge anstimmen hören, wenn die Scheiterhaufen ihr goldenes Gewölbe über meinem Haupt zusammenbauen."

— Wie? möget Ihr Veronika's Schicksal vergessen? Wohin ohne Euch die Verlassene? rief Gangolf mit der Stimme des Entsetzens.

„Wohin? Die Strahlen der Gottheit kehren in die Gottheit zurück!" antwortete der Alte mit erhabener Gelassenheit: „Aber ich sage Euch, der große Tag des Herrn ist vor der Thür! Die Stunden des zweiten Weltalters sind verlaufen. Der Morgen des ewigen Evangeliums graut, und die leidende, seufzende Kreatur harret nicht länger auf die Ankunft des Reichs der Vollendung. Bereitet Euch! Die Meßopfer, Geplärre und falschen Lehren Eurer Priester werden abgethan. Die Völker treten zu Gott, anbetend in Geist und Wahrheit. Eure Burgen, Eure Kirchen sind unreine Gefäße. Sie werden zerschlagen. In der Kindschaft zu Gott gibt es nur gleichverbrüderte Wesen; keinen Abel, keine Leibeigene, keine Herren, keine Knechte. Das ist die Herrlichkeit des ewigen Evangeliums, daß die unmündige Menschheit zur Mündigkeit eintritt, und die teuflischen Erfindungen des Stolzes und der Habsucht zertreten werden im Staub."

Gangolf starrte den begeisterten Priester des Evangeliums an, ungewiß, ob er ruchlos rase, oder höhere Weisheit vom Himmel offenbare. Endlich sammelte er sich und sprach: „Fürchtet Ihr denn nicht, daß Euch die heilige Kirche wegen Eurer vermessenen Rede in den Bann thue?"

„Fürchten!" erwiederte der Lollhard mit Hoheit: „Fürchten, die zerfallende, die zertrümmernde! Ihr habet keinen Gottesdienst, sondern Kirchen- und Priesterdienst. Ich habe Gott, Gott hat mich. Er ist der Kern und das Leben; alles Andere todte Schale. Gott ist das Eine, ist Alles, in allen Gestaltungen, im Seraph, im Baum, in der verachteten Laus. Ich thue keinen Schritt, Gott begegnet mir. Ihr wandelt noch in der Blindheit; Ihr kennet, Ihr sehet ihn nicht bei dem trüben Naturlicht, dem Ihr mit Euern irdischen Lehrern folget. Ihr betet nur Staub an. Ihr dienet dem Geiste mit todtem äußerm Gepränge. Nicht Moses, nicht Christus, der Gottessohn, lehrten, was Ihr in Euern Kirchen, lehret, plärret und thuet."

Bei diesen Worten stand der Alte plötzlich auf und sagte: „Nun ist's genug für heut'. Ich sollte Euch wecken. Gott wird sich selber in Euch offenbaren. Seid still. Harret der Ankunft des heiligen Geistes. Gehet in Euch. Er wird aus Euerm Innern zu Euch reden und Euch erfüllen, und was Ihr nachher thut, wird von ihm sein."

Gangolf blieb träumend auf der Bank und sann den sonderbaren Worten des Mannes nach, der sich entfernte.

Ohne Zweifel sind die Leser dieser Begebenheiten nicht minder über die frevelvolle Frömmigkeit des Alten erstaunt, als der junge Ritter. Indessen waren Schwärmer dieser Gattung von jeher in den Schweizergebirgen keine Seltenheit, und sind es noch bis auf diesen Tag nicht. In der Einsamkeit ihrer schönen Thäler oder Alpengebirge, umschwebt von den Bildern einer majestätischen Natur, hingegeben ihren eigenen Betrachtungen über göttliche Dinge, ward ihnen der gemeine Kirchenglaube zu enge, und alles Gepräuge des üblichen Gottesdienstes kleinlich. Sie feierten nach eigener Weise in ihrem Gemüthe das höchste aller Wesen auf höhere Art. In der Freiheit ihres einfachen, stillen, mußevollen Hirtenlebens mußte ihnen der Zwang kirchlicher und bürgerlicher Ordnungen widerwärtig oder lächerlich erscheinen, je mehr er sich von der Einfalt der Natur oder den lautern Sprüchen des gesunden Menschenverstandes zu entfernen schien. Es bildete sich unter den Einflüssen einer lebendigen Einbildungskraft und eines tieffühlenden Gemüths in ihnen jene innere oder geheime Religion aus, welche der Zorn weltlicher oder geistlicher Obrigkeiten vergebens seit Jahrhunderten verfolgte, weil die=

selbe nicht nur der kirchlichen und bürgerlichen Ordnung, sondern
selbst oft der sittlichen Hohn sprach. Denn bei den überspannten
Vorstellungen dieser Schwärmer von innerer Heiligkeit und Einigkeit
mit Gott ward ihnen das Irdische so verächtlich, daß sie in demselben nicht mehr glaubten sündigen zu können. Gemeinschaft der
Güter und der Weiber schien ihnen gar zu oft nur Rückkehr in Para-
diesesunschuld zu sein, und ein allzu vertrauter Umgang so wenig
Sünde, als die Stillung des Hungers und Durstes.

So lebten Viele, mit Verachtung alles Weltwahns, wie sie es
nannten, auf ihren Bergen, in ihren Dörfern und Weilern, als
Klausner in Wäldern, oder ohne Heimath, wie die zahllosen Lolli-
harden, Begharden, Beguttin und Beguinen. Sie wohnten selbst
in Städten, häufig in Bern und Freiburg; thaten den Armen wohl;
bauten Siechenhäuser und den Wanderern Herbergen. Schon im
zwölften, dreizehnten und vierzehnten Jahrhundert wurden sie mit
Hunger, Gefängniß, Kirchenbuße, Güterverlust und Hinrichtungen
auf's Schwerste und vergebens verfolgt. Wie im Urnerlande Bruder
Karl, im Zürichgau Bruder Burkhard, starb Bruder Niklaus von
Buldersdorf eines freudigen Todes auf dem Scheiterhaufen. Noch
heutiges Tages würden sich die Schwärmer von Amsoldingen, der
Messias von Mitteln im Entlibuch, der Geheiligte im Irrenhause
zu Königsfelden, oder die Erweckten von Wildenspuch im Zürichgau
nicht geweigert haben, ihren Vorgängern psalmodirend in den Feuer-
tod zu folgen.

Dem jungen Ritter aber ward, in seinen Betrachtungen über
die Reden des Einsiedlers der Harb, nichts weniger als leicht, das
theologische Chaos zu entwirren. Wie, dem Sprüchwort zufolge,
Narren und Kinder die Wahrheit sagen, überraschend, klar, oft derb,
mitten unter kindischen Albernheiten oder wahnsinnigen Grillen, so
fand er's auch hier wieder. Doch mit seinem Kirchenglauben ganz
wohl zufrieden, den er weder zu zergliedern noch zu verfechten Rei-

gung fühlte, überließ er das Geschäft gern Andern. Nur konnt' er
doch die Neugier nicht unterdrücken, ob auch Veronika, die eben aus
der Hütte hervorging, gleich ihrem Vater, das nahe Reich des ewigen
Evangeliums erwarte, und wie sich die kraufe Gottesgelahrtheit
desselben, von ihren schönen Lippen gepredigt, ausnehme?

Er gesellte sich mit heimlichem Beben zu ihr, als sie ihn erhub,
in dem Schatten des Waldes, dicht hinter der Hütte, Erfrischung zu
suchen. Ganz zum Lustwandeln war hier von der Natur ein geräu-
miger Gang unter dem Laubgewölbe hoher Buchen angelegt, deren
Stämme weiß und bunkelgefleckt, zuweilen malerisch von Epheu umsponnen, eine weite erhabene Säulenhalle bildeten.

„Ich bin froh,“ sagte er, „mich an Eurer Seite zerstreuen zu
dürfen. Ich war im Nachdenken über die Mittheilungen Euers
frommen Vaters verloren. Er erwartet eine wundervolle Zeit. Ich
habe ihn aber nicht ganz begriffen, und keine Klarheit in dem gefunden, was er von göttlichen Dingen lehrte.“

„Ihr werdet wohl auf diese Klarheit nicht hoffen!“ sagte
Veronika, ernst vor sich niederblickend: „Wir sehen hienieden nur
in einem dunkeln Spiegel. Aber wir haben ja Alle das Gefühl der
Gottheit in uns, weil wir aus der Gottheit sind und zu ihr gehören.
Und bleiben wir eins mit ihr, ist's genug zu unserm Heil. Alles
Andere ist Staub, oder ein Gebilde menschlicher Vorstellungen; wir
wissen nicht, was das Wahre ist; ich weiß es nicht. Eins weiß ich,
das ist wahr. Aber ich habe keine Zunge, das auszusprechen.“

Gangolf, dem die Rede der schönen Begutte silberner, als Saiten-
spiel klang, verstand jedoch von ihr noch weniger, als vom ewigen
Evangelium des Lollharden. „O daß Ihr das aussprechen könntet!“
sagte er: „Ich möcht' Alles und nichts Anderes wissen und haben,
als was Ihr. Dann würd' ich mich selig heißen.“

— Ihr habt es! erwiederte sie, und es flog, wie ein heller
Sonnenstrahl, ein sanftes Lächeln durch den Ernst ihrer Mienen.

„Was hab' ich benn?" fragte er etwas verlegen.

— Was ich: Euch selbst und das Bewußtsein Eurer eigenen, ewigen Göttlichkeit, wie ich mich meiner und meines ewigen Ingottseins bewußt bin. Ja, wir sind göttlichen Geschlechts! Alles Uebrige bleibt nicht uns, aber dem All. Gott ist das All, und in dem All offenbar. Leib und Seele sind nur Umhüllungen, Mittel, Werkzeuge, Formen für das Göttliche in uns, gehören nicht zu uns.

„Wie?" rief Gangolf erstaunt, blieb stehen und sah seine schöne Lehrerin seitwärts mit einem sonderbaren Blick an: „Also nach dem Tode gehen Leib und Seele, Vernunft Alles unter? Was bleibt benn?"

— Ihr, der Gottessohn, Ihr! der Ewige, Ihr! wie ich, das göttliche Selbst! sagte Veronika, und blickte mit unnennbar anmuthiger Hoheit dem Ritter in die irren Augen: — Alles, was aus dem unendlichen Schatz Gottes, aus der Natur, geschöpft ist, was Ihr mit allen ähnlichen Wesen gemein habet, fällt nach Eurer Entwickelung in den unendlichen Schatz zurück. Ihr fühlt und wißt es ja, Ihr selbst seid nicht die Vernunft, sondern Ihr habet sie nur, wie alle Menschen. Wäret Ihr selber die Vernunft, so wäret Ihr nicht Ihr, sondern ein sich unbewußtes, willenloses Gesetz. Ihr seid nicht die Seele, Ihr habet sie, wie alle fühlende Geschöpfe, wie auch die Thiere. Ihr seid nicht der Leib, sondern Ihr habet ihn, wie alle Pflanzen. Ihr unterscheidet Euch von Allem, was außer und inner Euch ist, als etwas Anderes, Besonderes, Höheres, Selbstständiges, in Fremdes eingekleidetes Göttliches. Alles bewegt sich, und ist inner den Gesetzen der Natur, welche die Gedanken Gottes sind; die Vernunft ist das Naturgesetz unsers Ichs. Er aber, der Allordner, ist höher denn alle Vernunft. Eben das Bewußtsein unserer Selbstständigkeit, unsers Verschiedenseins von Allem ist die Bürgschaft unserer göttlichen und ewigen Natur.

Der Jüngling fühlte sich bei diesen wunderbaren Reden der

Begutle wie von einem Schwindel befallen; er wußte selbst nicht, ob wegen ihrer seltsamen, unverständlichen Aeußerungen, oder wegen der fast überirdischen Majestät, in der sie, wie eine Prophetin, lehrend und das Geheimniß Gottes offenbarend, vor ihm schwebte. Eine milde, warme Röthe glänzte, wie Heiligenschein, von dem schönen Antlitz, und ein Hauch der Abendluft hob Einzelnes ihres goldbraunen natürlichen Haargelocks, und spann daraus einen Schimmer um ihr Haupt.

Sie schien die Betroffenheit und Verwirrung Gangolfs zu bemerken. Da legte sie die beiden Flächen ihrer kleinen Hände wie betend gegen einander, an ihre Brust zurückgezogen, schlug die Augen demuthsvoll nieder und sagte mit Inbrünstigkeit der Ueberzeugung: „Lasset uns gut und heilig sein, wie der Gute und Heilige, zu dem wir Abba rufen!"

„Ihr möget es wohl sein!" antwortete der Jüngling gerührt, und konnt' einen Seufzer nicht verbergen: „Ich aber bin ein sündiger Mensch. O, dürft' ich Euch nur immer hören und mich durch Eure Nähe heiligen. Vielleicht würd' ich zuletzt verstehen, was ihr mir, wie aus fernen Himmeln, redet."

— O edler Herr, wollet Euch nur selber verstehen, dann verstehet Ihr das, was aus den Himmeln redet. Denn Gott offenbaret sich in uns, wie er sich vor uns in allen Heiligen und Sündern offenbaret hat. Ihr wisset es besser, denn ich, warum sollt' ich's Euch sagen? Horchet nur auf die Stimme der ewigen Liebe aus den Himmeln!

„Ich höre sie ja; ich höre sie von Euern Lippen, o Veronika, und alle Sinne und Nerven horchen in mir auf."

— Gott spricht auch zuweilen durch den Mund der Sterblichen; doch ich bin nicht würdig, des Herrn Werkzeug zu sein.

„Und doch seid Ihr es wohl, fromme Veronika: denn Eure Macht über mich ist nicht menschlicher Natur. Ich fühle mich, wenn

ich bei Euch bin, wie aus mir selber herausgerissen, und, bin ich
fern von Euch, meine ganze Seele von Euch erfüllt. O versuchet,
und gebietet, was Ihr wollet."

— Ach, wie glücklich würd' ich arme Magd Gottes mich preisen,
wär' ich die Erwählte, Euch, mein edler Herr, der Vergänglichkeit
zu entziehen, und dem Ewigen und Göttlichen zu gewinnen. Ja,
Euch! nur Euch! Mein Beruf auf Erden wäre vollendet!

Die Begutte sagte diese Worte mit einem Blick voller Inbrunst
zum Himmel und mit einer Unschuld, wie sie kein Raphael seinen
Engeln und Madonnen gibt. Gangolf stand mit vor sich hingefalteten
Händen, mit bemuthsvoller, frommer Ergebung und jünglingshafter
Ehrfurcht vor der Priesterin der ewigen Liebe. Sie schien ihm wieder
die Göttliche aus den Träumen zu sein, die alles Irdischen entbunden
ist. „Was fordert Ihr," sagte er, „das ich thun müsse, um Eurer
Huld würdig zu werden?"

— Nicht meiner Huld, sondern der Huld Gottes! Für sie muß
Euch selbst das Leben darzubringen leicht sein.

„Das Leben? Ach, Veronika, das Lebensopfer ist bei weitem
nicht das schwerste aller Opfer! Gebietet, wann, wie, wo muß ich
sterben? Ich habe ja den Tod oft nahe gesehen." — Er sagte das
so treuherzig und fest und entschlossen, daß die Begutte fast erschrack
und ihn mit Bestürzung betrachtete.

— Wie meint Ihr das? fragte sie mit ungewissem Tone, der
eigentlich erklären wollte, daß sie ihn nicht verstanden zu haben glaube.

„Ich will sterben. O, ich habe immer Sehnsucht nach dem
Tode!" erwiederte er: „Seid Ihr nun der Engel meines Todes;
winket mir. Ich gehe zu Gott. Ich sterbe rein und gut, und gehe
zu Gott."

— Ritter! rief sie bestürzt und machte eine Bewegung, als
müsse sie ihn aufhalten: Warum sterben? Wie könnt' ich Euern
Tod wollen?

„Habt Ihr nicht mein Leben verlangt?" sagte er und blickte schüchtern zu Ihr auf.

— Nein, so wörtlich hättet Ihr mich nicht verstehen sollen! erwiederte Veronika, sich erholend: Um alles Heiligen willen, wie könnt' ich ... nein, war's Euch möglich, edler Herr, das von mir zu glauben?

„Sollt' ich an der Wahrheit Eurer Worte zweifeln?"

— Ich habe gefehlt, denn ich wollte das nicht sagen, sondern nur, Ihr müsset das Liebste zum Opfer bringen können und fahren lassen das Theuerste auf Erden.

„Wie soll ich's zum Opfer bringen, wie fahren lassen?"

— Ihr müsset es von Euch stoßen, verachten und vergessen.

„Das kann ich nicht. Das ist schwerer, als Tod!" sagte der Jüngling halblaut vor sich und mit schwachem Kopfschütteln.

— Wie? könnt' Ihr das nicht? sagte sie mit kindlicher Gut-müthigkeit, und sah ihn mit besorgnißvollen Blicken an, da sie eine geheime Traurigkeit wahrnahm. Doch erhob sie sich bald wieder im schwärmerischen Muth ihrer frommen unbedingten Gottergebenheit und setzte hinzu: Wenn aber Gott das Opfer verlangt, Ihr sollet, Ihr könnet es bringen, Ihr werdet es!

„Nein, nein, nein!" rief Gangolf mit weggewandtem Gesicht, als wollt' er den Schmerz verbergen, den schon der Gedanke an Möglichkeit des Opfers aufriß: „Nein, Veronika, Euch kann ich nicht verstoßen, nicht verlassen, nicht vergessen.

— Ich rede nicht von mir! sagte Veronika unbefangen.

„Aber ich von Euch!" versetzte Gangolf treuherzig: „Und fordert es der Himmel, ich kann es nicht; Gott möge mir gnädig sein!" Eine Thräne tropfte bei diesen Worten von seinen Augen, ohne daß sein Gesicht einen Zug änderte. Er blickte nicht auf. Er sah nicht, wie sie plötzlich blaß ward, und von einem Schauer ergriffen; wie sie sprachlos die Hände faltete, und wieder aus einander fallen ließ.

VII.   7*

Sie nahm endlich in ängstlicher Verlegenheit das Wort und sagte: „Edler Herr, warum redet Ihr von Dingen, die ich nicht meinen konnte?"

„Ihr sprachet von dem, was ich das Theuerste auf Erden nenne!" antwortete er ruhig, aber niedergeschlagen.

Sie erblaßte abermals, und sagte: „Ritter, — geht!"

Er verbeugte sich, und ging schweigend fort durch's Gebüsch gegen die hohen Zwillingseichen neben der Hütte.

Als wäre sie selbst über die Gewalt ihrer Worte, oder über den stummen, widerspruchslosen Gehorsam des edeln Rittersmannes be, troffen, sah sie ihm erst eine Zeit lang mit starren, großen Augen nach. Dann streckte sie mit ängstlichem Schweigen ihren Arm nach ihm, als könnte sie sein Verschwinden verhindern. Dann ließ sie hoffnungslos die Arme sinken; doch unwillkürlich that sie zwei kleine Schritte, und rief: „Scheidet nicht zürnend!"

Er blieb stehen, und sah zurück.

„Wohin wollet Ihr?" sagte sie, langsam gegen ihn gehend.

— In die Verweisung, wie Ihr mir geboten! antwortete er zu ihr zurückkommend.

„Es ist nicht an Eurer Magd, edler Herr, Euch zu gebieten!" erwiederte sie: „Mein Vater ehret Euch. Er sieht Euch gern. Ver- sagt ihm nicht die Freude, Euch in seiner Einsamkeit zuweilen zu sehen. Er ist mein guter Vater; lasset mich nicht die Schuld Eurer Entfernung tragen."

Sein Antlitz ward bei diesen Worten heller. Er schien ein Wort der Freude oder des Dankes von der Lippe fliegen lassen zu wollen; aber er verstummte wieder.

„Nur eine Bitte vergönnt mir an Euch!" fuhr sie nach einer kurzen Weile fort: „Seid gut und heilig. Täuschet Euch und mich nicht. Schwöret allem Irdischen ab. Redet nie zu mir, wie Ihr eben geredet habet. Nie, nie! Dürftet Ihr mir dies Versprechen geben?"

fagte fie, und machte, fich felber unbewußt, eine Bewegung der Hand gegen ihn, als müffe er's in diefe Hand geloben. Er legte zitternd feine Hand in die dargebotene. „Ich werde fchweigen und gehorchen!" fagte er, aber ließ die Hand nicht fahren, und obwohl er fchwieg, brach er doch das eben abgelegte Gelübbe durch den Ausbruck feiner Gefühle in allen Zügen und Bewegungen. Auch die Begutte, von einer geheimen Verwirrung überwältigt, vergaß die Hand zurückzu- ziehen. Sie that es endlich, faft zu fpät. Sie gingen in einfilbigen Gefprächen zur Hütte zurück, wo der Lollhard in einer langen Pergament- rolle las.

Dem fchönen Tage machte ein fchöner Abend den Schluß. Gangolf genoß deffelben unter harmlofen Gefprächen mit dem Einfiedler=Paar. Als er von bannen fchied, begleiteten ihn beide durch den Wald, hinab den Berg bis zur St. Lorenzenkapelle unter der Ramsflue.

23.

Böfes Begegnen.

Veronika wandelte fchweigend an der Seite ihres Vaters zur ftillen Höhe an der Hard zurück. Sie konnte fich nicht erwehren, ununterbrochen an Gangolf zu denken; und doch, wenn der Lollhard fein Lob verkündete, wandte fie wohl das Gefpräch andern Gegen- ftänden zu. Sie freute fich, beim Wiedererblicken ihrer kleinen Wohnung, der Einfamkeit und der heimlichen Seelenfchwelgerei, fich felber anzugehören.

Im fchmalen Kämmerlein unter dem Dachgiebel, wo am Erd- boden ein hartes Strohbett nebft einem geringen Tifchlein und höl- zernem Schemel den größten Theil des Raumes füllten, faß fie ftumm und finnig, als fchon lange der Mond zwifchen den Sternen durch das enge Fenfter glänzte. Ihre Erinnerung wiederholte mit Wohlgefallen die Ereignisse des Tages. Ein Gedanke an Gangolf reichte hin, jene süßen Beklemmungen, jene Schauer, jene wunderbaren Selbstvergessenheiten und Entzücken in ihr zu erneuern, welche seine Gegenwart und Nähe durch ihr Wesen verbreitet hatten. Es wiederholte sich aber auch das Erstaunen ihres bemüthigen Unglaubens über seine Worte, durch welche er sie höher heben wollte, als dem Geschöpf vom Mitgeschöpf gebührte. Nur die Ehrlichkeit seiner Gemüthsart gestattete nicht, solche Erklärungen für Spott zu halten. Um so größer war der fromme Aufruhr ihres gottergebenen Herzens gegen einen Weltsinn, der dem höchsten Wesen leichter das eigene Leben, als eine fremde Person zum Opfer bringen wollte. Sie würde ihm gern ein wenig gezürnt haben, wenn sie des Zorns fähig, oder er weniger gut gewesen wäre. Auch war ihre Brust voll von einer Theilnahme für den Jüngling, wie sie bisher noch für keinen andern Sterblichen gefühlt hatte. Sie sank auf ihre Knie. Sie betete mit Inbrunst, für ihn und seine Erleuchtung, zum Himmel.

Die Einförmigkeit der einsiedlerischen Lebensweise begünstigte die Beschäftigungen ihrer Gedanken, wie in der Nachtstille, so am Tagestreiben, mit dem Bilde des jungen Ritters. Die kleinen Arbeiten und Verzierungen des ländlichen Gartens, viele der häuslichen Verrichtungen waren nun auch für ihn berechnet; die Gebete schlossen auch ihn in sich; die heiligen Betrachtungen des Vaters wurden mit Bezug auf den in Weltlichkeit Lebenden angehört.

Er kam am folgenden Tage. Ihre Augen hatten vorher schon oft zu jener Stelle des Waldes hingeblickt, aus welcher er auf die Wiese hervortreten mußte. Als er aber wirklich hervortrat, bebte sie still in sich zusammen, und sah nicht wieder hin.

Er kam auch in den folgenden Tagen. Je öfter er die anmuthige Wildniß besuchte, je näher trat er der heiligen Familie, je näher sie ihm. Er theilte mit ihr Gebete, Arbeiten und Betrachtung göttlicher Dinge. Immer hatt' er unterwegs in den Wäldern für Veronika

Blumen und Spät=Erdbeeren gesammelt; oder er trug Kirschen und anderes Frühobst in einem Binsenkörbchen, das sie selbst mit kunst= reichen Fingern geflochten hatte, von Aarau zur Harb.

Dies Stillleben verbreitete über Gangolfs Gemüth eine Heiter= keit, wie er sie nur in den Tagen der ersten Jugend genossen hatte. Nichts Vergangenes, nichts Zukünftiges lockte ihn aus der harmlosen Gegenwart. So verschwanden Wochen wie leichte Morgenträume.

Zu Veronika's Lieblingsvergnügungen gehörten einsame Wan= derungen im Walde oder auf den Höhen der an einander grenzenden Berge, gewöhnlich in Begleitung ihres Vaters oder der jungen Bäuerin, welche das Hauswesen der Hütte besorgen half. Seit Gangolf öfter in der Harb erschien, lenkten sich diese Wanderungen mehr dem Thale zu, durch welches er zu kommen pflegte.

Eines Tages, als sie dahin niedergestiegen war, und vor der St. Lorenzenkapelle auf einem steinernen Bänkchen ruhte, während in der Kapelle die junge Bäuerin ihre Andacht verrichtete, hörte sie in der Ferne Hufschlag mehrerer Rosse. Sie lüpfte das tief vor dem Antlitz hangende Tuch, und sah um den Hügel von Erlisbach her, auf schneeweißem Zelter, eine schwarzgekleidete weibliche Gestalt gegen das Bethäuslein kommen. Der folgten zween prächtig geklei= dete Herren zu Pferde mit hochwehenden Federn auf den Bareten. Ehe sich Veronika von ihrem Erstaunen sammeln konnte, hielten die Reisigen schon vor der Kapelle. Die schwarzverschleierte Frau wurde von ihren Begleitern, welche Edelknaben zu sein schienen, ehrfurchts= voll vom Zelter gehoben. Sie ging in die Bethütte. Ungeduldig erwartete Veronika die Bäuerin, um sich in ihrer Gesellschaft zu ent= fernen. Doch früher noch kehrte die verschleierte Frau zurück und sagte zu den beiden Reitern mit gebieterischem Tone: „Begebet Euch mit meinem Zelter ein wenig voraus; ich werde zu Fuße nachfolgen." Sie gehorchten.

Als sie vor der vermummten Begutte vorüberging, die sich mit

ehrerbietigem Gruße vom Sitze erhob, blieb sie stehen, nahm aus
dem goldgestickten Säcklein, welches seitwärts an silberner Kette
vom Gürtel niederhing, ein Geldstück und reichte es der Begutte.
Veronika lehnte es ab und sagte sich verneigend: „Ich danke Euch,
gnädige Frau. Wollet Eure Güte Bedürftigern weihen."

— Wohnest du in dieser Gegend? fragte die Mildthätige und
schlug den Schleier vom Gesicht zurück.

„Ich wohne auf dem Berge mit meinem Vater!" antwortete
die Begutte, und, aus Ehrfurcht, oder vielleicht ein wenig neugierig,
die wohlwollende Frau zu sehen, schlug sie das grobe Manteltuch,
welches den Kopf verhüllte, über die Stirn zurück.

Beide schienen gleich überrascht, als sie sich erblickten; am meisten
aber die Fremde. Sie betrachtete mit ihren ernsten, dunkeln Augen
lange Zeit Veronika's Gesichtsbildung, welche diesen Blick kaum ertragen mochte, und verschämt zur Erde sah.

„Mich kennst du schwerlich!" sagte endlich die Fremde, schärfer
und spähender die junge Begutte beobachtend: „Ich bin die Freiin
Ursula von Falkenstein.",

Veronika sah auf und betrachtete das schöne bla sse Gesicht des
Fräuleins mit freundlichstiller Ruhe, wie man unbekannte Personen
anschaut, die man zum ersten Mal sieht. „Gefällt es dir, mich auf
dem Heimweg zu begleiten?" fuhr das Fräulein zu reden fort:
„Ich wohne nicht weit von hier, jenseits Erlisbach an der Aare,
auf dem Schlosse Gösgen, der Burg meines Oheims."

— Ich darf mich so weit nicht von der Hütte des Vaters entfernen, erwiederte Veronika; doch über die Thalwiese wag' ich's,
wenn Ihr es gestattet, zu folgen.

Während beide sogleich langsam fortgingen und oft im Gespräch
stillstanden, bei dem sich Fräulein Ursula mit weiblicher Neugier
genau nach allen Verhältnissen Veronika's erkundigte, entfaltete die
Tochter des Lollhards, ohne es zu ahnen, die ganze Unschuld und

Liebenswürdigkeit ihres Gemüthes. Der Ernst der Fräuleins ging bald in eine schwermüthige Freudigkeit über, und ihr anfangs etwas stolzer Ton, wie er Vornehmern gern eigen ist, verlor sich gemach in das Herzliche, wie es mit einer beginnenden Zuneigung oder einem Gefühle des Mitleidens verbunden zu sein pflegt.

„O beneidenswürdiges Kind!" rief das Fräulein, und warf einen Blick voll Trauer auf die Begutte: „wie bist du so glücklich; du bist nur die Betrogene. Gott beschirme dich, du wirst dich nicht lange deines Glückes freuen."

— Warum nicht, gnädiges Fräulein? Gott will uns glücklich, so lange wir es sein wollen.

„Sein wollen? Ach, das Glück liegt außer dem Bereich unserer Kraft, gutes Kind. Gehorchte es dem Willen der Sterblichen, wer würde denn unterm Himmel andere, als Freudenthränen weinen?"

— Auch die Schmerzensthränen gehören zum Glück, gnädiges Fräulein, mehr als die andern. Man weint sie, wenn man Untreue büßt und einsam im Weltall steht und das Bessere wieder sucht.

Das Fräulein blieb bei diesen Worten stehen und sah finster forschend in Veronika's helle, freundlich lächelnde Augen. Es ward in ihr ein Argwohn wach. Sie fürchtete, Veronika wolle sich boshafte Anspielungen erlauben. Aber ihr schon gereizter Unwille legte sich beim Anblick des stillen Unschuldgesichtes. Ursula hatte nicht den Muth, von diesem Kinde Arges zu denken, das kaum fähig zu sein schien, zu ahnen, wie böse die Welt zuweilen sei.

„Du sprachst von Untreue!" sagte Ursula nach einigen Augenblicken Ueberlegung: „Was meintest du dabei?"

— Den Abfall vom göttlichen Vaterherzen; das Untergehen des Gemüths im Irdischen; das Innigerhangen am Vergänglichen, als am Ewigen. Wer sich mit ganzer Seele an das schmiegt, was nie bleibt: muß er nicht immerdar leiden, weinen, bluten, weil er doch immerdar verlieren oder Verlust fürchten muß?

— 216 —

„Bift du fo ftarf, Mädchen?" fagte Urfula betroffen und doch
etwas ungläubig: „Ift dein Herz noch nie an etwas anderm als
deinem Gott gehangen?"

— Dafür fei Gott, daß das gefchehe! fagte Veronika, und fah
der Fragerin klar und ruhig in's Geficht.

„O beneidenswürdiges Kind!" rief das Fräulein, und betrachtete abermals die Begutte fchweigend mit Wohlgefallen und unwill-
fürlicher Ehrfurcht. In Veronika's Haltung, in allen Zügen der
reinen Geftalt offenbarte fich jene jungfräuliche Kälte, welche noch
nie von einem Funken leidenfchaftlicher Wärme geftört worden ift,
und den Begierden der Männer, ohne fie zu verftehen, gebieterifch
entgegenwirft. „Die hat er wahrlich nie geliebt!" dachte Urfula bei
fich: „Oder wenigftens in dem Kinde fand er noch kein Gefühl von
Liebe! Sie war unfchuldig." — Der Lefer wird leicht errathen,
wen fie meinte. Denn feit dem Augenblick, da Veronika bei der
Kapelle das Geficht vor ihr entblößt hatte, mußte es ihr halbe Gewißheit werden: diefe fei die Begutte, welche fie zu Brugg für ihre
Nebenbuhlerin um Gangolfs Liebe gehalten. Doch ward fie von
ftolzer Scheu gehindert, Fragen zu thun, durch welche fie fich zu
verrathen oder zu erniedrigen fürchtete.

„Bleib' in deinem Glück," fagte fie gutmüthig und faft herzlich
zu ihrer Begleiterin, „bleib' es, fo lange du kannft!"

— Sollt' ich's nicht ftets können? entgegnete Veronika.

„Du wirft es nicht!" entgegnete Urfula: „Glaube mir's. Ich
bin vielleicht um einige Jahre und um taufend Erfahrungen älter,
als du. Du redeft noch die zuverfichtliche Sprache des Kinderfinnes.
Einft fprach ich auch fo, wie du von dir und der Welt fprichft, die
du beide nicht kennft. — Verlaffe ohne Noth die Einfamkeit deines
Gebirgs nicht."

— Warum, gnädiges Fräulein, warnet Ihr mich? Es ift doch
ficher in diefer Gegend? ·

„Du bist ein Lamm, nach welchem der Rachen der Wölfe lechzt!"
antwortete das Fräulein: „Ich wollte, du könntest mit mir. Ich
wollte dich gern retten."

— Vor wem? Ich verstehe Euch nicht, mein Fräulein. Sollte
man meinem Vater und mir nachstellen? Hättet Ihr davon gehört?

„Wirst du mir antworten, wenn ich dich Wichtiges frage?"

— Ich habe nichts zu verhehlen.

„Hast du je einen Mann geliebt, oder ihn allen Andern vor-
gezogen?"

— Ja, meinen Vater, Fräulein.

„Hätte nie ein Anderer einigen Werth in deinen Augen?"

— Ja, noch mancher Andere. Ich habe sehr edle, sehr würdige
Männer gesehen auf den Reisen.

„Edle! würdige!" wiederholte Fräulein Ursula mit Spott und
Bitterkeit in Stimm' und Miene; dann fügte sie hastig hinzu:
„Nenne Keinen so, betrogenes Kind. Grundfalsch, boshaft und
grausam sind sie Alle, ohne Ausnahme. Nur im hilflosen Kindheits-
und Greisenalter sind diese Raubthiere minder furchtbar, weil ihren
zum Zerreißen und Zerfleischen Zähne mangeln. Sie kennen nur
eine unbändige, wilde Begier; keine Zärtlichkeit, keine Liebe. Mit
hinterlistiger Fuchsnatur schleichen sie nach Beute aus; ihr tückisches
Herz freut sich schon im Voraus des Opfers, das fallen soll, und
das sie dann im Blute liegend verlassen können, grausam und
gleichgültig, wie der gesättigte Bär das zerrissene Schaf. Fürchte,
hasse dies ruchlose Geschlecht, in welchem nichts als Thier übrig
geblieben, alles Menschliche gänzlich untergegangen ist. Vermöge
seiner Körperstärke hat er sich zu unserm und der Welt Tyrannen
erhoben, und fürchtet Niemand mehr, als sich nur unter einander
selber. Durch Stolz und Uebermuth ist der Mannsmensch zur Bestie
verwildert."

— Es gibt rohe, böse Menschen! sagte die Begutte: Ich habe deren gesehen. Doch gestattet Ihr Ausnahmen.

„O du arglose Unschuld!" rief Ursula: „Ausnahmen? Keine, als in den Windeln und im Schnee des Alters. O, der wilde Teufel ist nicht der furchtbarste, man geht ihm aus dem Wege, aber der sanfte ist's. Vor dem zittere, der mit dem Heiligenschein und im Gefolge aller Tugenden, zu dir tritt, und sich zum Spiegel deiner reinen Sinnesart macht. Alles Spiegel, Alles Trug und Lug, um Lust und Tücke zu verstecken. Glaube mir, der Mann ist eine Schale, bloße Schale; drinnen fault der Sodomsapfel schwarz und giftig. Er hat vom Menschen, gleich den gefallenen Engeln, noch Gestalt und Antlitz, und von den verlornen Tugenden noch die heiligen Wörter behalten."

Veronika horchte anfangs mit dem Ernst der Verwunderung oder des Erstaunens, und trat mit einer Art Grausen zurück; darauf aber, als wollte sie durch ihre Empfindungen oder Zweifel die Rednerin nicht kränken, lächelte sie dem Fräulein holdselig zu, wie wenn sie wegen ihrer augenblicklichen Furcht abbitten müßte.

— Ach, gnädiges Fräulein! sagte Veronika: wie urtheilt Ihr so hart! Aber ich glaube Euch. Ihr seid durch böse Menschen tief beleidigt. Eure schöne, blasse, ernste Miene sagt's. Ihr habet Euern Frieden verloren. Flüchtet zu Gott; da findet Ihr Alles wieder. Könntet Ihr doch die todte Pracht Eurer Schlösser mit einer Einsamkeit vertauschen, wie die unsrige. Man ist da Gott viel näher.

„Die Schlösserpracht ergötzt mich schlecht!" erwiederte das Fräulein mit einem Seufzer: „In ein Kloster, oder in ein Grab, gleichviel wo es sei. Wenn ich nur kein Gedächtniß hätte! Du aber jammerst mich, Kind. Darum geh' in ein Kloster, geh' bald, eh' du wünschen mußt, etwas vergessen zu können. Vor gottgeweihten Mauern haben die Teufel noch Scheu."

— Vor Kalk und Stein? O, gnädiges Fräulein, ein gottgeweih-
tes Herz ist stärker, als die stärkste Burg- und Klostermauer. Ich
zittere nicht vor der ganzen Macht der Hölle.

„Armes Kind, du kennst die Hölle noch nicht!" sagte Ursula mitleidig lächelnd, und sah sich nach ihren Edelknaben um, die einige
hundert Schritte weit mit den Pferden vor einem Gebüsch von Erlen
und Weiden hielten: „Ich muß dich verlassen und deinem Schicksal
empfehlen. Gedenke meiner Warnungen!"

— Ich will ihrer und Eurer gedenken. Aber wir sind in Gottes,
nicht in des Schicksals Hand! sprach Veronika, verneigte sich zum
Abschiede und küßte demuthsvoll des Fräuleins dargebotene Rechte.

„Seh' ich dich wieder?" fragte Ursula gütig: „Vielleicht such'
ich dich in deiner Einöde auf. Ist der Weg zum Berg hinauf für
Pferde nicht zu steil?"

Veronika beschrieb ihr den Weg rechts der Ramsstue, durch's Thal
hinauf zum Wald; man konnt' ihn übersehen von der Stelle, wo beide
standen. Dann schilderte sie den Fußweg durch die Tannen bis zur
Wiese und der Hütte unter den Eichen, daß nicht zu fehlen war.

„Und find' ich droben Niemand außer dir, der Bäuerin und
deinem Vater, wenn ich komme?" fragte Ursula.

— Zuweilen, doch nicht alle Tage, besucht uns ein edler Herr
von Aarau! antwortete die Begutte unbefangen.

Dunkle Röthe flog über des Fräuleins Gesicht, und in ihren
Augen ward ein ungewisses Funkeln. „Also doch! also doch! Nicht
so, eine alte Bekanntschaft? Nenn' ihn nur. Du darfst ihn mir
schon nennen. Du hattest in Brugg mit ihm zu thun, vielleicht
auch früher. Ich weiß, ich weiß. Schlich er sich unter wahrem
oder erborgtem Namen zu dir? — Ich frage nicht umsonst, denn
am Manne, ich wiederhol' es, ist nichts ächt, als die Falschheit.
Also, er heißt?"

— Herr Gangolf Trüllerey! antwortete Veronika, doch minder

unbefangen, als das vorige Mal. Die plötzliche Röthe und Lebhaf-
tigkeit des Fräuleins von Falkenstein machte sie etwas schüchtern.

„Er sieht dich oft, sagtest du?" fuhr Ursula fort.

— Seit ihn mein Vater ...

„Dein Vater ist ..." unterbrach heftig das Fräulein die be-
stürzte Begutte, dann aber wieder mit schneller Besonnenheit sich
selber, indem sie in angenommener Ruhe hinzusetzte: „ist vermuthlich
ein guter Mann. Ja, ich glaub' es. Nicht so, und bloßes Ungefähr war's, daß ihr eure Klausnerei ganz in die Nähe von Aarau
verlegen mußtet?"

O Fräulein, erwiederte die Begutte, glaubet Ihr an einen
allwaltenden Gott, wenn Ihr Ungefähre glaubet?

„Den Namen Gottes könntest du füglich aus dem Spiele lassen!"
versetzte mit verweisendem Tone das Fräulein: „Ich kenne eure Beg-
hardensprache, aber liebe sie nicht sehr. Sage mir lieber, ob du
mit dem guten Freunde schon in Brugg einverstanden warst, das
Findemich-Plätzchen droben auf der Hard zu nehmen?"

Veronika, betroffen durch die unerwartete Verwandlung, die sie
sah, wagte kaum etwas zu erwiedern.

„Warum bleibst du die Antwort schuldig?" fuhr das Fräulein
zu fragen fort.

— Gnädiges Fräulein, weil ich Euch nicht ganz verstehe.

„Desto besser versteh' ich dich; nur bekenn' ich, dein Gesicht hat
mich, nicht dein Kleid geäfft. Ich muß wahrhaftig über meine Einfalt lachen. Lachst du nicht auch heimlich in dir über meine Dumm-
gläubigkeit an dein Gesicht?"

— Nein! antwortete die Begutte ernst.

„Ich würde dir's nicht gerathen haben. Also manche Woche schon
treibt ihr die Wirthschaft mit einander in diesen Bergen? Daß mich
der scheinheilige Luckmäuser selbst in dem Punkt an sich irre machen

konnte? Wo und wann sahet ihr euch das erste Mal zusammen? Gesteh' es nur. Ich lasse dich ungestraft ziehen. Fürchte nichts."

— Ich fürchte Euch nicht, gnädiges Fräulein! entgegnete Veronika mit ihrer gewöhnlichen Milde; doch verhehlten ihre Gesichtszüge nicht ein unwillkürliches Mißtrauen, welches ihre Reden einflößen mußten, die von einer Art Wahnsinn zu zeugen schienen.

„Den stolzen Trotz hast du aus seiner Schule, dünkt mich!" sagte das Fräulein von Falkenstein: „Er steht euch Beiden eben wohl an. Eins nur verlang ich von dir zu hören; antworte, und dann hebe dich weg von mir: Wo fand dich jener Gangolf auf? Auf welchem Scheideweg, in welchem Stall? Ich meine das erste Mal, eh' der meineidige Bösewicht mit dir nach Brugg zog!"

— Fräulein, sagte Veronika mit einem Unwillen, der ihr Gesicht röthete und die helle Stirn furchte: ich verzeih' Euch, wenn Ihr gut findet, mich zu mißhandeln. Aber was kann Euch bewegen, einen Unschuldigen zu lästern, den Ihr nicht zu kennen scheint?

„Nicht zu kennen scheint! Nun denn Begharde," rief Ursula mit leidenschaftlicher Entflammung, „der war mein Bräutigam, während er mit dir in der Welt umher fuhr!" Plötzlich verstummte sie nach diesen Worten, und machte eine Geberde bittern Verdrusses, als ärgere sie sich an ihrer eigenen Uebereilung oder Wegwerfung.

— Euer Bräutigam! rief die Begutte in unbeschreiblicher Bewegung des Erstaunens und Mitleidens: Euer Bräutigam! Ist es möglich, daß er Euch hätte verlassen können!

„Verlassen, er, mich? Einfältige Dirne! Ich wies dem Elenden, den man die Frechheit hatte, mir aufzwingen zu wollen, — die Thür wies ich ihm .... Antworte auf die Frage, die ich dir gethan. Es steht mir schlecht an, mich mit dir in Gespräche zu verlieren."

— O, mein Fräulein, verzeiht! ich bin außer mir. Ihr also, Ihr habet ihn verstoßen? Ihn verstoßen? Hat er, der so gut ist, Eure Ungnade verdienen können! Ist er's auch, den ich meine, von dem Ihr redet? Es ist wohl Irrthum und Mißverständniß unter uns. Ich flehe Eure Gnade an, mir nur ein Wort zu gestatten, nur eine Frage! . . .

„Schweig und gehorche; ich bin hier Gebieterin! Seit wann treibt er den ehrlosen Umgang mit dir?"

— Fräulein, wollet Euern Zorn mäßigen, in welchem Ihr vergesset, was Ihr auch der ärmsten Magd schuldig seid! rief Veronika ihr voll Hoheit entgegen.

„Seht doch die unverschämte Dirne!" sagte Ursula mit glühendem Gesicht, die Begutte seitwärts anschielend.

— Ihr seid nicht in der Stimmung, mich zu hören, gnädiges Fräulein. — Bei diesen Worten verneigte sich die Begutte tief und machte eine Bewegung sich zu entfernen.

„Du bleibst! Nicht von der Stelle!" rief Ursula gebieterisch und deutete mit dem Finger auf den Platz vor ihr, welchen die Begutte verlassen hatte.

— Eure Gnade erlaube mir, nicht länger der Gegenstand Eures Unwillens zu sein! erwiederte diese, ihren Rückweg fortsetzend.

Das Fräulein ging ihr zwei große Schritte nach und rief: „Bleib', oder ich winke meinen Knechten, lasse dich zwischen ihre Rosse gebunden nach Gösgen schleppen und in den Thurm werfen!" In dem Augenblicke, als sie es gesprochen hatte, wandte sie sich rasch um, den Edelknechten zu winken, und ward stumm und todtenbleich. Denn vor ihr stand Gangolf Trüllerey, der, vom Berg herab durch's Gebüsch geschritten, nicht minder überrascht war, ganz unerwartet vor der ehemaligen Verlobten zu stehen, und wenige Schritte von dieser entfernt, die Heilige des Gebirgs zu erblicken. Er verbeugte sich tief, mit kalter Höflichkeit, vor der Erbin von Falkenstein, und wollte schweigend an ihr vorübergehen. Sie aber, ohne seinen Gruß zu erwiedern, deutete ihm mit befehlendem Wink der Hand, stehen zu bleiben. — Veronika kam, sobald sie Gangolf gewahr worden, zurück und sagte: „Gnädiges Fräulein, ich danke Gott, der Herrn Trüllerey sandte. Nun ist das Mißverständniß gelöset. Ihr werdet mir nicht mehr zürnen."

„Ich bewundere Eure Vermessenheit, Herr Trüllerey," sagte das Fräulein, ohne auf Veronika's Worte Acht geben zu mögen, „daß Ihr Euch unterfanget, auf Grund und Boden des Hauses Falkenstein Euern Liebschaften nachzujagen."

— Fräulein, antwortete der Ritter, Ihr seid in zwei Dingen übel berichtet. Ich jage keiner Liebschaft nach, und stehe nicht auf Falkensteiner Boden. Dies Thal bis zum Dorfbach von Erlisbach gehört zum Twing und Bann der Aarauer Herrschaft Königsstein. Habet Ihr mir sonst einen Befehl?

„Euch nicht wieder in diesen Gegenden erblicken zu lassen!" antwortete das Fräulein: „Das Gewissen wird Euch melden, welcher Lohn den großprahlerischen Verläumder meiner Ehre und der Ehre meines Hauses erwartet."

— Ihr redet, hoff' ich, nicht von mir, Fräulein. Seit wir von einander schieden, gabt Ihr mir weder Stoff zum Loben noch zum Lästern.

„Elender, aber brüsten konntet Ihr Euch damit, mich verworfen zu haben."

— Das ist nie von mir geschehen!

„Nie? Aber in öffentlicher Ritterversammlung zu Seckingen, wo Ihr die Schamlosigkeit mit Feigheit krönet, und davon liefet, als Euch Landgraf Thomas züchtigen wollte."

— Wer Euch beides gesagt, hat beides gelogen.

„Mein Vater und mein Oheim!"

— So logen Beide.

„Redet von den Baronen mit Ehrfurcht!" rief das Fräulein mit einem Blick, in welchem alle Flammen weiblichen Zorns und Stolzes funkelten, und, indem sie auf ihre Knechte hinzeigte, fuhr sie fort:

„Ich stehe nicht allein. Erkennet die Farben von Fallenstein! Ein Wink, erbärmlicher Prahler, und Ihr und Eure Dirne dort sind verloren."

— Fräulein, ich darf Euch erlauben, mir zu drohen, aber nicht diesen tugendhaften Engel zu beleidigen! fuhr Gangolf heftig auf.

„O des tugendhaften Engels!" rief Ursula mit herbem Geläch= ter: „Es macht mir Lust, den Engel vor Euern Augen wegführen zu laſſen. Wir dulden auf unſerm Gebiet oder an den Grenzen unſerer Herrſchaft keine Strolchen, als im Gefängniß oder am Galgen." Sie winkte den Edelknaben mit weißem Tuche. Sie flogen auf den Roſſen über die Wieſe donnernd heran, ſchon längst auf die lebhafte Unterhaltung ihrer Gebieterin mit den beiden Unbekannten aufmerkſam.

„Fräulein!" rief Gangolf, und man ſah, wie ſeine Muskeln ſchwollen, ſeine Stirnadern blau anliefen, ſeine Augen furchtbar blitzten: „Ich will nicht vergeſſen, daß Ihr ein Weib ſeid; aber vergeſſet nicht, Ihr mit Euern Leuten befindet Euch auf Königs= ſteiner Grund! Begehet in der Raſerei keinen Frevel."

Kalt und gebieteriſch ſagte das Fräulein von Falkenſtein zu den herankommenden Reitern: „Ergreifet die Landſtreicherin dort, und bringet ſie gebunden auf's Schloß."

„Weh' dem Unglücklichen!" rief Gangolf und hob die geballte Fauſt: „Weh' dem, der Hand an die Jungfrau legt; er iſt des Todes!"

Die Reiter blickten verlegen auf den Jüngling, der in kräftiger Geſtalt mit gehobenem Arm zwiſchen ihnen und der Begütte ſtand, und mit dem Tode drohete, obwohl er unbewaffnet war. Denn der mit Gold und Perlmutter zierlich ausgelegte Dolch, welcher ihm an einer dicken Silberkette vom Gürtel niederhing, galt mehr zum Schmuck als Gebrauch.

„Ich befehle!" rief das Fräulein, mit dem Geſicht gegen die

jungen Männer gewandt, mit der ausgestreckten Hand gegen die Begutte zeigend.

Gehorsam setzten sich die Reiter in Bewegung. Da bäumte sich schnaubend des Einen Roß hoch in die Luft, auf den Hinterfüßen rückwärts gehend; das andere stürzte morschtodt auf die Brust zu Boden, daß der Edelknabe über den Hals desselben in den grünen Rasen weit vorschoß. Bald stürzte auch mit schwerem Fall das erste Roß zur Erde. Aus Hals und Brust beider Thiere quoll ein Blut=strom. Gangolfs Dolch hatte sich blitzschnell und tödtlich in beide eingebohrt. Ursula sprang mit Entsetzen zurück, als sähe sie Zauber=spuk. Veronika stand bleich, mit gefalteten Händen und zum Him=mel gerichteten Augen, unter den Zweigen einer Silberweide, in Angst und Gebet. Gangolf hielt den Dolch in seiner Linken; in der Rechten das aus der Scheide des Edelknaben gezogene Schwert, der sich betäubt und erschrocken vor ihm eben von der Erde aufrichtete, während der Andere fluchend mit gequetschter Hüfte noch unter seinem zuckenden Gaul lag.

„Ihr scheint nüchtern geworden zu sein!“ sagte Gangolf zum Fräulein, das starr und lautlos die blutige Verheerung sah: „Ich könnte und sollte Euch, als Gefangene, nach Aarau führen. Ihr habt den Landfrieden gebrochen. Nehmt Euern Zelter; reitet heim. Ich lasse Euch frei.“

Dann steckte er den Dolch ein; bog die Klinge des Schwertes, mit zur Erde gekehrter Spitze, bis das Eisen sprang, half darauf dem gequetschten Edelknaben unter dem verbluteten Gaul hervor, nahm dessen Schwert und brach es, wie das vorige. „An Eurer Hüfte soll kein Degen hangen;“ sagte er zu den entsattelten Reitern, deren einer in der Stellung eines Trostlosen noch immer sein verblu=tetes Roß betrachtete, indessen der andere leise fluchend und ächzend umherhinkte: „Euch gebührt nicht des Mannes Ehre; Stricke und Daumschrauben stehen Euch besser an, indem Ihr, statt wehrlose

VII.   8

Jungfrauen zu schirmen, als Häscher und Henkersknechte wider sie
dienet."

Mit diesen Worten wandte er allen den Rücken, ging zur Begutte und führte sie den Weg zurück gegen das Gebirg.

* * *

24.

Fromme Unterhaltung.

Ursula, mit ihren beiden Knappen, mochte ungefähr die betäu-
bende Empfindung derer haben, zwischen welche ein unerwarteter,
zermalmender Wetterstrahl niedergefahren ist. Keiner begriff im
ersten Augenblick, wie das Unheil so plötzlich habe sein können. Jeder
hätte es gern für Täuschung halten wollen, wenn nicht die Bruchstücke der Schwerter, die todten Rosse am Boden und deren Blut-
ströme den Augen das Gegentheil verbürgt hätten.

„Ei, so schlage doch der blaue Donner dazwischen!" rief ächzend
der Hinkende: „Was ist denn das hier, Josua? Mausetodt liegen sie
wie abgestochene Kälber da, und so wahr ich lebe, mein Damascener
mitten von einander. Plagt den Trüllerey der Satan, oder hat er
dreitausend Teufel im Leibe, solche Wirthschaft zu treiben. Es hat
ihm ja Niemand einen Strohhalm in den Weg geworfen; warum
sticht uns der Weglagerer die Pferde nieder? Setz' ihm nach, Josua,
schlag' ihn todt wie einen tollen Hund, denn, wahrhaftig, Besseres
verdient er nicht; auf mein Wort schlag' ihn todt. Wär' ich nicht
kreuz- und lendenlahm, ich machte ihm den Garaus auf der Stelle;
denn bedenk', er hat gar keine Waffen."

„Ach du schöne, treue Liesi!" seufzte Josua mit auf die Brust gesenktem Haupte und gefalteten vor sich hingestreckten Händen in ver-
zweiflungsvoller Betrübniß: „Hätt' ich das wissen können! O du
armes Thier! Mußtest du durch Meuchelmord fallen! Hundertma'

würd' ich im herrlichen Streit das eigene Leben für dich daran gesetzt
haben. Nun bin ich mein Lebtage nicht wieder froh. O Gubert,
sieh her! Meine schöne Liesi ist hin! Kein Mensch war so ver=
ständig, so treu und so freundlich, wie dies edle Thier!"

„Daß dich und deine Liesi der Abgrund verschlinge!" rief Gu=
bert: „Narr, spare die Leichenrede, bis der Gaul verlochet wird.
Nimm dein verstümmeltes Schwert; noch immer lang genug ist's,
einen Schädel zu spalten oder eine Kehle aufzuschlitzen. Springe dem
vermaledeiten Straßenräuber und Roßmörder nach; die sind noch
zwei gesunde Beine geblieben. Aber ich, ui! das fährt mir wie Messer=
stiche durch Mark und Bein; ich will verdammt sein, wenn nicht
noch drei Rippen dazu gebrochen sind, und ich nicht zum krummen
Fiedelbogen werden muß."

„Könnt' ich das Liesi zum Leben bringen," jammerte Josua, „ich
gäbe mein Bein, meine Hand, mein Auge drum!"

Unterdessen die Edelknaben in weinerlichen Tönen ihr Leid also
klagten, stand das Fräulein unbeweglich, einer Bildsäule gleich, den
Kopf seitwärts gegen das Thal neben der Ramsflue gewandt, wo
Gangolf mit der Begutte und der Bäuerin längst zwischen Gebüschen
verschwunden war. Ursula's blasses, starres Gesicht schien von Ala=
baster geschnitzt. Ihre Brust schien ohne Odem. Der Wind gaukelte
in ihrem schwarzen Schleier, und warf ihn von Zeit zu Zeit flatternd
um den Kopf, ohne daß sie es beachtete.

Auf Guberts Rath machte sich endlich Josua mit nassen Augen
an die traurige Arbeit, Sattelzeug und Zügelwerk loszuschnallen,
und die beiden Rosse davon zu befreien, um aus dieser Niederlage
wenigstens das kostbare Geschirr zu retten. Während dem genas auch
das Fräulein wieder von einer Art Bewußtlosigkeit, in der sie nichts
mehr von dem, was außer ihr vorging, mit Klarheit wahrgenommen
hatte. Sie richtete die stieren Blicke auf die Leichname der Thiere,
dann auf die Diener; und die Erinnerungen in ihr wurden heller und

mit denselben die Empörungen ihres ganzen Gemüthes sichtbarer. Ihre blassen Lippen zitterten, ihre schönen Hände ballten sich krampfhaft, ihre todten Augen warfen plötzlich Blitze; man hörte den Stoß ihres heftigen, fliegenden Athems, den die rasch zwischen den Zähnen hingemurmelten, mit schauerlichem Lächeln begleiteten Worte: „Ja, bei allen Heiligen! bis ich ihre Leichname mit Füßen trete, und Beider Blut meine Sohlen netzt!"

Dann drehte sie sich zu den Dienern und rief: „Bringet den Zelter herbei! Erbärmliche Gesellen, feige Schufte, Ihr! Ein einziger Mann warf Euch vom Roß und brach Eure Schwerter, und Ihr muckfetet nicht, Memmen! Hattet Ihr für meine Ehre keine Faust, keinen Arm, so schleichet fortan wie räudige Hunde, von jedem gestoßen und getreten, durch die Welt. Besseres seid Ihr nicht werth. Weichet von meinem Angesicht. Kehret nie wieder! Den laß' ich vom Büttel peitschen, den von Schloßhunden hetzen, welcher von Euch der Burgen von Falkenstein Schwelle berührt! Fort, fort, Ihr schäbigen Buben, und lasset Euch in den Dörfern mit Koth werfen, und von den Kindern mit Ruthen streichen!"

Diese Anrede traf jene armen Sünder, an die sie gerichtet war, noch gewaltiger, als vorhin der Sturz der Rosse. Sie erblaßten vor der bevorstehenden Schmach, vor dem Zorn der Gebieterin, vor dem Gedanken an den Landgrafen Thomas von Falkenstein und dessen Strafgericht. Der eine vergaß den Schmerz seiner Hüfte, der andere den Schmerz um das geliebte Roß. Beide fielen auf die Knie. Sie wollten des Fräuleins Gnade erflehen und etwas zu ihrer Rechtfertigung stammeln. Aber die Erzürnte ging taub an ihnen vorüber, schwang sich auf den Zelter und rief: „Weh' dem, der zum Schlosse kommt! Von den Hunden, wie einen verlaufenen Hasen, laß' ich ihn hetzen und zerfetzen!" Sie wandte das Roß und ritt im Galopp davon gegen Erliebach, und durch's Dorf rechts über die Matten, längs niedrigen, rauhen Waldhügeln, dem Klarestrem und dem Schlosse Göegen zu.

Der Weg ward unebener und felsiger. Der Zelter wählte mit
Vorsicht langsamern Schritt. Die schöne Reiterin, ihrer selbst vergessen, ließ den Zaum aus den Fingern fallen. Der Aufruhr ihres
Innern, wo Rachlust und Hoffnungslosigkeit, Beschämung und Stolz,
Eifersucht, Reue und Grimm wider sich selber abwechselnd empor-
fuhren und verschwanden, wie die Wellen des Sees im Sturm, machte
ihre äußern Sinne gegen den Reiz der Abendlandschaft unempfind-
lich. Noch wenige Tage zuvor hatte sie diese Gegend als diejenige
gepriesen, welche der Schwermuth ihres Herzens am wohlthätigsten
zusagte.

Das gänzliche Stillstehen des Pferdes weckte sie endlich. Der
Zelter hatte am Berge einen Seitenweg gegen die Höhe eingeschla-
gen, wo eine kleine Kapelle neben einem großen, hölzernen Kreuz
stand, in der die Gemahlin des Herrn Thomas von Falkenstein gern
ihre Andacht zu verrichten pflegte. Ohne Zweifel hatte der Zelter geglaubt, die schöne Last, welche er jetzt trug, ebenfalls dem heiligen
Ort zuführen zu müssen, und mochte darum den gewohnten Pfad
genommen haben, den seine Eigenthümerin, die Freifrau, täglich
besuchte. Ursula aber erkannte in diesem Zufall den Finger der
Vorsehung. Sie sprang vom Rücken des Zelters, ließ das Thier
frei, und eilte in das alterthümliche Bethaus, dort den Frieden ihres
Gemüthes zu suchen.

Es war ein uraltes Gemäuer; das Dach halb offen und zerfallen;
die eine Seitenmauer weit geborsten, daß der von draußen empor-
wuchernde Epheu Raum genug fand, durch den Spalt seine Ranken
zu senken und den Obertheil des Innern mit dunkelgrünem, natür-
lichem Laubgewinde zu schmücken. Ein vorragender, behauener Stein
bildete im Hintergrunde den Altar. In einer spitzgewölbten Mauerblende darüber, mit einer Einfassung von halberhabenen dünnen
Säulen und gothischem Schnitzwerk von Sandstein, blutete ein Hei-
land am Kreuz, neben welchem die Gottesmutter weinend stand, mit

sieben Schwertern in der jungfräulichen Brust. Das Ganze war so
schmucklos, so verlassen, daß den Boden der Kapelle ein Teppich
von allerlei Kräutern bedeckte, und auf der Seite des Altars hohe
Nesseln blühten.

„Heilige Mutter Gottes," seufzte das Fräulein niederkniend mit
emporgefalleten Händen, „o du Einsame, o du Verlassene, o du mit
siebenfach durchbohrtem Herzen, sieh' mein tausendfach durchbohrtes
Herz! O du heilige Schmerzenreiche, erbarme dich meiner Seele,
daß sie nicht in Verzweiflung verderbe? Warum muß ich, die Einzige,
verschmachten? Warum bin ich, die Einzige, verstoßen?" — Bei
diesen Worten drang eine heiße Thränenfluth über ihre blassen
Wangen. Sie lehnte ihre Hand an den kalten Stein des Altars,
und sank endlich schluchzend auf den begrasten Boden der Kapelle.
Hier weinte sie lange und bitterlich, bis, in allen Kräften erschöpft,
ihre Thränen vom besänftigenden Halbschlummer getrocknet wurden.
Ihr ward wohl. So fühlt sich die Landschaft nach erstickender
Sommerschwüle erquickt, wenn der Regenschauer vorüber gegangen
ist, in welchem sich Stürme und Flammen des Wettergewölls aufgelöset hatten.

Als sie erwachte, und vom kühlen Grund der verfallenen Kapelle
sich aufrichtete, war ihr, wie wenn ein Engel ihre Schmerzen gestillt,
ihr Gemüth gestärkt hätte. Sie verneigte sich noch einmal in Ehrfurcht vor dem Altar gegen das Heiligenbild, von dem ihr Erbarmen
und Trost gekommen zu sein schien, und ihre dankbare Seele that ein
Gelübbe, der gnadenreichen Himmelskönigin irgendwo, oder hier,
eine würdigere Kapelle zur Verehrung aufzurichten. Denn diese
Mattigkeit, Ruhe und Stille ihres ganzen Wesens mußte wohl, sie
zweifelte nicht, die Wirkung einer übernatürlichen Heilkraft und eine
Erhörung des Gebetes sein.

Beruhigt trat sie hinaus unter das Pförtlein. Vor ihr schwamm
im Duft des Abendsonnenglanzes die Welt; und ein erwärmender

Anhauch, der ihr mit Wohlgerüchen entgegenströmte, berührte sie wie der Erstlingskuß eines neuen Lebens. Ihr gegenüber, jenseits des silbern spiegelnden Flusses der Aare und der umbüschten Ufer, strahlten hellbeleuchtet die einsamen Gebäude des Chorherrenstiftes von Schönenwerth, und Thurm und Kirchenmauer auf der Felshöhe über die hellgrünen Wiesen des Thales in klösterlicher Abgeschlieben= heit. Schon im siebenten Jahrhundert war jener heilige Hügel, von welchem jetzt der Klang der Abendglocke feierlich durch die weite Gegend tönte, der christlichen Andacht geweiht. Dahinter zogen sich die Berge, von der Höhe bis zum Fuß in das Schwarzgrün ihrer Tannen gehüllt, in einigen Bogen um die Fluren der Ebene, durch welche zerstreute Rinderheerden umherirrten, deren Halsglockengeläute freundlich über den Strom her klang. Die Trümmer der Wartburgen glänzten im Sonnenroth, wie goldene Kronen, von den Doppel= gipfeln ihres sanftanschwellenden Gebirgs. Links, gegen Morgen, schloß sich weit das heitere, schöne Thal von Aarau dem Auge auf, erfüllt mit Dörfern, mit weitleuchtenden Schlössern ringsum, bis tief zu den veilchenblauen Höhen des Lägern = und Heitersberges. Hinter den niedern Gebirgen des Vorgrundes prangten aus der Ferne hervorragend einzeln die ewigen Pyramiden der Schneeberge über Wolkenstreifen.

Ursula von Falkenstein fühlte sich von der Pracht der Natur sanft bewegt. Sie konnte, ohne ihre Ruhe einzubüßen, selbst die über den Strom gespannte Brücke der Stadt Aarau, die rußigen Gemäuer, die schwarzen Giebeldächer derselben und den finstern Thurm Rore anblicken, eine starke Wegstunde von ihr entfernt. Mit der Empfin= dung himmlischer Begnadigung in der Brust, verzieh sie der Welt allen Schmerz, den sie von ihr erlitten.

In dieser Stimmung ward sie durch das Erscheinen der jungen Gemahlin ihres Oheims Thomas gestört. Die Freifrau, eine geborne von Ramstein, kam den Weg zur Kapelle mit schnellen Schritten

herauf und rief schon aus der Ferne: „Jesus, Maria und Joseph,
wie hast du mir so schreckliche Angst verursacht, Urst! Ich fand meinen
Zelter drunten am Wege allein weidend, und keine Spur von dir
und den Knappen, die dich begleiteten. Was treibst du, Mädchen?
Was führt dich hier herauf zur Kapelle, die du doch sonst nicht be-
suchst?"

— Die unsichtbare Gnadenhand Gottes! antwortete das Fräulein, der Freifrau die ihr entgegengebotene Rechte küssend: O schon
lange, lange wohnte nicht solch ein Gottesfrieden in mir, als jetzt.
Ich bin sehr ruhig.

„Bist du's wirklich?" sagte die Freifrau, welche sich erschöpft auf
einen bemoosten Felsstein niedersetzte und ihre Nichte mit traurigem
Lächeln ansah: „Täuschest du dich nicht abermals, du ewiglich von
Selbsttäuschungen gequältes, armes Kind? O wie froh könntest du
mich machen!"

— Ich nehme den Schleier. Morgen, übermorgen geh' ich in
ein Kloster und entsage der falschen Welt, die mir so furchtbar ent-
sagt hat. Morgen, übermorgen; je eher, je besser! Ich will vergessen, entbehren, sterben lernen.

„Kannst du das nicht in der Welt, wie tausend Andere?"

— Tausende und Tausende hatten mein grauenvolles Schicksal
nicht. Ich finde nur Ruhe inner den kahlen Wänden einer ver-
gitterten Zelle, wo mich nichts an die Bosheit der Welt mahnt,
und sie mich nicht mehr verfolgen kann. Ich will Alles hinter mir
liegen lassen, Alles!

„Ach, liebes Kind, man läßt nichts hinter sich, wenn man noch
etwas im Herzen mit sich nimmt. Du bringst überall nur dich selber
hin, und du bist deine Welt! Willst du im Ernst Klosterfrau werden,
liebe Nichte, glaub' es mir, der Schleier und die Zelle machen dich
so wenig zur Nonne, als die Kutte den Mönch, das Schwert den
Kriegsmann macht. Bau' aus deinem eigenen Herzen ein Kloster;

banne jebe Leidenschaft, jebes stürmische Verlangen und Wünschen hinans; melbe, leibe, als eine gottgeweihte Braut, und bu wirst überall Nonne sein, in ber Kirche, wie im Burgpalast. Ich kenne bie Klöster; ich bin in benselben erzogen."

— Darum bist bu so gut und fromm, Mühmchen! sagte Ursula mit einem Seufzer zur Freifrau.

„O nicht bas, Ursi; ich lernte viele Gebete und sah und hörte babei viel Unreines. Die tobten Mauern waren heiliger, als bie Menschen; und bie Kleiber frömmer, als bie Herzen. Folge meinem Rath, lösche erst bie heftige Gluth beines Gefühls, brich erst beinen kleinen, stolzen Eigensinn, bringe bein bisheriges Inneres bem Himmel zum Opfer, mit einem Wort, werbe erst, ehe bu bir bas Haar abschneiden lässest, eine Nonne: bann wirb bir ber ganze Erbkreis zum Kloster werben. Nicht bie Welt, nicht ber Flattergeist ber Männer, nicht Hinz von Sar, nicht Gangolf Trüllerey sind bie Urheber beines Leibens: bu bist selber bie Schöpferin beiner Noth gewesen."

— Schweig' von ben Männern, ben Tückischen, Ehrvergessenen! unterbrach bas Fräulein ihre junge Muhme mit tiefem Seufzer: Daß ich sie nicht nennen hören, nie ihre Gestalten erblicken müßte!

Sanft lächelnd erwieberte biese: „Es ist wahr, wir armen Weiber sind burch Härte, Rohheit und wilbe Sinnengier berselben selten glücklich; aber ohne Männer, was meinst bu, Kinb? wir würben uns in Höhlen verbergen und verzweifeln. Die Weiber finben sich gegenseitig nur bes Wechsels willen, wie ben Winter, erträglich, eben weil es auch Männer und einen heißen Sommer baneben gibt."

— Du magst bas Lob verkünden, Mühmchen! Dein Herz warb vielleicht glücklich burch . . .

„Ich? glücklich!" seufzte bie Freifrau, und schlug bie frommen, blauen Augen zum Himmel auf, inbem ein feines Roth über ihr

— 234 —

Antlitz floß, wie Wiederstrahl einer ehemaligen Paradieseszeit, nach welcher man, der Gegenwart willen, nicht gern zurückblickt. Ursula senkte die Blicke mit Wohlgefallen und Theilnahme auf die edle Gestalt der Freifrau, an der sie mehr mit der Liebe einer Schwester, als der Empfindung einer Nichte hing. Die junge Frau, deren Gesicht den Ausdruck der reinsten Zärtlichkeit und demüthigsten Selbstverläugnung darstellte, saß schweigend, innig und sinnig auf ihrem Felsblock da, die Hände in den Schoos zusammengefaltet, und einen Seufzer, der aus ihrem Busen aufzitterte, verbergend. Sie schien schon ganz zu sein, was sie dem Fräulein zu werden angerathen hatte, eine Nonne, deren stilles Kloster die weite Welt ist. Selbst ihre schmucklose, einfache Tracht; das lange, den ganzen edeln Wuchs bis zu den Fußzehen verhüllende Gewand von seinem, perlfarbenem Wollenstoff, an dem kein Zierrath gesehen wurde, als die Fülle des gefranzten, kurzen Doppelärmels oder Umschlags an den Achseln; die zarte Haube vom feinsten, schneeweißen Linnen, unter dem Kinn zusammengebunden, und nur zu schwach, um das üppige Hervorquellen des Haupthaars zu verhindern — dies ganze Aeußere schon verkündete die freiwillige Nonne.

— Du hast geliebt! — rief Ursula, läugne nicht!

„O hättest du's!" antwortete in gütig = ernstem Ton die Freifrau, hättest du geliebt, du würdest zu mir nicht sagen: du hast geliebt, denn Liebe kann nicht enden. Deine Sinne nur sind gerührt worden, nicht dein Herz. Nur einmal liebt man, dann ewig. Er wußt' es nicht, dem meine Seele zugehörte; er weiß es nicht. Wo er heute sein mag, ob noch mit mir unterm Himmel — ich weiß es nicht. Was liegt daran? Er ist der Engel meiner Träume, der Trost meines Wachens. Was Gott verband, das scheidet nicht die Welt, nicht Menschenhand."

— Du Schwärmerin, du! — rief Ursula mit nassen Augen und schloß die Frau von Falkenstein küssend, voller Heftigkeit an ihre

Brust. · Heil dir, daß du den nicht näher kennen lerntest, dem sich dein Herz gegeben. Er hätte es zerrissen, wie das meinige zerrissen ward, und ein Ungeheuer hätte dich verrathen, wie ich verrathen ward.

„Hätt' er gefehlt wider mich," antwortete die Freifrau, „meine Liebe würde seine Sünden zugedeckt haben. Das ist die Liebe! Des Mannes Gemüth ist ein anderes, als das unsere; darum fühlen wir uns von ihm angezogen. Man liebt nur das, von dem wir erkennen, es sei etwas Anderes und Vortrefflicheres, als man selber ist. Darum wird der Mann dem Weibe zugethan, weil er in des Weibes Gemüth die Milde und Anmuth wahrnimmt, die ihm selbst gebricht. Uns Weibern ekelt vor Männern weibischen Wesens, den Männern vor Weibern männlichrauher Denkart."

— Aber dein Mann, mein harter, wilder Oheim? — fragte Ursula schüchtern und mitleidig.

„Ich habe kein Recht, zu begehren, er solle ein Anderer sein, als er ist," erwiederte die Freifrau: „man gab mich ihm zur Gattin. Er ist mein Herr und Gebieter, und nicht ohne löbliche Eigenschaften, die ich an ihm ehre. Es ist kein Mensch so böse, der nicht Tugenden hätte, die ihn der Achtung würdig, oder doch erträglich, machen könnten."

— Ich kann dich nur bewundern, du liebe Heilige! — rief Ursula.

„Und ich dich nur beklagen, daß du mich bewunderst, liebes Kind," antwortete die Freifrau, „denn dies Bewundern verräth dein Herz und seiner Schmerzen Grund."

— Wie verstehst du das, Mühmchen? sagte das Fräulein, sich ein wenig betroffen zurückziehend.

„Merkst du es nicht?" antwortete die Frau von Falkenstein, und schloß Ursula's Hand mit Zärtlichkeit in die ihre. „Hättest du ein wenig Langmuth, Nachsicht und Ergebung mehr, als dir eigen

ist, du würdest mich nicht bewundern können, aber glücklicher sein.
Trotzköpfchen, immer möchtest du eine Welt nach deinem Sinn, und
wirst am Ende nur das Spiel der Welt, weil du weit schwächer bist,
als tausend Andere. Glaubst du's? Es ist niemand stark, als wer
sein eigener Herr ist. Das warst du selten, kleiner Eigensinn. Wer
Andern gern gebietet, vergißt darüber, sein eigener Gebieter zu
bleiben.

25.

Die Zigeuner.

Männliche Schritte und Stimmen, durchs Gebüsch den Berg
herauf, unterbrachen das Gespräch. Es waren zween Schloßknechte,
die einen verdeckten Korb trugen, der ziemlich schwer zu sein schien.

„Was tragt ihr noch so spät auf den Berg?" fragte die Frau
von Falkenstein verwundert.

— He, Ihro Gnaden, — antwortete einer der Knechte, indem
sich beide tief verbeugten — Futter für schelmische Raben, die bald
selbst Rabenfutter sein werden; will sagen, Gauner-, Lumpen- und
Aegypterpack, das der gestrenge Herr braucht, um ein Loch in der
Welt auszustopfen, oder eins damit zu machen.

„Ihr verrichtet also des Herrn Willen! Geht!" sagte die Freifrau, und als die Knechte vorbei waren, seufzte sie halblaut: „Gott
weiß es, mir ahnet Böses! Dein Oheim hat keine Ruhe. Er führt
etwas Gewagtes im Schilde. Schon seit acht Tagen eilen Boten
ab und zu im Schlosse; und allerlei verdächtiges Gesindel streicht
seit einiger Zeit hier herum durch Busch und Wald."

— Du weißt es ja: der Dauphin und die Armagnaken sollen
schon im Anzuge von Altkirch gen Basel sein! — bemerkte Ursula.
Und zieht der Dauphin mit gewaltiger Heeresmacht heran, die Eid-

genoſſen auszurotten, da wird kein ritterlicher Mann, da dürfen die Falkenſteine nicht dahinten bleiben!

„Ich glaube nicht, es ſei um die Eidgenoſſen zu thun," verſetzte die Freifrau: „ich fürcht', es werde eine Rache ſchrecklicher Art gegen Gangolf Trüllerey gebrütet."

— Wirklich? — fuhr Urſula lebhaft auf — haſt du etwas von den Männern vernommen?

„Geſehen mehr, als gehört; mehr in den Zügen geleſen, als geſehen. Seit vorgeſtern iſt mein Gemahl ſich kaum ähnlich. Er meidet mich, er ſchickt mich von ſich. Es iſt Unruhe in ſeinem Thun und Ruhen. Er hört nicht, was geſagt wird; träumt mit offenen Augen; gibt Befehle und widerruft ſie. Seit geſtern läßt er im Thurm von Farnsburg ein Zimmer auf das köſtlichſte bereiten, du weißt es. Das gilt nicht dir, nicht mir. Wir beide ſollen im Schloſſe Gösgen drunten bleiben. Den Namen Gangolfs ſpricht er nicht mehr mit gewohntem Grimme aus, ſondern mit bitterm Hohnlachen, wie den Namen eines, deſſen Niederlage gewiß iſt. Wer weiß, ob der Unglückliche nicht ſchon in ſeiner Gewalt liegt."

— Nein, nein, — erwiederte Urſula, ihr blaſſes Geſicht ab-wendend — du irrſt, der fährt noch heute frei herum.

„Und welchen fremden Gaſt erwartet das Thurmgemach von Farnsburg? Aus der Koſtbarkeit des Geräthes, welches von Klens-burg, Falkenſtein und dieſen Morgen ſelbſt von Gösgen dahin ge-ſchleppt wird, ſollte man auf eine erlauchte Perſon ſchließen. Ich dachte an den Dauphin. Für einen Fürſten aber geziemt ſich nicht das abgelegene Thurmgemach; das ſchöne Bett wohl, welches auf-geſchlagen wird, es iſt für keinen Königsſohn zu gering."

— Dein Hochzeitbett?

„Daſſelbe, und überdies, wie der Burgvogt von Farnsburg mir vertraute, als er am Nachmittage abreiſete, werden keinerlei Anſtalten getroffen, um den zahlreichen, prachtgewohnten Hofſtaat

eines Prinzen von Frankreich würdig zu empfangen. Und all das
Treiben, das Geheimnißvolle, erst seit vorgestern! Es scheint, das
Treiben gelte nur einer einzigen, doch sehr hohen Person, die man
gefangen halten wolle."

— Laß uns rathen, Mühmchen. Die Sache ist wunderbar genug,
um eine kleine Neugier zu beschäftigen. Seit vorgestern, sagtest du,
bekam der Oheim Briefe, Eilboten? Waren Fremde da? Nun reut
mich's, daß ich deinen Bitten folgte und die Tage zu Köllikon zu-
brachte. Wie konntest du auch glauben, daß mich der Ritt zu dem
Waldnest zerstreuen würde? Vorgestern also? Und du bemerktest vorgestern nichts, das dir auffiel?"

„Weniger, denn sonst. Wohl kamen der Boten genug, wie seit
einiger Zeit gewöhnlich. Das achtete ich kaum. Auch war mein Gemahl fast die Hälfte des Tages abwesend. Eben aber wie er zurückkehrte, lebte er schon in dieser seltsamen Bewegung; stumm, verschlossen, wieder lustig ohne Maß, dann träumerisch, dann aufbrau-
send. Den Namen Gangolfs stieß er einigemal mit schadenfrohem
Insichlachen aus. Das Alles mußt' ich hören, da wir allein zu
Nacht speiseten. Mich redete er kaum an; und fragen durft' ich nicht.
Du kennst ihn, wie er's treibt."

— So hat er in der Nachbarschaft geheime Zusammenkunft gehalten. Das ist entschieden.

„Kaum halb so sehr, als du glaubst. Er war nur ausgeritten
zu seiner Lust, in schlichten Kleidern, wie er selten zu tragen pflegt.
Der Jäger, welcher ihn bis in das Thal begleitet hatte unter der
Schafmatt, brachte die Rosse zurück und erzählte, der Freiherr sei
zu Fuß hinauf in die Harb."

— In die Harb? stammelte Ursula leise nach und mit ganz
eigenthümlicher Betonung der paar Worte.

Da ließen sich die Knechte wieder hören. Sie kamen mit leerem
Korbe zurück. Die Freifrau befahl ihnen den Zelter drunten am Wege

loszubinden und in's Schloß zu führen. Dann lud sie das Fräulein zur Begleitung ein, die Gäste wenigstens aus der Ferne zu betrachten, die der Freiherr, ihr Gemahl, im Grünen bewirthe. Ein unfern aufsteigender Rauch aus dem Gebüsch zeigte die Gegend, wo sie zu finden sein konnten. Er führte nicht irre.

In der Vertiefung eines kaum vierzig Schritt langen und noch schmälern, kesselartigen Thals, mitten im Gehölz am Berg, brannte ein Feuer von dürren Reisern. Darum her lagerten fünf Kerle mit schwarzgelben Zigeunergesichtern, halb entkleidet, die, von den übersandten Speisen schmausend, ein kleines Faß voll Weins von Mund zu Mund umhergehen ließen. Vor ihnen tanzte ein schlankes, junges Mädchen barfuß, nach seinem eigenen Gesang, sich auf den Zehen, auf den Hüften wiegend, indem es fantastisch, doch nicht ohne Anmuth, abwechselnd die Arme hob und senkte. Seitwärts säugte eine Frau, am kurzbegraseten Boden kauernd, ihr Kind. Rings umher hingen Kleider und Lumpen an einzeln stehenden Schwarzdorngesträuchen. Die Leute plauderten fröhlich und viel, doch in einer unverständlichen Sprache. Als aber bald darauf ein altes, häßliches Weib aus dem Gebüsch hervor zum Lagerplatz niederstieg, verstummten plötzlich Alle, selbst das Mädchen brach Gesang und Tanz ab. Die Männer sprangen auf und umringten die Angekommene, welche mit einer Art Hoheit zu ihnen sprach, während die Uebrigen aufmerksam horchten. Dann, nach einigen Hin = und Herreden, drückten Alle, auf verschiedene Weise, Zufriedenheit oder Beifall aus, die einen durch Kopfnicken, die andern durch Klatschen der Hände. Man zog die Alte zum Feuer und zum Mahle. Jeder bot ihr, was von den vorhandenen Gerichten das Leckerhafteste zu sein schien.

Während die beiden Zuschauerinnen von oben herab heimlich im Gebüsch die frohe Wirthschaft der Aegypter beobachteten, wurden sie auf sehr unerwartete Weise durch eine Erscheinung gestört, die ihnen

eben jetzt die unwillkommenste sein mußte. Freiherr Thomas nämlich
stand hinter ihnen.

„Ich hätte!" sagte er halblaut und aufgebracht, „ich hätte die
Frau von Falkenstein an einer für sie schicklichern Stelle, als hier,
vermuthet! Es scheint mir gleich unanständig, halbnackte Bettler
zu beschleichen, oder meine Entwürfe auszuwittern."

Die erschrockene Freifrau trat schweigend zurück, um sich zu entfernen. Ursula erwiederte ihm: „Wir wissen nicht, Oheim, was
uns Eures Mißtrauens schuldig gemacht hat. Weder die eine noch
die andere Absicht führte uns zu diesem Platz; Ihr werdet uns nicht
zumuthen, wenn wir einen Rauch im Gebüsch aufsteigen sehen, die
Flucht zu ergreifen."

„Begebet Euch augenblicklich in's Schloß!" rief der Freiherr mit
zurückdeutender Hand und barschem Tone: „Ihr möget Euch selber
anklagen, wenn ich Euch in den Zimmern hüten lasse. Katzen soll
man nicht zum Braten auf Schildwacht stellen, und Weiberaugen
nicht und Weiberzungen zum Geheimniß."

Ursula war im Begriff, die Unart des Oheims zu rügen; aber
mit sanfter Gewalt wurde sie von der Gemahlin des Freiherrn hin-
weggezogen.

Sobald dieser die Frauenzimmer aus den Augen verloren hatte,
stieg er zum Lagerplatz der Zigeuner nieder, die sich alsbald vom
Erdboden erhoben und ihn mit einer Art ehrerbietiger Vertraulichkeit umschlichen, aber doch beständig in einer Entfernung von drei
bis vier Schritten von ihm stehen blieben.

„Ich hoffe, die Schloßküche hat Euch genugsam versorgt!" sagte
der Freiherr. Alle bückten sich tief und küßten oder leckten ihre Finger, indem ihre häßlichen Gesichter ihn freundlich anschmunzelten.

„So lang' Ihr in meinen Diensten seid," fuhr der Freiherr
fort, „täglich dem Mann einen Gulden, freie Zehrung und, wenn

ich mit Euch zufrieden bin, ein Geschenk dazu, wie kein Fürst gibt. Dem Verräther der Galgen! Das ist mein Wort!"

Alle umringten ihn mit lauten und stummen Freudenbezeugungen, lustigen Sprüngen, Verbeugungen und Betheuerungen. Der Freiherr aber schien daran wenig Gefallen zu finden, winkte mit der Hand das Zeichen zum Schweigen und sagte: „Ich kann mich nicht mit Jedem von Euch abgeben. Ich kenne Euch nicht, verlange auch gar nicht, von Euch gekannt zu sein. Merkt Euch das! Diese verständige Frau hier" — er zeigte auf die alte Zigeunerin — „die Ihr Alle wie eine Mutter betrachtet, hat mein Zutrauen. Der Ilsel also werd' ich meine Befehle auftragen, und von der Art Eures Gehorsams und Eurer Geschicklichkeit wird es abhangen, welchen Lohn Ihr bei mir verdient."

Da trat einer der Zigeuner einen Schritt vor, wischte den schwarzen Knebelbart vom Maul weg, legte beide Hände auf die Brust und sagte: „Der rothe Hahn fliegt morgen Nachts über das Narauer Städtle, man soll ihn schau'n zwanzig Meilen weit. Haben's alte Nest von innen und außen wohl erkundschaftet; hat offene Löcher viel, hineinzuschlüpfen, und müßt' es sein im hölzernen Kännel des Stadtbachs über den Hirschengraben am obern Thor. Hat keine Gefahr! Zween Schwefelfäden; mehr kostet der Spaß nicht. Ist alles Stroh und dürrer Kien; das flackert lustig auf. Doch Junkerle, laßt unser einen nicht im Stich! Ilsel verheißet, daß Ihr Leute bei der Hand haltet auf dem Distelberg und Gieshübel. Wir zählen darauf! Fassen uns die Schubers, nennen wir Euch. Seid also bei der Hand. Und geht's Feurioh! Feurioh! durch die Gassen: so können wir mitnehmen, was uns ansteht. Das geht mit in den Kauf; Ihr fragt nicht, was wir haben."

Der Freiherr, halb von dem Kerl abgewandt, ließ nur dann und wann seinen Blick von der Seite auf ihn schießen und sagte

VII.   8°

endlich: „Schweig! Ihr habt mein Wort, kennt meinen Willen!"
Dann winkte er der alten Ilsel und ging davon.

Als er sich von der unsaubern Gesellschaft entfernt genug glaubte,
blieb er im Gebüsch stehen, winkte der nachschleichenden Zigeunerin,
näher zu treten und sagte: „Bist du deiner Sache sicher? Denn
wenn der Gangolf Trüllerey Nachts bei dem Mädchen auf der Harb
wäre, könnt' es blutige Köpfe setzen und Alles schlüge fehl. Lieber
stell' ich handfeste Leute in Hinterhalt."

— Goldschatz, fürchte nicht! rief die Alte: Ich habe den Weg-
harben und das Maidel im Sack. Das Jünkerle von Aarau zeigt
sich nur des Tags; kömmt nie auf demselben Weg; hat der Gänge
zur Harb so viel als der Wind. Aber das Jünkerle scheut die
Nacht.

„Daß mir der verfluchte Bube doch nie zu Gesicht kam! Er wäre
schon kalt!" murmelte der Freiherr: „Bringst du mir das Mädchen
heut, sieh', ich schütte dir beide Hände voll Gold."

— Bist dem Täubchen so nahe gewesen, und hast's nicht erwischt
beim Flügel und gekapert?

„Gans! der Tag hat tausend Augen. Leute waren auf dem
Felde. Niemand darf wittern, wohin das Mädchen gekommen ist,
wenn ich es einmal in meiner Gewalt habe. Das scheue Ding war
auch nie unbegleitet, wenn ich Jagd machte. Also du meldest dich
an der Schloßpforte, sobald du zurückkommst! es wird da ein Wächter stehen, der unterrichtet ist. Rosse bleiben die ganze Nacht gesattelt. Ich begleite die Lollharden selber auf Farnsburg. Morgen
Abend steh' ich mit meinen Leuten auf dem Gieshübel bereit. Bin
ich eingebrochen in die Stadt, könnt Ihr alle nach Herzenslust plün-
dern und rauben. Da gibt's volle Kisten auf dem Rathhause,
und in den Häusern der Bürger schöne Sparbüchsen. Fort jetzt,
Ilsel! es dunkelt. Mach' deine Sache recht. Ich erwarte dich in
Gösgen.

Mit biefen Worten wanbte er ihr ben Rücken unb eilte ben Berg hinan. Die alte Zigeunerin nahm ben Weg zu ihrer Banbe, bie sich, um bas Feuer gelagert, gütlich that.

26.

Die Entführung.

In finsterer Nacht schlich bie Zigeunerin, bie zween ihrer Genossen ben Weg zeigte, leise, wie auf Filzsohlen, burchs Dorf Erlisbach, bem Thale unter ber Ramsflue zu. Nur aus einzelnen Hütten leuchteten noch Fenster mit bunkelrothem Licht. Die Alte trug wieber bas eine Aug' verbunben und ben Pilgerhut, wie sie sich schon einmal in ber Einsamkeit bes Lollharbs gezeigt hatte. Ihre beiben Gefährten, breitschultrige, entschlossene Kerls, folgten wohlbewaffnet, mit schnellem Schritt burchs Thal, ben Berg hinauf. Als sie auf ber Höhe sich burch ben Walb getappt hatten, sahen sie bas Licht ber Lollharben-Hütte über bie Wiese schimmern. Die Alte führte bie Männer seitwärts längs bem Walbsaume in ber Nähe bes Hauses; befahl ihnen, ba auf bas Zeichen zu warten, welches sie geben würbe, währenb sie selbst bie Hütte umschleichen unb Kunbschaft einziehen wollte.

Unhörbar schwebte sie mit Katzenschritten, wie ein Schatten zum kleinen Hause, buckte sich unter bem leuchtenben Fenster, unb richtete von Zeit zu Zeit ben Kopf empor, um bie zu erkennen, welche im engen Zimmer plauberten beim Schein ber Oellampe. Veronika saß am Tisch, gegen bie Wanb zurückgelehnt, mit verschränkten Armen, unb starrte sinnenb in bie bleiche, zitternbe Flamme bes Dochtes. Der Lollharb in einem Winkel, rebete wie ein Lehrenber zu ihr, ben Arm erhoben unb ben Zeigefinger vorgestreckt. Er glich ber Propheten einem aus ben Tagen bes alten Bunbes. Nur einzelne seiner

harten Züge waren durch die scharfen Schlaglichter des Lampen=
scheins aus der Verschattung der übrigen wunderbar hervorgehoben.
Theile seines grauen, sanftbewegten Bartes schwebten erhellt über
der Dunkelheit des unerkennbaren Grundes, wie man zuweilen ein=
zelne falbe Wolken unter dem düstern Regenhimmel hervorstechen und
wieder verschwinden sieht. Die Begutte, in voller, doch milder Be=
leuchtung, horchte schweigend.

„Das sag' ich dir," fuhr er in seiner Rede fort: „auf daß du .
an der Raserei der unglückseligen Freiln von Falkenstein erkennen
mögest, wohin die Seele verirrt, wenn sie des Körpers Magd wird.
Ich wiederhole dir, die Liebe ist göttlicher Natur; denn Gott ist die
Liebe und wir sind aus Gott. Der himmlische Liebesstrahl durch=
dringt auch den Stein und die Pflanze und den Staub des Thier=
leibes, und wird da noch zur vereinigenden, das Geschlecht der
Wesen fortpflanzenden Gewalt. Aber lieben kann der Stein, die
Pflanze und der Staub nicht. Alle Liebe, außer der ewigen, geisti=
gen, ist Pflanzen= und Thiertrieb und nichts weiter. Die wahre
Liebe geht aus der Bewunderung und Verehrung der hohen Tugen=
den und Gaben des Andern hervor, weil sich das Göttliche in uns
sehnet, aufgelöset und eins zu werden mit allem Göttlichen. Zu=
neigung wegen äußerer Lieblichkeit, wegen sinnlichen Reizes, oder
Anhänglichkeit an einer Sache wegen langer Gewohnheit, ist Natur=
gang des Menschenthieres, und dem, was göttlich heißt, entgegen.
Der Geist kann nicht den Staub lieben und sich ihm vermählen, son=
dern nur seines Gleichen. Auch Hunde bezeugen ihren Herren An=
hänglichkeit bis zum Tode in Lust und Schmerz, durch den Zwang
der Gewohnheit; und du sahst heute einen Mann weinen über den
Tod des von Gangolf erstochenen Rosses. Das ist die obsiegende
Thierheit im Sterblichen, nicht das Rechtmenschliche im Menschen.
In der Geisterliebe ist kein Neid, kein Zorn, keine Eifersucht, keine
Furcht, sondern Sehnsucht, sich zu heiligen und ewig anzugehören

der Vollkommenheit des Vollkommenen. Wie liebst du mich, Veronika?"

Die Begutte hob den Blick gegen die Decke des Zimmers und sagte: "So liebe ich dich und den edelmüthigen Gangolf."

"Dann wirst du ihn verlieren ohne Schmerzen," setzte der Lollhard seine Worte fort, "wie du mich einst verlieren wirst ohne Jammer. Denn das im Ewigen Gewonnene ist eigentlich nie zu verlieren. Nur das Vergängliche, Sinnliche, ist vergänglich und endlich. Der Körper, der uns bekleidet, wird wiederum Staub, und seine Theile gehen in andere Pflanzen und Thiere über, die wieder verwesen und abermals Dünger des Erdreichs und Stoff anderer belebter Körper werden. Siehe, Veronika, die Leiber der Menschen, der Thiere, der Pflanzen, welche du heut' erblickst, sind schon seit der Weltschöpfung vorhanden gewesen, nur nicht genau in derselben Verbindung ihrer Bestandtheile. Wir wandeln in den Staub unserer zerfallenen Vorfahren gekleidet einher. Selbst der Leib, den du vor einem Jahrzehend trugst, dieser ist längst von dir verdünstet, abgegangen und abgefallen. Wir wallen in ewigen Verwandlungen über den Erdkreis hin. Was ist also die Liebe des Körpers? Nur Gott ist das Eine, das Bleibende!"

Veronika sprach darauf: "Und doch ist selbst das noch, was das Irdische zum Irdischen zieht, die Macht des himmlischen, alles durchbringenden Liebesstrahls. Wie mag doch die Gerechtigkeit des Allvaters ewig den Geist, wegen Sachen des Körpers, in's Elend werfen, in den er einmal gehüllt gewesen ist?"

— Das hab' ich nicht gesagt! — erwiederte der Lollhard: Der Vollkommene soll dem Irdischen zwar absagen; aber ist der Trieb des Irdischen nur nicht gottfeindlich: so sündigt er nicht im Gehorsam gegen die Natur, an die er gekettet ist. Essen und trinken wir doch täglich. Aber wir sollen nicht das Leibliche als des Lebens Höchstes anschauen und den Geist zum Knecht des Vergänglichen machen.

Es sprach der Lollhard vermuthlich noch lange; aber die Zigeunerin erbaute sich an dieser Unterhaltung schlecht, von der sie wenig begriff. Sie schlich um das Haus zur Hinterthür, die sie beim frühen Nachspüren halb offen gesehen, neben dem Kämmerlein der Magd. Als sie aber da leise eintreten wollte, knarrte die Thür in ihren hölzernen Angeln so laut, daß die Bäuerin, eine Lampe in der Hand tragend, aus dem Schlafgemach vortrat, und sich beim Anblick der wohlbekannten Alten kreuzigte und segnete.

„Jesus Maria!" stammelte sie verblüfft: „Die alte Pilgerin! Was begehrt Ihr noch in dieser Spätstunde?"

— Still! — flüsterte, mit Kopf und beiden Händen hastig winkend, die Zigeunerin Ilsel, und fuhr, ehe sich's die Bäuerin versah, in die Kammer hinein. Zitternd kam jene nach.

„Großer Gott!" rief die Bäuerin abermals: „Mußt' ich doch glauben, ein Schräteli komme in das Haus, so seid Ihr geschlichen. Ist's doch lange noch nicht Mitternacht. Mir beben alle Glieder am Leibe. Schon vor einer Stunde ging Gekreisch und Gepraßel durch den Wald, wie vom wilden Heer. Ich hab's ja mit eigenen Ohren gehört. Das bedeutet nichts Gutes. Alle guten Geister loben Gott den Herrn."

— Ich lob' ihn auch! — erwiederte Ilsel: Aber still, Kathri, still. Im Walde hab' ich allerlei Dinge gehört, drum komm' ich so spät. Es gehen böse Anschläge wider dies Haus. Nur eins muß ich wissen. Nenne mir des Lollhards Namen.

„Wie kann ich den Namen wissen? Ich glaub', er hat keinen?

— Hast nie gehört nennen den Jörg von End?

„Nie Jörg und nie Ende und Anfang! Was ficht Euch doch in Gottes des Herrn Namen, an, solche Dinge zu fragen?"

— Weißt du's nicht, Kathri, so will ich's hören aus seinem Mund. Es muß sein, und im Augenblick.

„Nimmermehr laß' ich Euch zu ihm!" rief Kathri, und hielt die rasche Alle zurück, die sogleich hinaus wollte: „Euer Anblick würde die gute Veronika bis zum Tode schrecken. Was denket Ihr auch? Sie möchte glauben, des Teufels Gespenst, oder eine Hexe, suche das Haus heim."

— Nun, so bereite das Mägblein vor. Geh' und sprich zum Lollhard die Worte: die Pilgerfrau ist vorhanden, die er unlängst hart angefahren; sie bringt ihm Grüße von Herrn Günther von der Weide! Merk' dir's, Günther von der Weide! Dann wird er aufspringen und verlangen, mich zu sprechen.

„So bleibet und harret, bis ich wiederkomme. Aber rühret Euch nicht vom Platz und zeiget Euch der guten Veronika nicht, sie wäre bei Euerm Anblick ein Kind des blassen Todes."

Sie ging. Die Zigeunerin horchte ihr nach; vernahm bald des Lollhards rauhknarrende Stimme, und hörte darauf Gepolter. In der Meinung, er komme selber, sprang sie von Kathri's Bett empor, auf welches sie sich zum Ausruhen gesetzt hatte, und trat zur Thür. Doch statt des Alten kam die Bäuerin und sagte: „Machet Euch davon, Frau. Sonst rufen wir alle Nachbarn zu Hilfe."

— Was hat der Lollhard geantwortet? Wort sage mir um Wort.

„Wenn Ihr's denn wissen wollt, höflich ist's nicht: Ihr sollet fahren mit Euerm Günther von der Weide bis an's Ende der Welt, und so Ihr nicht plötzlich von hinnen weichet, wird die Nachbarschaft kommen. Das ist sein Wort; ich rath' Euch, gute Frau, macht Euch auf die Beine!"

— Still, mausstill! sagte die Zigeunerin. Ist's nicht der Rechte, so ist's der Linke! Mir auch gleich! Merk' auf, was ich dir will sagen; merk' auf! Hörst du Lärm vorn, flieh mit deinem Mägblein hinten in den Wald. Flieh zu den Nachbarn! Merk's dir, Kathri! — Nach diesen Worten schlüpfte die Pilgerin davon in Wald und Nacht zu den wartenden Gefährten. Kathri, die draußen dreimal ein Zusammenklatschen von Händen hörte, schlug ihr voll Grausens mit den Fingern drei große Kreuze nach und betete dazu, denn sie hielt das häßliche Weib, wo nicht für etwas Ueberirdisches, doch für etwas von unterirdischer, unheilbringender Abkunft.

Sie dachte noch an die letzte Mahnung der Alten, als sie voller Entsetzen das Klirren fallender Fensterscheiben im vordern Zimmer, und lautes Geschrei und Getöse vernahm. Bleich und bebend sprang sie zur Küche vor. Ihr entgegen todtenblaß flog aus der Stube des Klausners dessen Tochter und schrie: „Hilfe! Räuber steigen zu den Fenstern ein!" Die treue Kathri riß das betäubte Mädchen mit sich zur Hinterthür, während der Lollhard nachrief: „Warum fürchtest du dich, Veronika?" Dann wandt' er sich kaltblütig und ernst gegen die abscheulichen, mit Ruß geschwärzten Gesichter der Eingestiegenen, die ihn sogleich ergriffen und Messer auf seine Brust setzten. „Ihr Thoren," sprach er, „gehet und suchet Geld und Edelsteine bei den Mammonsknechten in der Welt, aber bei keinem Bruder des freien Geistes. Mein Schatz ist im Himmel, wo Ihr ihn nicht stehlen werdet. Was drohet Ihr mir? Mein Leben steht in noch höherer Macht."

Die Kerls sprachen unter einander in unverständlicher Rede. Jählings eilte einer derselben davon. Man hörte seine Schritte durch's ganze Haus. Er schien die geflüchteten Weiber zu suchen. Unterdessen bewachte der Zurückgebliebene den Lollhard, immerdar die Spitze des Messers gegen dessen Herz gekehrt, und schnitt dabei gräßliche Geberden, um den Alten zum Stillschweigen zu nöthigen.

Dieser aber ließ sich keineswegs in der Rede hemmen, sondern sagte: „Glaube nicht, daß mir dein geschwärztes Gesicht Furcht einjage, wie einem Kinde, oder daß ich zucke vor deinem Stahl. Vorzeiten pflegt' ich Vögel deines Gelichters anders zu begrüßen, und der Schädel wäre dir gespalten gewesen, eh' er eine Spanne weit durch's Fenster gekommen. Jetzt thut mir deine arme Seele leid, du reißendes Thier in Menschenhaut! Wohin meinst du, daß sie fahren werde, wenn dein letztes Stündlein schlägt?"

— Narr du! versetzte das schwarze Gesicht widerlich grinsend: soll sie nicht in der Erde faulen, wird man sie wohl neben der deinigen in den Rauch hängen müssen.

„Menschenkind, dein Leben hienieden ist ein Anfang sonder Ende! Begreifst du das?"

— Und dein Leben ist ein Ende ohne Anfang. Begreifst du das? „Unsinniger!" rief der Lollhard.

— Halt's Maul! rief der Zigeuner: oder ich schnüre dir mit deinem eigenen Bocksbart die Drossel zusammen!

Ilsel und der andere Zigeuner unterbrachen durch ihren Eintritt das Gespräch. Die Alte schien in ihrem Kauderwelsch den beiden Kerln bittere Vorwürfe zu machen, daß sie das Weibervolk hatten entrinnen lassen. Inzwischen ward jetzt nicht gesäumt, der Lollhard geknebelt, um sein Geschrei zu hindern, und, mit auf den Rücken gebundenen Händen, schnell zum Hause hinaus durch Wiese und Wald fortgerissen. Voran aber eilte die Alte mit großen, hastigen Schritten dem Schlosse Gösgen zu, die mißlungene Verrichtung dem Landgraf Thomas zu melden. Wie ein gespenstiger Schatten fuhr sie durch die Nacht dahin. Der verspätete Wanderer schlug mit Entsetzen das Kreuz vor sich, wenn er sie über Halde und Fels, Weg und Steg im trüben Sternenschein leise fortfliegen sah, vom kurzen Pilgermantel umwebelt, wie von Fledermausfittigen. Selbst der Wächter am Thore des vielthurmigen alten Schlosses Gösgen, der sie erwarten mußte, konnte sich des Entsetzens nicht erwehren, als sie plötzlich vor ihm hielt, eh' er ihre Ankunft wahrgenommen hatte. Er ging zitternd über die Brücke durch den Hof in die finstere Burg, die Erscheinung der unheimlichen Gestalt dem Freiherrn zu verkünden.

27.

Die Ritter zu Gösgen.

Freiherr Thomas saß eben mit froher Gesellschaft im prächtigen, hellerleuchteten Rittersaal des Schlosses. Mehrere vom Adel aus dem Schwarzwalde und den vordern Landen, sämmtlich treue Anhänger Oesterreichs, waren diesen Tag zu ihm gekommen, weil er sie zur Theilnahme an seinen Kriegsunternehmungen gerufen hatte. Vor jedem der Ritter stand ein goldener Becher von getriebener Arbeit, der, wie oft er geleert ward, immer gefüllt sein mußte. Noch sah man auf den Silberschüsseln die Ueberbleibsel eines reichen Nachtmahls. Frisch aufgetragene Speisen dampften noch vor Herrn Marquard von Baldegg, welcher schon lange erwartet, aber erst vor einer Viertelstunde in später Nacht von Seckingen gekommen war. Seine gesunde Eßlust erwies der Küche des gastfreien Wirthes alle Ehre. Es belustigte ihn, während er das gebratene Geflügel mit den Händen zerriß und Bissen um Bissen in den Mund stopfte, die ungeduldige Neugier der Andern mit seinem Schweigen zu martern, und zwanzig Fragen und Erkundigungen mit einem ausdrucksvollen Wink und Blick auf ein bisher noch unberührtes Gericht zu beantworten.

„Nun denn," sprach er endlich, da sie ihm keinen Frieden ließen, und er das Handwerk ziemlich vollbracht hatte, „ein Ehrenmann ist doch allzeit gehudelt, wenn er nach verrichteter Arbeit einmal des Leibes pflegen möchte. Mittags machten mir die hungrigen Fliegen von Liestal jeden Bissen streitig, und nun laßt Ihr mich mehr Galle schlucken, als hier Speisen stehen. Ist das christlich?"

— Hättest du uns auf die erste Frage Bescheid gethan, Vetter Marquard, sagte Thomas von Falkenstein, würden wir dir Frist für die andern gestatten. Also wie steht's am Rhein?

„Nun denn! obwohl ich voraussehe, daß es Euch wie den Kin-

dern geht, die erst lüstern werden, wenn sie einmal am Zuckerbrod
geleckt haben. Alles ist in Ordnung. Wir können morgen nach
Brugg ziehen."

— Wo stehen unsere Leute! Wie viel sind ihrer? rief Thomas
ärgerlich, und Alle stürmten fragend auf ihn ein.

„Sagt' ich's nicht voraus, daß der Neugierteufel erst in Euch
fahren würde, wenn ich einmal zum Antworten den Mund öffne! —
Gut, vier- bis fünfhundert Mann sind's, alle adeliche Herren und
reisige Leute. Sie liegen umher in Dorf und Wald zerstreut, in
Binsingen, Murg, Tigeringen, Laufenburg und Seckingen. Sie
warten auf Befehl zum Aufbruch. Mein Bruder Hans ist dabei, auch
Hans von Rechberg, Thüring von Hallwyl und wer weiß ich mehr!
Hast du den Absagebrief an Bern geschrieben, Vetter Thomann, so
send' ihn ab. Nun ist Gefahr im Verzug, Periculum in moribus!
ihr Herren, wie der Pater Großkeller zu St. Blasien zu sagen pflegt,
wenn die Humpen zur Neige gehen. Jetzt wißt Ihr's: fragt mich
nicht weiter. Straf' mich Gott, keine Sylbe lockt Ihr mir ab, bevor
ich diese Ente noch verzehrt habe."

Freiherr Thomas, während die Andern lachten, schwieg nachdenkend und überrechnete bei sich mancherlei, indem er einzelne Worte
hinmurmelte: „Morgen, Freitag, der letzte Tag Heumonds — übermorgen der erste Tag August — dann in Seckingen — dann Brugg
— dann — richtig!" — Laut rief er dann: „Früher, als in fünf
Tagen, spielen wir zu Brugg nicht die Fastnachtposse; aber dann,
beim Teufel! je toller, je besser. Es trifft auf Dienstag vor St.
Laurenzen. Merk' dir's, Vetter Marquard."

„Bist du rasend?" schrie Marquard: „Wie wollen wir so viel
Mannschaft lange heimlich halten und füttern? Die Kerls fressen wie
die Heuschrecken; dem Bauer bleibt keine Speckseite im Rauchloch,
keine Zwiebel im Garten. Daraus wird nichts. Ich bin gekommen,
dich zu holen. Reitest du morgen nicht mit mir auf Seckingen, fährt

die ganze Adelsgesellschaft mit ihren Banden aus einander, oder
Bruder Hans, Rechberg, Hallwyl und wir Andern machen's übermorgen in Brugg allein aus."

„Das wird unterbleiben!" erwiederte trotzig der Freiherr, und
strich sich den struppigen, schwarzen Knebelbart von der dicken Oberlippe: „Morgen, Vetter, will ich erst mein Müthchen an Aarau
kühlen. Du begleitest mich. Alles ist angeordnet. Den Trüllerey
will ich in die Aare_säcken, wie man Hexen säckt.

„Was? seid Ihr schon vor Mitternacht des Weines voll?" schrie
Herr Marquard mit weit aufgerissenen Augen: „Unserer fünfhundert
wissen zur Stunde noch nicht, wie wir mit Brugg fertig werden,
und hat das Nestlein doch außer seiner Ringmauer nichts, was Furcht
erregen kann, als den eingemauerten Hunnenkopf. Und Ihr hier
wollt Aarau stürmen, Euer acht bis zehn Eisenfresser, Ihr? Liegt
Euch nicht die Stadt entgegen wie ein wilder Eberkopf mit seinen
zwei vorragenden Hauern? Oder habt Ihr schon Luternau's Burg
gebrochen und den Thurm Rore?"

„Fürchte die mürben Fangzähne dieses Ebers nicht, Vetter Marquard!" antwortete der Freiherr mit hämischer Verziehung seines
braunen Gesichts: „Angespießt ist er schon. Wir sengen ihm nur die
Borsten ab und schmausen ihn morgen zur Nacht gebraten. Trau'
meinem Wort!"

In diesem Augenblick war's, daß der Wächter der Burgpforte
hereintrat und dem Freiherrn winkte. Dieser sprang rasch auf und
verließ mit dem Wächter die Gesellschaft.

„Graf Jörg von Sulz, Ihr scheint mir von all' diesen hoch-
löblichen Schwärmern und Lärmern der Nüchternste zu sein!" sagte
Herr Marquard: „Denn Ihr liebet den Wasserkrug, wie der Kibitz
den Bach. Was will Euch zu des Freiherrn Rede bedünken? Oder
habet Ihr um's Schloß, hier oder Lostorf, Kienberg oder sonst im
Gebirg noch Mannschaft versteckt?"

„Daß ich nicht wüßte!" erwiederte der Graf von Sulz: „Herr
Thomas rückt nicht mit der Sprache heraus, hält Plan und Mittel
verborgen, verheißt uns auf morgen Nacht nur lustige Nachlese für's
Schwert. Ich laff' ihn gewähren. Er scheint seiner Sache sicher.
Vermuthlich hat er Einverständniß mit den Bürgern."

„Oder vielleicht hat sich Gangolf Trüllerey bekehrt und kriecht
zu Kreuze!" fügte Junker Bentelin von Hemmenhofen hinzu: „Das
thäte mir leid. Ich möchte dem lieber den Fuchspelz ausklopfen, als
streicheln helfen."

„Ich weiß," versetzte Marquard von Baldegg, „Ihr selb ein gewaltiger Fuchsjäger, Herr Bentelin. Diesmal aber laufet Ihr einer
falschen Fährte nach. Ihr meinet, eins mit dem Fuchs zu schaffen,
und stoßet auf einen grimmigen Wolf, der sich Euch lieber auf's
Kreuz setzt, als zum Kreuz kriecht. Straf' mich Gott, Herr Bentelin,
wenn Ihr den aus dem Freihof hervortreibt, ohne Haar zu lassen,
das nicht wieder wächst."

"Hm!" entgegnete Bentelin, das Maul rümpfend: „Es scheint,
Ihr sprechet mit Erfahrung. So wissen wir nun, woher Euer runder
Krauskopf die Glatze bekommen, die nicht wieder bewächst."

„Oho!" rief Herr Marquard: „Macht Euch über meine Glatze
nicht lustig, so will ich Eures Milchbartes vergessen. Ihr wisset, ich
bin von einem Geschlecht, das mit den Hageichen jung und alt wird.
Vor hundert Jahren mein Ahnherr Hans, Münsterchorherr und Dekan
zu Kirchberg*), Gott hab' ihn selig, ward hundert und sechsund-
achtzig Jahre alt, und wuchsen ihm noch im hohen Alter neue Zähne
und schwarze Haare. Dessen tröst' ich mich!"

„Wenn Ihr den Kopf selbst so lange zwischen den Schultern
tragt!" bemerkte lachend Ritter Marx von Embs: „Die Schweizer

---

*) Kirchberg bei Aarau. Dieser Chorherr Johannes von Baldegg
starb im Jahr 1343.

sind Euch so wohl an, wie Ihr ihnen. Ich wette, auf Ehre, fangen
sie Euch, sie machen Euch keine Spanne länger, als den armen Hinz
von Sax bei Mänikon."

Während Alle überlaut lachten und Marquard selber ganz wohlgemuth mit ihnen, trat Herr Thomas von Falkenstein wieder in den
Saal, wandte sich noch einmal zurück und schrie mit donnernder
Stimme hinaus! „Vermaledeite Hexe, findest du sie nicht, so wird
dich der Henker finden!" Dann trat er finster herein. Sein hartes,
ehernes Antlitz glühte vom innern Zorn kupferroth. Ihm nach folgten
zween Bewaffnete, die in ihrer Mitte den Lollhard führten, die
Hände auf den Rücken gebunden. Sie blieben an der Thür stehen.
Der Freiherr ging durch den Saal zur Gesellschaft; drehte sich aber
unterwegs, da er die Schritte der ihm Nachfolgenden hörte, wild
um, fluchte und schrie: „Schurken, in's Loch mit ihm unter'm Thurm!
Warum ziehet Ihr mir nach!"

„Ich und dein böses Gewissen ziehen dir gern nach, Junker von
Falkenstein!" sagte der Lollhard sehr laut.

„Wetter, was knarrt mir in's Ohr da?" rief Herr Marquard
und sprang hinter dem Tisch vor: „Straf' mich Gott, das ist mein
Klapperstorch wieder leibhaftig von der Freudenau. He, Störchlein,
so wahr ich lebe, du bist's! Erzähle, wem hast du das artige Kindlein zugetragen, weißt du, das im Beguttenrock eingefäschte? Oder
hat's dir Einer aus dem Schnabel gezogen?"

„Laß ihn laufen, Vetter!" sagte Freiherr Thomas verdrießlich.

„Nein, Rede muß der Beghard stehen, wo er das schöne Mägd-
lein gelassen, das einst mit ihm zog. Hör', Alter, hat's dir der
Trüllerey abgejagt, der junge Schlecker, der gewiß nicht deiner
Riesennase willen mit dir nach Brugg gegangen ist?"

„Ei!" rief Bentelin von Hemmenhofen, und sprang ebenfalls
näher: „Das Mädchen kenn' ich wohl. Ich hab's in der Herberge
von Brugg besucht, und schwör' Euch, Kaiser, Papst und Kardinäle

könnten der allerliebsten Begutte willen in Versuchung gerathen, ein
wenig zu tollen. Sag' an, du Roll= und Lollbruder, wo weißt du
das fromme Schwesterlein?"

Ueber dies Gespräch näherten sich die Edelleute insgesammt vom
Tisch her und umringten den Greis.

„Seid Ihr des Satanas alle?" schrie Freiherr Thomas, im
Grunde ärgerlich und doch unfähig, sich des Lachens bei dem allge=
meinen Aufruhr zu erwehren: „Am Ende wäret Ihr alle Bekannte
dieses Strolchen, den man auf meinem Gebiet eingefangen hat, weil
er des Kundschaftens verdächtig ist. Schon seit vielen Tagen umschleicht
er diese Burg und belauscht er meine Bewegungen. Doch von heim=
lichen Frauen und Töchtern, die der graue Kuppler mit sich zu Markt
führt, ist mir kein Wort bekannt. Er soll in den Bock gespannt, im
Folterkämmerlein aufgehaspelt werden, bis er die Schlupfwinkel der
Dirnen eingesteht."

„Vetter Thomas!" unterbrach ihn Marquard: „In allen Stücken
weislich gesprochen hast du, wie ein Salomon. Nur was die kleine
Begutte betrifft, sende sie mir nach Schenkenberg. Es ist jammer=
schade um die kleine Ketzerin. Ich will sie bekehren. Hörst du?
Ich versteh' mich darauf, wie der beste Dominikaner."

Alle schlugen ein lautes Gelächter auf.

Da öffnete der Lollhard den Mund, und Blitze fuhren unter den
eisgrauen, überhängenden Augenbrauen gegen die Lacher hervor:
„O der tyrannischen Heuchler!" schrie er: „O des Otterngezüchts,
das mit der giftigen Doppelzunge speichelleckt und mordet, betet und
lästert, heiligt und flucht, vom Raub und Aas sich mästet, und
gleich dem Vieh unterm Himmel, ohne Himmel umherkriecht!"

„Schlage dir der Donner in den Hirnkasten, Lump!" schnarchte
ihn Freiherr Thomas an: „Von wem unterfängst du dich, so zu
reden?"

„Ich bitt' Euch, lieber Freiherr, störet den alten Hund nicht in

Bellen. Er wird unserm Spaß die Krone aufsetzen!" sagte Ritter Balthasar von Blumeneck lachend: „Fahre fort, Alter, schimpfe, aber recht auserlesen gut! Ich höre gern so was."

„Muntert ihn nicht auf, er versteht's ohnehin meisterlich!" rief Marquard.

„Gebietet oder verbietet, Tyrannen, ich stehe außer Eurer Macht!" fuhr der Lollhard fort: „Landverheerer, Weltverkehrer! wisset und zittert, das Gotteslicht brennt noch, das Ihr auslöschen wollet, und der Menschenverstand geht noch aufrecht, den Ihr mit Füßen zu treten meint. Gelt, Euch wäre wohlgethan, Fürsten der Finsterniß, wenn kein Gott über den Sternen, keine Vernunft in den Sterblichen wohnte? Dann könntet Ihr das Jahrhundert zurückstellen wie den Weiser der Uhr, daß es Euch nie in den Abgrund hinabstürze, der Eurer harret. Dann könntet Ihr die Schritte des Geistes bannen und das Zeitalter wie versteinert halten, daß es nie anders werde. Dann könntet Ihr die Völker, wie ererbte Schafheerden, hetzen und scheeren, und den Erdkreis zum Schachbret machen für Eure fürstliche Lange=weile. Dann könntet Ihr gar gemächlich das Recht nach Euerm Eigennutz, die Wahrheit nach Eurer Unwissenheit zuschneiden, und die Verbrechen, welche Ihr am Volk oder Vieh straft, zu tugend=lichen Vorzügen und ausschließlichen Freiheiten des Adels machen. Dann könntet Ihr Euch blähen und sprechen: die Welt ist für Thron und Altar, für Edelleute und Pfaffen, für unsere Bäuche und Schlünde geschaffen, und wer das bezweifelt, soll, als wahrer Gotteslästerer, in den Flammen des Scheiterhaufens verderben!"

„Bravo! bravo!" rief Balthasar von Blumeneck boshaft an=hetzend: „An dem Grauschimmel ist ein Passionsprediger verloren gegangen."

„Still!" fiel ihm Junker Fritz vom Haus in die Rede: „Eben wollt' er ja auch den Pfaffen ihren Theil geben. Laßt ihn reden und bringt ihn nicht aus dem Text."

„Nein, alter Lästerer!" redete Ritter Jörg von Knöringen den Lollhard mit drohender Stimme an, indem er sein fleischiges Gesicht runzelte: „Unterfange dich nicht, die Diener Gottes zu begeifern, oder der heiligen Kirche Uebels zu sagen. Ich mag's gestatten, daß du uns weltliche Herren, wie ein heiserer Kettenhund, ankläffst; aber keine Blasphemie!"

Der Lollhard hatte sich durch die Zwischenreden im Fluß seiner Worte nicht unterbrechen lassen, sondern, ohne daß man ihn hörte, fortgeeifert. Aus dem Zusammenhang ließ sich errathen, daß er schon viel von dem gesagt haben mochte, was die fromme Ehrerbietung des Junkers Jörg von Knöringen zu gestatten verweigern wollte.

„Als Israels Rettung durch den gnadenvollen, englischen, ewigen Hirten kam," sprach der Lollhard weiter, „hat er zwischen Gott und Menschen einen neuen Bund, doch keine neue Kirche gestiftet. Barmherzigkeit hat er und Liebe den Kindern des Staubes geprebigt; aber nicht Kirchen, nicht Klöster zu bauen, nicht Zehnten zu zahlen, nicht vor den Bildern irdischer Heiligen zu knien. Hätte Christus Kirche und Priesterthum gewollt, er würde die Satzungen selber gegeben haben, gleich Moses; er that's nicht. Er hinterließ kein Bildniß von seiner eigenen Gestalt, auf daß nicht Abgötterei getrieben, sondern dem Unsichtbaren Verehrung gebracht werde, der da allein heilig ist, im Himmel und auf Erden! Als aber Priester kamen, begehrten sie sich eine Kirche, kein Gesetz der Liebe und Barmherzigkeit; begehrten kein Christenthum, aber ein Priesterthum; sie setzten den Thron weltlicher Herrschaft unter den Altar, und an die Stätte des Hohenpriesters den Papst, statt des Sühnopfers das Meßopfer, statt Jerusalems das ehebrecherische Rom."

„Schlagt den Kerl todt!" schrie Jörg von Knöringen: „Er ist vom Teufel besessen; der lügt aus seinem Hals, man könnte, Gott steh' uns bei! schwören, es sei Alles wahr."

„Erstände der Christus und wanderte in Rom umher, wie einst zu

VII.   9

Jerusalem, und lehrte die Lehre, wie zu Jerusalem," rief der Lollhard „und triebe, wie dort, Geldwechsler und Rosenkranzkrämer aus dem Tempel, — Ihr würdet ihn zum andern Mal kreuzigen sehen, als Irrlehrer, Ketzer und Feind des Altars und des Papstes. Aber wie der Thon in des Töpfers Hand, selb Ihr in der Hand des Herrn. Ich sage Euch, wie der Blitz durch die Wolken des Himmels, wird ein Strahl des ewigen Geistes durch die Geschlechter der Staubeskinder zucken, und ein Riß wird durch die Mauern der Kirche gehen, von oben bis unten, daß die Grundvesten spalten, und die stolzen Zinnen zum Abgrund niederprasseln. Dann wird die Sonne ihr Licht vom Monde borgen, St. Peter den Königen dienen, und der Laie den Priester die Dinge des heiligen Lebens lehren. Und ein anderer Strahl des ewigen Geistes wird leuchten, siehe, und von den Stirnen der Felsen fallen die Kronen der Zwingherren, und aus dem Schutt der Burgen bauen die Leibeigenen Werkstätten ihres Reichthums. Dann werden die Knechte herrisch thun und die Herren knechtisch, daß man sie nicht von einander kennt . . ."

„Schweig, du rasender Afterprophet!" schrie Junker Jörg, dessen grobe Züge von Zorn und Wein glühender wurden: „Wie möget Ihr, edle Herren, den Unsinn aushalten? Man weiß nicht, verkündet der verrückte Strolch die verkehrte Welt, oder den jüngsten Tag?"

Der Alte, welcher sich aber das Wort nicht nehmen ließ, fuhr immer heftiger zu eifern fort, und hob an vom dritten Strahl des ewigen Geistes zu sagen, als den übrigen Rittern die Langeweile dabei anzuwandeln schien. Mehrere kehrten zu ihren Bechern zurück, Andere traten lachend zusammen, um ihrem Witze die Zügel fahren zu lassen. Der Freiherr von Falkenstein, welcher den Lollhard schon längst entfernt haben würde, wenn er nicht geglaubt hätte, ihn zur Belustigung der Gäste da behalten zu müssen, schob ihn sammt den Wächtern hinaus. Vor der Thür standen wartend der Schloßvogt und Kerkerknecht. Diesen wies der Freiherr fort, und dem Vogt

befahl er, zu deſſen großem Erſtaunen, dem Begharden ein bequemes
Zimmer, ein weiches Bett und ein gutes Nachtmahl zu geben. Ohne
Zweifel hoffte der Freiherr durch die Dankbarkeit des ſpröden, eigen=
ſinnigen Graukopfs mehr Nachrichten über die entſprungene Begutte
zu empfangen, als durch gewaltthätige Härte ihm abpreſſen zu können.

Als der Herr von Falkenſtein ſeine Befehle ertheilt hatte und
zurücktretend in den Saal die ſchwere, doch zierlich geſchnitzte Eichen=
thür öffnete, hörte man noch aus der Ferne des Lollhards Stimme
durch die Schloßgänge knarren. Die Geſellſchaft der Edelleute aber
war ſo vertieft im lärmenden Geſpräch bei vollen Bechern, oder in
Brett= und Würfelſpiel, daß Keiner mehr darauf achtete. Sie ſpiel=
ten und zechten, bis das Morgenroth an dem Thurm der Kirche von
Schönenwerth über die Aare ihnen in die trüben Augen ſtrahlte.

28.

Der Anſchlag auf Aarau.

Auch war die Sonne ſchon einige Stunden über die Hälfte ihrer
Tagesbahn hinaus, eh' ſich die wohledeln Nachtſchwärmer wieder mit
zum Theil vom Rauſch, zum Theil vom ſchweren Schlaf verſchwollenen
Augen im großen Saal beiſammen fanden. Hier ſtand längſt von der
Dienerſchaft der Tiſch zum Mahl bereitet, welches zugleich ihr Morgen=
imbiß, ihr Mittags= und Nachteſſen werden zu ſollen ſchien. Nur
der Freiherr von Falkenſtein fehlte. Sie hörten, er ſei nach wenigen
Stunden Schlafes mit Zwölfen ſeiner Diener und Knechte, insge=
ſammt leicht bewaffnet, ausgezogen, alle zu Fuß. Wohin? wußte
Niemand, wohl aber, daß er verheißen hatte, um die Mittagsſtunde
wieder in Gösgen zu ſein. Erſt ſpäterhin vernahm man von den mit=
gegangenen Knechten, daß man ein verlaufenes, als Begutte ver=
kleidetes, Mägdlein in allen Häuſern, Hütten, Ställen und Heugaden.

auf der Hard und in den Wäldern zwischen Küttigen und Erlisbach, mit großer, doch fruchtloser Anstrengung aufgesucht habe.

Ihn zu erwarten und freiere Luft zu athmen, begaben sich die Ritter auf den Platz hinaus vor dem Schlosse, welcher freilich zum Lustwandeln wenig Bequemlichkeit oder Anmuth darbot. Es war ein unebener, felsiger, und nicht großer Raum zwischen der Burg und dem Berge, zum Theil von einer alten Winterlinde überschattet, welche zwischen verklüfteten Felsblöcken herüberging, und mit ihren letzten Blüthen Wohlgerüche verstreute. Das Schloß lag auf dem Felsen-Vorstoß, gegen die Aare zu, mit seinen großen und kleinen Thürmen, An- und Nebengebäuden und vielen Ecken und Dächern, durch eine starke Ringmauer eng umschlungen, wie die hölzernen Häuser und Thürmlein eines Kinderspiels, die man, wie sie der Zufall zusammengelagert, mit einem breiten Bande zu einem Bündel macht. An der Ringmauer kroch hin und wieder hundertjähriger Epheu hinauf, welcher große Flecken auf dem schwarzgrauen Grunde dunkelgrün malte.

Hier wandelten die Ritter im Gespräch je drei und drei auf und ab, als das Getrappel ankommender Rosse ihrer Aufmerksamkeit andere Richtung gab. Ein stattlich gekleideter Herr, begleitet von einigen Schwerbewaffneten, sprang vom Pferde. Er trug Haar und Bart lang, auf dem Haupt ein kleines Baret von rothem Sammet, mit einer Goldkette umschlungen, über welche weiße Federn nickten; ein schwarzes Kleid, eng am Leib, mit offenem Obertheil der Aermel, darüber ein scharlachrother Mantel mit edelm Pelz verbrämt. Alle schritten ihm mit frohem, lärmischem Willkommen und Gruße, als einem Wohlbekannten entgegen. Es war Hans von Rechberg, von Hohenrechberg, der schon jetzt, als Kriegsmann und durch den Schaden, welchen er in siebenjährigen Fehden den Eidgenossen ge-stiftet, einen weit berühmten, achtbaren Namen führte. Man sah ihn überall im Spiel, wo es darum zu thun war, den Schweizern

eins anzuhängen. Trotz dem wollten Viele kein großes Wesen von
seinem Heldenmuthe in Feldschlachten machen, und behaupteten sogar,
wenn's Ernst gelte und an ein Treffen gehe, hebe er sich bei Zeiten
davon unter gutem Vorwand. Auch bekam er nie Wunden und
Narben in irgend einem Streit; nur ein einziges Mal war er ein
wenig durch den Schuß einer Handbüchse gestreift. Doch Freunde und
Feinde stimmten darin überein, daß er im Spähen, Verkundschaften,
Streifzügen, Ueberfällen, schlauen Anschlägen und feinen Ueber-
listungen keinen seines Gleichen fände.

„Ihr stehet hier müßig am Wege und lungert umher, während
wir zu Laufenburg vor Langerweile umkommen!" rief er: „Muß
ich mich noch selbst aufmachen, Euch Tagediebe zu holen? Wo ist
Falkenstein?"

„Mag es der Teufel wissen!" entgegnete Marquard von Balbegg:
„Träg' ist er nicht: hat uns zum Nachtessen eingeschenkt bis Sonnenaufgang, und sich dann in der Stille fortgemacht, ich weiß nicht zu
welchem Jagen! Auf künftige Nacht hat er uns ein Fest verheißen
in der Stadt Aarau, wie wir, sagt er, noch keins erlebt haben.
Du, Rechberg, aber ziehst, wie ein welscher Milchbart, geleckt und
geschleckt einher. Man schmeckt dir den Salbenduft vom französischen
Hoflager an. Straf' mich Gott, der Trüllerey wird dir den Edel-
pelz versengen. Was ficht dich denn an, in Sammet und Seiden zu
kommen, wo es an's Mauerstürmen geht?"

„Alles hat seine Zeit!" antwortete Hans von Rechberg: „Ich
habe Büffelleder für die Nacht. Aber die Freifrau von Falkenstein
ist ja bei Euch im Schlosse; auch hab' ich das Fräulein Ursula nicht
gesehen, seit ich aus Frankreich heim bin."

„O, laß dir das Gelüst vergehen!" rief Bentelin von Hemmenhofen: „Die Frauen sind unsichtbar. Ich meinte wohl eher, denn du,
einen Stein im Brette zu haben, und bin doch zurückgewiesen! —
Unglücklicher, spanne wieder aus!"

Während dieser und ähnlicher Gespräche kam Freiherr Thomas von Falkenstein mit seinen Knechten den Berg herab. Sein braunes Gesicht troff von Schweiß, und schien wilder, denn je. Seine rollenden Augen musterten düster schon aus der Ferne die Versammelten. Er begrüßte den Herrn von Rechberg mit gezwungener Freundlichkeit und lud die Gesellschaft in's Schloß ein. Hier führte er sie eine schmale Wendelstiege in einem der Thürmlein aufwärts; dann durch mehrere halbdunkle Gänge, bis er die Thür eines geräumigen Saales öffnete. Längs den mit braunschwarzem Nußbaumholz getäfelten Wänden, oberhalb mit einem breiten Gesims und altfränkischem Schnitzwerk besäumt, hingen zwischen vorragenden Hirschgeweihen einige bestäubte oder vom Alter geräucherte Stammbäume, alterthümliche Waffen und Harnische, abwechselnd mit halberloschenen Gemälden von ehemaligen Besitzern des Schlosses, die in ihren uralten Trachten und bärtigen Gesichtern, wie Gespenster aus schwarzen Wolken, hervorschauten. Durch enge, hohe und zugespitzte Fenster ließen die bunten, vielgebrochenen Scheiben nur schwache Dämmerung fallen.

„Eh' wir zu Tisch sitzen," sagte Thomas von Falkenstein, indem er sich die Stirn trocknete, „wo uns die Dienerschaft stören würde, will ich Euch, edle Herren und Freunde, vertrauen, wozu ich mir Euern tapfern Arm für diese Nacht erbitte. Es soll ein Geschäft geben, von welchem noch hundert Jahre nach uns erzählen. Aber Jeder bewahre das Geheimniß mit Wort und Miene, bis es sich selber offenbart. Das Gelingen des Unternehmens hängt an der Verschwiegenheit. Morgen früh ist Aarau ein Aschenberg. Schon sind zween treue Leute in der Stadt, auf deren Verwegenheit und Wort ich bauen darf. Um Mitternacht, wenn die Spießbürger mit ihren Weibern im ersten Schlaf liegen, zünden die Kerls aller Orten an. Rechberg, du setzest mit Einigen von uns nach Schönenwerth über, verbirgst dich im Oberholz, um von der Höhe zu beobachten, was vorgeht. Mit den Andern geh' ich über den Hungerberg und bleibe der Stadt gegenüber auf dem Gleshübel. Sobald die Flammen aufschlagen und die Dächer einschießen, wird das Volk der Stadt, um der Gluth zu entfliehen, selbst die Thore von innen sprengen und nach allen Richtungen aus dem feurigen Ofen fahren. Dann dringen wir vor, du, Rechberg, mit den Deinen gegen das Oberthor und die Schindbrücke, ich vom Gleshübel herunter über die beiden Aar=brücken, rasch gegen den Freihof. Es ist da kein Widerstand; wir haben nur Sackmann zu machen!"

Die Versammlung hörte die Mittheilung dieses Anschlags unter Beifallsbezeugungen und Schaudern. Thomas glich, während er sprach, in gräßlicher Beleuchtung, die er vom Fenster empfing, einem der Milton'schen Höllenfürsten. Der veilchenblaue Schein einer der Scheiben warf auf sein linkes Auge und die Stirn einen breiten Fleck, daß das Fleisch da in gräberhafter Verwesung zu liegen schien, in=dessen der untere Theil des schwärzlichbraunen Gesichts, vom dunkel=rothen Glase desselben Fensters erhellt, wie geschmolzenes Erz glühte.

„Hast du der Stadt Bern den Absagebrief gesandt?" fragte ihn Rechberg.

„Der Brief ist geschrieben und besiegelt!" antwortete der Frei=herr: „Es ist wohl morgen noch an der Zeit, ihn den Bernern hinauf=zuschicken. In jedem Fall bringen sie Spritzen und Feuereimer nach Aarau zu spät, gleichwie nach Brugg, wenn das Städtlein verkohlt ist. Das sei der Anfang! Zofingen nehmen wir später mit; Lenzburg dazu. Wenn wir aufgeräumt haben, hat der Dauphin breite Straße durch den Aargau."

„Straf' mich Gott, Vetter Thomas, nun kennt man dich wieder. Bist noch der Alte!" rief Marquard: „Nur hätte man das Ausfegen bei Brugg anfangen sollen, denn ich besorge, der Stand von Aarau macht den alten Effinger wach. Am Ende dreh' ich aber dafür die Hand nicht um, ob Peter oder Paul zuerst an die Reihe kömmt. Die Städte müssen fort, müssen geschleift werden, und Salz wollen wir auf ihre Brandstätten säen. Ist, meiner armen Seel', ein klägliches Ding um Spießbürger=Regierungen! Hinter ihren Mauern sind sie trotzig und patzig, wie Dachse in den Löchern; draußen und wenn's einmal Ernst gilt, machen sie krumme Rücken, wie feige Hunde, die den Schwanz einziehen, wenn sie Schläge fürchten. Kein aufgeblase= neres Pack, als diese hölzernen Rathsherren; dünken sich, im Mantel und Kragen, allesammt römische Kaiser, und haben beim ersten Schuß das Herz in den Pluderhosen. Vom Haus aus arme Schächer, ohne Kenntniß und Welt, messen sie die großen Ereignisse mit ihren Lein= wand=Ellen, stehlen ihren knauserigen Frauen die Kunststücke der Staatshaushaltung in den Küchen weg, und rechnen in der Raths= stube, wie die Mägde auf dem Markt. Das muß mir anders werden! Der Aargau gehörte vor Alters und alle Zeit dem Abel an und muß ihm wieder werd n. Mögen die Hallwyle ihren Theil nehmen, um den sie geprützt worden sind, wir Balbegger gehen diesmal nicht leer aus. Aarau und die Herrschaft Königstein mag die Falkensteiner schadlos halten."

„Kommen wir zur Sache! Wann brechen wir auf gegen die Stadt?" fragte Rechberg.

„Sobald die Nacht finster genug ist!" erwiederte Thomas von Falkenstein: „Wir lassen uns Zeit."

„Vorbehalten, daß heut' kein heiliger Festtag eintritt oder mor= gen!" bemerkte Jörg von Knöringen, indem er die wulstigen Augen= lieder rieb: „Fragt doch den Hauspfaffen, wenn einer vorhanden ist. Den ganzen Tag läutet's da drüben im Chorstift."

„Possen!" rief Fritz vom Haus: „Was träumet Ihr von Fest= tagen? Uebermorgen haben wir Petri Kettenfeier. Messe könnet Ihr zu Aarau hören."

„Erlaubet, Rechberg, daß ich mit Euch jenseit der Aare zur Stadt komme!" sagte der Herr von Hemmenhofen: „Denn ich wette, so= bald eingeheizt ist, sperren die Aarauer ihre Luftlöcher dort zuerst

auf und ich muß einer der Ersten hinzu. Das soll mir ein Hauptspaß
werden, die alten Mütterlein und die sittsame schöne Welt von Aarau
im Hemd oder in paradesischer Unschuld vor den Häusern oder Thoren
umherlaufen zu sehen. Ich war einmal beim Schultheiß Hans Ulrich
Zehnder; er hat ein paar lustige Töchter. Auf der Gasse ließen sich
auch nicht üble Geschöpfchen sehen, Alles Handwerkstöchter, aber
geputzt, als wollten sie Baronen und Grafen erobern."

„Ich kenne sie wohl!" rief Marquard dazwischen: „Manche
trägt aber auch das ganze Vermögen ihres ehrbaren Vaters, und
seine Schulden dazu, im Flitterputz am Leibe. Ich will von der
Parthie sein mit Euch."

„Weit von Ast," sagte der Freiherr von Falkenstein, „und Ihr,
Graf Görg von Sulz, Hug von Hegnau, Marx von Embs, und
Jörg von Knöringen, ziehet mit mir auf den Gieshübel vor der
Aarbrücke. Wir wollen die Nächsten am Freihof sein und den Thurm
Rore umkehren. Aber das sag' ich Euch, den Trüllerey taste keiner
von Euch an. Mir gehört der Bube, mir! Noch gestern hat er
meine Nichte auf offener Straße mißhandelt, und mir zwei prächtige
Rosse erstochen, von denen ein Schweif mehr werth war, als der
wühlige Hund und sein Thurm. Ich bin nicht grausam, wahrhaftig
nicht! Aber wenn ich meinen Dolch ihm im Leibe umkehre, will ich
jauchzen, daß man's eine Stunde weit hören soll; und seinen Kopf
laß' ich auf den Galgen beim Rombach nageln, daß ihn alle Aarauer
sehen, wenn sie ihre Häuser unter dem Schutt suchen. Ich lasse zwei
Fäßlein Pulvers auf den Gieshübel tragen; der Thurm Rore soll,
so wahr ich selig zu werden hoffe, gegen die Wolken springen, daß
es Steine bis Bern und Zürich regnet."

„Nicht so voreilig!" fiel ihm Hug von Hegnau in's Wort: „Zuvor
muß man Kisten, Kasten und Schreine untersuchen; denn in den Bürger=
häusern ist des Plunders wenig zu holen, zumal wenn die Raupen=
nester anbrennen."

„Ich überlasse Euch Alles, Alles, was Ihr findet!" sagte Thomas von Falkenstein hastig: „Nur eins beding' ich mir, — wenn ich nur eins finde! Und ich find' es gewiß! Der Fuchs hat die Nacht ein Huhn gestohlen! Kein Anderer. Wir waffnen uns allesammt wohl. Jede Partei wird von einer Abtheilung meiner Knechte begleitet, mit Streitärten und Handbüchsen."

Nachdem die Ritter unter einander mit vielem Geräusch verabredet hatten, was zum Gelingen des Ueberfalls nöthig schien, dessen sich Jeder freute, zogen sie mit Geberden, in denen Geheimniß und Hoffnung lebten, zum Speisesaale. Der Freiherr bewirthete die Helden mit verschwenderischer Freigebigkeit. Die Lust des Schmauses dauerte, bis am Himmel die Sterne zwischen den eilenden Wolken funkelten. Dann rief der Freiherr: „Blaset auf, Trommeten! nun zum Sturm. Es ist hohe Zeit! Rechberg, für dich und die Deinen liegen zwei Fahrzeuge unterm Schloß. Die Knechte stehen am Ufer der Aare bereit. Die Schiffe warten dein längst. Wir Andern ziehen, vorüber Erlisbach, in die Tannen des Hungerberges. Lustig, edle Herren, zum Werk geschritten! Nach solchem Mahle geziemt sich's, großes Feuerwerk zu sehen!"

<hr>

29.

Panisches Schrecken.

Sie leerten noch einmal die Becher und sagten den hohen Silberkannen Lebewohl. Schon während der langen Speisezeit hatten die Meisten, wenn sie zur Begünstigung der Eßlust oder des Verdauens in kurzen Zwischenräumen die Tafel verließen, ihre kostbaren Kleider mit schlechtern von Leder oder Zwillich vertauscht, ihre Waffen gewählt, und andere Vorrichtungen zum nächtlichen Blutwerk getroffen.

Wie sie aus der Burgpforte hinaus über die Brücke gekommen

waren, richtete Jeder das Auge zur bedrohten Stadt, ob er über derselben schon eine einzelne Röthe, eine leuchtende Dampfsäule oder fliegende Funken gewahren könne. Täuschend flammte von Zeit zu Zeit ostwärts ein blasses, fernes Wetterleuchten auf. Jeglichem zuckte es dabei bang in der Brust, aus Furcht, zu spät zu kommen, und die Schritte verlängerten sich jedesmal.

„Nur gemach!" sagte Freiherr Thomas halblaut zu den Gefährten: „Noch ist es kaum um die zehnte Stunde. Zu Mitternacht stehen wir auf dem Gleshübel zeitig genug. Denn die Stadt soll im Schlafe begraben sein, ehe das Feurloh der Wächter und der Sturm der Glocken ergeht. Meine Brenner verstehen ihr Handwerk und kennen meinen Willen. Darauf verlasset Euch."

Ruhiger ging der Zug wieder längs der ernstrauschenden Aare hin, über deren finsteres Wellenspiel der Schein entzündeter Wetterwolken zuweilen plötzliches Licht goß. Dann wandte sich der Weg vom Ufer ab, nordwärts durch niedrige und kahle Hügel. Voran gingen, den Fußpfad zeigend, einige Falkensteinische Knechte mit Streitkolben; Andere folgten den Rittern zur Nachhut, sie trugen kleine Fäßlein Pulvers. Alles bewegte sich in tiefer Stille fort. Einer dem Andern nachschreitend auf dem schmalen Weg. Und die da redeten, flüsterten leise. Es ward immer dunkler. Die Sterne erloschen. Hin und wieder glimmte, aus der Entfernung her, von Dörfern oder einsamen Hütten der Landleute, röthliches Fensterlicht. Das Wellengeräusch des Flusses verlor sich seitwärts. Das Leuchten des Wetters kehrte öfters und blendender zurück. Die Luft ging still und lau. Doch mitunter fuhr ein kalter Windstoß ungestüm durch Hügel und Gebüsche über das Thal.

Ritter Hug von Hegnau, welcher unmittelbar vor Thomas von Falkenstein war, wandte sich und sagte: „Freiherr, ich fürchte, uns übereilt ein Hochgewitter. Mich dünkt zuweilen, ich höre Donner aus großer Ferne. Wir haben eine böse Nacht getroffen."

„Im Gegentheil, Herr Hug!" antwortete Thomas: „Uns kann

nichts Erwünschteres, als ein Donnerwetter kommen. Der Wald gibt Obdach gegen den Regen; und steht man die Brunst von Aarau, wird sie dem Blitzstrahl zugeschrieben. So ist mir's recht! Einen Morgengruß, wie ich dem Gangolf bringen will, müssen alle Heiligen begünstigen."

„Falkenstein!" rief in der Nähe eine heisere Stimme: „Wahre dich, Falkenstein! Meide den Freihof von Aarau!"

Der Freiherr fuhr zusammen. Hug von Hegnau sah sich um, fragte: „Wer redet mit Euch?"

„Habt Ihr etwas gehört?" antwortete Thomas und strengte die Augen an, durch die Dunkelheit um sich zu blicken: „Ich meinte, der Wind pfeife im Gesträuch."

„Nein, die Stimme schien über uns vom Berge zu kommen!" sagte Hug: „Das ist mir doch hier nicht geheuer!"

Indessen waren sie von den Höhen niedergestiegen durch Hohlwege, und sahen beim bleichgelben Wetterschein den Anfang einer weiten Wiesenfläche, die sich rechts in's Unermeßliche auszudehnen schien. Sie aber gingen am Fuße der Vorberge entlang, in der Richtung gegen die Schlucht, aus welcher das Dorf Erlisbach seine vordersten Hütten streckte. Jeder menschlichen Wohnung auszuweichen, wählten die Führer, auf Geheiß ihres Herrn, den Gang durch die sumpfigen Wiesen. Windstöße wurden anhaltender und heftiger. Erlen und Weiden längs dem Bache beugten sich seufzend. Die Stimme des Donners sprach lauter in den Bergen. Das Leuchten des Gewitters kehrte seltener wieder, aber blendender. Man erkannte dazwischen schon deutlich im fernen Hintergrunde die weißgrauen Gemäuer der Stadt.

Es stockte eben der Zug, der über den Bach auf schmalem Stege ging, und jeder tappte langsam hinüber, während die Hinterleute warten mußten, als zwischen diesen wieder die heisere Stimme rief: „Falkenstein, wahre dich! Meide den Freihof von Aarau!"

Die am Steg Beifammenftehenden wandten die Gefichter, obgleich die Dunkelheit nichts erkennen ließ.

„Oho!" rief Freiherr Thomas: „Sehet Euch vor am Bach, und treibet mit mir nicht Narrethei, Ihr Herren! Mir macht der Schalk unter Euch kein Grauen, wer er auch fei."

„War das Einer der Unfrigen?" fagte der Graf von Sulz: „Ich wollte meine arme Seele verwetten, die Worte feien vom Bache drunten herauf gefprochen worden. Laßt uns fchauen, bis es leuchtet."

„Wir haben fchon einmal die nämlichen Worte an den Hügeln gehört!" verfetzte Hug von Hegnau: „Es kann nicht weit von Mitternacht fein. Dergleichen ift mir nie begegnet."

„Schweiget mit diefen Poffen!" rief lachend der Freiherr: „Ihr follet mich nicht irre machen. Einer von Euch fpielt den Schalks= narren zur Unzeit, um uns heimzujagen. Wer lieber in's warme Federbett verlangt, oder Trüllerey's jüngftes Gericht zu fehen fürchtet, kehre frei um und laff' uns Andere gewähren!"

„Ganz richtig fcheint mir die Sache nicht!" murmelte Hug vor fich hin, und ging mit kurzen Schritten über den Steg des Baches. Die Letzten folgten in tiefer Stille. Einer nach dem Andern fchritten fie durch Erlen= und Weidengebüfche, welche einen unebenen Boden voller Sand und Erlen und Wafferpfützen bedeckten, bis fie nach ge= raumer Zeit einen grafigen Rain hinauffteigen konnten zum Fuß des Hungerberges. Da fchwieg der Wind. Aber es begannen große Tropfen zu fallen. Haftig kletterte die Gefellfchaft den Berg hinauf, deffen untern Theil der Fleiß der Stadtbewohner fchon häufig mit Weinreben bepflanzt hatte. Je näher man dem finftern Walde kam, der den breiten Rücken des Berges bekleidete, je reichlicher fielen die Tropfen des Regens, der nach jedem Wetterftrahl in kurzen Schauern dichter niederraufchte. Endlich unter den erften Tannen blieb man ftehen, um nach dem fchnellen Steigen wieder Odem zu

sammeln. Jenseits des Stromes erkannte man deutlich, im weiß=
lichen Wiederlichte der Blitze, die Stadt liegen, mit den Thürmen
ihrer Thore und Kirchen; links ragte im Wetterschein nebelhaft die
alte Burg der Luternau's empor; rechts glänzten die weißen Kloster=
gemäuer der verlobten Schwestern von Schännis; vorn sprang deut=
licher und riesenhafter der breite, hohe Thurm von Rore vor. Drüben
schlug es in der Pfarrkirche drei Viertel an.

„Auf zwölf Uhr!" sagte einer der Ritter.

„Wir ließen uns kein Gras unter den Sohlen wachsen. Doch
gut, daß wir dem dicken Regen entliefen!" bemerkte ein Anderer.

„Im Thurm Rore brennt kein Licht mehr. Alles finster!" sagte
ein Dritter: „Dem Trüllerey träumt's fürwahr nicht, daß wir ihm
bei Sturm und Wetter Besuch machen wollen."

„Hei!" rief Freiherr Thomas: „Er wird die Augen aufreißen,
wenn ich ihm den Johannissegen beim Scheine von zehntausend
Fackeln reiche. Nur ein Stündchen Geduld, ihr Herren, und laßt
Euch die Langeweile nicht verdrießen."

„Wahre dich, Falkenstein! Schone den Freihof von Aarau!" rief
plötzlich die wohlbekannte Stimme wieder. Blauweiß fuhr ein Blitz=
strahl im weiten Zickzack jenseits der Stadt über den waldigen Gön=
hard. Im hellen, augenblicklichen Glanze sahen einige Ritter eine
finstere, unerklärliche Gestalt, deren Gewand, wie Flügel, im Sturm
flatterte, über Falkensteins Haupt wegschweben. Dieser stand an die
Sandsteinwand eines Felsenstücks gelehnt. Es ward wieder volles
Dunkel.

„Habt Ihr's gesehen?" fragten sich mehrere Herren leise unter
einander.

„Falkenstein, habt Ihr's gehört?" fragten die Andern.

„Gott woll' uns gnädig sein mit allen seinen Heiligen!" rief
Jörg von Knöringen.

Ein harter Donner rollte mit immer tieferm Dröhnen durch die Berge.

„Wer war nun das?" fragte Hug von Hegnau, der die Gestalt über dem Fels ebenfalls wahrgenommen hatte: „Das ist keiner der Unsrigen gewesen."

„Und wenn's Beelzebub selber wäre," rief der Freiherr, „es soll diese Nacht der Trüllerey an mich glauben lernen! Vorwärts, ihr Herren zum Gieshübel, daß wir, der Brücke nahe, alsogleich bei der Hand sind."

Die Führer drangen in den Wald. Es sausete vom Sturm in den hohen Tannen, wie ein Meer. Die Knechte bahnten Weg durch die nassen Zweige des Unterholzes, noch immer bergan, bis der Bergrücken erstiegen war. Nach langem, vergeblichem Suchen ward endlich der Fußweg entdeckt, welcher über den Berg und den Gies= hübel, der Nähe willen, von den Leuten von Erlisbach zur Stadt gewählt zu werden pflegte, wenn sie dahin ihre ländlichen Waaren zu Markte trugen. Auf der Höhe, am Ausgang des Waldes, unter breiten Eichen machten die Ritter Halt. Sie konnten von da die Stadt drüben und unter sich die schmalen, langen Brücken über den Strom bei jedem Leuchten hell erkennen. Die Glocken schlugen zwölf Uhr Mitternacht. Der Regen schien nachzulassen, und das Gewitter, obwohl noch in der Nähe, doch im Scheitelpunkt vorübergezogen zu sein.

Alle beobachteten tiefes Stillschweigen, indem sie aufmerksam zur stillen Stadt hinüberspähten und horchten. Dann und wann schritt Freiherr Thomas ungeduldig hinaus in die Gesträuche, und in die sumpfige Vorfläche des Gieshübels. Immer war's ihm, als müsse jeden Augenblick ein heller Fleck in den Gassen, eine langsam auf= quellende Rauch= und Feuersäule sichtbar werden. Jeder Blitz durch= fuhr sein Innerstes mit frohem Schaudern und täuschte ihn doch nur. Er troff vom Regen, doch trat er nicht unter die Lauben der Wald= zweige. Seine Gestalt, wenn sie vom Wetterstrahl hell umstrahlt ward, seine düster ehernen Gesichtszüge, durch scharfe Schatten schneidend gehoben, der stiere Blick seiner hervortretenden Augen,

hatten etwas Furchtbares. Er glich einem Würgengel, der des Augenblicks harrte, da ihm eine Stadt fallen sollte.

Plötzlich wandte er sich zu seinen Gefährten, die zerstreut unter
den Bäumen saßen oder umherstanden, und rief: „Ei, verflucht,
was thut sich da auf? Gibt's Lärmen in der Stadt? Ich sehe einige
helle Fenster, wenn ich nicht irre; das ist in der Herberge zum
Löwen! Man wird wach!"

Die Ritter sprangen bei diesen Worten auf. Alle starrten durch
die Finsterniß hin; Alle horchten mit zurückgehaltenem Odem, durch
das einförmige Säuseln des Gewitterregens. Jach flammte ein gewaltiger Blitz. Wie heller Tag ward's. Der Boden ringsum schien
in Feuer zu wallen und jedes Blatt der Gesträuche zu brennen. Ein
zermalmender Schlag des Donners fuhr betäubend nach. Die Erde
zitterte. Finsterniß und Todesstille folgte. Man hörte einen schweren
Fall gegen die Erde.

„Jesus, Maria und Joseph! wir sind verloren! Hilfe! Verrath!
Morbio!" schrie Einer. Es war die Stimme des Junkers Jörg von
Knöringen. Er schien am Boden mit einem Fremden zu ringen.
Entsetzensvoll standen Alle eine Weile ohne Athem; Jedem sträubte
sich das Haar auf. Man hörte im Walde eilende Schritte. „Rette
sich, wer kann!" schrie einer von den Knechten schon aus der Ferne.
Im Hui stäubte Alles aus einander und davon; Thomas von Falkenstein mit den Andern, ohne Halt, ohne Rast, besinnungslos. Die
geflügelten Schritte der Fliehenden wurden noch flüchtiger, als das
Wehgeschrei des Junkers Jörg hinter Allen noch einmal durch den
öden Wald klang. Abergläubiges Schrecken, heillose, panische Furcht
hatte Jeden ergriffen.

Wirklich litt Keiner von Allen aber mit besserm Recht Grausen
und Entsetzen, als der unglückliche Jörg von Knöringen. Erschüttert
durch Glanz und Donner des letzten Blitzes, war er noch nicht zu
sich selber kommen, als über seinem Haupte ein Getöse laut geworden

war, unter welchem er sich zu Boden geschlagen fühlte. Er war nicht lange im Wahn geblieben, daß der Wetterstrahl die Eiche über ihn niedergeworfen habe; denn er hatte sich von einem lebendigen Wesen hart umkrallt gefühlt, welches er seinerseits selber in der ersten Bestürzung fest gepackt hatte, um an etwas zu halten. So lag er; nach seinem Hilfegeschrei halb bewußtlos, während die Begleiter davon gerannt waren.

„Goldsöhnchen, laß' ab von mir!" sagte endlich die wohlbekannte heisere Kehle: „Ich fiel im Schrecken vom Eichenast!"

Herr Jörg erstarrte fast, als er jene furchtbare Stimme dicht an seinem Ohr hörte, die ihm schon unterwegs das Herz zusammengezogen, und noch mehr, da das Schimmern eines frischen Wetterstrahls ihm ein altes, häßliches, schwarzhaariges Weibergesicht hell machte, welches mit krummer, spitzer Nase hart über ihm hing. Da stieß er einen zweiten Angstschrei aus.

„Schatz, laß' von mir ab! Ich thue dir nicht leid, Schatz!" flüsterte die Stimme des Weibes. Alle Haare seines Hauptes schienen ihm lebendig zu werden, und alle Muskeln seines Leibes spannte die Verzweiflung mit übernatürlicher Macht. In wahrer Riesenkraft schleuderte er das Gespenst von sich, welches ihn wie der Alp drückte. Er sprang vom Boden, drehte sich windschnell dreimal herum, und eilte, so schnell ihm die Beine dienen mochten, waldeinwärts. Zum Glück blieb er dem oben erwähnten Fußweg getreu, der ihn dem Dorfe zuleitete. Doch zehnmal entglitt er auf dem schlüpfrigen Thongrund. — Er schrieb jeden Sturz zur Erde nur der Here zu, die ihm durch alles Gebüsch nachzurasseln schien. — Angst verdoppelte, so oft er aufgestanden war, seine Kräfte zum Laufen, und brachte ihn endlich, da nach vorübergegangenem Gewitter schon Sterne durch die gebrochenen Wolken leuchteten, glücklich zur Burg von Gösgen.

Hier waren die sämmtlichen Bewohner wach. Fluchend, keuchend, träumend, nachsinnend saßen die Helden des Abenteuers, wie sie

VII.   9*

nach einander angelangt waren, zerstreut im großen Saale. Jörg von Knöringen erschien als der Letzte. Man hatte ihn schon für er= mordet gehalten. Alle wandten ihre Augen mit fröhlichem Erstaunen auf ihn. Er aber, erschöpft, warf sich auf den ersten besten der Lehnsessel, streckte die kothigen Füße von sich und seufzte: „Nun ist's mit mir aus!"

Auch war Herr Hans von Rechberg mit seinen Begleitern zu= gegen. Diese hatten, wie er und sie erzählten, sobald sie an dem jenseitigen Ufer der Aare gelandet, schon Nachrichten vom Mißlingen des Plans empfangen gehabt. Denn, wie sie sagten, sei ein starker Kerl odemlos zu ihnen an's Ufer gerannt, der ihre Bestimmung ge= kannt, und einer der beiden ausgesandten Zigeuner sein müsse. So= bald man ihm auf seine Fragen: ob die Herren aus dem Schlosse kämen, in's Oberholz wollten, ob die Andern schon zum Gieshübel wären? bejahend geantwortet, hätten sie von ihm vernommen, daß diese Nacht nichts aus dem Vorhaben werden könne. Sein Kamerad sei jählings, als er sich im Zwielicht allzukeck dem Oberthor genähert, um in die Gassen zu schleichen, von den Stadtknechten festgehalten, und statt nach Gewohnheit fortgejagt zu werden, in's Gefängniß geschleppt worden. — Doch Rechberg und die Seinigen hätten sich damit noch nicht begnügt, sondern den Gauner aufgemuntert, aber= mals mit ihnen umzukehren, auf irgend eine Weise in die Stadt zu gelangen, und irgend einer Scheuer einen brennenden Schwefel= faden umzulegen. Gern oder ungern wäre der Schelm bis zum Kreuz an der Mühle von Wöschnau mit ihnen gezogen, dort aber, bei der Bergschlucht, aus welcher der Bach vom Thale Roggenhausen hervorgeht plötzlich unsichtbar geworden. Lange hätten die Ritter darauf Angesichts der Stadt in Unentschlossenheit berathschlagt, end= lich aber, als das Gewitter und der Regen heftiger zu werden ge= droht, den Rückweg nach Gösgen angetreten.

Nicht so bestimmte Auskunft konnten ihrerseits Falkensteins Be=

gleiter von dem Vorfalle auf dem Gleshübel gewähren. Die Einen derselben behaupteten steif und fest, das wüthende Heer sei unter Donner und Blitz durch den Wald über ihre Köpfe hereingefahren. Deutlich hätten sie den wilden Jäger, seine höllischen Gesährten und die feurigen Hunde erkannt. Andere wollten Erdbeben empfunden haben, als wenn der Boden des Gleshübels eingesunken und ein Theil des Waldes krachend zusammengebrochen wäre. Wieder Andere schworen, Falkensteins Entwurf sei den Aarauern verrathen, der ganze Wald voll bewaffneter Bürger, Gangolf Trüllerey an der Spitze derselben gewesen. Dieser letztern Meinung schien Landgraf Thomas selbst geneigt zu sein.

Als nun Jörg von Knöringen, welchem Hans von Rechberg zur Herzstärkung eine ganze Kanne Weins eingeschüttet, Odem gewonnen hatte, richteten Alle zugleich ihre Fragen an ihn. Denn er war der Letzte auf dem Platz geblieben; sein Jammergeschrei war mehrmals durch den ganzen Wald gedrungen. Er konnte allein Auskunft geben.

„Hol' Euch der Teufel," rief er: „daß Ihr mich im Stiche ließet! Verwünscht sind Eure Wälder hier zu Lande, von deren Bäume die Hexen wie faule Aepfel fallen! Hätte sich mein gewaltiger Schutzpatron St. Georg nicht meiner armen Seele angenommen — ewig sei er gepriesen! — die verdammte Hexe, möge sie im allertiefsten Schwefelpfuhl der Hölle brennen! ja, wahrhaftig, sie würde mich ohne Rettung erwürgt haben. Ich konnte unter ihrer bleiernen Last keinen Finger regen, während sie mir doch schon ihre spitzen Satanskrallen zolltief, glaub' ich, in den Hals geschlagen hatte!"

Wiewohl Junker Jörg von Knöringen nach diesem Eingang seine Balgerei mit der Höllenbraut in der ausführlichsten Breite erzählte, mußte die ganze Geschichte durch den Aufschluß, welchen er geben wollte, nur noch räthselhafter werden. Nach langem Streiten, in welchem sich, unterstützt durch die Zauberkraft der gefüllten Becher,

die luftige Laune der Meiſten wieder herſtellte, ſagte Marquard von
Baldegg : „Edle Herren und Freunde, wir wollen Jedem unter uns
überlaſſen, von der dummen Teufelei zu halten, was ihm beliebt.
Nur acht' ich rathſam, nicht allzulaut davon zu reden, ſintemal man
uns tapfer auslachen würde. Denn es will mich bedünken, wir alle
haben in merklichen Haſenſprüngen, ſo lang Jeder die Beine ſtrecken
konnte, den Reißaus genommen, und, ohne eigentlich zu wiſſen,
warum, Ferſengeld bezahlt. Und das iſt der wahrhafte Grund, des=
willen ich glauben muß, Belial und Beelzebub ſelber ſeien im Spiele
geweſen, ſo frommen und freudigen Rittersleuten, als wir zu ſein
uns rühmen dürfen, einen Streich zu ſpielen. Denn, ſtraf' mich
Gott, ohne Wunder und übernatürliche Dinge wäre Keinem von uns
unter den Stiefeln die Abſätze lang, der Odem kurz, die Schritte
weit und das Herz im Leibe eng geworden.“

Die Geſellſchaft ſtimmte den weiſen Anſichten des Junkers gern
bei, und kam zum eigenen Troſte darin überein, daß die Aarauer
von dem ihnen gegoltenen Anſchlage nichts gewittert haben könnten;
auch daß der von ihnen eingefangene Gauner, ſeines eigenen Genicks
wegen, über ſeine Aufträge reinen Mund halten müſſe. Man ſetzte
ſich zur Morgenſuppe, deren mit Wohlgeruch aufſteigende Dampf=
wolken ſchon vom erſten Tagesroth gefärbt wurden, während die
Knechte des Schloſſes und der Ritter alle Roſſe geſattelt und reiſe=
fertig halten mußten. Denn je unglücklicher die Unternehmung gegen
Aarau ausgefallen war, um ſo mehr verſprach man ſich von dem
Entwurf auf Brugg.

21.

Eine Umfahrt von zween Tagen

Nur Thomas, der Landgraf, blieb von allen ſeinen Freunden
allein der, welchen die Verheißungen der Zukunft nicht ſo leicht über

den Verdruß trösten konnten, welchen die Gegenwart brachte. Ein Stolz, der sich vor dem unabwendbarsten Mißgeschicke nicht beugen, ein halsstarriger Troz, der auch der Macht aller Verhängnisse nicht weichen wollte, schien Erbfehler seines Geschlechts und in ihm fast zur Ungeheuerlichkeit ausgewachsen zu sein. Je mehr sich die Uebrigen nach und nach zufrieden gaben, je mehr schien seine geheime Wuth zu schwellen. Er stieß nur einsilbige Wörter vor. Seine Augen rollten düster und tückisch unter den buschigen, tiefen Braunen. Seine dicke Unterlippe war vorstehender und herabhängender, wie vom schamvollen Aerger über den vereitelten Entwurf, oder vom bittern Hohn der Rachlust niedergezerrt. Zuweilen schien er gar nicht an die Möglichkeit des nächtlichen Ereignisses glauben zu können. Er lehnte sich weit aus dem Fenster vor, als müff' er sich überzeugen, daß Aarau kein Aschenhaufen sei, daß der Thurm Rore noch stolz am Strom aufrage. Dann spiegelte sich finsterer Schmerz in seinem Blick; dann entfuhr seiner gährungsvollen Brust ein Seufzer; dann trieb der Zorn eine brennende Röthe über die braunen Backen. Er hob die geballten Fäuste, und murmelte einen neuen Schwur zwischen den Zähnen, daß er alle seine Schlösser und sein Leben daran setzen wolle, bis Aarau und der Thurm seines Todfeindes ausgebrannter Staub wären.

„Wir sind," rief er, „von den falschen, feigen Hunden, den Zigeunern, im Stich gelassen, sonst wär' heut' Alles schon abgethan; wir hätten den Königstein besetzt; wir hätten den Tuckmäuser Gangolf lebendig gefangen und gebraten. Ich nehme den Henker mit mir; und ohne Barmherzigkeit, wo mir einer der verfluchten Schleicher aus Aegyptenland in den Weg läuft, laff' ich ihn vom Leben zum Tode bringen!"

„Darin hast du gar nicht Unrecht, Vetter," sagte Marquard: „Es dünkt mich überhaupt, dir stehe, als tapferm Kriegsmann, übel an, dich mit dem heidnischen Gesindel einzulaffen. Das hält's mit bem Teufel; wir aber, straf' mich Gott! sind ehrliche Christen, die mit dem Schwert uns Recht schaffen können, ohne nach Koth zu greifen. Nichts für ungut, aber dir ist ganz recht geschehen, und der Satan hat uns diese Nacht dafür Alle weidlich genedt."

„Ja, bei St. Georg und den zehntausend Rittern!" schrie der Herr von Knöringen: „Lieber wollt' ich den Freihof und den Thurm mit dem Degen, am hellen Tage erstürmen, als mich noch einmal mit der Brut des Moloch in einer so abscheulichen Nacht katzbalgen. Es wird mit dem Gangolf noch aufzunehmen sein, und wäre der starke Simon selbst nur ein schwindsüchtiges Knäblein gegen ihn. Ich habe all' mein Lebtage gehört, die Trüllerey's von Aaran wären wenigstens ehrliche, gottesfürchtige . . . ."

„Nein, nein!" brüllte Thomas: „Kein ehrlicher Tropfen Blutes in irgend einem Trüllerey! Kein adelicher Funke mehr in diesem Pack, das sich längst mit Bürgern, Bauern und Leibeigenen gemein gemacht hat! Dabei hängt es mit Leib und Seel' den Eidgenossen an und hat mit ihnen unsern Untergang geschworen. Darum beschimpfte der meineidige Gangolf öffentlich vor der Ritterschaft mein Haus, meine ihm verlobte Nichte, mich selbst. Gestern noch überfiel der Buschklepper hinterrücks, ohne Fehde angesagt zu haben, das Fräulein von Falkenstein und stach zwei der edelsten Rosse meiner Diener nieder. Aber, aber . . ." Hier unterbrach sich der Freiherr mit einem innigen geheimnißvollen Lächeln des Grimms, indem sich die Fäuste wieder krampfhaft ballten, und seine Augen sinnig empor starrten: „Aber er wird gezüchtigt! Eine Rache, wie ich für ihn ausbrüte . . . ja, daß ich sein Schlangennest ausbrenne, Spaß ist's! aber — sein Herz soll langsam unter Höllenleiden verbluten, wenn ich . . ja, vor seinen Augen will ich, wenn . . ."

Der Freiherr schwieg. Er schien etwas Gräßliches im Wurf zu haben, und sich nur darum zu unterbrechen, weil, indem er geredet hatte, sich seiner Einbildungskraft noch gräßlichere Plane aufdrangen, vor denen sich nicht sein Herz, sondern seine Zuversicht entsetzte, daß sie ausführbar wären.

„Du bist auf gutem Wege!„ sagte Rechberg: „So freust du mich."

„Du machst der Worte zu viel, Vetter; das allein hab' ich wider dich!" rief der Herr von Baldegg: „Die Sonne geht auf; die Pferde stehen gesattelt. Fort, fort! Ich fürchte, Brugg läuft uns von dannen, wie Aarau. Wenn ich eine einzige Waffenthat gesehen habe, will ich der Worte so viel hören, als du zu geben Lust hast."

Der Freiherr sammelte sich, bat seine edeln Genossen um nur kurze Frist, und verließ sie. Er nahm weder von seiner Gemahlin, noch von seiner Nichte Abschied, sondern ertheilte dem Schloßvogt mancherlei geheime Befehle, und hielt noch lange Unterredung mit dem Lollhard. Dann kam er in heiterer Miene, als sei ihm etwas wider Erwarten wohlgelungen, auf den Burgplatz, wo Ritter und Knechte schon mit Rossen längst versammelt standen und seiner harrten. Sobald er kam, schwangen sich die Herren in die Sättel. Die Knechte folgten. Auch der Freiherr, dem mit entblößtem Haupt in großer Ehrerbietung der Schloßvogt den Steigriemen hielt, saß auf. „Rudi," rief er dem Vogt zu, „es kann dir nicht fehlen. Die Lockpfeife hab' ich dir gegeben. Fängst du mir die Wachtel, meld' es unverzüglich! Ein Geschenk halt' ich dir bereit, wie du noch keines empfangen." So sprach er und sprengte zu den Vordersten. Der ganze Zug setzte sich in Bewegung. Den Schluß machte, in ziemlicher Entfernung von den Uebrigen, Meister Hämmerli, der Scharfrichter von Falkenstein, mit zween Knechten.

Der Morgen leuchtete anmuthsvoll durch die von den Nachtgewittern erfrischte Landluft. Um die Bergfirnen des Jura schwammen blaßgoldene Schleier halbdurchsichtiger Wölkchen. Jedes Blatt, jeder Halm trug seinen Regentropfen, wie einen Diamant. Statt des Stromes wand sich durch die stundenweiten Ebenen des Aarthales

eine breite Nebelbande, den Lauf des Flusses bezeichnend und ver-
hüllend. Und wie die Sonne über den Zinnen von Lenzburg's und
Aarau's Thürmen höher stieg, trat Leben in die todten Nebel, die
sich wolkenhaft über den Fluß im Goldlicht zusammenrollten, erhoben
und der Tageskönigin entgegenschwangen, ihr gleichsam Huldigung
zu bringen.

Der anfangs etwas lärmende Zug der Reisigen ward auf dem
rauhen Wege durch die Waldhügel gegen den Benkenberg nach und
nach stummer. Man hörte nur das Geklitter der Waffen, und, unter
dem unsichern Schritt der Pferde, das Gerassel der Steine, die der
Regen von den Höhen in die Wege niedergeschwemmt hatte. Nur
Falkenstein, wenn er zufällig rechts durch sich öffnende Schluchten,
oder von freien Hügeln, die Stadt Aarau erblickte, und den grauen
Thurm Rore sah, der stolz in der Morgenpracht ihn zu höhnen
schien, murmelte Flüche. Ganz andere Empfindungen, mußte man
glauben, wurden in seiner wilden Brust herrschend, als er zwischen
den erhabenen Felsen der Geißflue und Wasserflue, vom Rücken des
stillen Benken, noch einmal die Augen zurückwandte nach den Ein-
samkeiten der Harb. Das Harte seiner Gesichtszüge schwand, und
sowohl sein Blick, als ein halbunterdrückter Seufzer verkündete eine
Art schwermüthiger Sehnsucht.

Der Weg wandte sich, auf der Mitternachtseite des Gebirgs im
Schatten der Gebüsche, neben einem rauschenden Bach, gegen die
ärmlichen Hütten des Oberhofs zum Thale von Wölflinswyl. Bald
schloß sich die lachendere Landschaft des Frickgau's auf, in deren
Hintergrunde der Schwarzwald, jenseits des Rheines, seine finstern
Gebirgsmassen wie einen blauen Vorhang aus einander breitete.

Je näher die Ritter gen Lausenburg kamen, je fröhlicher ward
ihr Geist in der Hoffnung theils des Wiedersehens einer zahlreichen
und lustigen Gesellschaft, die sie für die Mühseligkeit und Noth der
letzten Nacht schadlos halten sollte, theils der kriegerischen Abenteuer,

— 281 —

benen sie in diesen Tagen vorbehalten waren. Nur Thomas von Falkenstein, und Rechberg nebst Marquard, die an seiner Seite zuvorderst ritten, redeten halbleise unter sich das Bestimmte über das Unternehmen gegen Brugg ab. Es ward festgesetzt, daß Rechberg und Thüring von Hallwyl die ganze Macht der Ritter und Reisigen bei Laufenburg zusammenziehen, Falkenstein aber unterdessen einen Besuch in Brugg machen solle, um die Stadt, falls sich übler Argwohn von Aarau dahin verbreitet hätte, einzuschläfern. Die beiden Herren von Balbegg, welche nach Brugg verburgrechtet waren, wurden bestimmt, den Landgrafen dahin zu begleiten. Denn die Stadt sollte ohne Gewalt, ohne Blutvergießen, durch bloße List überrumpelt werden; Falkenstein sich stellen, als komme er von Zürich, um den Bischof von Basel zu holen, zwischen Zürich und den eidgenössischen Belagerern dieser Stadt Frieden zu vermitteln. Man lachte im Voraus über diesen Faschingsstreich und über die Augen, welche die betrogenen Brugger beim Einzug des Herrn Bischofs machen würden, dessen Rolle Hans von Rechberg sich vorbehielt selber zu spielen.

In solchen Unterhaltungen zogen sie durch die finstern, weiten Waldungen längs dem Rhein hin, bis sie nahe vor sich die Stadt Laufenburg und dicht vor derselben auf dem felsigen Hügel das weitläufige Schloß mit den starken Thürmen und hohen Mauerzinnen erblickten. Da schwiegen Alle. Denn der Anschlag auf Brugg sollte den Nichteingeweihten Geheimniß bleiben. Das Städtlein wie das Schloß Laufenburg, war mit allerlei Kriegsvolk besetzt. Noch sah man an den frischen Ausbesserungen der Stadtmauer, welchen Schaden das grobe Geschoß der Berner und Baseler angerichtet hatte, die mit ihren Schlachthaufen ein Jahr vorher davor gelegen waren.

Die Ritter wurden in der Burg mit Jubel empfangen, wo Thüring von Hallwyl, Hans von Falkenstein und Andere schon längst ihrer geharrt hatten. Alle brannten in wilder Ungeduld, den Krieg

283

wider die Eidgenossen ihrerseits anzuheben. Ritter Burkhard Münch hatte frische Botschaft aus dem Elsaß gesandt, daß der Dauphin mit den Franzosen auf dem Weg wäre gegen die Schweizergrenzen, um die Stadt Zürich von ihren Belagerern zu entschütten. Der römische König Friedrich hatte auf dem Tage zu Nürnberg die Eidgenossen vor dem ganzen Reich angeklagt, und die Churfürsten, Fürsten und Herren und Städte des Reichs ermahnt, wider die Schweizer zu ziehen. Nun wurde erzählt, wie mannhaft die Zürcher bis jetzt noch wider die vereinte Macht aller Eidgenossen stritten, obwohl sie zu Wasser und zu Land umlagert wären; wie sie des Reiches Panner, zu St. Peter und von andern Thürmen herausgestoßen, wehen ließen; den Eidgenossen, zum Spott, als Kühe zubrüllten und ihnen das Feldgeschrei: „Hie Oesterreich!" in täglichen Gefechten, Ausfällen und Scharmützeln durch die Ohren gellen ließen. Doch verhehlte man nicht, daß die Noth der tapfern Stadt täglich steige, und es hohe Zeit wäre, durch große Unternehmungen die Aufmerksamkeit der Eidgenossen nach andern Richtungen zu ziehen.

Landgraf Thomas, nachdem er sich im Schlosse erquickt und die letzten Abreden genommen hatte, säumte nicht, saß rasch mit den beiden Baldeggern und einigen Knechten zu Pferde, und ritt noch denselben Tag über Waldshut nach Zurzach.

In der Frühe des andern Morgens brachen die Ritter auf nach Brugg. Das Geläute der Sonntagsglocken scholl von allen Dörfern. Auf Landstraßen und Fußwegen durch die Felder wandelten die frommen Bäuerinnen von entlegenen Höfen und Weilern der fernen Pfarrkirche zu; Alle festlich gepuzt, einen Blumenstrauß und Rosenkranz sittsam in den vor sich zusammengefalteten Händen. Mit nicht gar sonntäglichen Gedanken musterten ihrerseits die Ritter die Gestalten der ländlichen Schönen, die mit ehrerbietiger Verneigung und niedergesenkten Augen grüßend an ihnen vorbeigingen, dann von Neugier gefesselt in einiger Entfernung hintenher stehen blieben, den Herren nachſahen, und, wenn dieſe den Kopf wandten, mit lautem Gelächter davon ſprangen.

Glücklicher, als gewöhnlich, trafen die Reiſenden, als ſie nach einigen Stunden zur Stilli an die Aare gelangten, den Fährmann am rechten Ufer, alſo daß ſie ſogleich überſchiffen konnten. Eine junge Bäuerin war auf dem Waſſer ihre Gefährtin, die vielleicht ohne den ſteifen Sonntagsputz noch ſchöner geweſen wäre. Dieſe Blauaugen, dies muthwillige Geſicht, dies Goldhaar, welches ſich in dicken Flech= ten am Hinterhaupt um die breite, löffelförmige Silbernadel wand, der zierliche Arm mit bauſchigt über den Ellenbogen aufgeſtreiften Hemdärmel, hätten auch an Höfen Eroberungen machen können. Aber das ſchwarze Göller, wie eine Schiene von Eiſen um den Hals geſchloſſen, der Bruſtlatz, welcher gleich einer bretternen Bruſtwehr den Buſen zuſammendrückte, und mit ſeinen Zinnen faſt zum Kinn aufragte, der kurze ſchwarze Rock mit zahlloſen, eingenähten, kleinen Falten, welcher glockenartig breit von beiden Hüften abſtand, hin= gegen kaum hinab über die Knie reichte, die ſcharlachrothen Wollen= ſtrümpfe mit bunten Zwickeln, würden ſelbſt den Wuchs einer Venus zur Ungeſtalt verkrüppelt haben. Indeß erinnerte ſowohl die Nähe dieſer Reiſegefährtin, als des Thurmgetrümmers der Freudenau links, den edeln Marquard von Balbegg an jenen abenteuerlichen Sprung, den er der ſchönen Begutte willen vor einigen Monaten, durch Gangolfs Geſchicklichkeit oder Kraft, gemacht hatte.

Wie man auf Reiſen wohl pflegt, gab Marquard, gegen die Freu= denau zeigend, der ſie ſich langſam näherten, das Geſchichtchen zur Unterhaltung ſeiner Begleiter zum Beſten; mit ausführlicher Malerei des alten Lollharden und ſeiner Bußpredigten, der reizenden Begutte und ihrer Schüchternheit, ſeiner Verſuche, ſich des artigen Kindes zu bemeiſtern, und der eiferſüchtigen Grobheit Gangolfs. — Je aus= gelaſſeneres Gelächter Hans von Balbegg bei der Erzählung ſeines Bruders über die Aare ſchallen ließ, je düſterer ward der Falten=

wurf von des Landgrafen Geſicht. „Du biſt mein Vetter, Marquard,“ ſagte er ärgerlich, „aber bei den Weibern ein ſchamloſer Geſell.“

„Oho!“ rief Marquard lachend: „ſeit wann biſt du, Thomas, unter die Heiligen getreten und ein Feind der Schönen geworden? Nahmſt doch ſonſt kein Bedenken, wie ich mich wohl erinnern mag, die Paradieſe zu lieben, und bei mancher Eva die Schlange am Baume der Erkenntniß zu ſein.“

„Du unterſcheideſt nicht; dir ſind Perlen und Kieſel gleich!“ erwiederte der Landgraf: „Danke deinem Schöpfer, du biſt mein Vetter, aber ich hätte dich zu den Füßen der Begutte todt nieder= geſtreckt.“

Beide Baldegger erneuerten ihr Gelächter, indem ſie den Frei= herrn von allen Seiten beſchauten, ob er oder ein anderer es ſei, der mit ihnen redete? Er aber gebot den Fährleuten gebieteriſch, anzulegen an's Land, als ſie in der Nähe der Burgtrümmer eben im Begriff waren, das Ufer zu verlaſſen, und dem Strome folgend, quer über die Aare den Hütten der Stilli zuzurudern. Er ſtieg an's Land. Die Baldegger begleiteten ihn auf ſeine Bitten zur Ruine. Marquard führte ihn zum Gewölbe, zeigte, wo Jeder geſtanden und geſeſſen, und fluchte über ſich ſelbſt noch einmal kräftig, daß er Narr genug geweſen ſei, dem Gangolf nicht den Kopf geſpalten, das arme Mädchen nicht zu ſich auf den Sattel genommen, und es von dem wüſten Begharden erlöst zu haben, der es in der Welt umherſchleppe. Der Freiherr von Falkenſtein ſchritt langſam im Ge= wölbe umher; ſeine Augen ſchienen Verlornes zu ſuchen. Er ſetzte ſich einige Augenblicke auf die hölzerne Bank, wo die Begutte ge= ruht hatte; ſprang dann haſtig auf und ging mit ſeinen Gefährten wieder zur Fähre ohne ihren Scherzreden etwas zu erwiedern. Als aber der geſchwätzige Marquard ſagte: „Gangolf Trüllerey iſt nicht halb ſo züchtig und ehrbar, denn du, Vetter Thomas! Straf mich Gott, wenn die Begutte nicht im Thurm Rore bei ihm andere Ave

Maria's betet, als beim alten Lollharben!" da ergriff das Wort
Falkensteins ganzes Wesen auf seltsame Weise. Man sah ein un=
willkürliches gichtisches Zucken seiner Gesichtsmuskeln, und mit den
Händen fuhr er vor sich hin, als fühl' er Schwindel.

„Ist's mit dir Matthäi am Letzten?" rief ihm Marquard etwas
erschrocken zu! „Was verzerrst du das Gesicht, und haschest nach
Mücken, wie einer, der verscheiden will?"

„Tröste Gott seine arme Seele!" rief Thomas von Falkenstein
mit gedämpfter und doch löwenartig brüllender Stimme: „Das
schwör' ich euch bei meinem Leben, der Hund im Thurm Rore soll
den heurigen Wein nicht schmecken. Sind wir fertig mit Brugg,
muß Aarau an den Tanz! Fort, fort!"

Sie waren am andern Ufer; schwangen sich auf die Rosse, und
sprengten den jähen Rain aufwärts gegen Brugg. Es war noch nicht
Mittag, als sie der Stadt ansichtig wurden. Falkensteins Unmuth
schien sich zu legen, je näher sie kamen. Seine Seele ward von dem
Gedanken an das gemeinschaftliche Unternehmen erfüllt, das vor ihm
lag. Marquard jauchzte. „Wär ich achtundvierzig Stunden älter,"
rief er, „ich söffe mir ein Räuschchen. Ihr Brugger sollet mit
schweren Zinsen zurückzahlen, was mir eure gnädigen Herren und
Obern von Bern am Schenkenberg gesündigt und gestohlen haben!
Führe du das Wort zu Brugg, Vetter Thomas, denn mir kocht die
Galle heiß, wenn ich mit den Spießbürgern zu schaffen habe, deren
Banner ich bisher demüthig folgen mußte. Indem, will's dir ehr=
lich gestehen, mit der Degenklinge kann ich reden, Finten machen
und beweisen: mit meiner Zunge will's nicht fort. Zum Staats=
mann taug' ich so wenig, als der Rabe zum Chorsingen; kann nicht
den Katzen streicheln, nicht in's Gesicht lügen und vorn lecken und
hinten kratzen."

Auf der Brücke grüßte die einziehenden Ritter der Thorwächter
der Stadt, indem er die Pelzkappe abzog und sich ehrerbietig so tief

verbeugte, daß seine Stirn fast den Fuß des Freiherrn von Falken=
stein im Steigbügel berührte: „Glückseligen, guten Morgen, gnädige
und wohlgestrenge Herren!" sagte er: „Schon früh auf dem Weg
am heiligen Sonntag! Schon weit her? möcht' ich fragen, wenn's
mir geziemte, gnädiger Herr Gevatter."

„Du bist ein kluger Bursche, Gevattersmann," antwortete
Falkenstein, der dem Thorwart vor einigen Jahren ein Kind aus der
Taufe gehoben hatte: „so magst du's wohl wissen! Wir kommen
aus dem Lager von Zürich, und reiten gen Basel zum Bischof. Es
ist daran, daß der Friede mit den Eidgenossen besiegelt werden soll."

„Gott im hohen Himmelsthron sei gelobt und gepriesen!" rief
der Thorwächter und tanzte, die Pelzmütze zwischen den gefalteten
Händen, in lustigen Bockssprüngen neben den Rittern her: „Friede
also? Keiner Seele verrath' ich ein sterbendes Wörtlein! Also
richtig! Gnädiger Herr Gevatter, das ist eine Freudenbotschaft,
wie wir in Brugg lange keine vernahmen. Ich will vom Thurm
blasen, wenn das heilige Friedenswerk vollendet ist; mit allen himm=
lischen Heerschaaren will ich um die Wette blasen; Gott geb' Euch
tausend Glück und Segen auf den Weg, gnädiger Herr Gevatter!"

Sie ritten den schroffen Rain hinauf in das Städtlein zur Her=
berge, wo sie ihr Mittagsmahl bestellten. Bis es bereit wurde,
gingen sie durch die Stadt, wo sie leutselig mit den ihnen wohl=
bekannten Bürgern redeten, die vor den Häusern im Sonntags=
gewand umherstanden, und sich gegenseitig um Neuigkeiten befragten.
Das Erscheinen der drei adelichen Mitbürger und die wichtige Miene,
mit der sie von ihrer eiligen Sendung nach Basel redeten, dort zur
Abschließung des Friedens den Bischof abzuholen und in's Feldlager
der Eidgenossen zu begleiten, erfüllte Alles mit Glauben und Freude.

Nicht mit so großer Zuversicht empfing der greise Schultheiß
Ludwig Effinger die Neuigkeit, als der Landgraf, nebst den beiden
Brüdern von Baldegg, ihm den Ehrenbesuch abstattete. „Möge Gott

mit all feinen Heiligen den rechtschaffenen Männern beistehen, die am Frieden arbeiten!" sagte er: „Allein ich zweifle, daß es heut' damit ernstlicher gemeint sei, denn bisher. Zürich ist vom Schweizerbund abgefallen. Die Helfer aus Winterthur, der Abel aus Thurgau, der römische König, welcher das heilige Reich wider uns in Harnisch bringen, der König von Frankreich, welcher Eroberungen machen will, finden an der Eintracht der Schweizer und an der Rückkehr Zürichs zur Eidgenossenschaft keinen Vortheil. Warum sollten sie Frieden begehren? Die Schweizer bieten ihn täglich, sobald das abtrünnige Zürich den Bund mit Oesterreich fahren läßt. Man will ihn nicht."

„Herr Schultheiß," entgegnete der Landgraf, „Ihr sehet die Dinge noch in der Lage, wo sie sich vor einigen Wochen befanden; und damals hattet Ihr Recht. Allein es gibt keinen schlechtern Kitt, als den Eigennutz, der die Freundschaften der Höfe zusammenhalten soll. Die deutschen Fürsten zeigen keine Begierde, sich für Vergrößerung des Hauses Oesterreich zu opfern, und die Franzosen zuviel Begierde, ihr Reich bis an den Rhein und bis in das Innere der Schweiz auszubreiten. König Friedrich, von jenen verlassen, von diesen bedroht, ist daher gern geneigt, zurückzutreten, sobald es, unbeschadet seiner königlichen Ehre, geschehen kann. Zürich allein kann der Gesammtheit der Eidgenossen nicht lange widerstehen. Sein Gebiet liegt verwüstet. Damit werdet ihr Euch erklären, wie der Friede nun Allen wünschbarer geworden sei, denn jemals."

Ungläubig lächelnd schüttelte der Schultheiß sein weißes Haupt und sagte: „Denket an mein Wort, edler Freiherr, die gezückten Schwerter kehren nicht in die Scheiden zurück, bevor sie stumpf oder gebrochen sind. Leidenschaften sind gewaltiger, denn Klugheit. Frankreich und Oesterreich lassen nicht von der Schweiz ab, bis entweder ihre Heeresmacht in unsern Thälern begraben liegt, oder ihre gegenseitige Eifersucht sich wider einander bewaffnet und der Scheidewand froh wird, die unsere Alpen zwischen beiden Grenzen bauen. Oesterreich aber läßt seine Entwürfe wider uns noch lange nicht fallen, und der Adel nicht seine Hoffnungen, die freien Städte und Länder wieder unter sein Joch zu bringen. Man will keine Freiheit in Europa bulden. Man fürchtet die Nachahmung unsers Beispiels von den seufzenden Völkern Wir leben im Anfang eines tausendjährigen Krieges, eines Krieges auf Tod und Leben. Es gilt um Freiheit oder Knechtschaft des menschlichen Geschlechts. Das Haus Oesterreich will den Feuerbrand nicht so nahe vor seiner Thür. Ihr wisset, wie schon die Tiroler gesagt haben: Wir wollen Schweizer werden! Das vergißt uns Oesterreich nie."

„Ich hätte nicht gemeint, Herr Schultheiß," sagte Hans von Baldegg, „daß jemals die Zunge eines Effingers so laut wider das erlauchte Erzhaus eifern könne!"

„Meine Vorältern," versetzte der Greis, „haben dem Hause Habsburg wohl gedient. Mein eigener Vater ist vor sechszig Jahren mit dem Herzoge vor Sempach gefallen. Seitdem hat Oesterreich seine Rechte an uns aufgegeben. Heut' dien' ich mit Effingerscher Treue meinen gnädigen Herren zu Bern und den Eidgenossen. Ich hoffe, gesammter Adel im Aargau kennt keine andere Ehre, als seine beschworne Pflicht."

„Beschworne Pflicht!" rief Marquard: „Straf' mich Gott, ich meine, der Adel ist wohl so frei, als die Stadt Bern; und Bern selbst ist noch Angehörige von Kaiser und Reich, gleichwie jeder Edelmann."

„Still, Vetter!" rief Thomas von Falkenstein dazwischen: „Davon ist hier die Rede nicht. Unsere Sache ist nicht, den Streit, sondern den Frieden zu erneuern. Wir, Herr Schultheiß, wollen Freunde bleiben. Heut' ziehen wir nach Basel. Vielleicht treffen wir den Bischof schon unterwegs an. Veranstaltet auf mein Ehrenwort, was zur großen Friedensfeier würdig ist. Wir, als Eure Mitbürger, wollen Eure Gäste sein."

Damit beurlaubten sich die Ritter, das Mittagsmahl in ihrer Herberge zu suchen, welches sie abgelehnt hatten, von der Gastfreiheit des Schultheißen anzunehmen. Wie sie aber in der Herberge schon zu Tische saßen, öffneten sich die Thüren, und der Großweibel in Mantel und Stab, gefolgt vom Kleinweibel und den Stadtdienern, trat herein. Die Letztern hielten in glänzenden Silberkannen den Ehrenwein, welchen sie aus Auftrag von Schultheiß und Rath der Stadt Brugg überbrachten. In einer wohlgesetzten, zierlichen Rede bat der Großweibel die edeln und gestrengen Herren, Namens des löblichen Rathes und gesammter Bürgerschaft, diesen geringen Beweis der Hochachtung gnädig aufnehmen zu wollen, welchen sie, als Mitbürger und Mitarbeiter am heiligen Friedenswerk, so wohl verdient hätten. Der Landgraf dankte freundlich im Namen seiner Reisegefährten, und brachte den Weibeln zu Handen des Rathes den ersten Trunk zu, welche sich darauf mit tiefen Verbeugungen wieder entfernten.

Die Ritter schienen zu fühlen, daß diese Ehren- und Freundschaftsbezeugungen ihnen jetzt eben am wenigsten gebührten. Sie tranken schweigend den edeln Rebensaft, den ihnen gastgefällig eine Stadt darbot, über deren Untergang sie brüteten. Auch verließen sie dieselbe, sobald ihre Rosse bereit standen, eilfertig, und begaben sich über den Bötzberg zurück in den Frickgau. Mit der beginnenden Nacht trafen sie wieder bei ihren Gesellen in Laufenburg ein.

31.

Die Mordnacht.

Hier verstrich der folgende Morgen in kriegerischer Geschäftigkeit. Dolche, Schwerter, Armbrüste, Büchsen wurden in Stand gesetzt; Koller, Harnische, Pickelhauben geputzt; die Pferde untersucht; die

VII.   10

Mannschaft truppenweise gemustert. Nur die Vornehmern wußten, wohin es gehen werde. Die meisten Uebrigen riethen nach Zurzach und Schaffhausen. Ein Eilbote war schon den Abend zuvor nach Bern gegangen, der den Absagebrief der Falkensteine dahin trug.

Nachmittags setzten sich die Rotten der Kriegsleute in Bewegung; alle zu Pferde. Es waren ihrer fünf- bis sechshundert. Sie ritten in weitgedehntem Zuge langsam und paarweise zwischen dem Gebirg und dem Rheinufer aufwärts, bis das Blitzen ihrer Waffen dem neugierigen Blick der Nachschauer zwischen Gebüschen und Wäldern, jenseits der Thalschlucht von Sulz, erlosch. Dann drehten sich die reisigen Schaaren gegen das Innere des zweiten Gebirgschlundes, welcher ihnen zur Rechten hinter einem Vorhang von Tannen und Buchen verborgen lag. Ein wilder Bergstrom führte sie vorüber an den armen Hütten von Mettau und Gansingen, und nach einigen Stunden zur Höhe des Gebirgs. Von hier, auf kaum gebahnten Pfaden, die Rosse am Zügel leitend, wanderten sie bei nächtlicher Dämmerung das felsige Mönthal nieder. Ehe sie noch daselbst zu den wenigen zerstreuten Hütten gelangten, befahl Thomas von Falkenstein, Halt zu machen, und die Führer der einzelnen Haufen zu versammeln.

„Jetzt ist es an der Zeit, edle Herren," sprach er, „den tapfern Leuten, die Euch folgen, das Geheimniß unsers Unternehmens aufzuschließen. In wenigen Stunden heben die Feindseligkeiten an. Die aargauischen Städte müssen der Reihe nach folgen, Brugg soll den Reigen führen. Gefahren haben wir diese Nacht keine zu bestehen, sondern nur zu erobern und gute Beute zu machen, im Fall uns gelingt, unverrathen die Stadt zu erreichen. Was wir erbeuten, wird auf Schiffe gebracht, und die Aare hinab zum Rhein und nach Laufenburg. Dort wird getheilt. Graf Görg von Sulz soll sich, während die Uebrigen in's Thor bringen, der Schiffe am Aarufer versichern und sie bemannen. Jörg von Knöringen, Hug

von Hegnau und Fritz vom Haus, sperret mit Euern Leuten alsbald
die Ausgänge der Stadt, damit kein Vogel aus dem Nest entwische.
Bentelin von Hemmenhofen, Marx von Embs, Balthasar von
Blumenegg, Ihr werdet die Vornehmsten, besonders die Raths-
herren und Schultheißen, aus den Federn holen, im österreichischen
Hause versammeln und bewahren; Schneiderhans wird Euch führen.
Der kennt jedes Haus, jeden Durchgang, jeden Mann, und wird
ihrer keinen übersehen. Denn als er vor einigen Jahren mit losen
Streichen die Stadt verwirkt hatte, sprachen sie einmüthig seine Ver-
bannung aus. Nun hat er Lust, statt Gnadenstimmen zu fordern,
Gnadenstöße zu geben. Ihr dürfet trauen. Hans von Rechberg,
Thüring von Hallwyl, die Herren von Baldegg bilden mit mir die
Vorhut, die Uebrigen sollen indeß in der Entfernung von einigen
hundert Schritten folgen. Ist die Stadt einmal erbrochen, werd'
ich Allen zur Hülfe sein."

Während er diese und andere Befehle gab, hatten sich die Haufen
nach und nach auf der Bergwiese näher herbeigedrängt, ihn zu
hören. Plötzlich drehten sich alle Köpfe seitwärts, ein Murmeln der
Verwunderung oder Furcht durchlief die Menge. Man sah, im ungewissen Zwielicht, der Menge mit langsamen Schritten einen wie
es schien vornehmen Herrn, mit ehrerbietigem Gefolge, vom Berg
herab an der Außenseite der Versammlung hinreiten. Er war in
einen weiten Mantel verhüllt, trug aber einen Hut, wie ihn an-
gesehene Priester oder Bischöfe zu tragen pflegen. Unter denen, die
ihm paarweise folgten, erkannte man deutlich Personen, welche in
die Ehrenfarben von Basel gekleidet waren.

„Still!" rief der Freiherr mit gedämpfter Stimme: „Sehet
Ihr nicht, daß es der Herr von Rechberg ist, welcher uns diese Nacht
als Bischoff von Basel begleiten und unser frommes Werk segnen
muß? Entfernet alles Geräusch. Keiner lache, keiner plaudere, huste
oder niese. Wir müssen auf Katzensohlen an's Thor schleichen!"

Darauf ritt er zum vermeintlichen Bischof und langsam an seiner
Seite voraus. Ihm folgten die beiden Herren von Balbegg; diesen
die Ehrenfarben von Basel; diesen als Tagboten, Schreiber und
Diener einige andere Paare, alle in Mänteln. In einiger Ferne
folgte schweigend der lange Zug der Uebrigen. Dumpf dröhnte der
Huf der Rosse durch die Wiesen und schlafenden Dorfschaften. Was
noch in den Häusern wachte und die beweglichen schwarzen Reihen
so vieler Reisigen vorübergleiten sah, schwieg voller Furcht und Entsetzen und ahnete Böses für das ganze Land. Ein einziger Mann
von herzhaftem Sinn meinte, er müsse die Stadt Brugg warnen,
und sprang, als der Zug, der kein Ende zu nehmen schien, an ihm
vorüber war, heimlich auf Seitenwegen davon, der Stadt zu. Wie
er aber, unter der kurzen Steige, von der Wiese seitwärts in den
Fahrweg treten mußte, erblickte er die Vordersten schon in der Nähe.
Darum verdoppelte er seinen Lauf. Der Schall seiner Schritte
verrieth ihn, und die Eile gen Brugg machte ihn verdächtig. Jach
sprengten ihm Falkenstein und Rechberg nach und riefen: Steh'!
als sie ihn schon zwischen den Rossen hatten.

„Wohin so behend, Landsmann?" fragte ihn der Landgraf.

„Gen Brugg!" erwiederte ebenlos der Mann: „Um tausend
Gotteswillen lasset mich, ich hab' ein Kindlein in Todesnöthen daheim."

„Du bist aber nicht aus der Stadt!" sagte Falkenstein: „Wie
heißest du?"

„Hans Geißberg heiß' ich, gestrenger Herr von Falkenstein!"
erwiederte der Bauer: „und gehe in den Arzneiladen." Damit
that er einen gewaltigen Sprung hinaus vor die Pferde, um zu entkommen. Hans von Rechberg ihm nach. „Weg mit ihm; der kennt
uns!" rief der Landgraf. Bald darauf hörte man einen durchdringenden Schrei. Es ward still. Als die Vorhut zur kurzen Steig
kam, sah man den Leichnam des Mannes am Wege liegen. Die
Rosse alle gingen scheu in weitem Bogen daran vorüber.

Es war eben Mitternacht vergangen, als aus den dunkelgrauen Nachtnebeln des Aarestroms die schwarzen Gebilde der Stadtthürme und Mauern von Brugg wie wachsende Schatten hervorstiegen. Ihre verworrenen Umrisse gestalteten sich immer bestimmter, je näher man kam. Der Landgraf hieß nun diejenigen, welche die Farben der Stadt Basel trugen, als Ueberreiter vorausfraben, und an die Pforte des Aarethores pochen. Sie gehorchten zu wiederholten Malen. Alles lag im ersten tiefen Schlaf. Endlich rief vom Thurm des Thores die Stimme des Wächters herab: „Wer klopft und lärmt drunten bei später Nachtzeit?“

„He, Gevatter, kennst du Falkenstein nicht?“ antwortete der Landgraf: „Der Herr von Basel ist hier. Thu' auf! Wir bringen Frieden und eilen nach Zürich in das Lager unserer Herren von Bern. Auf, auf! wir eilen, Gevatter, auf!“

„Gottes Wunden!“ schrie der Wächter mit fröhlicher Stimme: „Hätt' ich das nicht geträumt! Alsogleich, gnädiger Herr Gevatter, alsogleich wird aufgethan! Gottes Wunden, nur um ein Kleines Geduld!“

Nach einer Weile rasselte das Schloß der Pforte unter den großen Schlüsseln; die schweren Riegel kreischten, wie sie zurückgezogen wurden, und die Thorflügel gingen knarrend aus einander. Ehrfurchtsvoll trat der Wächter und mit tiefer Verbeugung hervor auf die Aarbrücke, dem Freiherrn entgegen. An ihm vorbei ritten zween Knechte in den Farben von Basel, dann der für den Bischof Gehaltene, begleitet von den Baldeggern, dann das Gefolge; weiterhin, den Seltenweg hinab, scholl es weit vom Trabe vieler Rosse, wimmelten Schatten im Dunkeln, wie ein ganzes Heer.

Das däuchte dem ehrlichen Thorwächter nicht geheuer, und er sprach zu dem Herrn von Falkenstein: „Gnädiger Herr Gevatter, ist ihrer wohl viel für eine Botschaft; darf's nicht all' ohne Erlaubniß einlassen. Ich will's gar bald an den Schultheißen bringen!“

Mit diesen Worten wandte er sich schnell, um das Thor zu schließen. Aber der Falkenstein zuckte jählings sein Schwert, und das Haupt des Wächters flog in die Aare. Nun kam die volle Harst hinterher, drang durch's Thor, brüllend und johlend den steilen Straßenrain aufwärts in die Stadt, in die Gassen links und rechts mit entsetzlichem Getöse. Durch das verworrene Geschrei der Rasenden donnerten dumpfe Stöße gegen verschlossene Thüren, krachten zerschlagene Vorläden und Fenster, und fielen Büchsenschüsse. In diesem höllischen Getümmel erwachte die ganze Stadt. Bald sah man aller Orten erleuchtete Fenster. Keiner von allen aus dem ruhigen Schlummer geschreckten Bewohner der Stadt konnte begreifen, was geschehen sei? Einige glaubten, es wäre Feuersbrunst, und wollten zum Löschen; andere, der jüngste Tag breche ein, und wollten zur Kirche; andere, die Stadt sei von wüthigen Armagnaken überrumpelt, und rannten nach Waffen oder suchten Schlupfwinkel auf Estrichen oder Kellern. Bleich und bebend liefen viele durch die Gassen, einige halbbekleidet, andere, wie sie aus den Betten gesprungen waren, die einen zu den Nachbarn, die andern zu den Stadtthoren, andere zur Kirche, zum Rathhaus und wo Jeder am ehesten Zuflucht finden zu können glaubte.

Die Adelichen aber hatten indessen alle Ausgänge verrannt und gesperrt, daß keiner entschlüpfen mochte. Wer ihnen in Verzweiflung widerstand, wurde niedergestochen. Man sah den greisen Schultheiß Effinger, fast unbekleidet, von Kriegsknechten über die Gassen geschleppt zum Herzogenhaus am Kirchhofe. Dahin wurden die übrigen Räthe und Häupter der Stadt geführt. Andere der Plünderer trugen geraubte Waffen zu den Schiffen, Silbergeschirr, Truhen und Kisten, den Sparpfennig der Kinder, den Nothheller der Alten, der fleißigen Hausfrauen Gespinnst und Gewebe, vieler Jahre Arbeit und Frucht, der Stadt Kleinode, Panner, Siegel und Briefe, Freiheit und Gerechtigkeit, selbst die schweren, eisernen Thorketten, als müsse nichts

dahinten bleiben, denn das nackte Gemäuer und die Ziegel auf den
Dächern.

Thomas von Falkenstein rannte geschäftig die Straßen auf und
ab, und ermunterte seine Helfer und Helfershelfer. „Rüstig! rüstig!"
rief er: „die Stadt soll uns in dieser Nacht den ganzen Kriegszug
zahlen und ein paar Schlösser dazu. Leeret die Säcke, feget Kasten
und Schrein, Werkstatt und Krambude. Lasset die Dirnen in Frieden.
Wer ein Liebes hat, führ' es mit sich von hinnen!"

„Vetter Thomas!" sagte Marquard von Baldegg, der zu ihm
stieß, „das ist Teufels Hochzeit hier. Sind wir nun einmal am Werk,
soll's etwas geben, davon die Welt spricht. Hundert und siebenzig
Stück Silbergeschirr liegen in den Schiffen, ich ließ sie zählen;
sieben Geldfäßlein und ein paar Dutzend Säcke voller Münze daneben.
Die Berner mögen erfahren, daß sie noch nicht Meister sind, wenn's
darauf ankommt, ein volles Nest auszuleeren. Aber, Vetter, hörst
du nichts? Es klingt und läutet mir schon seit einer Stunde in den
Ohren, straf' mich Gott, als schlügen die Dörfer im ganzen Aargau
an die Sturmglocke. Hörst du nichts?"

„Mag sein, laß sie stürmen!" antwortete der Freiherr: „Wir
sind ihr böses Wetter, das sie mit den Glocken nicht bannen. Wir
machen hier reinen Tisch und lassen den Bernern das Nachschauen.
Es gönnt's Mancher den stolzen Bruggern, daß wir sie pflücken.
Komm', Vetter, in's Herzogenhaus. Schon graut der Tag. Nun
will ich auf unsern Fehdebrief an die Eidgenossen das rothe Siegel
henken. Kennst du die Beiden da hinter mir? Sie sollen Arbeit
haben."

„Dein Scharfrichter und sein Gesell? Ich versteh' dich!" sagte
Marquard: „Mir gleich! Liegt schon auf der Straße ein Dutzend
Spießbürger erstochen, mag der löbliche Stadtrath nachwandern.
Könnt' ich das ganze Nest aus dem Boden reißen und in der Aare
ersäufen, es würde sobald kein anderes nachwachsen."

Sie begaben sich durch ein Seitengäßlein über den Kirchhof zum österreichischen Hause, deffen Fenster hell erleuchtet strahlten. Drinnen war großes Getümmel. Hans von Rechberg trat hier den Kommenden entgegen; Marquard aber ergriff ihn beim Arm, führte ihn in's Haus zurück und sagte lachend: „Mit uns, Herr Bischof von Basel! Verrichtet Euer geistliches Werk nach Gebühr. Wer soll Schultheiß und Rath absolviren, wenn Ihr fehlt? Ihr habet das Schwert des heiligen Petrus lange genug geführt, jetzt machet vom Schlüffelamt Gebrauch. Oeffnet uns den Aufenthalt unserer Gefangenen. Wir wollen ihnen den kürzesten Weg in Abrahams Schoos zeigen."

Rechberg ging mit ihnen. Ein ganzer Haufen von Kriegsleuten schloß sich ihnen an. Sie traten in einen geräumigen, alterthümlich geschmückten Saal, der war von zahllosen brennenden Kerzen in Wand- und Hängeleuchtern erhellt, die zu einem großen Fest- oder Bürgermahl, vielleicht zur Feier des nahe geglaubten Friedens, bestimmt gewesen sein mochten. Jetzt warfen sie ihren Glanz auf entsetzenvolle oder entsetzenerregende Gesichter, statt auf eine buntfröhliche Menge heiterer Gäste. Längs der Wand, beim Eingang, standen in verworrenen Reihen die Edelleute, welche durch Schadenfreude, Neugier oder Blutgier hergelockt waren; Alle in kriegerischer Tracht, halb und ganz geharnischt, in Helmen, Sturmkappen, Federhüten, Panzerhemden, goldgestickten Langröcken und Büffelwämsern. Einige trugen entblößte Schwerter, Andere Streitkolben und Aerte; Einigen waren die Kleider von angespritztem Blut besudelt. In allen diesen finstern, bärtigen Gesichtern malten sich auf verschiedene Weise die Leidenschaften, deren Raub sie in diesem Augenblick geworden waren. Die Augen der Einen stierten, lechzend von Mordlust, zu den Gefangenen hinüber; die Geberden Anderer verzogen sich zum schadenfrohen, spöttlichen Lachen über die halbnackten Gestalten und jammerhaften Stellungen derselben. Die Gefangenen selbst, auf der entgegengesetzten Saalseite, die achtbarsten Männer des Rathes und der

Stadt, standen ängstlich in einem Winkel zusammengedrängt, kaum bekleidet, wie man sie aus den Betten gerissen hatte. Einige still betend, Andere zusammenschlotternd im Frost der Todesangst, Andere wie von ihrem furchtbaren Schicksal betäubt und schon gefühllos, Andere um das Loos ihrer Hinterlassenen und der unglücklichen Vaterstadt voll männlichen Schmerzes, oder voll tiefen, schlecht verhehlten Ingrimmes.

Nur der Schultheiß Effinger, mitten unter ihnen, hatte noch die ruhige Haltung und Würde, mit welcher er an der Spitze des Rathes zu stehen gewohnt war. Er redete laut, ohne Beachtung des anwesenden Feindes, sprach bald seinem Sohn Balthasar, bald seinem Freunde Ulrich Stapfer, bald einem andern Bürger Muth zu, bis ihn der Freiherr von Falkenstein anredend unterbrach.

„Ihr scheint noch wohlgemuth, Schultheiß Effinger, Herr zu Urgiz!" rief der Freiherr spöttisch.

Da wandte sich der Schultheiß mit stolzem Ernst gegen ihn und sprach: „Thomas von Falkenstein, was hab' ich mit Euch zu schaffen?"

„Bei meiner armen Seele, ich sollte meinen, mehr als Euch lieb wäre," entgegnete der Freiherr: „oder Euer alter Kopf hat vergessen, daß ich Euch und Eure ganze Stadt im Sack habe."

„Gottvergessener Mann!" rief der Greis mit mächtiger Stimme, und die Flamme des edeln Zorns röthete sein Gesicht höher: „Möget Ihr Euch der ehrlosesten That überheben, die je in der Christenheit von zuchtlosen Gesellen vollbracht ist?"

„Schultheiß, es ist Krieg! Und durch Kriegslist, die noch keinem Ehrenmann verarget ist, bin ich Euer Herr, und nach Kriegs= recht will ich mit Euch fahren. Eure Eidgenossen müssen noch mehr, als Euch und Euer Städtlein, daran geben, um den Mordtag bei Greifensee auszusühnen!"

„Greifensee ist in ehrlicher, offener Fehde von den Eidgenossen berannt und umlagert worden!" erwiederte Schultheiß Effinger:

„Und hat sich auf Gnad' und Ungnade den Siegern ergeben müssen nach schwerem Streit. Ihr aber, Thomas von Falkenstein, überfallet uns feig und diebisch in der Nacht, mitten im Frieden, ohne Absage; überfallet nicht Eure Feinde, sondern Eure treuen Mitbürger und stoßet meuchelmörderisch Eurer Mutter Bern das Schwert in die Brust, die Euch gesäugt und gepflegt hat, Euch und Euern Bruder. Das, wahrlich! hat Euer Herr Vater, Hans Friedrich, nicht geglaubt, als er vom Sterbebette die Stadt Bern erbat, daß sie sich Euer annehme! Die Hölle bewies nicht größern Undank gegen Gott, als Ihr gegen Vater und Vaterland. Und was hab' ich, was haben diese Männer Euch gethan, die Ihr in dieser Nacht von der Seite ihrer Ehefrauen und Kinder aus den Betten reißen ließet? Sie schliefen nach langen Unruhen zum zweiten Mal einen erquickenden Schlaf, seit Ihr die Zusage des nahen Friedens gebracht hattet. Was hat Euch diese Stadt Leides gethan, die Euch und Euer Haus allezeit geehrt hat? Wie konnte sie Arges von Euch fürchten, da Ihr noch vor drei Tagen als Freund inner ihren Mauern waret, ihre Ehren und Geschenke annahmet und von ihren Segenswünschen begleitet von hinnen zoget? Ha, Thomas von Falkenstein, wäret Ihr, als offener Feind gegen uns gezogen, Ihr solltet erfahren haben, daß die Brugger in der Mannesschlacht nicht schlechtern Bescheid zu geben wissen, als beim Freudenbecher!"

„Schweig!" fuhr ihn der Freiherr donnernd an.

„Ihr, Thomas, habt mir nicht zu gebieten!" versetzte mit ruhiger Hoheit der biedere Alte: „Ich bin der Schultheiß dieser Stadt, zu der Ihr meineidig geschworen habet. Meine Stimme ist die Stimme dieser Stadt, die Euch Gutes erwiesen hat, und die Ihr ausraubet, in deren fromme Wohnungen Ihr Jammer und Verderben bringet, nachdem Ihr noch vor drei Tagen der Verkünder des gottgefälligen Friedenswerkes gewesen selb."

„Zündet Fackeln an! Führet sie Alle hinaus!" schrie der Freiherr mit fürchterlicher Stimme: „Alle! Alle! Leget ihnen die Köpfe vor die Füße!"

„Irret Euch nicht, Thomas von Falkenstein!" sagte der Schultheiß: „Ihr meinet, die Todten müssen schweigen; aber ihre Zungen reden lauter, als die der Lebendigen! Mich alten Mann reut's Leben nicht. Glanz, Freude und Wohlstand meiner Stadt sind dahin. Meuchlings sind meine theuern Brüder erschlagen. Mein Heimathsrecht hienieden hat den Werth verloren. Lasset mich's droben suchen. Vor meines Gottes heiligem Thron will ich für die Wittwen und Waisen von Brugg beten. Ich bin ihr Vater nicht mehr hier. Droben darf ich ihr Engel sein!" Er sprach diese Worte mit Wehmuth, mit zitternder Stimme.

„Zündet Fackeln an!" schrie Falkenstein von neuem: „Führet die Menschen auf den Kirchhof und thut sie ab!"

Da trat Hans von Rechberg zum Freiherrn und sagte mit ernster Miene: „Was haben dir diese Biederleute Uebels gethan? Sie sind wehrlos in unsere Hände gefallen; wir haben kein Recht an ihrem Blut. Dahin ist nicht mein Sinn gestanden. Ich habe dir zu einem Mummenschanz und Fastnachtsspiel geholfen, nicht aber zu solch einer mordlichen That!"

Ein plötzlicher Lärmen braußen unterbrach die Rede des Ritters. Mehrere Kriegsleute drängten durch die Thür des Saales herein und schrien: „Machet Euch auf, Ihr Herren! auf! Es brennt in allen Straßen lichterloh! in allen Dörfern stürmt's! von Aarau her, von Lenzburg her, von Villnachern, von Habsburg wird unzähliges Volk im Anzug gesehen!"

„Höll' und Teufel!" schrie Marquard von Baldegg: „Das ist nicht möglich! Die Thore sind gesperrt. Wer konnte hinaus und das Land wecken?"

„Es müssen Leute sich an den Seilen über die Mauern gelassen haben!" riefen andere Stimmen dazwischen.

„Wer hat's geheißen, Brand anzulegen?" schrie Hans von Rech=
berg aufgebracht.

„Zu den Schiffen! zu den Schiffen! Habt Acht auf die Beute!"
brüllten Mehrere.

„Ruhig! ruhig!" donnerte Thomas von Falkenstein: „Hier,
Alle die Ihr hier seid, führet die Gefangenen aus der Stadt!"

Seine Stimme galt. Man umringte die Bürger und stieß sie
fort. Der Freiherr trat aus dem Hause. Eine schreckliche Helligkeit
ging hinter der Kirche auf. Ueber den Thurm weg drängten sich
stoßweise gelbe Rauchwolken. Wie er durch die enge Quergasse ge=
schritten war, sah er mit Entsetzen an vier, fünf Orten zwischen
beiden Thoren Flammen aus Fenstern und Dächern fahren. „Daß
die Pestilenz in den verfluchten Leib der Mordbrenner fahre!" schrie
er, krallte die Fäuste, sah um sich, Thäter zu suchen. Hinter ihm
stand der Scharfrichter und dessen Knecht, als sein treues Gefolge.
„Mir nicht von der Seite, ihr sollt noch Arbeit haben!" rief er
ihnen zu und ging weiter. Ein erschütterndes Zetergeschrei der Ein=
wohner scholl in allen Gassen. Aus den Häusern hervor stürzten
Kinder, Männer, alte Leute, Kranke, Gesunde in die Straßen,
gegen die verschlossenen Stadtpforten und wieder zurück, andere
Ausgänge zu suchen. Mit dem Flammengepraſſel und den dicken
Rauchwirbeln links und rechts mehrte sich das Durcheinanderrennen,
Wehklagen, Wimmern, Heulen und Fluchen des verzweifelten Volkes.
Falkenstein selber stand eine Weile vom Entsetzen ergriffen, un=
beweglich da, und starrte in den Gräuel der Verwüstung hinein,
ohne Entschluß.

Jählings that er einen gewaltigen Sprung seitwärts, und mit
der Wuth eines Raubthiers fuhr er einem jungen Kerl in's Genick,
der mit Gepäck beladen daher kam. Es war einer der Zigeuner, die
er gegen Aarau ausgeschickt hatte.

„Hund, dich hab' ich!" schrie der Freiherr mit zusammen=

gebiſſenen Zähnen: „Dich hab' ich! Bin dir schuldig für Aarau! In die Hölle, du Aas, in die Hölle mit dir!"

Der Zigeuner stieß aus der halbzusammengewürgten Kehle einen gräßlichen, gellenden Schrei aus, und versuchte sich loszuringen. Der Freiherr aber hielt ihn mit eiserner Gewalt und schrie dem Scharfrichter und dessen Knecht zu: „Nun, ihr Galgenschwengel, was stocket ihr? Auf! An den Brunnenpfahl hier, ziehet ihn auf, laßt ihn zappeln!"

Kaum war das Wort von ihm gesprochen, hatten die Beiden das Schlachtopfer schon mit wunderbarer Behendigkeit zu Boden gerissen, die Füße gebunden, das Seil um den Hals geworfen, und gegen die Brunnenschale emporgehoben. Im zweiten Augenblick hing der Elende entseelt.

„Der Gelbfink pfeift nicht wieder!" sagte Meister Hämmerli lachend.

Es ging hastig und ängstlich ein armes Weib vorüber; erblickte den Erhenkten am Brunnenstock, prallte zurück; trat noch einmal hinzu; that einen Schrei; warf rings um sich her die Augen; ward den Freiherrn gewahr und sprang blitzschnell davon. Es war niemand anders, als die alte Zigeunerin Ilsel, die mit unbegreiflicher Geschwindigkeit verschwand und wieder, dem Brunnen gegenüber, auf einer ziemlich hohen Mauer zum Vorschein kam, welche zu ihrer Rechten und Linken zwei Häuser verband, aus welchen eben die rothe Feuersgluth vortrat. Mit durchdringender Schmerzensstimme schrie sie unverständliche Worte, indem sie ihre Arme gegen den Leichnam des Erhenkten ausstreckte. Meister Hämmerli und sein Gesell lachten aus vollem Halse über die wunderlichen Geberdungen des Weibes auf der Mauer und zeigten hinauf. Auch der Freiherr sah dahin und erkannte die Alte. Sie glich einer Erscheinung droben, die dem Abgrund der Hölle entstiegen zu sein schien. In dunkeln, scharfen Umrissen zeichnete sich auf dem blendenden Hintergrund der Feuerflammen ihre abenteuerliche Gestalt mit den hin und her flatternden Lumpen. Wie lebendige Schlangen um ein Medusenhaupt, stiegen gaukelnd im Winde die zottigen Haare um ihren Kopf auf. Hoch wölbten sich über ihr blasse Rauchsäulen zu einer düstern, breiten Wolke zusammen, aus welcher ein glimmender Funkenregen sank.

„Ha, vermaledeite Hexenbrut! muß ich dich hier erblicken!" schrie ihr der Freiherr zu: „Gibt's keine Armbrust, keine Büchse? Schießt mir Belials Großmutter herunter!" Er rannte gleich einem Unsinnigen erst im Ring umher, dann gegen die Mauer, als wollte er sie erklettern oder niederwerfen.

„Mörder! Mörder!" kreischte die Aegypterin von oben nieder: „Meines armen Jungen Mörder! Verflucht seist du siebenmal, Falkenstein, siebenmal von allen Augenblicken so vieler Stunden, als die Welt steht. Dich zwicke mit Krämpfen die böse Gicht; das Fieber dürre dir das Mark im Gebein und statt des Schlafs fasse dich das fallende Weh! Ich will dich verfolgen und dich quälen, wie Aussatz und Pestilenz das Judenland, wie Hornisse den eiternden Gaul. Du sollst unter Verwünschungen deiner Freunde leben, und unter Hohngelächter deiner Feinde sterben. Dein Haus soll untergehen und dein Geschlecht verderben, wie ein Otternnest, daß Niemand weiß, wohin es gekommen. Deine Schlösser sollen Rabensteine werden, und ihre zerrissenen Thürme wie schwarze Brand- und Schandsäulen in die Höhe steigen. Mörder, Mörder, im Tode sollst du deine Geburt verfluchen! Fahr' hin! Fahr' hin!"

Mit diesen Worten wandte sich die Zigeunerin um. Sie schien sich in den Abgrund der Flammen zu stürzen, welche hinter ihr aufflackerten. In demselben Augenblick schoß von oben herab ein brennender Balken auf die Straße, dampfend und knisternd, hart neben Falkenstein. Dieser stand wie betäubt. Es war ihm, wie Hölle. Anfangs hatte er in der Wuth versucht, das Weib auf der Mauer mit Steinwürfen zu zerschmettern. Dann mußt' er, ohne Rache nehmen zu können, die Flüche der Aegypterin aus der unerreichbaren Höhe anhören, während ringsum die Gluthen brauseten, die lodernden Dachgiebel krachend einfielen, die Mauern in der Hitze des Feuers barsten, und nah und fern tausend Jammertöne der Menschen laut waren. Nun ergriff ihn selbst eine Angst, die er in seinem Leben noch nie gefühlt. Ohne zu wissen wohin, lief er, der annahenden Todesgefahr im Feuer zu entkommen, und befand sich beim obern Thor. Dahin hatt' er nicht gewollt. Hier umdrängte ihn plötzlich eine Menge erbärmlicher Gestalten von Kindern und Weibern. Das herzzerreißende Geschrei der Einen, das klägliche Flehen und Winseln der Andern, die Todtenfarbe aller Gesichter erschütterte ihn. Er glaubte unter lebendig gewordenen Leichnamen am Weltgerichtstage zu stehen. Eine betagte Frau, auf dem zitternden Arm ein nacktes, weinendes Kind, schien ihn zu erkennen. Sie warf sich ihm zu Füßen und umfaßte seine Knie, indem sie um Barmherzigkeit und Rettung schrie. Da warf er ihr den Schlüssel des obern Thores zu, den er trug und sprach: „Nimm hin, du Hur', und schließ das Thor auf, daß ihr nicht verbrennet!"

Während die Haufen durch die Pforten hinausdrängten in's freie Feld, und unter die Linden jenseits der Ringmauern, andere hinwieder in die Stadt zurückliefen, die noch Fehlenden aus den Gassen zusammenzurufen, begab sich der Freiherr mit großen und eilenden Schritten nach dem untern Thor, wo jenseits der Aare die Reisigen sich bei ihren Pferden zum Abzuge sammelten.

<hr>

32.

Fortsetzung.

Schon war es heller Tag. Die weite schöne Landschaft prangte in ihrem sommerlichen Morgenschmuck. Jeder Hügel glich einem

Blumenaltar, jede Wiese einem buntgewirkten, grünen Sammet=
teppich. Aber inmitten der prachtvollen Umgebung stieg die breite,
riesenhafte Rauchsäule der brennenden Stadt zum Himmel, und das
schwermüthige Getön der Sturmglocken in nahen und entlegenen
Dorfschaften scholl, wie Klage des gesammten Landes, um den Unter=
gang der geliebten Mauern Bruggs.

„Vorwärts! vorwärts! bindet die Schiffe los!" schrie Falken=
stein, als er zu den Seinigen stieß: „Es ist hohe Zeit für uns.
Das obere Stadtthor ist offen. Die Landstürme ziehen vom Aargau
herunter. Wir können Gefecht haben, ehe wir's glauben, und von
Umiken her im Rücken angefallen werden."

Rechberg war bei den Schiffen, wo er das Einpacken des un=
geheuern Raubes ordnete, der am Ufer noch aufgehäuft lag, und
in den Fahrzeugen kaum den nöthigen Raum fand. Als er Alles
angewiesen und diejenigen, welche zum Schutz der Beute bleiben
mußten, auf die Schiffe vertheilt hatte, kam er zurück, da sich der
ganze Zug eben in Bewegung gesetzt hatte gegen das Gebirg. Mit
düstern, verstörten Mienen ritt Thomas von Fallenstein voran, einige
seiner Vertrauten waren schweigend neben ihm. In dumpfer Stille
folgte die geharnischte Vorhut, wie Leichenzug. Dann kamen die
armen Gefangenen zu Fuß, die Hände auf den Rücken gebunden,
rings von Bewaffneten umwacht. Einer der vor ihnen herreitenden
Edelleute trug spottweise ihrer Stadt Panner. Es war vom feinsten
Seidenzwillich, daran das alte Wappen, zween schwarze Thürme mit
einer offenen Brücke.

„Hei, Herr Schultheiß!" rief der Edelmann, der die Fahne
trug, und wandte sich mit halbem Leibe auf seinem Rosse zu den Ge=
fangenen um — es war Herr Bentelin von Hemmenhofen: — „Das
muß sich fürwahr seltsam mit uns treffen. Gedenket Ihr noch des
Tages, da ich bei Euch zu Tisch saß und warnte, Ihr sollet nicht
zu Bern und den Eidgenossen halten? Gelt? Ich hatte wohl großes

Recht! Ihr aber habet mir damals trotzigerweise widerredet und gesprochen: Es ist leichter, daß unsere Brückenthürme an den Bötzberg hinauftanzen, als daß wir von Treu und Glauben lassen. Gott's Blut! wer hätte gemeint, daß es also erfüllt werden müsse? Schaut her, Euer Panner, Herr Schultheiß, und wie Eure Brückenthürme bergan tanzen. Ich denke doch, Ihr Herren Brugger, euer Glaube an die Eidgenossen sei nun locker worden."

Der greise Effinger erhob mit stolzem Unwillen das Antlitz und sprach: "Mögen unsere alten Thürme über die Jurafelsen tanzen, unsere Treue tanzt ihnen nicht nach. Ueberhebet Euch Eures Nacht-schelmenstücks nicht zu früh, die Ihr unsere Gastfreunde gewesen seid. Ein Tag hat noch seinen Abend, der Himmel noch seinen rächenden Allmachtsarm und das Gebirg der Eidgenossen noch seine Schweizer."

"Oho!" rief Bentelin lachend: "Ueber ein Kleines soll man die Schweizer hören aus dem letzten Loche pfeifen. Mit Stumpf und Stiel muß das Freiheitswesen ausgerottet und der Adel wieder Herr sein in den Ländern!"

"Das träumte dem Teufel auch, als er sammt den gefallenen Engeln den Himmel stürmte; aber Meister ward er doch nicht!" entgegnete der Schultheiß: "Ihr stoßet viel eher die Sonne vom Firmament, als das ewige Recht aus der Menschenbrust."

Hier schwieg Herr Effinger. Einer der Kriegsgesellen stieß ihn roh vorwärts; gleichwie auch die andern Gefangenen zum schnellern Schritt angetrieben wurden. Aber die Schreckensnacht hatte die Kräfte der Gefangenen erschöpft. Oft brachen ihre Knie ein. Manche sanken ohnmächtig auf den Rasen an der Landstraße nieder. Dies brachte den Zug verschiedene Mal in's Stocken.

Als er bis in die Einsamkeit der Krepsi gelangt war, wo eine Wiese in den hohen Eichenwald einen grünen Busen bildete, ließ Falkenstein halten, bis die Uebrigen nachgekommen und wieder ver-sammelt waren. Er fluchte ungeduldig und schrie, den Schritt zu

VII. 10*

verdoppeln. Und als die Gefangenen matt und keuchend auf die Wiese traten, rief er: „In die Hölle mit Euch Krüppeln! Ihr hättet Lust, mir zu wehren, heut' mein Nachtlager in Laufenburg zu finden. Ich will Euch das Gutige zur Stunde geben. Voran Schultheiß Effinger, Herr von Urgiz; Euch ziemt's, den Reihen anzuführen, und der edle Rath mit den Pfahl= und Spießbürgern folge nach Standesgebühr. Kniet nieder, verrichtet Euern letzten Stoßseufzer insgesammt, und schicket Euch zum ewigen Schlaf an. He! Häm= merli, vor mit den Knechten! Entblöße die Hälse und zucke das Schwert."

„Ich bin deines Erbarmens von Herzen froh!" sagte mit starker Stimme Schultheiß Effinger: „Den Dank für das Verrätherstück, böser Wicht, bring' ich dir in jenem Leben!" Er sprach's und fiel mit beiden Knien sogleich auf die Erde.

Wie dies Hans von Rechberg sah, der in einiger Entfernung mit den Baldeggern wortwechselte, sprengte er zum Landgrafen hin und rief: „Was hast du vor, Thomas? Dürstet dich zum zweiten Mal nach dem Blut dieser unschuldigen Männer?"

„Wäre hier nicht eben so gut mähen, Rechberg, als auf der Wiese bei Greifensee?" antwortete der Freiherr.

„Falkenstein!" rief Rechberg mit Abscheu: „Du hast Mordes genug an den biderben Leuten begangen. Hättest du mir's vorher gesagt, wie du zu Brugg dein Spiel treiben wolltest, du hättest mich nimmer mit dir hergebracht."

Der Freiherr runzelte die Stirn tief und rollte die rothen Augen umher im Kopf, unschlüssig, was thun? denn er hatte allerdings Hansen von Rechberg zu schonen.

„Laß den Schächern das nackte Leben!" sagte Graf Jörg von Sulz zu ihm: „Kannst sie den Armagnaken zu Knechten in ferne Länder verkaufen."

Indem sah man einen Reiter längs dem Eichenwalde, von Brugg

her, mit verhängtem Zügel heranjagen. Sobald er nach einigen Minuten näher kam, rief er schon von weitem: „Aufgebrochen! Was säumt Ihr? Aufgebrochen!" Es war Einer von denen, die zur Hut der Schiffe zurückgeblieben waren.

„Was gibt's?" fragten ihn Alle und drängten sich um ihn zusammen.

„Zuletzt, ihr Herren," rief der Reiter, „behalten wir nur die schlechte Ehre, Mordbrenner zu sein, und der Teufel reißt uns die ganze Beute wieder aus den Zähnen. Die Trüllerey, die Enternau, Sägisser und der ganze Landsturm vom Aargau bringen durch die brennende Stadt an."

„He? die Trüllerey! Ist der Gangolf dabei?" brüllte der Freiherr von Falkenstein mit der Geberde eines Besessenen: „Gangolf dabei?"

„Ich sah ihn selber. Er ist Allen voran. Mir setzte er nach, aber sein lahmer Gaul blieb tausend Schritte hinter meinem Rosse!" sagte der Reiter.

„Schwert aus der Scheide!" schrie der Freiherr mit erschrecklicher Stimme, daß der weite Wald davon hallte: „Wir Alle zurück! Es gilt unsere Beute und Ehre."

„Halt!" rief der Ritter: „Wir sind zu schwach und rennen gewissem Verderben in den Rachen. Die ganze Grafschaft Lenzburg ist im Anzuge. Hinter Brugg wimmelt alles schwarz von bewaffnetem Volk auf den Rütinen. Sie stellen zwanzig wider uns, gegen einen. Unsere Leute flüchten, wie sie können, in die Schiffe."

„Keine Unbesonnenheit, Falkenstein!" sagte der Herr von Rechberg: „Wir wollen den Spaß nicht allzutheuer zahlen. Zieh' mit der Harst und den Gefangenen über den Berg. Ich kehre mit einigen Rotten der Nachhut gen Brugg um, daß den Schiffen geholfen werde, oder daß ich unsern Rückzug in's Frickthal schütze. Vor Nacht bin ich bei dir."

Der Landgraf, welcher vor Grimm mit den Zähnen knirschte, als alle Ritter, troß seines Wüthens, dem Rathe Rechbergs beipflichteten, mußte dem Willen der Menge weichen und den Weg gegen die Berge fortsetzen. Rechberg aber, mit etwa Fünfzigen aus der Nachhut, wandte sich gegen die Stadt zurück. Mit großer Behutsamkeit nahte er derselben, so viel als möglich in Gebüschen, bis er zur letzten Höhe kam, wo er unter seinen Füßen rechts die eingesunkenen Straßen von Brugg aufdampfen, links die Schifflände sah. Die Ufer wimmelten von bewaffnetem Volk;- unter demselben mehrere Ritter zu Pferde, welche sehr geschäftig schienen, Anordnungen zu machen. In der Ferne schwammen einige wohlbemannte Beuteschiffe den Strom der Aare langsam hinab, welche die letzten sein mochten, denen die Abfahrt gelungen war. Noch lagen wenige kleinere Fahrzeuge am Ufer, die man bei der Flucht im Stich gelassen hatte, und aus welchen der Raub wieder an's Land getragen wurde.

Obwohl Rechberg seine Leute vorsichtig hinter Gebüschen versteckt hielt, und er nur mit Wenigen vorgetreten war, schien er doch bald entdeckt worden zu sein, denn er sah plötzlich, wie die bewaffneten Haufen am Ufer aus einander schieben, einer derselben abwärts, wie gegen die Stilli, ein anderer gegen die Stadt, ein anderer in gerader Richtung gegen die Anhöhe zog, auf welcher er selbst stand. Ein Rittersmann führte den letztern Haufen, der kaum zwanzig Bewaffnete stark war, bis zum Fuß des Hügels. Da sprang der Führer vom Pferde, zog das Schwert und kletterte an der Spitze der Uebrigen rasch herauf. Rechberg erkannte ihn, schwäng sich auf's Roß und rief lachend: „Setzt Euch meinetwillen nicht außer Odem, Herr Gangolf Trüllerey. Wir sehen einander schon zu gelegener Zeit. Jetzt eilet, und helfet den Bruggern löschen!"

„Ja, ja, mit Euerm meineidigen Blut, Herr von Rechberg!" schrie ihm Herr Gangolf zu: „Wenn Ihr anders ein so tapferer

Mann, als ein guter Mordbrenner seid: werdet Ihr mich stehenden Fußes erwarten."

„Ich hätte die beste Lust, Euer ungewaschenes Maul zu . . ." Hier ward Rechberg durch die Anzeige von einem seiner Leute unterbrochen, daß sich hinter ihnen eine starke Schaar Aargauer bewege. „Auf Wiedersehen!" rief Herr von Rechberg dem Gegner zu, wandte das Roß, und verschwand plötzlich vom Hügel.

Gangolf erreichte othemlos und spät die Höhe. Rechbergs Reiter waren schon weit davon gejagt, und für die verschiedenen Haufen Fußvolks unerreichbar, die im vollen Lauf und von allen Seiten auf diesem Punkt kampflustig zusammenströmten. Nichtsdestoweniger machte sich noch ein großer Theil auf, die Flüchtlinge bis zum Rücken des Gebirgs zu verfolgen. Gangolfs und der Uebrigen Aufmerksamkeit wurde indessen nach einer andern Richtung durch das gewaltige und verworrene Geschrei einer Menge Volks gelenkt, welche auf der Landstraße von der Stille nach Brugg drei Reiter umringte und sie entwaffnen wollte. Gangolf eilte hinab, warf sich auf sein Roß und drängte durch den wogenden, lärmenden Schwarm zum Mittelpunkt desselben. Eben riß man die Reisigen von den Pferden, und das Gebrüll der wilden Haufen stieg auf: „Nieder mit den Falkensteinern! Nieder mit den Mordbrennern!"

Gangolf erschrack. Er erkannte seinen betagten Vater, dessen treuen Diener Hemman und den Meister Isenhofer von Waldshut. Er brach sich Bahn zu ihnen und schrie: „Laßt diese Ehrenmänner unangetastet. Der dort ist mein Vater!" Damit sprang er vom Sattel, half Herrn Rüdiger vom Erdboden auf und hob ihn mit Freude und Ehrerbietung wieder auf's Roß. Der Kreis der Bauern erweiterte sich zurücktretend. Isenhofer streckte dem Junker freundlich die Hand entgegen, und der alte Hemman dankte tausendmal dem Sohn seines Gebieters für die Rettung.

„Ohne Eure Dazwischenkunft," sagte Isenhofer, „hätten uns

diese harthörigen Biedermänner in bester Absicht zerrissen. Wir
mochten aus Leibeskräften schreien, wie Herolde, und unsere Namen
verkünden: die Kerls schrien tausendmal ärger, als wären sie Kehle
von oben bis unten."

Einige von den Anführern des Landvolks entschuldigten den Irr=
thum ihrer Leute mit vielen höflichen Worten, deren man sie gern
entließ. Die Ritter verließen das Gewühl und begaben sich seitwärts
der Stadt in den Schatten hoher Nußbäume am Wege von Umiken.
Hier berichtete Gangolf seinem Vater und dem Dichter so viel ihm
selber von der Mordnacht zu Brugg und deren Urhebern bekannt
war; und erfuhr zugleich, daß sein Vater, in Begleitung Isenhofers,
auf dem Heimwege nach Aarau begriffen sei, wo er zuversichtlich in
den nächsten Tagen einen alten Bekannten erwarte. Nachdem man sich
gegenseitig von Allem, was Jedem am meisten am Herzen gelegen,
vorläufige Mittheilung gemacht hatte, ritt Herr Rüdiger, auf Rath
seines Sohnes, mit seinen Begleitern am linken Ufer des Stromes
zum Dörflein Umiken voraus, weil in diesem Augenblick schwer durch
die Stadt zu kommen war, wo die Menge zu Hilfe geeilter Men=
schen sich des Löschens und Aufräumens befliß. Gangolf verhieß nach=
zukommen, sobald er nähere Erkundigungen über die traurige Be=
gebenheit eingezogen und mancherlei Abreden mit vertrauten und
wackern Männern genommen haben würde, den durch Falkenstein
verübten Gräuel zu rächen.

Wie angenehme Gefühle auch das überraschende Wiederbegegnen
seines Vaters und dessen unerwartete Heimkehr zum Thurm Rore
in ihm lebendig gemacht hatte, vergaß er doch bald Alles wieder
über das große und rührende Schauspiel, welches sich ihm darbot,
als er wieder zur unglückseligen Stadt kam. Der ganze Aargau
war für dieselbe in edelmüthiger Bewegung. Man sah, so wie in
der Nähe, in weiter Ferne, auf allen Landstraßen und Wegen, ein=
zelne Menschen, Lastthiere, Wagen mit schnell gesammelten Unter=

stützungen für die Hülfsbedürftigen heran eilen. Es kamen eins ums
andere Fuhren von Mehlfässern, schon gebackenen Broden, und
allerlei trockenen Früchten und andern Lebensmitteln; andere mit
Wein beladen; wieder andere hoch auf mit Kleidern für jedes Geschlecht und jedes Alter befrachtet, als hätten sich ganze Dorfschaften
entblößt, um hier die Nackten zu kleiden. Die Botschaft vom Unglück
war fast eben so schnell durch Läufer von Dorf zu Dorf, als durch
die aufgestiegene Flammensäule verbreitet worden. Und selbst diejenigen, welche sonst der Stadt nicht wohl an waren, entweder aus
Eifersucht wegen ihres Ansehens und Wolstandes, oder aus Argwohn, daß sie die österreichische Pfauenfeder im Busen trage und
mit adelichen Herren allzu freundschaftlich verkehre: überließen sich
jetzt doch nur den schönen Aufwallungen ihres Mitleidens.

Man bemerkte es, das Volk war in einer heftigen, gereizten
Stimmung. Noch immer rissen sich einzelne bewaffnete Rotten los,
um den über das Gebirg fliehenden Edelleuten, oder längs der Aare,
den entkommenen Schiffen nachzusetzen; Viele riefen, der ganze Landsturm müsse nach Laufenburg aufbrechen, die Stadt zerstören, das
Schloß ausbrennen. Andere schrien: Laßt uns erst mit den Schelmen
und Verräthern Feierabend machen, die wir mit ihren Schlössern in
unserm eigenen Land haben; die zu Oesterreich halten und Stadt
und Land verschlingen möchten! Andere schrien sogar: Laßt uns mit
dem Adel nicht viel Federlesens machen. Oesterreichisch oder nicht,
Edelleute und Wölfe ändern ihre Natur nicht. Auch die Gezähmten
fletschen mit den Zähnen und werden wieder reißende Bestien, sobald
sie Meister sind. Die ganze Brut muß ausgerottet werden, wenn
wir frei und froh sein wollen. Sie leckt den Speichel der Könige
und trinkt das Blut der Völker. Was ist je Besseres von ihr in
die Welt gekommen, als ungerechte Willkür und Knechtschaft, Tod-
fall, Abgaben und Frohnden, ein Leben ohne Gott und Glauben,

Hochmuth und Unzucht? Der Tell von Uri hat noch nicht alle Pfeile
verschossen; wir haben deren so scharf, wie der seine!

Es kostete Gangolfen, der durch die Haufen umherging und bald
diesen, bald jenen anredete, nicht geringe Mühe, sich verständlich zu
machen, und für sein Vorhaben eine hinreichende Zahl entschlossener
Männer zu finden. „Wer setzt mit mir das Leben daran," rief er,
„für Brugg an dem Falkenstein und seinen Gesellen Rache zu nehmen?" Mehrmals erhielt er von den mißtrauischen Rotten die
Antwort: „Wir können es daran setzen, ohne Euch, Junker; wir
sind Manns genug, die Edelleute mit den Kolben zu lausen, ohne
Euern Rath. Ihr seid ein adelicher Herr, nehmt's nicht übel. Raben
hacken einander die Augen nicht aus, wie das Sprichwort sagt." —
Doch Andere, die ihn näher kannten, schlossen sich ihm an und nahmen die Redlichkeit seiner Gesinnung gegen die Trotzreden der Uebrigen
in Schutz. Der Durst nach Rache quälte sie alle. Es stellten sich
aus den Grafschaften Lenzburg und Baden einige hundert Mann
unter seinen Befehl, mit Spießen, Büchsen und Armbrüsten bewaffnet. Sie verhießen, sich des andern Tages am Abend bei Aarau
zu sammeln und ihm zu folgen, wohin er sie führen würde.

Wie diese in ihre Dorfschaften zurückkehrten, ihre Vorbereitungen
zur Kriegsfahrt zu treffen, verließ auch Gangolf die weitläufige
Brandstätte, suchte seinen Vater und den Meister Isenhofer zu
Umliken und ritt mit ihnen gen Aarau. Den weiten Bogen, welchen
der unebene Weg längs dem Gebirg von Villnachern und Schinznach
bis Veltheims Wälder herumzog, verkürzten Gespräche über die Vor-
fälle des Tages, über Herrn Rüdigers Reise und Erwartungen von
der Ankunft seines geheimnißvollen Gastes, so wie über die einförmige Tagesgeschichte dessen, was im Freihofe, was in der Stadt,
während Herrn Rüdigers Abwesenheit, sich zugetragen haben konnte.
Indessen, sobald dieser Stoff erschöpft war, fiel der Alte wieder in
sein gewohntes, finsteres Schweigen. Auch Gangolf verstummte, und

warb bald düsterer, als sein schwermüthiger Vater. Er dachte an Veronika, die mit ihrem Vater und der Bäuerin von der Harb verschwunden war, und von welchen er, alles Nachforschens ungeachtet, keine Spur mehr entdeckt hatte. Die Hütte stand leer. Kein Landmann in der Gegend wußte von den Einsiedlern zu sagen. Es gingen abergläubige Gerüchte von der ruchlosen Ungläubigkeit und Ketzerei des Kollharden und von den Schrecken der göttlichen Rache in der Gewitternacht.

Ohne Abenteuer zogen die Reisenden, während der Abenddämmerung, durch die nachtende Waldung Auensteins zum felsigen Biberstein am Fuße der Gisuläflue, und längs dem Ufer der ihnen entgegenrauschenden Aare in die Pforte des Freihofs ein.

33.

Die Zerstörung der Burg Gösgen.

Dreißig Stunden später war das nächstgelegenste der Falkensteinischen Schlösser, nämlich Gösgen, schon durch mehr denn zweihundert Berner und beinahe zweihundert Solothurner berannt. Gangolf mit den Aargauern war der erste vor diesem Platz erschienen. Mehrere tapfere Bürger Aarau's hatten sich ihm angeschlossen. Als die Solothurner Mannschaft dazu stieß, übertrug sie freiwillig dem jungen Ritter den Oberbefehl, der sich, als verständiger Kriegsmann, schon der Fähre gegen Schönenwerth und aller Fahrzeuge am Ufer bemächtigt, auch Vorwachten gegen Olten und das Gebirg bei Loftorf, Stüßlingen und Erlisbach geworfen hatte, um vor Ueberfall geborgen zu sein. Denn er zweifelte nicht, daß Thomas von Falkenstein, bei der ersten Nachricht von der Gefahr seiner Burg, mit aller Eile und Macht herankommen würde, sie zu befreien. Die Eroberung des Schlosses drohte um so schwieriger zu werden, weil es den im

Sturm herbeigeflogenen Belagerern gänzlich am schweren Geschütz
fehlte.

Auch war die Antwort des Burgvogtes von der Mauer herab
trotzig genug, als Gangolf unter Trompetenschall zur Uebergabe
aufforderte. Zugleich ließ der Vogt, um seinen stolzen Worten
größeres Gewicht zu geben, alle Feuerschlünde vom Schlosse donnern,
während die Belagerten nur aus ihren kleinen Büchsen erwiedern
konnten. Indessen überzeugte man sich bald von der äußerst geringen
Zahl der Besatzung. Gangolf befahl, Fackeln und Pechkränze zu
bereiten und am Berge Strauchwerk zu hauen, und Reiswellen zum
Anfüllen des Grabens zu binden, auch Leitern zu holen. Er selbst
umschlich das Schloß von allen Seiten, nachdem er dessen innere
Lage von der Berghöhe ausgekundschaftet hatte, und legte an drei
Orten Mannschaft hin, die Tag und Nacht ununterbrochen mit Karst,
Bickel und Schaufel die äußere Ringmauer durchbrechen sollten.

Schon den zweiten Tag redete der Burgvogt glimpflicher, da
ihm Gangolf zum andern Mal die Uebergabe des Schlosses befahl.
Er verlangte nur freien Abzug für sämmtliche Bewohner desselben,
männlichen und weiblichen Geschlechts, sammt dem, was Jeder von
seiner Fahrhabe auf sich tragend mitnehmen wolle. Als auch dies
verweigert wurde, erbot er sich gegen Abend, daß er am folgenden
Morgen die Pforten der Burg öffnen wolle, wenn man der Besatzung und übrigen Schloßleuten das Leben gönne, ihm aber gestatten würde, in Begleitung der Freifrau von Falkenstein und deren
Nichte, wie auch eines Fremden, der in der Burg wohne, ohne
Gefahr abzuziehen.

„Ich gebe Euch Frist bis Tagesanbruch morgen!" entgegnete
Herr Gangolf Trüllerey: „So Ihr mir das Schloß öffnet vor Aufgang der Sonne, soll es Keinem unter Euch an's Leben gehen.
Nach Sonnenaufgang ist alle Gnade verwirkt, ich möge mit oder
ohne Gewalt durch Eure Mauern einziehen. Alles, was darin

athmet, wird dem Tode geweiht zur Sühne des Mordbrandes von Brugg."

Der Mauerbruch war vollendet, ein Dutzend Leitern zum Anlegen bereit, eine Menge Reisbündel zum Ausfüllen des Grabens herbeigeschafft, und die Mannschaft zum Sturmrennen ausgewählt und geordnet. Dem Burgvogt war nichts unbekannt geblieben.

Noch lag die Nacht düster über Gebirg und Strom. Nur ein blutrother Lichtstreif brannte am wolkenschweren Himmel über den schwarzen Höhen des Lägernberges im Osten. Da ward Herr Trüllerey plötzlich aus dem Schlaf geweckt, dessen er in derselben alterthümlichen Kapelle seit einigen Stunden genoß, wo Fräulein Ursula vor mehrern Tagen scheinbar ihre Ruhe im Gebet wiedergefunden. Der Burgvogt hatte von der Mauer die Trompete schallen lassen, und die Uebergabe des Schlosses angekündet. Herr Gangolf eilte dahin, wiederholte die Zusage der Gnade; ordnete das Kriegsvolk, theils zur Hut draußen, theils zum Einzuge, und rückte, begleitet von brennenden Fackeln, gegen die Mauerpforte. Diese öffnete sich langsam und schwer. Der Vogt überreichte in demuthsvoller Geberde, fußfällig und mit entblößtem Haupte die Schlüssel der Burg, indem er mit zitternder Stimme noch einmal um sein und der übrigen Schloßbewohner Leben flehte. Diese alle standen im innern Hofe, den viele Fackeln und Leuchten erhellten; die geringe Besatzung zeigte sich entwaffnet.

Wie Gangolf durch die innere Pforte hervor gegen die Versammlung schritt, sanken sie alle mit hochgefalteten Händen auf das Knie. Es entstand tiefe Stille, sobald die Schweizer mit ihren breiten Schwertern und blitzenden Hellebarden den Kreis um die Gefangenen gezogen hatten. Im Schein der wehenden Fackeln, welche den engen Hofraum mehr mit dickem Qualm, als ihrem Lichte füllten, wurden die von Todesfurcht bleichen und verzogenen Gesichter der Knienden noch blässer und verzerrter, und aus der Finsterniß

traten die fcharfen Mauerecken, Vorfprünge, Gefimmstheile, Sparren=
köpfe und Thürmlein des alterthümlichen Schloßgebäudes beweglich
und wunderbar angeleuchtet heraus, wie in ihren Wolken hangende
Geister der ehemaligen Burgherren, welche nun mit ftummem Ent=
fetzen den Untergang des ehrwürdigen Haufes fehen follten, deffen
Gründer fie in längft vergangenen Zeiten gewefen.

Gangolfs Augen, indem fie die Reihe der Knienden mufternd
durchliefen, und die Freifrau von Falkenftein und deren fchöne Nichte,
feine vermalige Braut, fuchten, blieben an einer aufrechtftehenden
langen Geftalt behaugen. Er erkannte den Lollhard, trat rafch gegen
ihn und rief mit vorgeftreckter Hand in feliger Beftürzung: „Wie?
oder ift's ein Blendwerk? Find' ich euch unter diefen hier? Was
bewog Euch bei dem gottlofen Falkenftein Zuflucht zu nehmen, ftatt
im Freihof von Aarau?"

— Der Herr Herr ift meine Zuflucht, nicht Falkenftein, nicht
Freihof! antwortete der Alte, welcher, nun er Gangolfs Geftalt und
Stimme erkannte, fo wenig Freude äußerte, als er zuvor wenig
Furcht bewiefen hatte: Er, der Euch gefandt hat, mich zu retten
aus der Mördergrube, ift mein Schutz und mein Hort. Ich bin
hieher gefchleppt worden, wie ein Miffethäter, ein Spott der Frev=
ler, ein Gelächter der Thoren. Doch nicht meine Stunde, fondern
die ihre ift gekommen.

„Wo ift aber Veronika?" fuhr der Ritter zu fragen fort: „Ich
erblicke fie nirgends?"

— Wohl verwahrt! erwiederte der ruhige Greis: Sie ift bei
Gott!

„Wie? geftorben? ermordet?" fchrie der Jüngling mit einer
Stimme, die im Entfetzen brach.

— Die Lebendigen wie die Todten, find fie nicht in feiner Hand?
fagte der Lollhard: Ob mein Kind am Leben, ob im Grabe fei, ift
mir unbewußt. Seit ich vor fünf, fechs, fieben Nächten, . . . wun=

derbar, mein Gedächtniß, glaub' ich, will alten! — seit ich aus der Hardhütte weggeführt wurde, haben diese meine Augen die Tochter nie wieder erblickt. Aber sie ist mir unverloren; denn was verliert sich aus dem Gebiet des ewigen Vaters?

Da wandte sich Gangolf hastig gegen den knienden Vogt des Schlosses und rief, und es funkelten seine Augen: „Wo ist die Tochter dieses Mannes? Warum führtest du die Begutte nicht auf diesen Platz?"

„Helfe mir Gott!" stammelte bebend der Burgvogt: „Ich weiß von keiner Tochter dieses alten Mannes, und von keiner Begutte. Ich gelobe und betheure bei St. Urs und allen Engeln und Heiligen des Himmels, daß kein fremdes Weibsbild in das Gösger Schloß gebracht worden ist seit Jahr und Tag."

„Ha, du grauer, lügenhafter Schalksknecht deines ruchlosen Gebieters, meinst du, ich traue deiner meineidigen Zunge mehr, als dem Satansdienst, in welchem du bisher gestanden bist?" sagte der Ritter: „Ihr waret es, Bösewichte, ihr habet diesen Greis aus seiner gottgeweihten Einöde entführt; werdet ihr die unschuldige Jungfrau dahinten gelassen haben? — Bekenne! Wo hast du sie verborgen? Ich lasse die ganze Burg umkehren und jeden Winkel aussuchen. Du weißt um die Geheimnisse deines Herrn. Bekenne, ich lasse dich an der Folterhaspel aufziehen und mit Pech und Schwefel ansprengen, wenn du mir nicht Wahrheit offenbarest. Und ihr Andern hier," fuhr Gangolf fort, indem er sich umherwandte im Ring der Knienden, „wer von Euch mir von der Tochter des Greises hier Kunde gibt, dem soll das Leben bleiben und ein reiches Geschenk dazu werden. Eurer Aller Köpfe haften mir für die Jungfrau."

„Es entstand ein klägliches Gewinsel und Heulen unter den Gefangenen; einige rangen in der Angst die Hände wund, andere warfen sich mit der Stirn auf den Erdboden. Alle betheuerten ihre Unkunde, und behaupteten, daß nur der Burgvogt darum wissen

könne, wenn Jungfrauenraub geschehen sei. Viele baten den Vogt
mit Jammer und Thränen, daß er nicht das Unglück Aller auf seine
Seele laden, sondern das Verborgenste entdecken und sie und sich
selber retten solle; viele stießen die schrecklichsten Verwünschungen
und Flüche gegen ihn aus, wenn er nicht reden würde.

„Gott soll sich meiner armen Seele in Ewigkeit nicht erbarmen,
wenn ich lüge, der ich die Tochter dieses alten Mannes nie gesehen
habe!" schrie heulend der Vogt: „Euch Leuten allen ist's bekannt,
daß, außer dem Alten dort, keine fremde Seele im Schlosse wohnt.
Aber es kann ja möglich sein, daß die entführte Jungfrau in's Schloß
Farnsburg gebracht worden ist. Ihr wisset doch, Leute, wie vielerlei Geräth und Kostbarkeiten vor wenigen Tagen plötzlich von hier
dorthin geschafft werden mußten, deß sich damals Jedermann verwunderte. Warum möget ihr mich jetzt anfallen, und mich mit
euerm lästerlichen Geschrei vor dem gestrengen Herrn Ritter Trüllerey,
diesem sonst so liebreichen, gerechten und gnädigen Herrn, verdächtig
machen? Ja, gnädiger Herr, tausend martervolle Tode will ich
sterben, wenn aus meinem Munde gegen Euch Lug und Trug geht."

Nun erhob sich unter allen Schwerbeängsteten neues Geschrei,
in welchem die Aussage des Vogts, und die Ausfuhr vieler Geräth-
schaften nach Farnsburg bezeugt wurde.

„Auch wolle Eure Gnade zur Erkenntniß meiner Unschuld bedenken," fuhr der Vogt in seiner Schutzrede fort: „daß man keine
geraubte Jungfrau in diese Burg eingebracht haben würde, dieweil
die gnädige Freifrau selbst und des Herrn Hansen von Falkenstein
Fräulein Tochter darin Wohnsitz hatten."

Dieser Grund leuchtete dem Ritter ein. Er warf die Blicke
suchend umher und rief: „Auch diese seh' ich nicht. Warum weigern
sie sich zu erscheinen? Führe sie herbei, Vogt!"

— Gestrenger Herr! — antwortete dieser zitternd: ich bin unschuldig! Erbarmet Euch meiner, wie sich der Himmel Eurer erbar-

men wolle im letzten Stündlein — ich konnt' es nicht hindern. Sie sind beide entflohen.

„Gauch!" fuhr ihn Gangolf an: „Entflohen? Wie konnten sie entrinnen, und waren doch spät gestern, noch diese Nacht, in der Burg. Ich werfe dir deinen verrätherischen Kopf vor die Füße. Flehtest du nicht noch vor sechs Stunden für sie vergebens um freien Abzug? Wie konnten sie entkommen?"

— Allbarmherziger Himmel, ich bin unschuldig, und habe die gnädigen Herrschaften mit blutigen Thränen angerufen, die Burg nicht zu verlassen. Aber ich armer Knecht, konnt' ich mich gewaltthätig widersetzen? Sie stiegen auf die Mauer und ließen sich an Strickleitern hinab, die sie selber geknüpft hatten.

„Seit wann?" fragte Gangolf.

— Es mag seit einer Stunde oder länger sein: Denn sie befahlen mir, Euch das Schloß nicht zu öffnen, bevor sie nicht eine Stunde weit voraus wären.

„Wohin nahmen sie den Weg?"

— Gnädigster, liebster Herr, Ihr werdet wohl bedenken, daß sie mir das Geheimniß nicht vertrauten. Ohne Zweifel aber nahmen sie die Flucht in's Gebirg, — in die Schafmatt hinauf, — gen Farnsburg zu, — der Allwissende weiß es! Mit hunderttausend Freuden wollt' ich Euch Alles haarklein verrathen, wenn ich nur das Mindeste vernommen hätte.

„Waren Rosse bestellt für die Frauen? Wer sind ihre Begleiter?"

— Liebster Himmel, das Herz bricht mir, wenn ich an die armen Herrschaften denke. Sie irren mutterseelallein in die Wildniß der Berge dahin, und zu Fuß. Wie mögen es die zarten Frauen überstehen!

„Die werden noch zu erreichen sein, wenn du die Wahrheit sprichst!" sagte Gangolf: „Dich aber laß' ich aufhenken, wenn ich sie nicht finde, weil du mich betrügen wolltest."

Darauf befahl er die Gefangenen hinauszuführen, zu binden und zu bewachen; das Schloß zu durchsuchen, auszuplündern und in Brand zu stecken. Den Lollhard nahm er selbst bei der Hand; führte ihn vor die Pforte der Burg; gebot, ihn mit Speise und Trank zu erquicken und ihm mit Ehrerbietung zu begegnen, weil er kein Gefangener sei, sondern Gast.

„Erwartet mich hier und trennet Euch nicht von diesem Kriegsvolk," sagte Gangolf zum Lollhard: „denn die Wege sind überall nicht mehr sicher für Euch. Ihr bleibet in meinem Schutz, bis ich Eure Veronika entdeckt haben werde. Ich will sie ausspähen; alle Wälder, Klüfte und Dörfer des Jura will ich durchlaufen und alle Schlösser des Räubers niederwerfen."

Der Lollhard sprach: „Welches Gebot habt Ihr mir anzulegen und wer hat Euch zu meinem Herrn gesetzt? Ich stehe unter keines Sterblichen Obhut und Schutz, sondern unterm Schilde dessen, der den Sperling auf dem Dache und die Serafim in den Himmeln hütet. Mögen alle Mächte und Heerschaaren der Hölle sich wider mich aufmachen: ich fürchte sie nicht. Mit mir und Veronika ist ein Stärkerer, denn Ihr seid. Geht und traget Sorge für Euch selber, nicht für mein und meines Kindes Leben. Und sehe ich mein frommes Kind in den Armen des Falkensteiners oder des höllischen Drachen, meinet Ihr, ich könnte einen Augenblick zagen?"

Gangolf betrachtete den Lollhard bei dieser Rede mit bewunderungsvollen Augen, denn eine solche Höhe der Frömmigkeit und Zuversicht schien ihm fast an wirklichen Wahnwitz zu grenzen. Doch war dies nicht der Augenblick, gottesgelahrte Zweifel und Wortwechsel zu erheben. Gelassen erwiederte der Ritter dem Alten: „Nein, ich bin keineswegs gesonnen, Euern freien Willen zu beschränken, noch bin ich geneigt gewesen, Euern Felsenglauben an die Wachsamkeit der göttlichen Vorsehung zu kränken. Wenn ich dem verwaiseten Vater verhieß, das geliebte und verlorne Kind zu suchen, gedachte ich ihm Freude und Trost in's Herz zu legen. Aber Eure Tugend ist wahrlich übermenschlich . . ."

— Das soll sie sein, sintemal reine Tugend göttlicher Natur ist und nicht irdischer Herkunft! unterbrach ihn der Greis lebhaft.

„Ich bitt' Euch nur," fuhr der Junker fort: „mir zu lieb bei meinem wackern Kriegsvolk zu verweilen, bis ich wiederkehre, und Euch nicht zu entfernen. Ehe der Tag endet, werde ich wieder bei Euch sein, vielleicht schon in wenigen Stunden.

Als ihm der Lollhard das Wort gegeben, berief der Ritter mehrere wackere und zuverlässige Männer von den bewaffneten Solothurnern und Aargauern. Er sandte sie paarweis aus gegen Olten und Trimbach zur Schlucht des Hauensteins, gegen Wartenfels auf der waldigen Felshöhle, gegen Erlisbach den Weg zur Schafmatte, um die entkommene Gemahlin des Freiherrn Thomas und deren Nichte zu verfolgen und einzubringen. Er selber, begleitet von seinem treuen Knecht Irni Fäsen, rannte zu gleichem Zweck, den Berg von Gösgen aufwärts, zwar auf kürzern, doch kaum zu erkennenden Fußpfaden, Stüßlingen vorüber, den grünen umbuschten Höhen der Schafmatte zu, die droben den Rücken des Jura schmücken.

Irni Fäsens scharfes Auge entdeckte nach anderthalb Stunden zuerst in der Ferne zwei weibliche Gestalten, welche schon die letzte Höhe des Berges erreicht hatten, wo die schwärzlichen Kalkfelsen der Geißflue hinter wildem Gesträuch emporsteigen.

„Wenn sie den Reißaus nähmen," sagte er keuchend und die Schritte verdoppelnd, um dem voranfliegenden Gangolf nachzukommen: „wenn sie den Reißaus nähmen, so würde ich glauben, es wäre unser Wild und wir hätten's erjagt. Aber sie scheinen heiles Gewissen zu tragen, denn sie sitzen auf dem Felsstein, und weisen uns das Gesicht statt der Schuhsohlen. Wohin deuten sie mit den Händen? Auf uns nimmermehr." Er wandte sich, um zu erkennen, wohin die Weiber mit den Händen deuteten, und schrie: „Das

VII. 11

Schloß brennt! Unsere Leute haben nicht warten mögen, ihre Fackeln zu versuchen, die sie aus Hanf gedreht und in Pech getränkt hatten."

Als Gangolf zurücksah, erblickte er einen finstern Rauchschwall, der hinter den Gipfeln niederer Bergtannen aus der verborgenen Tiefe fort und fort emporstieg, dann wolkenartig aus einander fiel und weite, graue Flächen bildete, die in der Luft schwimmend standen, oder an den Bergwäldern still hingen. Er aber ließ sich durch das Schauspiel nicht im Lauf hindern, den bisher Felsen, Abgründe und verwachsenes Gebüsch oft unterbrochen hatten. Bald erkannte er in der Ferne am Gewande der beiden Frauen, daß sie nicht zu den gemeinen Wanderern gehörten, sondern eben diejenigen wären, die er verfolgte. Die Freifrau saß auf einem Felsblock und streckte von Zeit zu Zeit die Arme nach der Gegend ihrer brennenden Burg. Man vernahm durch die Morgenstille dieser Einsamkeit dann und wann ihre wehklagende Stimme, während ihre Begleiterin eifrigst bemüht schien, sie zu trösten, oder zur eiligen Fortsetzung der Flucht zu bewegen.

Gangolf trat odemlos zu ihnen. Er begrüßte die Edelfrau schweigend mit ehrerbietiger Bewegung und stellte sich zu ihnen, ohne reden zu können.

„Ihr kommet zur rechten Zeit, Herr Trüllerey," sagte das Fräulein von Falkenstein, indem ihren schönen Augen Thränen entflossen, „eine Heilige den Geist aufgeben zu sehen, deren Mörder Ihr seid. Tretet näher und ergötet Euch am letzten Zucken dieses schönen Schlachtopfers."

— Ich beklage das Schicksal der edeln Frau, versetzte Gangolf, sobald er des Sprechens fähig war: doch bitt' ich Euch, gerecht zu sein, und nicht mich anklagen zu wollen, sondern Euern Oheim. Er hat unabgesagt offenen Krieg gegen Bern erhoben, und ihn auf beispiellos gräuelhafte Art begonnen.

„Vergesset nicht, daß Ihr zur Nichte des Landgrafen redet!"

erwiederte das Fräulein: „Wenn ich schon die Gründe nicht be-
urtheilen kann, welche meinen Oheim zum Krieg reizten, weiß ich
doch, daß er ihn auf keine unehrliche Weise erhoben oder begonnen
haben kann."

— Erlaubt mir, daran zu zweifeln, daß Ihr hinreichend unterrichtet seid! — entgegnete der Ritter: Mitten im Frieden, ohne
Absage, ohne daß man sich's versehen konnte, mißbrauchte er heim-
tückisch das Vertrauen von Brugg, trank den Ehrenwein der Stadt,
überschlich dieselbe drei Tage nachher, da sie ihm arglos die Thore
öffnete, und füllte sie mit dem Blut der Wehrlosen, und den Flammen ihrer gastfreundlichen Wohnungen. Es geht ein Gerücht, er
habe zuvor schon Mordbrenner gen Aarau gesandt gehabt.

„Gerüchte sind Gerüchte, von denen ich hier nicht unterhalten
sein mag!" antwortete Ursula: „Und über gelungene Kriegslist haben
sich noch nie Andere, als Besiegte, beklagt. Auch ist's mir unbekannt, ob Fürsten und Herren im Kriege verbunden sind, gegen gemeines Volk von Handwerkern und Bauern Rücksichten zu nehmen,
die sie gegen einander selbst zu beobachten haben. — Ihr aber, was
habt Ihr gethan?"

— Was Pflicht und Ehre nicht bereuen, Fräulein.

„Der gefällige Wind trägt Euch den stinkenden Weihrauch Eures
Ehrenwerks bis zum kahlen Gipfel dieser Berge nach."

Die Freifrau von Falkenstein, welche bisher ihr Haupt an Ursula's Brust in halber Ohnmacht gelehnt hatte, richtete sich jetzt auf,
wandte ihr blasses Antlitz, auf welchem noch Thränen hingen, gen
Himmel und sagte, die Hände emporstreckend, leise: „O, gib mir
Stärke, das Entsetzliche zu tragen, oder nimm meine leidende Seele
zu dir auf."

Ursula küßte weinend die Stirn ihrer Freundin und sagte nach
einiger Zeit, mit dem Gesicht zum Ritter gewandt, der schweigend
in mitleidiger Stellung, den Blick auf die gebeugte Freifrau gesenkt,

da stand: „Es scheint, daß selbst Ihr dies traurige Schauspiel nicht ohne Rührung sehen könnet."

Sie verweilte mit den Augen, seine Antwort lange vergebens erwartend, auf der schönen Gestalt des Jünglings, der einst ihr Liebling und Bräutigam gewesen. Adel und Traurigkeit in Haltung und Geberde, schien er, in stillen Ueberlegungen, ihre Anrede überhört zu haben. Sie beobachtete ihn anhaltend, um zu erfahren, was von ihm zu hoffen oder zu befürchten stehe. Seine ruhige Gegenwart zog in ihrem Gedächtniß den Nebel vom Eden vergangener Tage. Das waren noch diese schönen Lippen, mit dem angenehmen Lächeln, die ihr Liebestreue geschworen, das noch die feingerundeten, kräftigen Arme, die sie einst umstrickt gehalten hatten, das noch die dunkeln mit Seele zur Seele sprechenden Augen, in die sie damals nicht ohne wunderbar süßes Schauern hatte blicken können. Sie drehte plötzlich das Gesicht von ihm weg und neigte es über die Freifrau hinab, die einen tiefen Seufzer that.

Nach einigen Augenblicken fragte Ursula wieder mit unsicherer, halblauter Stimme: „Darf ich bitten, Herr Trüllerey, aus welchen Ursachen Ihr Euch herauf bemühtet? — Welches Schicksal habt Ihr für uns bestimmt?"

Der Ritter antwortete mit leichtem Zucken der Achseln und in einem Tone, in welchem sich das Mitleiden aussprach: „Ich muß Euch ersuchen, mich nach Gösgen zurückzubegleiten, sobald die Freifrau wieder Kraft gewonnen haben wird."

Das Fräulein zitterte bei dieser Erklärung zusammen und stammelte: „Ich hätte gehofft, Ihr würdet nicht unschuldigen Weibern Krieg machen. Sollen wir Gefangene sein?"

— Wir haben Geiseln nöthig für die Sicherheit der Greise und wehrlosen Männer, welche Euer Oheim aus den Betten riß und von Brugg fortschleppte. Doch bitt' ich Euch, alle Furcht zu verbannen.

Ihr werdet mit aller Ehrfurcht behandelt werden, die Euerm Stande und Geschlecht gebührt.

„Und wohin werdet Ihr uns führen von Gösgen?" fragte das Fräulein weiter.

— In Eurer Wahl steht's, ob nach dem Freihof von Aarau oder nach Bern.

Beide Frauenzimmer überließen sich bei diesen Worten der ganzen Gewalt ihres Schmerzes. Sie schluchzten laut. Das Fräulein ermuthete sich zuerst, richtete sich auf, trat mit thränenschwerem Blick zu dem jungen Krieger, ergriff seine Hand in unwillkürlicher Heftigkeit und rief mit dem Ausdruck tiefen Jammers: „Gangolf!" Dann zog sie schaudernd ihre Hand zurück und drückte dieselbe auf ihr Herz und schwieg.

„Und wenn ich Euch für uns jedes Lösegeld biete, was Ihr begehren könnet?" sagte die Freifrau von Falkenstein.

— Gnädige Frau, erwiederte er: es steht nicht bei mir, sondern es ist an Bern, das Lösegeld zu bestimmen.

„Fordert," fuhr sie fort: „fordert, daß selbst Schultheiß und Räthe in Bern nicht mehr heischen können."

— Das Schloß Farnsburg für Bern, statt Eurer! — antwortete Gangolf.

„Ach!" seufzte die Gemahlin des Landgrafen: „Ihr verlanget, was Ihr wohl wisset, Herr Ritter, das zu geben nicht in unserer Macht steht. So sind wir Unschuldigen denn Eure Gefangene. Verfügt über uns; wir werden Euch gehorchen."

Ursula betrachtete ihren ehemaligen Liebling mit schmerzlichen und flammenden Blicken, und rief, indem sie die Hände flehentlich gefaltet gegen ihn streckte: „O Gangolf, Gangolf! muß das nun der Ausgang unserer unglücklichen Liebe sein, und willst du nun in dieser unwirthbaren Wildniß des Gebirges von mir scheiden und auf ewig das Herz brechen, welches einst für dich schlug und — o, laß mich's

bekennen — noch jetzt nach dir zieht! Gangolf, ich habe dir oft ge=
zürnt, aber nie aufgehört dich zu lieben. Ich habe geschworen, dich
haffen zu wollen, und konnte mein ungehorsames Herz nicht zähmen.
Gangolf, willst du es für immerdar brechen? — Ich habe dich ge=
kränkt, du mochtest unschuldig sein; ich habe dich gekränkt, aber es
war im maßlosen, unbesonnenen Zorn einer Leidenschaft, die du in
mir entzündet hattest. Ich war meiner selbst nicht mächtig; ach, ich
bin es noch heute nicht! Hab' ich dich nicht oft vor mir selber und
meinen unglücklichen Launen gewarnt? Du hast meine Furcht be=
schwichtigt. Erinnere dich des Frühlingsmorgens auf Landskron, als
du an meinem Halse lagest und riefest: Ich wollte, ich hätte dir eine
Todsünde zu verzeihen! — Gangolf, Gangolf, löse deine Gelübde!"

— Fräulein, Ihr selber habt mich ihrer entlassen!

„Nein, nein, ich that's nicht; mein Wahnsinn hat es gethan;
mein Herz wußte nicht darum. Gangolf, hier ruf' ich meine zärtliche
Freundin, ich rufe den allwissenden Himmel und diese ewigen Felsen
zum Zeugen, ich that's nicht. Willst du deine Geliebte, als Ge=
fangene, mit dir schleppen und sie den Feinden ihres Vaters aus=
liefern? Ist deine Rache gegen ein verzweifelndes Mädchen so un=
ersättlich? Gangolf, bei der Liebe, die du mir einst weihtest, bei
dem Edelmuth, der dich nie verließ, gönne mir das Recht der letzten
Bitte, und gib mich nicht der Schmach preis!"

Ein schönes Roth glühte über ihre Wangen hin, indem sie redete
und ihre Blicke mit Kummer und Zärtlichkeit an seinen Augen hingen.
Ihre erhabene Gestalt, voll anmuthiger Beweglichkeit, neigte sich,
ganz Innigkeit und Demuth, gegen ihn hin, während der Fönwind,
welcher die Rauchwolken der brennenden Burg gegen die Bergspitzen
herüber trieb, mit den verstörten Locken ihres Hauptes und dem
leichten Hausgewande gaukelte, in welchem sie den Belagerern ent=
sprungen war. Gangolf betrachtete mit kühlem Ernste die begeisterte
Rednerin, und sprach: „Fräulein, meine Pflicht ist hart; erschwert

mir die Erfüllung derselben nicht. Und wäret Ihr noch, die Ihr gewesen seid, meine Verlobte, meine Braut, ich würde Euch an Bern ausgeliefert haben."

„O du Hartherziger!" rief sie: „Selbst der kalte Marmelstein dieser Felsen erweicht und zerfällt unter den Thränen des Himmels, und du, Gangolf, du... Nun denn, wir sind deine Gefangenen! Führe uns, wohin es dir gefällt. Wir sind deine Gefangenen; ich bin es von jeher gewesen, mehr, als du geglaubt hast. Schleppe uns mit dir hinweg und gib die unglückseligen Töchter Falkensteins dem Hohnlachen des Pöbels preis. Schließ deine Kerker auf, ich will geduldig in die Finsterniß derselben hinabsteigen. Ich habe dich geliebt, ich liebe dich noch. Tödte mich dafür!"

— Fräulein! entgegnete Gangolf sanft verweisend: täuschet Euch für den Augenblick nicht selber...

„Gangolf, ich verlange nichts mehr von dir!" unterbrach sie ihn: „Das Schicksal gab mich in deine Gewalt. Zertritt mich! — Aber kröne deine Gefühllosigkeit nicht mit dem Zweifel an meinem Herzen. Das thu' nicht! Ich könnte dir tausend Zeugen rufen und nennen, die für mich..."

— Beschwört den Schatten des unglücklichen Hinz von Sar, daß er für Euch Zeugniß gebe, Fräulein! — rief Gangolf, und sein Gesicht wandte sich mit kalter Verachtung von ihr.

Wie die Flamme einer Kerze plötzlich vom Hauch des Mundes erlöscht, so erlosch Ursula's Flammenblick und Wangenröthe. Sie näherte sich bleicher, als vorher der Freifrau, setzte sich zu ihr auf das bemooste Gestein, und drückte, als fühlte sie einen heftigen Schmerz, auf ihre Brust beide Hände zusammen.

Nach einer guten Weile stand die Gemahlin des Freiherrn von Falkenstein auf und sagte zum Ritter: „Ueberantwortet uns an Bern! Wir sind bereit, Euch zu folgen. Ursula erhob sich und schwankte am Arm der Freifrau den Bergweg hinab. Gangolf bot ihnen vergebens seinen Arm zur Stütze. Sie lehnten ihn mit stummer Verneigung ab. Ihr verschlossener Mund hatte selbst auf seine höflichen Fragen keine Antworten.

So erreichten sie mit langsamen Schritten endlich das Feld bei Gösgen, wo die Eidgenossen am Boden umhergelagert waren und dem fortwährenden Brand des Schlosses behaglich unter Trinken, Lachen und Singen zusahen. Der Ring der hohen Burgmauern glich einem ungeheuern Kessel, aus welchem fort und fort zwischen schwarzem Qualm helle Flammen aufschossen und wieder verhüllt wurden von der weiten Verwüstung, die sie jeden Augenblick vergrößerten. Durch die schmalen, ausgebrannten Fenster der Burggemächer leckten hin und wieder Feuerzungen am grauen Gestein, als suchten sie auch von außen zerstörbare Stoffe. Drinnen brodelte die Gluth hörbar in dem herabgefallenen Balkenwerk und Holz der Dachböden, und durch den Riß der von Hitze geborstenen Mauern quollen weißgraue Rauchströme. Plötzlich stürzte einer der alten Burgthürme mit betäubendem Donner zusammen und riß in seinem Fall einen Theil der nördlichen Ringmauer mit sich zur Erde. Rings zitterte der Boden vom Fall. Die ganze Gegend verschwand in Dampf, Staub und Rauch.

Gangolf befahl, zwei der aus den Schloßställen weggeführten Rosse zu satteln, und hob die Frauenzimmer hinauf, um sie ihre Reise nach Olten und Bern unter kriegerischer Bedeckung fortsetzen zu lassen. Sie ritten von ihm ohne Gruß, ohne Wort, ohne Blick des Abschiedes. Bald verschwanden sie am Gebirg zwischen den Gebüschen und Hütten des nahegelegenen Dorfes.

Darauf suchte er den Lollhard. Er fand ihn am Berge, im Schatten einer überhangenden Rauhulme, entfernt vom Gewühl der lärmenden Krieger, die Hände gefaltet, wie im Gebet.

„Euch kann's in diesem Getümmel nicht gefallen!" sagte er zu dem Alten: „Erlaubet, daß ich Euch in die Stille meines Freihofs

nach Aarau begleiten laſſe. Ihr werdet daſelbſt eine Einſamkeit
finden können, ruhiger, als die Harb. Ich ſelber muß hier bleiben,
um bei der Theilung der Beute zwiſchen Solothurnern und Bernern
gegenwärtig zu ſein. Dann brech' ich morgen auf über das Gebirg
nach der Farnsburg. Auch die muß fallen!" ʾ

Der Greis betrachtete ihn einige Zeit mit träumeriſchen Augen
und ſagte dann: „Thut, wie Euch beliebt. Ich gehe, wohin Ihr
mich ſendet. Mein irdiſcher, hinfälliger Leib bedarf einer Ruhe.
Seine Gebrechlichkeit drückt den Geiſt in mir nieder."

Gangolf verwunderte ſich über die Willfährigkeit des ſonſt ſpröden alten Mannes. Aber ihm entging nicht deſſen Erſchöpfung an
aller Kraft. Mangel an Ruhe, des gewohnten Umgangs mit der
verlornen Veronika, vielleicht auch Entbehrung der Speiſe und ſelbſt
des Schlafes, hatten ihn ſichtbar geſchwächt. Er führte den Lollhard
mit ſich zu dem bequemern Schattenplatz, wo unter Eichenzweigen
die Hauptleute der Mannſchaft aus den reichen Vorräthen des Schloſſes
eine ſtattliche Mahlzeit bereitet hatten. Gangolf rückte dem Greiſe
den prächtigſten Lehnſeſſel an die oberſte Stelle des Tiſches und ſetzte
ſich ihm zur Seite. Seine Ehrerbietung zwang auch die übrigen
Krieger, dem Lollhard eine Achtung zu bezeugen, die ſie außerdem
ſchwerlich geneigt geweſen wären, ihm zu erweiſen.

Nachmittags ward eines der erbeuteten Roſſe vorgeführt, welches der
Alte beſtieg. Er ſegnete noch einmal ſeinen gaſtgefälligen Freund, und
ritt, von zween bewaffneten Aarauer Bürgern geleitet, zu ihrer Stadt.

34.

Der Schatz von Grimmenſtein.

Die Bürger, welche zu Fuß nebenher trabten, bewunderten des
Beibruders edeln Anſtand auf dem Pferde, eines der ſchönſten und
lebhafteſten aus Falkenſteins Marſtall.

„Man sieht's wohl," sagte einer der Begleiter zu ihm, „daß Ihr in jungen Jahren Zaum und Zügel öfter, als das Betbuch, in Händen gehabt. An Euerm Platz hätt' ich so bald kein Oremus gemacht. Ich denke, es stirbt sich im Harnisch so selig, als in der Kutte. Einmal, meine Buben daheim sollen Schwert und Pferd, Lanz' und Panzer so früh, als das Brodmesser, handhaben. Es ist die Zeit danach; und 's gibt kein besseres Gewerb. Anno 17 kauften wir Aarauer Veste und Herrschaft Königstein mit Hoch- und Niedergerichten, Wohn' und Weid', Holz und Feld, um 550 Gulden rheinisch. Wenn's jetzt in der Ordnung geht, muß aller Burgadel, der nicht mit uns hält, zum Henker, und das breiteste Schloß wohlfeiler werden, als das schmalste Haus im Städtlein. Ein Burgstall soll nicht mehr kosten, denn auf den rechten Schädel den rechten Hieb."

— He, Meister Entfelder, Gevattersmann, gemach! — rief der andere: Ich glaube, du hast deinen Hieb in des Falkensteiners Keller vor dem Spundloch empfangen. Kriegsgewerk, Sündenquark! Du sitzest auf deinem Schnitzbock fester, denn auf dem besten Rittersattel. Wer die Hand im Blut badet, muß sie nachher mit Thränen waschen. Der von Luternau im alten Thurm konnte vor Zeiten keinen Pfaffen riechen, und jetzt läuft er zu Meß und Wallfahrt des Jahres ein Dutzend Sohlen ab. Den alten Rüdiger im Freihof plagt's Tag und Nacht, wie den König Saul. Und eben Ihr da, frommer Bruder, werdet mir beistimmen: Was jung getollt, wird alt gezollt. Hab' ich Recht?

Der fromme Bruder auf dem Rosse gab keine Antwort, auch, als sie in Fortsetzung ihres Geplauders ihn durch wiederholte Fragen versuchten. Er schien nicht nur gehörlos, sondern von allen äußern Sinnen kaum so viel behalten zu haben, als genug war, den lebensfrohen Gaul in geziemendem Schritt zu lenken. Sein erloschener Blick haftete an keinem Gegenstand; seine Gesichtszüge standen, wie die eines Schlafenden, entspannt. Zuweilen schien er, durch einen

Seufzer aus dem Innersten seiner Brust, sich selber zu wecken und auf einen Augenblick an die Außenwelt zurückgegeben zu werden. Dann bewegte er seine Lippen still, wie zum Gebet. Es ist zu vermuthen, daß ihn die Sehnsucht nach dem Reiche des ewigen Evangeliums nicht allein, sondern auch wohl der Gedanke an seine verlorne Tochter beschäftigte, wiewohl er die Macht des väterlichen Gefühls, gleich aller Anhänglichkeit an das Irdische, eben so aufrichtig in sich bekämpfen mochte, als er es äußerlich durch That und Wort pflegte.

Er ritt eben vom kieselreichen Dorfweg über einen hölzernen Brückensteig, neben dem Abgrund, welchen ein wildes Bergwasser bei den Hütten von Unter-Erlisbach in die Felsen gefressen hatte. Ein ritterlich gekleideter und bewaffneter Mann kam jählings an den Rebhügeln, in scharfem Trabe, von Aarau daher, und mäßigte beim Anblick der schwankenden Brücke den Lauf seines Renners. Es war kein Anderer, als Herr Isenhofer von Waldshut.

Beim Gewahrwerden des Lollhard stutzend, hielt er am Stege still, betrachtete den sonderbaren Reiter und fragte, nach freundlichem Gruße, mit halblautem Tone, die Fußgänger:

„Ihr wackern Herren von Aarau, steht Ritter Gangolf mit den Solothurnern und unserm Volke noch vor Gösgen?"

— Allerdings! — antwortete einer.

„Desto besser! Führet Ihr diesen Alten mit Euch kriegsgefangen gen Aarau?"

— Mit nichten, Herr, sondern er ward nur vom Junker unserer Obhut empfohlen; wir geleiten ihn in den Freihof zum Herrn Rüdiger. Er befand sich aber unter den Gefangenen des Falkensteiners. Der Junker hält, scheint es, große Dinge auf diesen Ehrenmann, troß der demüthigen Tracht und Lebensart, die Ihr an ihm sehet.

„Seid mir gegrüßt, Herr Ritter Jörg von End!" redete Isenhofer darauf kräftig den Lollhard an: „Denn ich vermuthe, Ihr ield's, und kein Anderer. Eilet, Euch erwartet eine Heilandsthat. Ihr sollet, was gestorben ist, wieder zur süßen Lust des Lebens erwecken."

Der Alte, welcher bisher, noch immer in sich selber versunken, wenig auf das, was um ihn war, geachtet hatte, schlug bei dem Namen Jörg von End die Augen auf und heftete seinen stieren Blick auf Herrn Isenhofer, ohne ein Wort zu erwiedern.

„Ihr seid's!" fuhr Isenhofer fort: „Ihr seid's! Wir wissen, Ihr waret in des Falkensteiners Klauen. Wir wissen es von einer alten Zigeunerin, Ritter, die Euch und Euer Fräulein Tochter wohl kennt."

— Was Ritter? Was Fräulein? Was Falkensteins Klaue? — versetzte der Greis: Ich bin, der ich bin; und war und bin in keines Menschenkindes Gewalt. Wo aber ist meine Tochter? Ihr scheint ihren Aufenthalt zu kennen. Jene Zigeunerin selber führte des Freiherrn Thomas Henkersknechte zu uns.

„Richtig! Also irr' ich nicht!" entgegnete der Dichter von Waldshut mit einem Antlitz, aus dessen Zügen die reinste Freude lachte: „Eben bin ich aufgebrochen, Euch zu suchen und dem Junker Gangolf zu melden, daß Freiherr Thomas Euch in Gösgen gefangen halte. Nun, desto besser! Ihr seid schon frei. Seid mir gegrüßt, Freiherr von End. Ziehet denn wohlgemuth zum Freihof nach Aarau in Gesellschaft dieser ehrenwerthen Herren. Ich setze meinen Weg nun fröhlicher fort, und will und muß den Junker sehen. Erwartet unsere Rückkehr im Thurm Rore, Ritter Jörg von End!"

— Verkennet und kränket mich nicht mit Euerm Getitel! — rief der Lollhard: Ich bin kein Ritter, kein Jörg von End! Der Mensch, vom Geiste Gottes bewegt, steht wohl höher, als Euer Kinderspiel ihn machen will. Der Blödsinn jener vom Weltvater abgefallenen Geschöpfe träumt, den Menschen durch Anklebung thörichter Titel herrlicher zu stellen, als ihn Gott selber nach seinem Bilde geschaffen und gestellt hatte.

„Nun gut!" erwiederte Isenhofer, dem die Sprache der Brüder des freien Geistes nicht fremd war: „Ihr habet in der Sache keineswegs ganz Unrecht; doch muß ich mit Euch in deutscher, üblicher Zunge reden, das heißt, unter den Wölfen heulen. Ihr wisset aber, wir Deutsche sind nun einmal die alten und ewigen Narren, die dem gesunden Menschenverstande von Kindheit auf Valet sagen und nur in die Schule gehen müssen, um künftig den Rock mehr als den Mann, oder den Titel mehr, als das Herz, oder das Würfelspiel des Zufalls mehr, als das wahre Verdienst schätzen zu lernen. Ich gebe übrigens zu, wir könnten sehr gescheite Leute sein, wenn wir nicht mit Mühe und Zwang Alles verlernen müßten, was der vernünftige Mensch schon von Natur weiß. Also, nichts für ungut, ehrwürdiger Bruder im Herrn! Fahret wohl! eilet, und verrichtet das gute Werk, das Euch erwartet."

— Mich erwartet?

„Ja, Euch! Eilet! Das Böse überrascht den Menschen und kömmt ihm mehr denn halbwegs entgegen; aber das Gute will gesucht, erjagt und überrascht sein. Wie gern wär' ich bei Euch im Freihof! Gehet, machet die Engel des Himmels jauchzen!" Mit diesen Worten ritt Isenhofer, heiter grüßend, über den Brückensteg, und die Andern setzten ihren Weg zwischen den Rebhügeln unter dem Hungerberg und den weidenbekränzten Aarufern zur Stadt fort. Erst jetzt gereute es den Lollhard, den freundlichen Fremden nicht näher um das befragt zu haben, was ihn im Freihof erwarte. Er sah zu spät nach ihm zurück. Isenhofer war schon hinter Gebüschen, Hütten und Hügeln davon. Als der Lollhard die Bürger, die ihn strengen Schrittes begleiteten, nach dem Namen des unbekannten Mannes fragte, wußte ihn keiner derselben zu nennen.

Bald lag die Stadt vor ihnen, deren altersgraue Gebäude und Thor- und Kirchenthürme das Innere einer vielschartigen hohen Mauerkrone ausfüllten. Nahe bei der Ringmauer, oberhalb der

Brücke, stieg der breite, gevierte Thurm Rore auf, deffen Nordseite gegen das Ufer, mit sechs über einander stehenden schmalen Fenstern, die bewohnbare Geräumigkeit des uralten Baues bezeugten. Der Lollhard, wie er über den Strom dahin blickte, legte schnell die Hand auf sein Herz, als wollt' er eine schmerzlich-süße Bewegung desselben hemmen. Denn er dachte: „Meine Veronika, mein Kind, bist du in einem dieser Thurmzimmer?" Er konnte das Feuchtwerden seiner Augen nicht verhindern.

Ueber die zwiefachen Brücken und durch das zwiefache Stadtthor hinauf zum Burggraben des Freihofs gelangt, sprang er rasch vom Gaul. Er ging über den Hofraum zur Thurmpforte, indem er seinen bisherigen Begleitern, die sein Roß den herbeispringenden Knechten gaben, Lebewohl zurief. Die finstere Burgstiege herunter trat ihm aber der alte Herr Rüdiger entgegen. Dieser blieb verstummt vor ihm stehen.

Der Lollhard verbeugte sich grüßend und sprach: „Junker Gangolf Trüllerey hat mich von Göögen hierher führen lassen, wo ich gefangen gehalten war durch Freiherrn Thomas von Falkenstein. Ich vermuthe mit Grund, meine Tochter, eine arme, fromme Begharde, sei in Eurer Gewahrsame hier. Ist dem nun also, so wollet mich meinem Kinde zuführen."

Herr Rüdiger antwortete lange nicht. Mit unsicherer Stimme sagte er endlich: „Eure Tochter ist nicht hier, doch wird sie erwartet. Lasset Euch indessen gefallen, bei mir zu verweilen und mir zu folgen."

Damit wandte er sich und ging langsam die enge steinerne Wendeltreppe hinauf; dann eine zweite, eine dritte, eine vierte Er öffnete die mit Eisenblech beschlagene Pforte eines hellen, geräumigen Gemachs, und verschloß sie, sobald der Lollhard eingetreten war, hinter ihm. Der Lollhard, vom langen Steigen erschöpft und fast des Odems verlustig, setzte sich auf eine schwarze Eisenkiste, die seitwärts dem

Fenſter ſtand, während Herr Rüdiger noch mit dem Verſchließen der
Thür beſchäftigt war. Als dieſer aber den Alten auf der Eiſenkiſte
ſitzend erblickte, drang ein Schauder durch ſeine Seele; denn er erinnerte ſich jener Nacht, da er im Fieberwahnſinn die Geſtalt ſeines
alten Herrn und Freundes Jörg von End auf derſelben Kiſte ſitzend
gefunden. Mit verbleichendem Geſicht erforſchte er die Züge des
Lollhards. Er ſah den Freiherrn Jörg von End vor ſich. Er ſah
die hohe, lange Geſtalt, aber ihre Schönheit durch die Sonnen vieler
Jahre verdorret. Die ehemals edeln, weichen Züge des Geſichts
waren faſt bis zur Unkenntlichkeit ſchroffer gezogen, und die ſtolze
Römernaſe des einſt vollen Geſichts hatte jetzt Ebenmaß und Verhältniß zu den eingeſunkenen, verſchrumpften Wangen verloren. Nur
in den Augen brannte noch unerloſchen die Gluth eines Herzens voll
ewiger Jugend.

Herr Rüdiger faltete, ſeiner im Entſetzen beinahe nicht bewußt,
die Hände, und trat zitternd gegen den Lollhard, welcher ihn mit
ſonderbaren, durchdringenden Blicken beobachtete. Er kniete endlich
demuthsvoll nieder und ſagte: „Seid Ihr es denn wirklich, Freiherr
Jörg von End, oder iſt's Euer abgeſchiedener Geiſt, der wegen des
Schatzes umgeht? Wie haben Euch die Jahre verwandelt! Erkennet
Ihr mich, mein ehemaliger Freund und Gebieter?“

Der Lollhard antwortete nicht, bewegte ſich nicht, ſondern betrachtete mit Befremden und Erſtaunen den knienden Greis.

Nach einer langen Stille, in welcher der bußfertige Ritter die
Augen zu Boden geſenkt hielt, hob dieſer abermals die Hände flehend
empor und ſagte: „Noch hat ſich mein Knie vor keinem andern ge-
beugt, als vor Gott und des römiſchen Königs Majeſtät. Aber der
Meineidige beugt es jetzt reuig vor ſeinem Herrn, den er betrogen
und zum armen Bettler gemacht. Die Truhe von Grimmenſtein
ruht aber noch in dieſem Eiſenkaſten; und was ich vom Schatz an
Gold entwendet habe, ſollet Ihr an liegenden Gründen zurück-

empfahen, alles bis auf den letzten Heller. Sprechet darum mir voll
Erbarmens Eure Gnade und Vergebung zu, auf daß ich Elender
von meiner langen Angst erlöset werde und im Frieden von hinnen
scheide."

Der Lollhard sprang hastig vom Sitze, blieb aber wie gebannt
und erstarrt stehen. Da derselbe immer hartnäckiger im Schweigen
beharrte, hub der gebeugte Rüdiger, mit Thränen im Auge, an zu
erzählen, wie er den Freiherrn vergeblich einst in Konstanz gesucht
und nicht mehr erfahren können, wohin sich derselbe gewandt gehabt
hätte; darauf sei er, Rüdiger, der Versuchung des Teufels unter=
legen und mit dem Schatz von Grimmenstein in die väterliche Burg
Rore gezogen.

Der Lollhard zuckte einigemal auf, als wollte er reden. Endlich,
ohne die Beichte vollenden zu lassen, schrie er mit gewaltiger Stimme:
„Seid Ihr denn Günther von der Weide?"

„So hieß ich mich auf Grimmenstein. Auch mein Name sogar
war Betrug!" sagte Herr Rüdiger, und erzählte ehrlich, was ihn
damals zu der Falschheit bewogen hatte.

— Günther von der Weide! — rief der Lollhard wieder, ihn
unterbrechend: Günther! armer Günther! — Er trat zwei Schritte
vor. Aus seinen Augen stürzten helle Thränentropfen über die hohlen
Wangen in den eisgrauen Bart. Er beugte sich zu dem greisen
Jugendfreund nieder und schloß ihn, übermannt von Erinnerungen
einer fast verdämmerten Vergangenheit, und bezwungen von Ge=
fühlen an sein Herz, die er im Kampf mit der irdischen Natur schon
für besiegt, oder seiner Selbstheiligung für unzuträglich gehalten
hatte. Rüdiger hingegen, in Furcht, Schmerz und Reue aufgelöset,
ward durch die Inbrunst erschüttert, mit der ihn der einzige Mann
umfing, wider welchen er sich eines Verbrechens bewußt war. Er
hätte leichter den Zorn des freiherrlichen Lollhards, denn dessen be=
schämende Liebe getragen. Die Greise blieben lange in der stummen

ungestümen, thränenvollen Umarmung, als wären sie um dreißig
Jahre ihres Lebens ärmer, und stürmische Jünglinge geworden.
Man mag dies vielleicht unnatürlich finden, so lange man nicht weiß,
daß das höhere Alter wieder jene Weichheit der Gefühle in das Gemüth zurückempfängt, welche einst die Jugendtage verschönten. So
führt auch die herbstliche Jahreszeit, nur nicht unter Blüthen, sondern
unter Früchten, die milde Lieblichkeit des Herbstes in aller Pracht zurück, obgleich beim Schimmer einer südwärts weichenden, nicht von
daher kommenden Sonne.

„Löset die Sündenschuld von meiner Seele!“ rief Herr Rüdiger:
„Lasset mir Gnade widerfahren. Alles soll Euch zurückerstattet werden
bis auf den letzten Heller. Sprechet Eure Verzeihung über mich aus.“

— Günther, oder Rüdiger, wie ich dich lieber nennen soll, —
erwiederte der Lollhard: was habe ich dir zu verzeihen? Leg' dich
an mein Herz, Rüdiger oder Günther, oder wie du willst, daß ich
dich nenne.

„So lang' ich von meiner Sünde nicht freigesprochen bin,“ sagte
der Ritter, „verbleib' ich, wie auf Grimmenstein, Euer Knecht
Günther von der Welde. Unseliger Name! O vergesset desselben
mit dem Verbrechen.“

— Richte dich auf, Rüdiger, quäle mein armes überfrohes Herz
nicht! — erwiederte der Lollhard: Ging deine Seele vor Zeiten im
Eigenwillen der Sünde, und geblendet vom Naturlicht, irre: so
haben dich Reue und Buße auf den Himmelsweg zurückgeleitet. Gott
zürnet der Schwäche deines Fleisches nicht ewig. Wie möcht' ich's
denn? Ich verzeihe dir von Herzen gern, was du wider mich gefehlt
zu haben meinest; denn Gott hat dir verziehen, sobald du dich
von den Netzen des weltlichen Sinnes losgerissen hast. Steh' auf,
Rüdiger!

Der alte Rüdiger blieb noch auf den Knien, heftiger schluchzend.
Dankbar küßte er des Lollhards groben Kittel, wie eines wunder-

VII.   11*

thätigen Heiligen Gewand. Dann erst stand er auf und Freude leuchtete ihm durch die Thränen. Er schloß den Bruder des freien Geistes noch einmal in seine Arme und führte ihn darauf zur Eisenkiste, aus der er die Truhe von Grimmenstein hervorhob.

„Hier, Freiherr, Euer Eigenthum unversehrt!" sagte er.

— Halt, heiße mich Du, Rüdiger, denn wir sind fürder nicht Herr, nicht Knecht, sondern Ausstrahlungen eines und desselben göttlichen Lichtquells, in welchen wir bald heimkehren. Laß unter uns die Thorheit der Sterblichen und deren Sprache nicht länger gehört werden, sondern das Reich und das Leben der Gerechten soll wohnen zwischen dir und mir. Aber dieses Mammons entschlage dich. Er gehört nicht dir, nicht mir, sondern der Erde.

„Bruder Jörg! Es ist dein rechtmäßiges Eigenthum und mehr noch dazu. Was an Gold fehlt, ersetzt manche Schuppose Landes*), laut beiliegenden pergamentnen Briefen."

— Was, Eigenthum! — rief der Lollhard mit Unwillen: Wir, die Eigenen Gottes, was können wir dem Allmächtigen entziehen und in unser Eigenthum verkehren? Verwalter sind wir der uns gemachten Darlehen des Lebens. Nichts gehört uns an, sondern Allen Alles im göttlichen All; es war den gewesenen, es ist den heutigen, und wird den künftigen Geschlechtern sein! Verwalte dies dir geliehene Pfund zur Hilfe der Leidenden, zur Erweckung des Guten und Heiligen. Ich bedarf des Ueberflusses nicht. Für des Leibes Nothdurft, und meinen Lebensgenossen im Leiden beizuspringen, hab' ich genug empfangen.

Herr Rüdiger verstand den Bruder Jörg nur halb und sagte: „Willst du, daß ich das Ganze, oder einen Theil der Kirche über-

*) Ein damals gebräuchliches Flächenmaß, welches, bald größer, bald kleiner, doch ungefähr zwölf Juchart (zu ungefähr 60,000 Geviert-schuh Landes) Acker- oder Wiesenbodens stark war.

gebe? Oder dem Kloster der heiligen Ursula, Augustiner Ordens, zu Aarau hier? Mein, das wär' ein gutes Werk, denn unsere Klosterfrauen leiden nicht selten Mangel."

— Trage den Schatz auf die Brücke, fuhr der Lollhard heftig auf, und stürz' ihn der gefräßigen Aare in den Rachen; dann hast du noch ein frömmeres Werk gethan. O Rüdiger, wie bist du blinden Herzens, daß du dem, was untergehen soll, neue Stützen bringen willst? Was nennst du Kirche? Es ist nicht mehr die Gemeinschaft der Heiligen auf Erden um den Thron des Allvaters im Welttempel, darin Christus gepredigt hat; sondern es ist der Kerker und die Gefangenschaft geblendeter Menschen unter der Hoheit selbstsüchtiger, schwelgerischer, leichtfertiger Priester. Wie die Baalspfaffen, verzehren sie die Opfer selber, welche sie für den Himmel begehren, und ihre Hoffart kleidet sie in das, was sie zur Ehre Gottes nehmen. Sie sind vom hohen Geist Jesu so entfernt, wie ihr goldgesticktes Meßgewand von seiner Demuth, wie ihr Inful mit Juwelen von seiner Knechtsgestalt, wie ihre Verfolgerwuth von seiner unendlichen Menschenliebe. O wie bist du blinden Herzens, Rüdiger, daß du dem Bel zu Babel die Kinder des Landes opferst, und dem arbeitsamen Volk den Bissen raubest, um das faule Fleisch der Mönche und Nonnen zu mästen! Enthaltsamkeit und standhafte Selbstbezwingung, diese unerschütterlichen Grundlagen innerer Seligkeit, müssen im täglichen Leben offenbaret werden; aber im Kloster sind sie, was eines Diebes Besserung im Schelmenthurm. —

Der sprachselige Alte fuhr noch lange in diesen Reden fort, vor deren Ruchlosigkeit sich der greise Trüllerey billig entsetzte. Mehrmals, doch liebreich und schüchtern, unterbrach ihn Rüdiger mit Zwischenfragen. Aber jede Antwort führte den Bruder Jörg wieder auf ein breites Feld seines Lieblingsgegenstandes, wie der Bergquell nur das Felsstück umgeht, das seinen Lauf hemmt, und dann desto freier die erste Richtung verfolgt.

341

So wurde über den Schatz von Grimmenstein zuletzt nichts entschieden. Herr Rüdiger Trüllerey aber hatte nach langer Traurigkeit den besten Schatz wiedergefunden, Seelenfrieden und Ruhe eines schwer geängstigten Gewissens. Er räumte seinem Seelenfreunde das schönste und bequemste Gemach der Burg ein, welches der Lollhard bezog, ohne Gefallen oder Mißfallen zu bezeugen. Nur gelegentlich nahm Bruder Jörg von den köstlichsten Zierrathen des Zimmers Anlaß, auf die Eitelkeit des Irdischen und auf die Entwickelung des großen Weltschauspiels hinzudeuten, um den alten Ritter auf die Offenbarung des ewigen Evangeliums vorzubereiten. In einem Winkel stand mit eingeschmolzenen Gold- und Silberblumen die schimmernde Stahlrüstung, welche Rüdiger in manchem Turnier siegreich getragen. An einer Wand hing die breite, kunstreich gemalte Pergamentrolle des Stammbaums von seinem Geschlecht, welcher bis in das Innerste des zehnten Jahrhunderts die verborgenen Wurzeln trieb, schon im zwölften Jahrhundert die getrennten Zweige über Süddeutschland, Schaffhausen, Luzern und den Aargau ausgestreckt hatte, und Feldherren, Prälaten, Bürgermeister freier Städte, Comthuren, Aebtinnen und Meisterinnen auf seinen Schilden trug. Das alles, so wie vieles Andere, selbst der Familienstolz, welcher aus der Glasmalerei der Fenster prunkte, lieferte dem Lollhard täglichen Stoff zu geistreichen Betrachtungen und salbungsvollen Mahnungen.

Herr Rüdiger, wiewohl ein strenggläubiger katholischer Christ nach dem Gebot der Kirche, hielt doch aus liebender Dankbarkeit dem Bruder des freien Geistes viel zu gut, und gab ihm wohl zuweilen Recht, weniger aus Ueberzeugung, als Gefälligkeit. Vermuthlich hoffte er seinerseits dafür, als christliche Gegengefälligkeit, einige Nachsicht mit einer Grille oder Schwäche, welche er im Zustande seiner langen Schwermuth, bis auf einige leichte Anwandlungen, völlig abgelegt hatte, und die nun im gleichen Maße wieder bei ihm erschien, wie die Genesung des Leibes und der Seele wuchs. Es ist gar nichts Ungewöhnliches, daß Menschen, während einer Krankheit, ihre Gemüths- und Denkart ändern und sie unwillkürlich mit der Rückkunft der Gesundheit wieder in alter Stärke äußern, als lägen ihre Tugenden und Fehler mehr im Fleische, denn im Geiste. Herr Rüdiger der bisher mit Verachtung des Lebens nur auf Grab und jüngstes Gericht gesehen hatte, erinnerte sich nun gern wieder daran, daß das Alterthum des Geschlechts Trüllerey hoch über alle andere des deutschen und welschen Adels rage, und Karl der Große selber sich keines ältern Stammes rühmen könne. Denn die Trüllerey waren nach seiner Meinung, aus der Burg Truellis, welche von den eingedrungenen Germanen einst im Waadtlande gebaut, von den Helvetiern wieder erobert, nachher vom Cäsar verbrannt worden wäre. Allein der Lollhard, erhaben über den nichtigen Tand der Leidenschaften und über das vorüberfließende Treiben der Sinnen= welt, beachtete nichts, als das vor ihm schwebende unerreichbare Urbild der innern Vollendung, und Alles konnte nur zu höherm Aufschwung seiner Andacht gereichen.

Die beiden Alten verstanden einander auch nach mehrern Tagen nicht, und gerade deswegen wurden sie, wie es gewöhnlich geschieht, um so erpichter, einer den andern zu belehren und zu bekehren; denn sie liebten sich. Ihre Herzen blieben im zärtlichsten Verständniß.

35.

Die Schlacht bei St. Jakob.

Während die Greise nun im Thurm von Rore Bilder und Ge= schichten ihrer Jugend auffrischen, ihre spätern Abenteuer und Glückswechsel einander vertraulich mittheilten, oder ihre Bekehrungs= versuche fortsetzten, verbreiteten sich in der letzten Augustwoche sehr widersprechende und beunruhigende Gerüchte über den Gang des Krieges, die bald alle Aufmerksamkeit an sich rissen. Der Dauphin von Frankreich, hieß es, sei mit ungeheurer Kriegsmacht über Basel gegen den Jura gedrungen; habe bei dieser Stadt ein Heer der Eidgenossen, 4000 Mann stark, bis auf den letzten Mann niedergehauen, also daß Keiner entkommen sei, und rücke nun unaufhaltsam vor, das ganze Schweizerland einzunehmen. Man bot zur Bestätigung dessen nicht nur die Abschrift eines Briefes umher, den Thüring von Hallwyl der ältere an den Markgraf Wilhelm von Hochberg nach Zürich gesandt; sondern auch Flüchtlinge aus dem Gebiet von Basel bestätigten das Unglück, und zugleich, daß die Belagerung des Schlosses Farnsburg aufgehoben, Alles von den Eidgenossen in zerstreuter Flucht wäre. Es kam sogar Botschaft, daß sich Berner und Solothurner von Zürich nach Baden und Lenzburg zurückzögen, und daß die Gebirgsvölker von Glarus, Schwyz, Unterwalden, auch die von Zug und Luzern, über den Albis heimgingen, als sei Alles verloren.

Viele wohldenkende Bürger Aargau's riethen zu stärkerer Befestigung der Stadt, und zum Entschluß, in verzweifelter Gegenwehr für ihre und Berns Freiheit unter dem Schutte der Wohnungen und Tempel zu sterben. Viele der achtbarsten Männer des Rathes kamen in den Freihof, Unterredung mit Herrn Rüdiger zu pflegen. Die Gemeinde verlangte den Junker Gangolf zum Kriegsobersten. Aber von ihm war, seit er mit andern Eidgenossen vor Farnsburg gezogen, keine Kunde mehr angelangt. Allgemeines Geschrei ging, auch er sei in der Schlacht bei Basel gefallen.

Das erste Schrecken über die Niederlage der Schweizer an der Grenze milderte sich aber bald durch spätere Nachrichten. Die anfängliche Wuth verwandelte sich dann in trotzigen Stolz des ganzen Volks auf seinen Werth; und der Fluch über die Feigheit der Vaterlandskrieger an den Grenzen ging in Bewunderung deren Heldengeistes über. Denn man vernahm, daß nicht 4000, sondern kaum 2000 Eidgenossen einen unglaublichen heldenhaften Kampf gegen die gesammte französische Kriegsmacht bestanden hätten, daß darauf der Dauphin, statt gegen das Juragebirg zu ziehen, sein Volk rückwärts in den Elsaß und Schwarzwald gelegt, und geschworen habe, ein härteres Volk als die Eidgenossen, nie gesehen zu haben; daß er sie nicht weiter versuchen wolle, weil er sie ihres Tapfersinnes wegen hochehren müsse. Man vernahm sogar, daß sich Frankreich trennen werde von den österreichischen Absichten; daß schon ein Tag für die Friedenshandlungen zwischen Frankreich und den Eidgenossen beredet sei*).

Botschaften so vergnüglichen Inhalts wurden mit heiterer Zufriedenheit, aber ohne ausschweifende und darum entehrende Freude aufgenommen. Denn die Schweizer, obwohl sie der Armagnaken Stärke und die Heermacht des Dauphins kannten, auch wohl wußten, daß dieser nicht durch die Schlacht an der Grenze allein, sondern mehr noch durch die vermittelnden Worte der Baseler Kirchenversammlung und des französischen Hofes eigene Entwürfe gegen Deutschland, zum Frieden gestimmt worden war: fürchteten doch Frankreichs Uebermacht und Kriegskunst keineswegs. Sie wußten, die Hunderttausende der Franzosen würden unfehlbar in diesen Thälern und Bergen ihre schmachvollen Gräber finden und das ruhmlose Schicksal aller frühern Dränger und Eroberer erfahren. Denn wo jeder Greis und Knabe, wo Weib und Jungfrau Waffe und Blut nicht scheut, wo jeder einzelne Mann sich für des Landes Unabhängigkeit dem Tode geweiht hat: da ist jeder Berg, jede Engschlucht eine Burg, jeder Wiesenhag eine Schreckschanze, jeder Garten ein Schlachtfeld,

---

*) Bekanntlich kam der ewige Frieden der Eidgenossen mit Frankreich schon, zwei Monate nach der Schlacht bei St. Jakob, wirklich in Ensisheim zu Stande.

jedes Haus, jede Hütte Festung und Bollwerk; da liegt wenig daran,
wie viele Vaterlandshelden fallen, sondern wie viele Köpfe der fremben Eindringer das Leben jedes einzelnen theuern Hauptes bezahlt
haben. Diese Gesinnung war die Frucht des Heldentodes der kleinen
Schweizerschaar an der Grenze, die den Eidgenossen nur das Zeichen
gab, um welchen Preis man sterben solle. Schlechter, als sie,
wollte kein Eidgenoß sein.

Indessen konnte Herr Rüdiger Trüllerey seine wachsende Unruhe
um Gangolfs Schicksal nicht verbergen, weil einige Wochen verstrichen
waren, ohne Nachrichten über denselben. Obwohl er sich im Stillen
für einen bessern Christen hielt, als seinen wiedergefundenen Freund
Jörg, dessen Reden nur allzusehr nach der ärgerlichsten Ketzerei
schmeckten, mußte er doch gestehen, daß er noch weit von dessen
felsenfestem Glauben und harmloser Zuversicht auf Gott entfernt war.
Der Lollhard hielt ihm daher auch vergebens sein eigenes Beispiel
vor, wie er nämlich um das Loos der verlornen und geliebten Tochter
ohne Bekümmerniß lebe, biewell er wisse, sie sei in Gottes Hand;
sie werde eher freiwillig das Leben, als die Tugend, meiden; der
Tod aber sei kein Uebel, sondern das Ende aller Uebel. Rüdiger be-
dachte nur, was er jedoch dem Bruder Jörg nicht gern, als einen
der Hauptgründe seines stillen Kummers, gestehen wollte, daß Gangolf der Letzte vom Stamme Trüllerey im Aargau wäre.

Plötzliches Pferdegetrappel eines Nachmittags, über die Zugbrücke des Burggrabens herein, in den Freihof, endete aber alle
Sorge des Vaterherzens. Wirklich sprangen Gangolf und Isenhofer
frisch und wohlgemuth, nebst den Knechten, von denen sie begleitet
waren, aus dem Sattel der Rosse. Viele der Nachbaren liefen herbei,
die Ankommenden und besonders den wackern schönen Junker zu sehen
und ihn freundschaftlich zu bewillkommnen. Herr Rüdiger, sonst gebieterisch und trocken, selbst gegen den Sohn, überließ diesmal sich
seiner vollen Freude, und trat ihm unter der Thurmpforte mit aus-

— 345 —

gebreiteten Armen entgegen. Und doch empfand er schwerlich so viel
Vergnügen, als Gangolf selbst, beim Anblick der nie gesehenen
Heiterkeit seines Vaters, und dessen inniger Traulichkeit mit dem
Lollharden. Wegen seines langen Ausbleibens und beunruhigenden
Schweigens entschuldigte sich der Jüngling so bündig, daß ihm die
väterliche Verzeihung nicht entgehen konnte. Er hatte, nach Auf-
hebung der Belagerung von Farnsburg, mehrere Wochen lang die
entführte Tochter des Lollhards in den Thälern des Jura gesucht,
vom Weißenstein bis zum Bözberg, in allerlei Richtungen, doch mit
sehr vergeblicher Mühe. Auch nicht die leiseste Spur vom Dasein
der schönen Beguine war zu entdecken gewesen. Ein geringer Trost
nur war ihm vor Farnsburg geworden, nämlich Gewißheit, daß sie
nie durch Thomas von Falkenstein dahin gebracht worden sei. Das
hatte er von Männern selber erfahren, die, wegen Uebergabe zu
unterhandeln, in's Lager der Eidgenossen gekommen waren.

Während der gegenseitigen Mittheilung aller Berichte und Ge-
schichten hatte die Sonne sich hinter die Tannen des Gebirges
niedergesenkt, und der Abendstern flammte heller über den Wartburg-
trümmern. Herr Rüdiger führte seine Gäste in den Speisesaal. In
der Mitte stand der Tisch mit viel Gedecken, von Speisen aller Art
beladen; daneben ein altfränkischer Schenktisch mit Weinkannen von
schwerfälliger Silberarbeit. Herr Rüdiger wollte die Wiederkehr seines
Sohnes mit einem stattlichen Mahle feiern, und verkündete voraus
seinen Zorn, wenn Bruder Jörg den trauten Kreis vor Mitternacht
verlassen würde. „Denn,“ sagte er, das arme Leben hat gar selten
so reiche Minuten; laßt sie uns festhalten. Ich hab' ihrer viele Jahre
entbehrt und die lautere Freudigkeit ist meinem Herzen fremder geworden, als die Schwalbe dem Winter. Aber, liebwerthe Herren
und Freunde, nun seh' ich mich mit dem Himmel und mir versöhnt;
meines alten Freundes Jörg Herz mir zugewandt; meinen schon todt-
gesagten Sohn heil und lebendig unter uns, und gesammte theure

Eidgenoffenschaft ehrenhaft von ihrem schwersten Feinde entladen. Mögen wir uns deß nicht billig freuen? Mein ganzes Haus soll ein Fest haben, der Keller diese Nacht nie geschlossen sein, und was Küche und Speisekammer vermögen, ist Dienern, Knechten und Mägden preisgegeben."

Darauf, nachdem Gangolf die schweren, vergoldeten Becher mit altem Burgunderwein gefüllt hatte, faßte Herr Rüdiger seinen Kelch mit beiden Händen, hob ihn hoch empor und rief: „Vor allen Dingen aber, liebwerthe Herren und Freunde, trinket mir zum Ge= dächtniß der tapfern That unserer zwölfhundet Brüder und Eid= genoffen, die an der Grenze für uns in den edeln Tod gingen und den Hochmuth der Franzosen abwiesen. Fürwahr, wir säßen heut nicht friedlich beisammen, und hätten das Land voll fremden Mord= gefindels, wären jene nicht an der Pforte der Eidgenoffenschaft so treue Wächter gewesen!"

Alle stimmten ein; doch Meister Isenhofer verzog dabei nach Ge= wohnheit die Miene etwas schälkisch, obgleich er den Becher bis auf die Reige leerte.

„Scheint's doch fast," sagte Herr Rüdiger, der es bemerkte, „daß Meister Isenhofer von Waldshut das blutige Heldenwerk der Eidgenoffen nicht groß preisen mag."

— He, gestrenger Herr! antwortete Isenhofer lächelnd: nehmt's so genau nicht. Ich bin einmal des Glaubens, der Mensch thue selten große Dinge, sondern das Schicksal. Was wir klein, was wir groß heißen, hängt von Farbe und Anstrich ab, die wir selbst geben wollen. Ein weißgetünchtes Häuslein stellt von ferne mehr vor denn ein altergraues Schloß. Der Mensch ist ein thörichtweises Thier, daher in allem seinem Thun Thorheit und Weisheit. Oft hebt er sein Werk klug an, und endet es albern, dann wird er gescholten. Besser, er beginnet von vorn an närrisch, und macht einen gescheitern Schluß dazu, wie die Schweizer bei St. Jakob, so wird er hoch geachtet.

„Versteh' ich deine Sprüche, Meister" entgegnete der alte Herr, „so wäre die Vaterlandsschlacht an der Grenze . . ."

— Ein dummer Streich gewesen, richtig! aus dem sich Eure Landsleute am Ende, wie Ehrenmänner, zogen! — unterbrach ihn Isenhofer.

„Laß uns hören," sagte Rüdiger, „denn die vielerlei Sagen von jenem Feldstreit brausen gegen einander wie Wellen, die sich selber verschlingen und wieder verschlungen werden."

— Wir lagen, unserer etwa Drei- bis Viertausend, vor der Farnsburg — so hob, nach mancherlei vorangegangener Zwischen- und Streitrede, Meister Isenhofer zu seiner Rechtfertigung an zu erzählen —: drinnen saß der faule Fuchs Hans von Rechberg, und lachte nur in die Faust, wenn die Schweizer gegen das riesenhafte Schloß auf dem hohen Gebirgsscheitel anrannten. Uns ward die Weile lang; Felsen, schroff wie Mauern, und Mauern, stark wie Felsen. Als aber die große Büchse der Stadt Basel mit vielem Schuß- bedarf und Gezeug anlangte, zog der Rechberg andere Saiten auf und sprach von Uebergabe, mit Bedingung. Das ward nicht an- gehört. Eh' wir's uns versahen, war er in einer finstern Nacht ent- wischt und hinüber zu den Franzosen; hatte Filz unter die Hufen seines Rosses gewunden und sich also durch's Lager geschlichen. Wir sahen einen Heustall auf dem nächsten Berge brennen; das ward den Seinigen in der Burg ein Zeichen, er sei glücklich entronnen.

„Das ist des Rechbergs Kunst; darin thut's ihm Keiner gleich!" sagte Gangolf: „Der öde Wicht ist allzeit mit Kopf und Fuß ge- schwinder, als mit dem Arm gewesen."

— Jählings kommt Geschrei, fuhr Isenhofer fort: der Dauphin ziehe an mit unzählbarer Macht von Mümpelgard, durch den Sund- gau, herauf gen Basel. Er habe siebenzig-, neunzig-, andere sagten sogar, über hunderttausend Mann. Das wollte unserer keiner an- fangs glauben; doch ward ein Bote in's Eidgenossenlager vor Zürich

gesandt, und man schickte uns von da sechs- bis siebenhundert Männer zur Verstärkung. Richtig aber standen die Franzosen alle an der
Grenze. Der Dauphin mit seiner Hauptmacht, über 40,000 stark
blieb dort hinter der Birs vor der Stadt Basel; 10,000 schickte er
voran bis Muttenz; 8000 seines Heeres zu Roß und zu Fuß führte
der Graf von Dammartin in die Pratteler Wiesen, die sollten uns
von Farnsburg verjagen. Als wir solches von Liestal her vernahmen,
ward Höllenlärmen und Verwirrung ohn' Ende im Lager.

„Mit Erlaubniß, Freund Isenhofer, nicht aus Furcht und
Schrecken!" fiel Gangolf ein.

— Mit nichten. Gegentheils, die Tollköpfe alle wollten dem
Feind entgegen, ohne seine Stärke zu wissen; die Vernünftigen
riethen, ihn in den Bergen zu erwarten. Endlich ward man nach
vielem Streiten und Toben Rathes, ein Häuflein gegen die Pratteler
Wiesen auszuschicken, um Feindesschau zu halten. Wir andern blieben
indeß vor Falkensteins Schloß. Also machten sich zwölf- bis sechs-
zehnhundert Mann auf, und Morgens acht Uhr standen diese dem
Feind im Angesicht, der links und rechts Bewegungen machte, sie
zu locken und zu umspinnen.

„An welchem Tage war's?" fragte der Lollhard, welcher jetzt
mit großer Aufmerksamkeit horchte. Sein ritterliches Geblüt schien
unwillkürlich bei der Erzählung in Gährung gerathen zu wollen.

— Am Mittwoch nach St. Bartholomäustag, den sechsund-
zwanzigsten des Augustmonats! antwortete der Berichterstatter.

„Fahre fort, Meister!" rief Herr Rüdiger. „Mich dünkt, ich
seh' wie's kömmt. Mir brennt's Herz ab."

— Die Schweizer betrachteten die Schlachtordnung des Mar-
schalls Dammartin, erzählte Isenhofer weiter, und hielten vor den
Armagnaken Fuß. Hundert Reiter, die der französische Heerführer
gegen sie neckend voranschickte, waren bald weggeblasen. Die Schweizer
folgten mit festem Schritte und schrien: „Da sind sie ja, die armen

Gecken, die armen Schnacken! Tilgt das Ungeziefer aus dem Schwei-
zerboden!" Damit warfen sie sich auf die feindlichen Stücke; damit
brachen sie, ihrer nur zwölfhundert, in die Reihen und Haufen von
achttausend Franzosen. Das war Tollmannswerk! — Aber sie zerrissen
deren Ordnungen, wie Eisgang im Strom die langen Brückenjoche
stürzt. Graf Dammartin zog, von dem unglaublichen Stoß geworfen,
auf Muttenz zurück; ihm aber auf den Fersen folgten die Zwölfhundert. Dort, in der Weite des Feldes, standen wohlgeordnet zehntausend Armagnaken zu Fuß und Roß, an die sich Dammartin mit
den Seinen schloß. Doch fröhlich und unverzagt drang Speer,
Schwert und Kolben der Schweizer in die dichte Menge. Die eine
Hälfte des Feindes schon durch Flucht, die andere durch Anblick derselben geschreckt, focht eine gute Weile, doch ohne Zuversicht. Es
ward den Armagnaken viel Volks erschlagen, viel der schönen Panner,
viel Roß und Troß und köstlich Gut entrissen; zuletzt der Sieg.
Der Strom ihrer Flucht zog gen Basel, über die Birs, und festes
Schrittes die Schaar der Zwölfhundert nach. Nun erst unaufhaltsam, nun erst des Kampfes recht brünstig, liefen die Sieger, vom
Birsrain durch's Wasser, gegen des Dauphins Gewalthaufen. Das
war Tollmannswerk, das Raserei! Der Dauphin mit vierzigtausend
Mann geruhetem Fußvolks, in vier Haufen getheilt, erwartete
sie jenseits.

„Halt!" rief Gangolf dazwischen: „War's doch nicht der Hauptleute Schuld. Auf dem Birsrain mahnten sie das Volk ab, keinen
Schritt weiter zu thun. Es war allen bei Ehr' und Eid verboten,
über die Birs zu gehen. Bei Pratteln schon hatten die Führer verboten, sich ernstlich einzulassen. Aber die Mannschaft war erlaubet,
sah nur den Feind, rannte ohne Ordnung in die Birs und erkletterte
das steile Ufer jenseits im Angesicht der ganzen Heermacht des Dauphins. Die Hauptleute mußten, gern oder ungern, nachlaufen. So
hat's mir ganz Basel erzählt."

— Drum war's Tollmannswerk, und die Schlacht, als wahr-
hafter Narrenstreich, wider alle Mannszucht angehoben! erwiederte
Isenhofer: Noch hatten sich die Zwölfhundert nicht jenseits der Birs
völlig geordnet, da ließ der Dauphin den Donner alles seines Geschützes in sie gehen; da fuhr Hans von Rechberg mit sechshundert
deutschen Rittern wider sie ein; ihm folgten achttausend Herren und
Wappner auf schweren Pferden, also, daß die Schlachthaufen der
Eidgenossen schnell getrennt wurden. Nun sahen sie wohl ihren
Thorenstreich ein; aber sie beschlossen, ihn glänzend zu enden. Ein
Theil der Ihrigen, bei fünfhundert, zog wieder gegen die Birs
hinab, und von da auf eine Au, vom Wasser umgeben. Dort, um-
ringt von Tausenden, fielen sie, grimmig kämpfend, Mann um Mann,
von Kugeln und Pfeilen aus der Ferne erlegt. Ein anderer Theil,
ebenfalls bei fünfhundert, wandte sich anfangs gegen Basel, Beistand
aus der Stadt hoffend. Die Hilfe kam wohl, aber konnte nicht mehr
zu ihnen bringen. Dann begaben sie sich, unter strengem Gefecht,
von der Stadt hinweg zum Siechenhaus und Garten zu St. Jakob.
Dort, hinter dem Mauerhag, schlugen sie dreimal des Dauphins
Sturm furchtbar zurück; zweimal dazu fielen sie mörderisch aus und
sieghaft. Der Abend kam. Allein immer neue Schlachthaufen des
Feindes wälzten sich heran. Des Dauphins Geschütz schlug die Mauer
des Baumgartens nieder. Haus, Kapelle, Thürmlein standen in hellen
Flammen. Jeder Schutz verschwand. Die Schweizer stritten, unter
Blut und Wunden, wenn auch müde vom Tagewerk, dennoch, als
begönne der Kampf erst; sie würgten wie Löwen. Dem Ruhm des
Schweizerlandes wollte Jeder das Leben bringen. Mehr denn achttausend erschlagene Feinde bedeckten schon das lange Schlachtfeld.
Da endlich traten noch die letzten Eidgenossen zusammen, drangen
hervor über den Mauerschutt, und stürzten, dem Tode sich weihend,
zum letzten Streit in des Feindes dickste Menge. Fechtend fielen sie
alle Keiner behielt, keiner verlangte das Leben. Der Dauphin selbst

war von so großer Mannstugend der Schweizer, die man ihm wie feige, rußige Buben geschildert hatte, gerührter, denn durch den Tod der vielen tausend Seinen. Ich erzähl' Euch kein Mährchen.

Als Isenhofer schwieg, herrschte unter den Zuhörern große Stille. Sie horchten gleichsam noch mit den Augen, die unverwandt an ihm hingen.

„Also keiner dem Tode entronnen von den zwölfhundert frommen, tapfern Männern?" sagte Herr Rüdiger.

— Auf der Wahlstatt haben die Baseler, antwortete Isenhofer, noch zweiunddreißig, voller Wunden, athmend gefunden. Flüchtig war keiner geworden. Sagt' ich's nicht, es war zu einem Thorenstück ein weiser Schluß? Sie mußten sterben, mußten, nun sie es so weit getrieben hatten. Ihre Leichen mußten die blutige Schwelle des Vaterlandes werden, sonst wär' ihr Tagwerk ein Thorenstreich geblieben, wie es mancher andere geblieben ist. Das aber zu leisten, dazu, beim Himmel, waren Männer vonnöthen, die Höheres kannten, als das Leben. Sie zeigten auf der Grenze den Feinden vor sich, was ferner zu erwarten sein würde; und zeigten den Eidgenossen hinter sich, was sie zu thun hätten, ein freies Vaterland zu behaupten.

Jetzt war die Unterhaltung der Herren lebhafter. Der große Gegenstand begeisterte sie, wie er nach Jahrhunderten noch die stolzen Enkel begeistert. Man sah den Krieg schon jetzt so gut, als beendigt. Was vermochte der römische König, dem die Deutschen selbst Beistand versagten, sobald der französische Hof sich von ihm trennte und Frieden mit den Eidgenossen einging? Das abtrünnige Zürich mußte nun früh oder spät dem Bunde mit Oestreich entsagen und der verzweifelnde Adel froh sein, wenn man ihm nicht die letzten Burgen wegbrannte.

Gleichwie sich im Speisesaal der Burg die lauten Stimmen vermengten, wo abwechselnd Herr Rüdiger seinem Sohne von den

Schickfalen auf Grimmenstein erzählte, Isenhofer feine Lieder an=
stimmte, oder der Lollhard gar den Mund von neuen Weissagungen
ertönen ließ: ward es auch im Erdgeschoß am Tische lebendiger beim
Klänge der grüngläsernen Weinbecher. Seit vielen Jahren zum ersten
Mal schollen die alten Gewölbe der Veste vom ungewohnten Ge=
räusch fröhlichen Gesanges, Scherzes und Gelächters wieder.

36.

Freund und Feind.

Obwohl Gangolf zuweilen mit seinen Gedanken unwillkürlich
abwesend war, gewährte ihm doch der Anblick dieser traulichen
Abendgesellschaft zuletzt den höchsten Lustgenuß. Er, von Allen viel=
leicht der Nüchternste, gerieth dennoch zuweilen in Versuchung, sich
für den Einzigen zu halten, dessen Einbildung ein Räuschchen ge=
steigert habe. Schon die wunderbare Weise, in welcher die Ver=
hältnisse seines Vaters mit den Schicksalen des Lollhards verflochten
gewesen waren, machte ihn zum Zweifler an der Richtigkeit seiner
Sinneswerkzeuge oder seines Verstandes. Und doch bestätigte ihm
jede neue Antwort auf neue Fragen umständlich das schon Erfahrene.
Mehr aber, denn Alles, setzte ihn die unglaubliche Verwandlung
seines Vaters in Erstaunen, den er von jeher als einen strengen,
mürrischen, stillen Mann gekannt hatte, und der jetzt, sich heiter
bewegend, das vormals schwere Leben mit dem Muthe, ja Muth=
willen eines Jünglings trug. In fröhlicher Würde, und zierlicher
denn sonst gekleidet, saß der verjüngte Greis wie ein König da, der
ein neues Reich erobert hat, und belebte mit Scherzen die Unter=
haltung der Jüngern. Ueber seinem grauen Haupte schimmerte stolz,
im Schnitzwerk der Rücklehne seines breiten Armsessels, die goldene

Krone mit den weißen Reiherfedern über der weißen Lilie im scharlachrothen Felde des Trüllereywappens.

„Lustig, Junker!" rief Isenhofer und füllte Gangolfs Silberbecher bis zum Rande: „Was träumet, staunet und sinnet Ihr? Jetzt ist's Zeit, gottselig zu sein. Glühen nicht selbst dem wohlehrwürdigen Bruder Lollhard vom heiligen Feuer die Wangen über dem Bart, wie ein himmlisches Morgenroth über Nebeln des Jammerthales?"

— Du bist ein glücklicher Mann, der sich die Gottseligkeit becherweis aus dem Weinfasse zapft! sagte Gangolf lächelnd: Das ist neue Lehre!

„Mit nichten, Freund, uralt, denn Noah lebte schon vor den Propheten!" erwiederte der begeisterte Sänger von Waldshut: „Seht Ihr, ich war vor Zeiten auch Zweifler, und konnte sogar nicht begreifen, ob eben wohlgethan sei, daß man den Wein erfunden habe, der doch den Weisesten zum Narren machen und die ganze Welt auf den Kopf stellen kann. Hintennach erst ging mir Licht auf, als ich lernte, daß nur gute Leute froh und nur frohe Menschen gut sein können. Es erhöhet der Wein über alle Armseligkeit des Alltagslebens, versöhnet Feinde, gleicht in allgemeiner Verbrüderung das Unverbrüderte aus, giebt dem Feigen Muth, dem Thoren Witz, dem Greise Jugend, dem Heuchler Wahrheit, dem Müden Kraft, dem . . ."

— Halt! unterbrachen plötzlich die Stimmen Aller den Lobredner des Weines: Still! — Was ist das? — Hört! —

Ein langes, durchdringendes Wehgeschrei, wie aus einer weiblichen Kehle, ließ sich aus dem untern Saale vernehmen, wo vorher die Dienerschaft jubelte, und mitten in einem ihrer Gesänge verstummt war.

Man horchte, indem man sich gegenseitig fragende Blicke zusandte. In die weite Burg, die noch eben vom Frohlocken der aus-

VII.   12

gelaffenen Luft wiederhallt hatte, schien der Tod eingekehrt zu fein. Man hörte nur das einförmige Raufchen der Aare, und das allmälig wachfende und fchwindende Geraffel des Steingerölles unter dem Stoß ihrer Grundwellen.

„Drunten ift Unglück gefchehen!" rief Herr Rüdiger mit Zeichen ernfthafter Beforgniß.

— Ich werde unterfuchen! fagte Gangolf, und wollte auffiehen; Ifenhofer zog ihn aber wieder zu feinem Sitz und bemerkte: Warum man das Ding fo ernft nehme? Vermuthlich habe irgend eine Eva im wiederhergeftellten Paradiefe zu hohe Bockfprünge gemacht.

Man horchte von neuem. Es ward ein feltfames, dumpfes Getöfe laut, das bald wieder verfcholl, und welchem dann das lang anhaltende Schmerzensgefchrei, oder das erfchütternde Gebrüll einer Mannesftimme, folgte.

„Laffen wir uns nicht ftören!" redete Ifenhofer zu: „Die Leute machen fich auf eigene Weife luftig; rohes Volk geht nicht zufrieden vom Wein, wenn es nicht blutige Nafen vor der Stirn mitnehmen kann, um fich wenigftens vierzehn Tage lang der genoffenen Ergötzlichkeit zu erinnern. Sie lieben buntes Angedenken; gönnen wir's den guten Leuten!"

— Ich glaub' es beinah', fie treiben Schlägerei, ftimmte Herr Rüdiger ein; alfo ein Sündenfall in Ifenhofers Paradies; mehr nicht. Still! Ich höre des Meifters Langenharbt Schritte auf der Stiege. Er wird gebührende Auskunft über die Schickfale der Unterwelt erftatten.

Wirklich trat der Hofmeifter des Burgherrn, ein kugelrunder kleiner Mann, mit fehr verftörtem Geficht herein, das fich Mühe gab, die gehörige Ehrfurcht und Amtsmiene wieder zu fuchen. Dreimal verbeugte er fich, fo tief er konnte, ohne ein Wort zu fprechen.

„Was gibt's, Langenharbt?" redete ihn Herr Rüdiger an: „Machet ihr drunten Schädelproben? Sendet die Schlagfüchtigen in's Bett, wiewohl es noch früh ist, und haltet die Andern zum Frieden."

— Meine gnädigen Herren wollen geruhen, sagte der Hofmeister, und verstummte wieder, rieb sich die Stirn, als wenn ihm der rechte Ausdruck für sein Anbringen entlaufen wäre, und fuhr mit einer abermaligen Verbeugung fort: Ich gläube, Gott sei meiner armen Seele gnädig! der Teufel ist los. Behüte der Himmel, keiner von Ihro Gnaden Leuten hat sich verfehlt. Ich saß beständig aufmerksam zuoberst am Tisch, und meine Gegenwart hielt das Hausgesinde in Schranken geziemender Ehrbarkeit. Aber da stürzte Knall und Fall allerlei fremdes Volk durch den Hof in den Thurm und hätte sich einander unfehlbar vor unsern Augen kläglich ermordet, wären wir nicht auf und dazwischen gesprungen.

„Was für Volk? Fremdes Gesindel? Hat man's gefangen?" fragte der alte Herr auffahrend.

— Ein Schwarzwälder, Ihro Gnaden zu dienen, liegt fest ge= bunden. Das kostete ein schweres Stück Arbeit! antwortete der Haushofmeister: An des Teufels Großmutter aber wagte sich selbst der Jäger nicht, und die beiden lustigen Töchter kann man unbesorgt stehen lassen.

„Was Schwarzwälder, Teufels Großmutter und lustige Töchter!" schrie Herr Rüdiger mit verdrießlichem Lachen: „Du bist klärlich des Weines voll und toll! Berichte den Hergang in schicklicher Ordnung. Vielleicht treiben lustige Gesellen aus der Stadt, die Euer Jubiliren anlockte, höflichen Spaß mit Euch."

— Wenn Ihro Gestrengen und Gnaden mir gestatten, versetzte Meister Langenhardt, indem er tiefern Odem schöpfte, so werd' ich kürzlich berichten, wie es kam. Wir andern saßen in lieblicher Ein= tracht beisammen, hatten allerlei Kurzweil und Schlupfspiel, und stimmten, als es Ihro Gnaden ausdrücklich erlaubt haben, ein zier= liches Liedlein an. Da stand unversehens ein fremdes Weibsbild

unter uns; keiner hat' es zur Pforte hereinkommen gesehen. Es ist
ein altes Stück; scheußlich anzuschau'n, wie die Sünde, trägt Geier-
krallen an den Händen, und im Kopf feurige Augen, wie der Kater.
Männiglich erschrak vor dem Unhold. Das Thier redete viel,
was ich nicht verstand. Darauf traten zwei junge Bauernmägblein
herein, und grüßten sittsam und züchtig. Aber, Ihro Gnaden,
als das Jüngste mich nach Eurer Gnaden fragte, ward mir fast
bange, denn sie gleicht der heiligen Jungfrau Maria am Altar
von St. Ursulakapell, wie ein Ei dem andern, und ist noch viel
schöner. Es ist wahrscheinlich die Mutter Gottes in unserer Landestracht; ich lüge nicht!

Bei dieser treuherzigen Versicherung konnten sich die Herren insgesammt nicht des lauten Lachens erwehren.

Der Hofmeister sah die Zuhörer verblüfft an, verbeugte sich
mehrmals und fuhr dann fort: „Ich lüge nicht. Sag' ich ein falsches
Wort, mög' es mir an Leib und Gut gehen! Auch wollt' ich Ihro
Gestrengen und Gnaden stracks Meldung von dem Vorfall thun. Da
fuhr aber ein Schwarzwälder Bauer, den Niemand von uns kennt,
jählings herein, warf seine rothen Koboldsaugen unter dem vier-
faltigen Strohhut links und rechts, sprang gegen besagte Jungfrau,
und hätte sie bei einem Haar erwischt, wäre nicht Heini Entfelder
dazwischen gesprungen. Nun ward Teufelslärmen. Ihro Gnaden
haben zweifelsohne hier oben vernehmen mögen, inmaßen die beiden
Töchter kläglich das Freihofen-Recht anriefen, während deß das
alte Höllenweib einen gellenden Schrei ausstieß, dann mit einem
Satz auf den Tisch zwischen die Speisen sprang, gegen den Schwarzwälder Basiliskenaugen machte und ein langes Messer wider ihn
zuckte. Der vierschrötige Bauernkerl seinerseits zuckte seinen Dolch
auf die Alte und wollte zum Tisch. Doch Heini, Irni Fäsen, Hemman, wir alle über den Schurken her, entrücken ihm das Messer,
werfen ihn zu Boden, knien auf ihn, und halten ihn, bis Frau

Elsbeth dicke Selle bringt. Der gelbe Schwarzkittel brüllte, wie ein Stier, der den Fehlschlag empfangen hat. Jetzt aber ist er wohlgeschnürt; knirscht mit den Zähnen, verdreht die Augen, und schäumt, als hab' er fallendes Weh."

Die Herren sahen einander zweifelhaft an, und schienen nicht zu wissen, ob sie ernst bleiben, oder ihrer zurückgehaltenen Lachlust ungefesselten Lauf gestatten sollten.

„Meister Langenhardt," sagte endlich Herr Rüdiger, „deine Reden haben einen Stich vom guten, alten Reihwein, und ich mag's dir nicht zürnen. Laß die Brücke aufziehen und die Pforten schließen. Den wüthigen Bauerntölpel werft auf ein Bund Stroh in die gute Gewahrsame links dem Keller, wo er den Rausch verschlafen mag. Morgen dann wird er wegen des frevelhaften Einbruchs in diesen gefreieten Hof Red' und Antwort leisten können. Eben so sperre des Teufels Großmutter fest ein. Wir wollen uns mit ihrem Liebreiz den Magen nicht verderben. Hingegen deine heilige Jungfrau, in Landestracht, und ihre Begleiterin, welche das Freihofen=Recht beide angerufen haben, führe zu uns. Ich hoffe, ihr Anblick wird hier den lieben Herren und Freunden nicht den Wein versäuern."

— Vortrefflich! rief Meister Isenhofer: Ihr urtheilet, Herr Ritter, wie es dem Rittersmann zum Schutz zarter Mägdlein, und einem gastfreundlichen Hauswirth zur Versüßung unsers Mahles gebührt.

Der Hofmeister verbeugte sich nach empfangenem Befehl seines Herrn, und eilte, ihn gehorsam zu vollstrecken. Auch erschien er bald wieder, und öffnete die Thür weit, durch welche zwo Bäuerinnen schüchtern hereintraten, die ihre Gesichter, beschattet von einem buntbebänderten, kleinen tellerförmigen Strohhut, auf die Brust gesenkt hatten und sehr verlegen schienen. Sie waren sonntäglich gekleidet, in schneeweißen, bauschigten Hemdärmeln, mit silbergesticktem Göller und Brustlatz, über welchen an breiten, versilberten

haften eben solche Retten hin- und hergeschnürt waren. Der kurze
Rock, breit von den Hüften abstehend, mit tausend eingenähten
kleinen Falten, die obere Hälfte zeisiggrün, die untere Hälfte schwarz,
ließ nicht nur die scharlachfarbene Einfassung des Unterrocks, sondern
auch den schwarzen Lederriemen sehen, welcher die rothen Strümpfe
unter den Knien geziemend festhielt.

„Ihr Mägdlein, saget an, warum rufet Ihr das Freihofen-
Recht an? Was habt Ihr gesündigt, daß man Euch verfolgt?"
sprach Herr Rüdiger Trüllerey mit angestammter Würde, und ohne
seinen Wappenstuhl zu verlassen.

Die eine der Bäuerinnen verneigte sich mit seltenem Anstande,
erhob das Antlitz gegen den Burgherrn und wollte reden. Aber die
Worte versagten ihr plötzlich, als sie aufblickte; und, wie von einem
Wunder gerührt, saß auch die ganze Tischgesellschaft unbeweglich
und stumm mit den Augen zu der ländlichen Schönen gewandt.
Meister Langenhardt hatte das rechte Wort getroffen. Es war eine
Madonna in demüthiger Bauerntracht, und doch auch in dieser
Demuth eine unverkennbare Himmelskönigin.

Der Zauber, welcher die Todtenstille hervorbrachte, währte jedoch
nur einen flüchtigen Augenblick. Denn Gangolf sprang vom Sessel
auf und rief: „Veronika!" Und die junge Bäuerin kniete im gleichen
Augenblick am Stuhl des Lollhards, legte die weißen Arme um den
Greis und sagte freudig weinend: „O, lieber Vater!"

„Was gibt's denn?" rief Herr Rüdiger. Aber ihn hörte keiner,
der antworten konnte. Denn der Lollhard hielt, erschüttert bis zu
Thränen, sein Kind lautlos in den Armen, und Gangolf, seitwärts
den Knienden, schien vom Erstaunen zur Bildsäule verwandelt zu sein.

Herr Rüdiger wiederholte sein: „Was gibt's denn?" noch einige
Male vergebens. Er mußte sich gedulden, bis der erste Sturm
einer bis zum Schmerz gesteigerten Freude verbrauset war. Dann
führte der Lollhard die Jungfrau selber zum Lehnsessel des Ritters

und sprach: „Großes hat der Herr an mir gethan, er, der des Wurmes im Staube gedenkt! Gelobt sei ewig sein Name! Siehe, dies ist meine Tochter. Sie ist mir wiedergeboren, wider welche der Höllendrache eitle Anschläge gemacht."

Veronika neigte sich, des Ritters Hand zu küssen. Er aber drückte seine Lippen segnend auf ihre helle Stirn und pries den Vater glück= lich, wie sich selbst, daß sie in seinem Hause dem Greise wieder= gegeben worden sei. Der Lotthard aber stellte ihr nun den ehr= würdigen Rüdiger, als den altgeliebten Freund aus Jugendtagen, vor; dann auch den freundlichen Sänger aus Waldshut. Als sie sich nach diesem aber grüßend gegen Gangolf neigen wollte, floß ein röthlicher Lichtglanz über ihr Antlitz, und die Augen, die sich himmel= wärts heben wollten, kehrten blöde zur Erde, da sie auf ihrer zittern= den Hand das Brennen seiner Lippen empfand.

Während dieses frohen und anhaltenden Durcheinanders von gegenseitigen Erklärungen, Glückwünschen, Freudenbezeugungen und Fragen, stand der Haushofmeister in strenger Ehrerbietung, ohne eine Geberde zu ändern, auf einer Seite der Thür, auf der andern die Begleiterin Veronika's, eine junge Bäuerin, bitterlich weinend aus Furcht oder Rührung. Man hatte des armen Mädchens ganz vergessen, bis Herr Rüdiger dasselbe wieder gewahr ward.

„Und wer ist denn dort Eure Begleiterin?" fragte er die Tochter seines beglückten Freundes.

-- Gnädiger Herr, nahm Veronika das Wort, es ist das Kind meiner Retterin, meiner Pflegerin, der ich ewigen Dank schuldig bin. In der Nacht, da wir auf der Hard von den Bösewichten über= fallen wurden, und ich meinen Vater verlor, irrt' ich mit unserer Magd, die mich aus der Hütte gerissen hatte, lang' im Wald. Sie schleppte mich in der Angst fort; ich wußte nicht wohin? Sobald ich aber den ersten Schreck in mir überwunden hatte, kehrt' ich zur Hütte meines Vaters zurück, um sein Schicksal mit ihm zu tragen. Die treue Magd wehrte vergebens. Ich fand unser Haus veröbet. Ich suchte, und rief Euch, lieber Vater, tausendmal, und ohne Trost. Dann ging ich, die Magd im Wald wieder zu finden. Sie war jedoch verschwunden. Nun blieb ich einige Zeit liegen. Dann irrt' ich durch Wald und Geblrg, bei finsterer Nacht, bis nach einigen Stunden ein einzelnes Bauernhaus vor mir sichtbar im Gebüsch ward. Es liegt hoch in den Bergen. Meine Kraft war gewichen. Ich legte mich auf die hölzerne Bank vor der Hüttenthür. Da fanden die Leute mich am Morgen schlafend. Man nahm mich in's Haus. Ich erzählte mein Unglück. Die Eigenthümerin des Hofes, eine Wittwe, und Mutter von sieben Kindern, trug großes Erbarmen mit mir. Ich ward ihr achtes Kind, und das gute Grilli meine liebe Schwester.

„Heda!" rief Herr Rüdiger der weinenden Bäuerin zu, „tritt herzu, mein Kind. Du bist keine Fremde in diesem Hause. Sei will- kommen! setze dich zu uns und labe dich an meinem Tisch."

Grilli, ihre Augen mit dem Zipfel der grünen Sonntagschürze trocknend, blieb an der Thür blöde stehen, bis Gangolf, dann auch Veronika, schmeichelnd zu ihr traten und sie mit sanfter Gewalt zum Tisch zogen. Isenhofer trug von den schweren, altfränkischen Stühlen herbei. Alle nahmen ihre Plätze ein; Veronika neben Grilli und ihrem Vater. Man füllte den Jungfrauen neu herbei- gebrachte Becher und legte ihnen vom Leckersten vor. Aber sie be- rührten die Speisen nicht, und nach langem Bitten netzten sie ihre Lippen mit dem Weine.

Nach einer ziemlich langen Unterbrechung von Veronika's Er- zählung, wobei auch Gangolf bewies, daß er vom Entzücken über die Madonna in Landestracht keineswegs die Sprache ganz verloren habe, setzte die Begutte auf Verlangen ihres Vaters den Bericht ihrer einfachen Abenteuer fort.

„Grilli's erwachsene Brüder," sagte sie, „durchzogen die Harb und die umliegenden Dörfer mehrmals, ohne Nachricht von Euch, lieber Vater, zurückzubringen. Auch kam Niemand zu dem abgelegenen Berghofe, außer dann und wann ein Bettler, oder umherstreichender Wahrsager oder Zigeuner, von denen wir aber nichts vernahmen. Mein Herz jedoch verzagte nicht und büßte nie den Glauben an das göttliche Walten der Vorsicht ein."

— Und Ihr vergaßet dabei mich, Euern und Eures Vaters treuen Freund, sagte Gangolf, indem er der Erzählerin einen Blick des zärtlichsten Vorwurfs zusandte: Ihr vergaßet mich, und hattet keinen Euer Boten für den Freihof von Aarau?

Veronika erröthete und ward stumm.

„Du hast die alte Wahrsagerin zu nennen vergessen!" flüsterte ihr Gritli leise in's Ohr, um nach ihrer Meinung dem Gedächtniß der Erzählerin zu helfen.

„Eben wollt' ich ihrer erwähnen!" sagte Veronika, die noch eine kleine Verwirrung in sich zu besiegen hatte: „Gritli's Mutter nämlich erfuhr durch eine Wahrsagerin aus Aegyptenland, daß Euch, lieber Vater, der grausame Freiherr von Falkenstein gefänglich im Schlosse Göegen halte; daß er auch mir nachstelle und geschworen habe, mich an sich zu bringen, und müßt' er alle Löcher und Höhlen des Gebirges aussuchen. Also hielten sie mich geheim in der Berg- hütte, bis die Zigeunerin am heutigen Morgen in der ersten Tages- dämmerung wieder erschien. Sie sagte zu unserm großen Schrecken, Falkenstein schleiche seit Tagen, als Viehhändler, durch die Berge in der Nähe umher; ich müsse von dannen, und mit ihr zum Freihof von Aarau, wo Ihr, lieber Vater, schon wochenlang bei Herrn Trüllerey lebet. Alle warnten mich. Aber ich ging, Euch zu suchen, sobald es Abend wurde. Die Zigeunerin wanderte voran, des Weges und der Sicherheit willen, Gritli begleitete mich in treuer Liebe; Gritli's Brüder folgten uns bewaffnet in einiger Ferne, bis wir hinab zum Dorfe Küttigen gelangten. Auf der finstern Aarbrücke

kam die Zigeunerin gegen uns fröhlich und meldete, daß das Stadtthor noch offen und es nicht spät sei. Indem trat aber ein Mann zu
uns, den wir im Dunkeln nicht erkannten, und sprach die Aegypterin
an. Dieselbe antwortete jedoch keineswegs, sondern zupfte uns erschrocken und heftig, als sollten wir eilen. Sie selber lief schneller
fort. Wir ahmten ihrem Beispiel nach und sahen sie in der Stadt,
uns noch einmal winkend, inner dem Gemäuer des Freihofes verschwinden. Odemlos erreichten auch wir dies Haus. Der Fremde
folgte uns auf den Fersen. Anfangs bedrohte mich allein seine Gewalt. Er aber schien die Aegypterin zu erkennen, und zu hassen.
Denn, ohne der Männer Beistand drunten, würd' er das Weib
umgebracht haben."

Schärfer horchend, um keine Silbe zu überhören, und schneller
athmend, hatte sich funkelnden Auges Gangolf, während der letzten
Reden der schönen Begutte, am Tische aufgerichtet. „Das ist einer
von des Falkensteiners ausgesandten Spür- und Mordhunden!" schrie
er: „Herauf mit ihm! Er muß das blutige Schelmenwerk beichten,
zu dem er gedungen worden ist, oder wir lassen ihm das Geständniß,
in der Marterkammer unterm Thurmbach, aus der Seele haspeln."

— Gemach, gemach! Der Kerl, wer er auch sei, wird uns
nicht entkommen! — sagte Gangolfs Vater.

„Es ist einer von Thomanns Bande! Wahrscheinlich der Raub-
mörder einer, die das Heiligthum in der Hard zerstört haben!" rief
der Junker mit voriger Ungeduld.

— Zuerst wollen wir die treue Zigeunerin vor uns rufen. Langenhardt, führe das ägyptische Weib herbei! sagte der greise Trülleret
mit Nachdruck und Würde, und fuhr, sobald sich der Hofmeister hin-
weggegeben hatte, fort zu reden: Gangolf, dies Weib hat meinem
frommen Freunde die Tochter wiedergegeben und vermuthlich noch
mehr gethan, was meine ganze Erkenntlichkeit auffordert. Ich denke,

es sei die alte Ilsel. Gangolf, zwar sagt man, die Rache sei süß, aber süßer noch ist's, danken zu können. Ich bin einer Zigeunerin Schuldner. Sie brachte mir einen Ring, Bruder Jörg, von dir zurück; durch sie wurdest du entdeckt.

Der Lollhard schüttelte das graue Haupt und sprach: „Den Ring hat die Heldin wohl eher entwendet, als gefunden, und mich selbst hat sie eher dem Falkensteiner, als dir, entdeckt und überantwortet. Nicht ihr, sondern Gott gebührt unser Loblied, der unsern Fuß wunderbar leitete durch die Finsterniß der Zeit. Laß die Heldin aber ziehen in Frieden, und belohne sie nach deinem Gewissen. Denn wer einem Sterblichen unverdienten Dank bringt, der danket nur Gott; so wie derjenige, welcher einen Menschen verfluchet, dem heiligen und unerforschlichen Rath der Vorsehung fluchet."

Die Fortsetzung dieses Gesprächs wurde nach einiger Zeit durch das Eintreten der herbeigebrachten Ilsel unterbrochen. Herr Rüdiger fand, bei ihrem Erscheinen, angemessen, dem Hofmeister zu befehlen, sich aus dem Saale zu entfernen. Er wollte wahrscheinlich nicht zu viel von des Hauses Geheimnissen laut werden lassen.

Die Alte ließ ihre Späheraugen schnell in der Runde der Anwesenden herumlaufen, und trat dann mit einer Freundlichkeit, in der sie fast noch häßlicher, als im Zorn ward, dem Tische näher.

„Schön gemacht! Schön gemacht, Väterchen!" sagte sie mit geläufiger Zunge, indem sie das hagere Gesicht gegen Herrn Rüdiger drehte: „Alles beisammen! Siehst du! Der Herr von Ende bei Günther von der Welde! Denk' an den Goldreif! Hab' ich meine Sache gethan, alter Schatz? Und die schmucke Braut hab' ich dir gebracht, Goldsöhnchen, weil du mir lieb bist!" sagte sie zu Gangolf, der beinah' so sehr, als Veronika, erröthete, während Isenhofer die feine Nase in den Weinbecher trinkend versteckte, um sein Lächeln unsichtbar zu machen.

— Schweig, Alte! rief Herr Rüdiger: Ich begehre nicht un-
zeitiges Geschwätz, sondern Antwort. Hast du diesen ehrwürdigen
Bruder hier (er zeigte auf den Lollhard), an Thomas von Falkenstein
verrathen und ausgeliefert?

„Was ausgeliefert, alter Schatz? Nicht verrathen; ich ließ ihn
fahren, weil er nichts von dir und mir wissen wollte, nichts von
Günther von der Weide. Mir an, dacht' ich und ließ ihn fahren,
daß ihn der Drache in sein Nest zog. Ist seine Schuld! Aber
Junkers schmucke Braut, nicht den Lollhard, begehrte der Falkenstein
zu besitzen. Die that ich warnen und rettete sie; denn Jünkerlein
ist mir lieb. Und als der Falkenstein wollt' Aarau ausbrennen, da
hab' ich den Bluthund gewarnt vor dem Freihof, unterwegs, in der
Wetternacht, wie er gegen die Stadt zog. Das hab' ich gethan,
schmuckes Goldsöhnchen; denn lieb hab' ich dich. Suchte auch das
verflogene Täubchen so lange, bis meine Leute sein Nestlein fanden.
Der Falke war schon auf Täubchens Spur.“

— Was? schrie Gangolf, Falkenstein hatte Anschläge auf Aarau?
Verdammte Vettel, und du konntest schweigen? Hättest du den Mord
sehen mögen, wie zu Brugg?

„Nun denn, Goldkind, hast du mich bezahlt, dir alles zu sagen,
was ich weiß? Mir an, wär' das Städtlein angegangen, ich hätte
gelacht, denn es hat es wohl verdient an mir. Haben meine Jungen
hier nicht oft magern müssen, gefangen im Nothstall? Und darf ich
bei Tage hier auf der Straße wandeln, daß mir die Schubers nicht
auf den Hacken sitzen? Aber doch wär' ich mit in die Stadt gezogen
und hätte dein wahrgenommen, Goldsöhnchen. Kein Faden am
Kablet dein wäre gesengt worden, so lieb hab' ich dich. Und gestern
verkündete mir mein Ohyr: Junker Gangolf zieht zum Freihof heim!
Husch ich zum Nest auf den Berg und dir das Täubchen gebracht!
Hab' ich mir Lohn verdient?“

Herr Rüdiger unterbrach das Weib mit härterer Stimme und

sprach: „Schweig, gib andere Beweise für des Falkensteins Mord=
anschlag, als die sind, die aus deinem Lügenrachen durch die Luft
fahren."

Die Alte lachte laut und rief: „Andere? Alter Schatz, du hast
den Wolf in der Falle, pelz' ihn selbst aus. Frag' ihn!"

— Wen fragen? erwiederte Herr Rüdiger verdrossen.

„Hast du den Falkenstein nicht im Thurme?" versetzte die Zigeu=
nerin. „Frag' ihn, foltr' ihn, quäl' ihn, tropfenweis zapf' ihm das
Blut ab, faserweis reiff' ihm das Herz aus. Du hast ihn."

— Bist du von Sinnen? fuhr Rüdiger sie an.

„Hast ihn! Laß ihn dir bringen. Am Bilgerihof erschaut' ich
ihn gestern Abends im Zwielicht. Ich kannte den Schwarzwälder
schnell; mich sah er nicht. Hui, dacht' ich, erst meinem Junker das
Bräutchen: dann ruf' ich meine Jungen und wir machen auf den
wilden Eber Jagd. Es ist aber keine Stunde, stand er schon wieder
vorm Aarthor, setzte mir nach und lief von selbst in die Falle, sobald
er drin das Täubchen sah." Sie zeigte mit dem langen, dürren
Finger auf Veronika.

„Wer? Wer?" riefen alle Männer zugleich.

— Falkenstein! schrie die Zigeunerin: Blind war er, wie der
Auerhahn zur Balzzeit.

„Ich glaub' es nicht, du Lügenvettel," sprach Rüdiger: „Mein
Sohn, rufe den Langenhardt!"

Die Aegypterin wiederholte ihre Aussage mit vielen Betheuerun=
gen. Gangolf und Langenhardt kamen. Rüdiger befahl, das Weib
in Gewahrsam zu bringen, kein Wort mit demselben zu wechseln
oder wechseln zu lassen, es jedoch mit Speise und Trank auf's Beste
zu pflegen. Zugleich gebot er, den gefangenen Schwarzwälder herauf
zu führen. Keiner jedoch von Allen maß den Worten der Zigeunerin
Glauben bei. Denn das Erscheinen eines Todfeindes, und in solcher aben=
teuerlicher Verkappung, und nach so großen Freveln, und inner den

Mauern einer Stadt, welche zur schwersten Rache Recht und Lust
haben mußte, das war selbst der Leichtgläubigkeit des Hasses zuviel
zugemuthet.

_____

37.

Feierabend.

„Und wenn er's bennoch wäre!" sagte Isenhofer, und warf
einen ernstfragenden Blick auf die beiden Trüllerey.

— Es ist nicht möglich! entgegnete Gangolf: Die Triefaugen
der alten Here belogen sich selbst.

„Aber wenn er's wäre. Ihr Herren, was würdet Ihr thun?"

— Den ruchlosen Bösewicht niederstoßen ohn' Erbarmen! O,
daß er tausend Leben hätte, ich würd' es ihm tausendmal aus den
Adern reißen! Denn ein einziger Tod sühnt lange nicht aus, was
er an diesem Greis und jenem Engel versündigte.

Wie heftig auch der Junker sprach, ward doch seine Donner-
stimme weicher, die Flamme seines Blickes milder, sobald er bei den
letzten Worten auf den Lollhard, und mehr noch, als er auf die
ländliche Madonna hinblickte, die ihn mit tiefer Bewegung des Gemüthes und wachsendem Entsetzen anschaute.

„O Gangolf!" schrie sie und streckte, sich selbst vergessend, die
zarten Arme gegen ihn empor, als wolle sie eine Bluthat abwehren:
„Wie könnet Ihr der Hölle Eure reine Hand bieten! Euch mit Menschenblut beflecken! Ihr werdet nicht!"

Der Lollhard schob die vor ihm stehenden Teller und Becher auf
dem Tisch zurück und eben so den Sessel, als wollt' er seinen Platz
verlassen. „Ich mag weder Zeuge solches Gräuels sein, sagte er
zu beiden Trüllerey's mit strengem Ernste, „noch im Hause des
Gräuels wohnen. Mein ist die Rache, spricht der Herr! Nicht an
Euch Kindern des Staubes ist es, in die Rechte Gottes einzu-

greifen. Ich scheide von Euch in dieser Nacht, so Ihr Menschenblut vergießet!"

— Beruhige dich, Freund! rief Herr Rüdiger ihm zu, indem er seine Hand auf des Lollhards Arm legte, um ihn zurückzuhalten: Laß dich Gangolfs Ungestüm nicht schrecken. Es ist an mir, zu richten, nicht an ihm. Der Thomas hat das Leben verwirkt; aber nicht uns steht es zu, ihm die verdiente Strafe zu geben. Gesetzt, er wäre in meine Gewalt gefallen, so hätte Bern zu entscheiden. Ich würde ihn, als Gefangenen, meinen gnädigen Herren von Bern überantworten, mit denen er in Fehde steht. — Meister Isenhofer, hab' ich Recht?

Isenhofer, mit einer bedenklichen Miene, zog langsam die Achseln gegen die Ohren und sagte: „Obwohl ich vom Hause Falkenstein große Freundschaft genossen, kann ich doch des Thomas Fürsprech nicht sein. Aber so viel seh' ich, daß Ihr kein Recht habet, den Freiherrn, so er in Euern Händen ist, zu tödten. Anders wär' es in offenem, ehrlichem Streit. Ihr würdet grausamer thun, als die Eidgenossen vor Greifensee, wo doch eine ganze Kriegsgemeine über die Besatzung richtete, die sich auf Gnad' und Ungnade den Ueberwindern ergeben hatte. Ihr würdet Berns Vorwürfe erfahren, und durch einen Mord die volle und ewige Blutrache des mächtigen Hauses Falkenstein und des gesammten ihm befreundeten Adels und des österreichischen, auf Euch und die unschuldige Stadt Aarau leiten. Das wären die unabhaltbaren Folgen vom Tode des Freiherrn. — Anderseits aber, ich muß es bekennen, scheint mir eine Auslieferung des Falkensteins an die Stadt Bern nicht minder gefährlich. Die staatskluge Stadt läßt diesen kriegsgefangenen Feind auf keinen Fall hinrichten. Sie wird ihn sich gewißlich mit größerm Vortheil, als Unterpfand und Geisel bewahren, weil der Kriegsgang auch ihr noch mancherlei Wechsel bringen kann. Sie muß und wird, beim Friedensschluß, ihn gegen gutes Lösegeld wieder in Freiheit setzen; ja, Bern

wird durch kluge Behandlung an ihm einen Freund zu gewinnen
trachten, während derselbe der unversöhnlichste Feind Eures Hauses
und dieser Stadt Aarau bleibt. Bedenket wohl, was Ihr vorhabet!
Ihr machet einen Gefangenen, Bern aber nimmt den Nutzen und
Ihr traget den Schaden, sobald der Freiherr wieder auf freien Füßen
steht. Indessen, glaub' ich, reden wir eitle Worte, da der Falkensteiner zu schlau ist, um Euch selber in's Garn zu laufen."

Herr Rüdiger war durch diese Betrachtungen Isenhofers in größere
Verlegenheit gerathen, als er es zeigen wollte. Es mochte allerdings sein, daß Isenhofer, aus alter Verbindung mit den Falkensteinen, den Wunsch hegte, den Freiherrn retten zu können; aber
er hatte die Klugheit, nicht im Interesse des Freiherrn, sondern
der Bewohner des Freihofes und der Stadt Aarau, zu reden, und
seine Gründe waren nicht ohne Gewicht. Herr Rüdiger fand sich
durch ihre Stärke so erschüttert, wie sein Sohn durch den schmeichelnd-
und traulich-flehenden Blick, welchen Veronika auf den Jüngling heftete.

Man sprach noch in verschiedenem Sinne über die Sache, als
der Hofmeister den Gefangenen hereinführte, dem Hände und Arme
mit Seilen auf den Rücken zusammengeflochten waren. Er trug den
Kopf vor sich niederhangend; den Strohhut, dessen Krämpe, vorn
und hinten, und an beiden Seiten, vier handbreite und tiefe Einbie-
gungen, wie Dachrinnen, bildete, stark über die Stirn gedrückt. Ein
flacher, breiter Linnenkragen bedeckte, um den nackten Hals, Rücken,
Brust und Schultern. Das offene schwarzzwilchene Wamms, mit
Schößen fast zum Knie, ließ darunter den dunkelrothen Brustlatz von
Wollenzeug sehen, der vorn, ohne Knöpfe und Bänder, als ein
Ganzes, lief herab über Unterleib und Hüften schlotterte, und statt
alles Schmucks noch die gelbe und schwarze Tuchegge vom Webstuhl,
als Saum, zeigte. Die weiten Pluder- oder Pumphosen waren vorn
und unter den Knien mit schmalen Lederriemen zusammengenestelt;
die Strümpfe aus roher Leinwand genäht.

Wie sehr auch dieser Mensch einem gemeinen Bauersmann glich, erregte doch seine Gestalt, wie das Bemühen, das Gesicht zu verbergen, Bestürzung. Kaum hatte der Hofmeister, auf den Wink seines Gebieters, den Saal verlassen, rief Gangolf mit einem Gesicht, in welchem Entsetzen und Grimm standen: „Ist das nicht der Falkenstein, so ist's der Teufel selbst, der mich äfft!" Damit sprang er vom Sessel hinweg und zum Gefangenen, welchem er den Strohhut vom Kopf riß. — Alle fuhren von ihren Stühlen auf mit dem Lärmen des höchsten Erstaunens. Sie sahen den Freiherrn Thomas von Falkenstein vor sich. Er hatte die borstigen Augenbraunen tückischfinster niedergezogen und die Lippen zusammengebissen.

„Landgraf Thomas!" redete ihn Gangolf an: „Oder Menschenräuber, oder Mordbrenner, oder welcher Name Euch gebühren mag, wie dürfet Ihr Euch hierher wagen, in diese Stadt, in dieses Haus, wo Euern himmelschreienden Verbrechen die wohlverdiente Strafe harrt?"

Der Freiherr wandte ihm stolz den Rücken und sandte einen düstern Blick umher auf die übrigen Anwesenden. Als er der Begutte gewahr ward, stierten seine Augen brennend und unverwandt zu ihr hinüber. Veronika bemerkte es, reichte ihrer Begleiterin den Arm und begab sich mit derselben in den halbdunkeln Hintergrund des Zimmers. Herr Rüdiger trat ebenfalls zurück, mit Isenhofer im leisen Gespräch, zur tiefen Mauerblende, die das Fenster bildete, und beobachtete von hier aus den Gefangenen. Der Lollhard hingegen stand zwischen seinem Sitz und dem Tische unbeweglich in gewöhnlicher majestätischer Haltung.

„Ihr lasset mich lange der Antwort warten!" sagte Gangolf.

Der Freiherr drehte sich mit halbem Leibe gegen ihn, und über die Achsel verächtlich blickend, erwiederte er: „Wenn schon Ihr mich gefangen und gebunden habet, sollet Ihr eingedenk bleiben, daß Ihr mich geziemender zu fragen habet."

VII.   12*

— Freiherr, sollt' ich geziemender reden, würde die fromme deutsche Sprache noch neue, unerhörte Worte für Cure unerhörte Bosheit empfangen müssen.

„Ritter Gangolf Trüllerey, ich hielt Euch von jeher für einen trozigen Knaben, aber für nicht so schlecht, daß Ihr einen Gefangenen mißhandelt, der, hätt' er freie Hand und freies Schwert, Euch bald anders krähen machen würde."

— Gemeiner Prahler, Ihr am besten wisset, ob ich Euch je gefürchtet habe! Ihr am besten, wie Ihr wehrlose Männer, die Euch gastfreundlich empfingen, wie Ihr Räth' und Bürger der guten Stadt Brugg mißhandelt habt. Oder thatet Ihr's nicht?

„Euch hab' ich nicht Rechenschaft abzulegen, was ich über eine durch Kriegslist überrumpelte Stadt verfügte. Was steigt Euch zu Sinnen?"

— Ich hoffe zu Gott, Freiherr Thomas von Falkenstein, Ihr sollet bald, wenn nicht mir, einem höhern Richter Rechenschaft geben. Eure Mordbrennerei stinket bis über die Wolken.

„Der Brand von Brugg ist nicht meine Schuld und geschah wider mein Wissen und Wollen. Ihr aber, Ihr habt das Feuer in meine Burg Gösgen gelegt und zwo Freiherrinnen von Falkenstein, wie gemeine Weiber, zur Gefangenschaft fortgeschleppt."

— Nach ehrlichem Kriegsrecht, hoff' ich.

„Was Euch recht ist, soll mir nicht Unrecht sein, hoff' ich."

— Warum schlichet Ihr in dieser Verkleidung durch's Thor von Aarau?

„Ihr seid nicht mein Richter, sondern mein Feind.

— Ich kann Euch zum Geständniß zwingen. Unser Thurm hat eine Folterkammer.

Man hörte bei diesen Worten Gangolfs das Knirschen von den Zähnen des Freiherrn durch den ganzen Saal. Er warf dem Junker einen tödtlichen Blick zu und zuckte mit den Armen am Rücken, als wollt' er die Bande sprengen.

„Warum wagtet Ihr Euch in diesen Thurm, Freiherr, da Ihr doch wußtet, daß hier nur der Tod auf Euch wartet:" sagte Gangolf weiter.

Der Freiherr sagte mit einem Ton, der von der Wuth halb erstickt war: „Ich wollte einen Molch todt treten, einen Molch!"

— In der That, Falkenstein, versetzte Gangolf, der über des Freiherrn abscheuliche Geberde die Miene in ein Lächeln zog: In der That, Ihr waret der Welt bisher als Unthier bekannt. Nun aber fang' ich an, Euch für wahnwitzig zu halten, und das wäre noch nicht das Schlimmste. Was Wahnsinn des verwirrten Kopfes sündigt, hat das Herz nicht zu verantworten. Ihr seid zuletzt unschuldiger, als ich bisher glaubte. Bei gesunden Sinnen konntet Ihr nicht den Bauernkittel anlegen und Euch allein in die Stadt wagen, um Kundschafter oder Meuchelmörder zu werden. Zu solchem Geschäft bedarf's keines Freiherrn; Ihr habt ja der Strolche genug in Lohn und Brod. Saget mir ehrlich, was suchtet Ihr in Aarau, wenn nicht den gewissen Tod?

„Niemanden, wenn Ihr's wissen wollt, als nur Euch!" antwortete der Freiherr, der sich wieder zu bändigen suchte, oder, den vielleicht für einen Augenblick der Schmerz bändigte, welchen die Seile seinen Armen verursachten.

— Ist nicht zuletzt auch Eure Todfeindschaft gegen mich Wahnsinn? Hatt' ich Euch je beleidigt? Redet frei.

„Schweiget!" brüllte der Freiherr: „Schweiget, ich glaube, Ihr hofft mich zum Narren zu machen durch Spott und Hohn, auf daß ich das Gedächtniß Eurer Frevel an meinem Hause verliere. Und bin ich gleich Euer Gefangener durch Unvorsichtigkeit geworden, und möget Ihr mich morden: es leben der Falkensteine genug, die Schmach meines Hauses in Euerm Blut abzuwaschen. Ein Bettler, und nichts mehr, wie Ihr, soll nicht ungestraft wagen, die Tochter der Falkensteine zu verstoßen, schimpflich."

— Freiherr, mäßiget Euch. Nicht ich, wenn Ihr's wissen wollet, hab' Eure Nichte, sie hat mich verstoßen. Das muß, das wird sie Euch und der Welt und Gott bekennen.

„Schweig, Bube!" schrie Herr Thomas, einem Rasenden ähnlich und mit dem Fuße stampfend: „Der Lohn soll dir werden, dir und deiner Hure von der Harb!"

Verruchter Bösewicht! fuhr Gangolf auf: Wen wagest du . . . wen meinest du? . . .

„Dich und deine . . ."

— Bei meinem Leben, das soll dein letztes Lästerwort sein! donnerte Gangolf, lief ein par Schritte seitwärts, riß einen Degen von der Wand und aus der Scheide. Alle im Saale schrien laut auf. Veronika, außer sich, flog herbei, warf sich an die Brust des empörten Jünglings und hinderte ihn, gegen den Freiherrn zu gehen, indem sie in Angst und Zittern ihre Arme um seinen Nacken schlang. Dies lähmte den Ergrimmten.

Indem trat der greise Rüdiger mit ruhiger Würde hervor, und sprach zu seinem Sohn: „Wirf das Schwert hin, Gangolf! Ich werde hier mit Meister Isenhofer bleiben, den Freiherrn allein sprechen, und sein Loos entscheiden. Verlaß dies Gemach. Führe die Jungfrauen in ein anderes. Ich will dich rufen lassen, wenn es nöthig ist.

— Mein Herr Vater, gestattet, daß ich Euch nicht verlasse! sagte Gangolf, indem er den Degen fallen ließ: Ich werde schweigen und Euch reden lassen.

Veronika hatte schon die Arme und sich selbst weit von dem Jüngling zurückgezogen, und stand, eine Uebereilung ihres Schreckens bereuend, mit niedergeschlagenen Augen vor ihm. Als er aber seinem Vater Gehorsam verweigern wollte, sah sie wieder flehentlich zu ihm

auf, und sprach: „O edler Herr! Ihr dürfet nicht bleiben in diesem
Saale."

Der Jüngling, dessen Zorn vorhin durch die überraschende Handlung der schönen Begutte bezwungen war, beugte sich jetzt um Weni-
ges und sagte: „Ich gehorche." Er nahm schweigend einen der
Silberleuchter vom Tische und zündete den beiden Jungfrauen vor,
eine Wendeltreppe höher, in das obere Gemach. Der Lollhard blieb
bei den Männern drunten.

„Ich danke Euch," sagte die Begutte, als sie in's Zimmer traten,
zu Gangolf, indem sie ihn anlächelte: „Ihr nahmet ein großes Unglück von meinem Leben hinweg."

— Wie? erwiederte der junge Mann ein wenig betroffen:
Wahrlich, der Falkenstein, glaubte ich, könnte nie auf Euer Mitleiden, geschweige auf die Huld eines reinen Herzens, wie das Eurige,
Anspruch machen. Und wenn ich aller seiner Verbrechen vergessen
würde, hat der Bösewicht nicht Euern beklagenswürdigen Vater gefangen fortgeschleppt? Hat er nicht Eurer Freiheit, Eurer Ehre
nachgestellt, der Niederträchtige? Hat er nicht, der Vermessene,
gewagt, Euch auf die blutigste Weise in meiner Gegenwart zu be-
schimpfen?

„Er ist ein Kind der Sünde; ja, er ist von Allem, was göttlich
in ihm und außer ihm ist, abgefallen!" antwortete Veronika: „Er
ist im Schlamm der Welt untergegangen, er hasset das Reine. Aber
wir, wir haben nicht gesündigt! Seine Bosheit ist nicht unsere
Bosheit. Wir bleiben frei und gottverwandt."

— Und wenn ihm das Schrecklichste gelungen wäre, Veronika, wenn
er Euch auf der Hard ertappt, entführt hätte; wenn Ihr in seiner
Gewalt, in der fürchterlichen Gefahr . . .

„Glaubet Ihr mich so kleinmüthig? O edler Herr, vertraut
doch. Der Mensch kann wohl den Leib tödten, die Seele nicht. In

Gott dürfen wir sonder Furcht sein. Er streckt die Retterhand zu
uns, oder wir fliehen an seine Vaterbrust.“

— Wie hättet Ihr fliehen mögen, wenn der Verruchteste aller
Verruchten Euch in seiner Burgen einer festgehalten haben würde?

Veronika zuckte ein kleines Messer aus silberner mit Perlmutter
eingelegter Scheide, und sagte mildlächelnd: „Ich war auf jeden
Fall mit diesem Schlüssel versehen, die Pforten des Lebens aufzu-
thun. Eine Nadel ist stark genug, die Banden des Leibes zu sprengen.“ Sie legte bei diesen Worten die Hand auf ihre Herzgegend
und drückte bedeutsam mit dem Zeigefinger gegen die Brust.

Gangolf schauderte und nahm ihr die Hand von der gefährlichen
Stelle. „O Veronika, und was wäre dann mein Loos gewesen?“
rief er.

Die Begutte entzog ihm erröthend die Hand, aber durchdrang
ihn dagegen mit einem Blick unendlichen Wohlwollens und Ver-
trauens, in welchem ihre Seele zu ihm überzugehen schien. „Ihr
wäret das gute, selige Kind Gottes, wie Ihr selb!“ lispelte sie
halblaut: „Dürfet Ihr noch daran zweifeln? Welch ein starkes Herz
habt Ihr; wie viel mag es tragen!“

— Nein, nein, theure Veronika, sagte er mit entschiedener Ueberzeugung: ich bin sehr, sehr schwach, in dem Sinne, in welchem
Ihr von meiner Stärke redet.

„Ich stände ja nicht mehr unter diesem Dache,“ versetzte die
Begutte: „ich würde an der Hand meines Vaters durch die nächtlichen Straßen der Stadt irren und ein fremdes Obdach suchen, wenn
Ihr den Zorn in Eurer Brust nicht überwunden hättet, der Euch
schon gegen den väterlichen Befehl taub machte; wenn Ihr das Blut
des Falkensteiners vergossen hättet, welches Euch . . .“

— O nicht doch! unterbrach sie Gangolf: wollet Ihr denn das
Stärke nennen, was nur Ohnmacht war, weil mich Euer Wort und
Blick entwaffnet hatte? Ihr möget aber Recht haben. Die mensch-

lichen Tugenden sind oft nicht geringere Schwächen, als die menschlichen Leidenschaften, und wir besiegen eine der Ohnmachten durch die andere. Denn in der That nicht ich, sondern Ihr habt den gerechten Zorn in mir überwunden. Unter andern Umständen würd' ich mich meiner Nachgiebigkeit geschämt haben.

„Nennet ja nicht die Tugend menschliche Schwäche, edler Herr. Sie ist unser Geistesodem, unser Sein. Sie ist das Licht der Gottheit, das Durchdrungenwerden von der himmlischen Liebesmacht. Der Gehorsam des Geschöpfs ist nie Schwachheit. Ihr werdet in diesem Gehorsam allezeit stark genug bleiben, die Widerspenstigkeit der sündlichen Natur zu bezwingen."

— Soll ich stärker und frömmer werden, als ich bin, Veronika, so dürfet Ihr nur nie von mir scheiden; denn ich fühl' es, durch Eure Gegenwart allein kann ich Kraft empfangen, göttlicher zu denken und zu handeln.

„Nichts soll mich von Euch scheiden, nichts kann es," sagte sie mit zärtlicher Treuherzigkeit und reichte ihm die Hand, wie zum Bunde, „nichts, als die Sünde!"

Er drückte diese Hand an sein Herz und sagte: „O Veronika, so weiche du denn nie von meiner Seite, und die Sünde wird nie bei mir einkehren, so lange du der Cherub bist, der das Paradies meines Herzens hütet. Mein Leben ist dem deinigen verlobt, verlobe das deinige mir."

Sie antwortete nicht. In anmuthiger Verlegenheit neigte sich ihr Antlitz auf die Brust nieder. Er zog sie an sich und küßte zitternd ihre Stirn. Sie wollte sich sanft zurückbewegen. Verwirrung, Liebe und Bangigkeit malten sich in den Zügen ihres Angesichts, als sie mit stummflehenden Augen zu ihm aufblickte. Seine Lippen berührten die unentweihten der Jungfrau. „Meine Verlobte, meine Braut!" flüsterte er ihr im reinsten Entzücken.

Sie antwortete: „Meine Seele in Gott, ja denn, sie sei die

Braut beiner Seele. Fern sei jeber unheilige, irdische Gebanke von
uns!"

— Und nie mehr verläffest du biese Burg, Veronika! sagte er.

"Nie weicht meine Seele von beiner Seele, bis eine Sünde
zwischen uns beibe tritt!" erwieberte sie ruhiger und voller Hoheit:
"Mein Geist wird auch in bem beinigen leben, wenn ich schon nicht
inner biesen Mauern wohne, sondern mit töchterlicher Liebe bie
Schritte des Vaters, ferne von bir, begleite. Vergiß nie, nur bie
Verlobte und Braut beiner Seele barf ich sein! Andere Gebanken
entferne ewig."

Gangolfs Bestürzung war bei biesen Worten unbeschreiblich.
Er ließ bie Hand Veronika's fallen und sagte: "Wie benn, meine
Veronika? beinem Vater in bie Ferne folgen? Du, meine Braut,
nicht meine Gemahlin vor Gottes Altar?"

Sie schüttelte zärtlich lächelnd bas Köpfchen und erwieberte:
"Meine Seele bleibt in ber beinigen; nicht Entfernung, nicht Tob
sollen sie von bir scheiben. Aber des Irbischen entschlage bich, Freund
meines Lebens. Das Irbische haben wir beibe Gott geopfert. Nichts
von Altar, nichts von Vermählung! In göttlichen Verhältnissen
gehen bie weltlichen unter."

Es würbe vielleicht noch tausenb Andern an Gangolfs Stelle
ergangen sein, wie ihm. Er hörte mit traurigem Erstaunen bie
Worte ber Begutte, bie, wie eine Heilige aus fremben Welten, vor
ihm stanb, in ber nichts Irbisches mehr zu leben schien, und bie bas=
selbe sogar nur wie eine Trübung ihres reinen, himmlischen Glanzes
betrachten konnte. Es war umsonst, baß er seine naturgemäßen
Einwenbungen mit ber feurigsten Berebtsamkeit vortrug. Veronika
wußte noch berebter mit wenigen Worten zurückzuweisen. Es war
umsonst, baß er betheuerte, ihre Entfernung werbe alle Freuben
seines Daseins tödten. Eben bies billigte und pries sie, weil er
nur so, ben Reizen des Lebens absterbenb, Leben und Tob als

einerlei anfehen und ganz Gott gehörend fein würde. Er rief zuletzt
fogar die Begleiterin Veronika's zu Hilfe, die bisher, als ftumme,
doch aufmerffame Hörerin, durch's Fenfter nach den Sternen über
den fchwarzen Gebirgzacken gefehen hatte. Er erzählte, wie einer
Vertrauten und Schwefter, feinen ganzen Lebenslauf, feine Liebe
und feine Leiden, und ermahnte fie, Recht zu fprechen in diefen
Dingen. Grifll hörte den Jüngling mit vieler Andacht; nahm dann
fchmeichelnd in ihre beiden Hände die Hand der Begutie, und
fchmiegte fich an die Freundin mit einem Seufzer, ohne ein Wörtchen
zu fagen. So blieb er fein eigener Sachwalter, aber Veronika in
ihrem heiligen Sinne unwandelbar.

Anderthalb Stunden waren bald in folchen Unterhaltungen, wie
anderthalb Minuten, verfloffen, und die Väter im untern Zimmer
mit dem Freiherrn von Falkenftein ganz vergeffen worden, als fich
die Thür öffnete. Ifenhofer trat mit heiterer Miene herein und rief:
„Kommet, jetzt ift's in der Ordnung! Alles abgethan und berichtigt."

Mehr mit dem befchäftigt, was eben gefchehen und geredet war,
als mit dem, was kommen follte, folgten die Drei dem Führer
fchweigend in den Speifefaal. Gangolf fah da, mit Erftaunen, den
Freiherrn entfeffelt umhergehen. Auf dem Tifche ftanden Feder und
Dinte, neben einem von Ifenhofers Hand überfchriebenen Pergament-
blatt. Der Lollhard fchlug eben feine Arme um den tiefbewegten
alten Rüdiger und fagte: „Nun, Bruder, du haft ein löblich Werk
vollbracht und deine Seele geheiligt!"

Gangolfs Blicke verfolgten befremdend den freigelaffenen Landgrafen. Herr Rüdiger aber wandte fich zu feinem Sohn, zeigte ihm
des Herrn von Falkenftein Unterfchrift auf dem befchriebenen Perga-
ment und fagte: „Herr Thomas von Falkenftein, frei, hat uns die
Urphede befchworen, unterfchrieben und befiegelt, während jetzigen
Krieges und zu keiner Zeit in das Gebiet unferer lieben Herren von
Bern, oder der freien Städte des Aargau's feindfelig einzutreten, .

weder aus eigener Willkür noch auf fremden Befehl und unter andern Pantieren. Dagegen wollen wir ihn ungeschädigt von uns entlassen, um so mehr, da er allein, ohne Helfershelfer, ohne Waffen, ohne feindselige Absicht, nicht einmal in ritterlicher Kleidung, in die Stadt gekommen, auch nicht mit ehrenhafter Kriegsart in unsere Gewalt gefallen ist."

— Ist mit ihm und Seinesgleichen auf ehrenhafte Weise zu unterhandeln? rief Gangolf unwillig, indem sich seine Stirn über die düster funkelnden Augen runzelte.

„Schweig!" rief Herr Rüdiger.

— Wie könnet Ihr glauben, mein Herr Vater, fuhr Gangolf fort: daß er mit andern, als höllischen Absichten in die Stadt kam?

Hier trat der Freiherr einen Schritt näher gegen Gangolf und sagte: „Ich könnte jeder Rechtfertigung oder Entschuldigung gegen Euch enthoben sein. Aber ich bin noch jener von mir beleidigten Jungfrau Erklärung, Genugthuung und Abbitte schuldig. Ich wußte nicht, daß sie die Freiin Veronika von End war, nicht daß Freiherr Jörg im Lollhardenkittel stecke. Mag sie ihrer Schönheit verzeihen, daß ich zum Narren geworden, daß ich . . . genug, wißt's, hört's, ich jagte nur ihr nach, wollte nur aushorchen, ob sie im Freihof wohne. Ich hätte mich auch nie in die Stadt gewagt, wär' ich nicht durch den Anblick einer verfluchten alten Hexe, der ich den Tod geschworen, dann durch Vermuthung, daß eins der flüchtenden Mädchen die Begutte sei, bethört worden. Vermittelst Verkleidung traut' ich mir zu, unerkannt, Euch allen zum Trotz, die Zigeunerin mitten im Freihof zu züchtigen, und die schöne Begutte zu entführen. Habet ihr daran nicht genug, steh' ich Euch überall, auf anderm Boden, Rede."

— Wenn mein Vater, antwortete Gangolf, unsere persönliche Sache von der öffentlichen trennen zu dürfen glaubt, muß ich seinen Willen ehren. Ihr bleibt mir darum nicht minder Genugthuung schuldig.

„Junker, Ihr sollt des Antworters nicht entbehren.

— Ich werde sie fordern, rief Gangolf, und müßt' ich Euch in den Tiefen der Hölle suchen.

„Still, still, mein Freund!" sagte Veronika und legte ihre Hand auf Gangolfs Brust: „Gott möge fordern, nicht du. O Gangolf, willst du zwischen deiner und meiner Seele so früh die Scheidewand ziehen?"

Herr Rüdiger Trüllerey wandte sich an seinen Sohn und sagte: „Bis jetzt ist Freiherr Thomas unerkannt im Freihof. Wir haben ihm gelobt, zu verschweigen, so lang' er seinerseits nicht Eid und Urphede bricht, daß er schimpflicher Weise in unsere Hände gefallen sei. Gelob' ihm auch du, und reich' ihm die Hand an Eidesstatt!"

Gangolf schwieg finster. Veronika nahm seine Hand und lispelte schmeichelnd: „Handle in Großmuth. Segne den Feind, der dir flucht."

„Ich gehorche!" sagte der Junker mit finsterer Stirn, und reichte dem Freiherrn von Falkenstein die Hand mit unwillkürlichem Schauder und weggewandtem Gesicht.

— Ist unsere Sache abgethan, Herr Rüdiger Trüllerey, sagte der Freiherr, so erfüllet Euer Wort und setzet mich in Freiheit.

„Meister Isenhofer wird Euch führen!" antwortete Herr Rüdiger: „Geht ohne Scheu und Geheimniß durch den Haufen meiner Dienerschaft. Heimlichkeit könnte nur verderbliches Aufsehen und Neugier wecken. Niemand hat Euch erkannt."

Der Freiherr nahm Abschied. Isenhofer begleitete ihn. Auf ähnliche Weise war auch kurz vorher schon die Zigeunerin beschenkt, aus dem Freihof und zum Stadtthor hinausgebracht worden.

Alle befanden sich durch die Vorgänge dieses Tages, zumal durch die letzten Auftritte, in sehr geregter Gemüthsstimmung, selbst der Lollhard; nur fehlte es der Stimmung an Einklang. Herr Rüdiger mahnte seine Gäste, die verlassenen Plätze der Tafel einzunehmen. Er selbst gab das Beispiel, ließ sich auf den Wappenstuhl nieder, und füllte die Silberbecher von neuem.

„Das ist mir ein recht heiliger Tag geworden, Kinder," sagte er gerührt, „er hat mich mit Himmel und Erde versöhnt. Selbst die stürmische, tolle Unterbrechung unsers Festes mußte den Glanz desselben vermehren."

— Gott ist groß! rief der Lollhard, und reichte dem alten Ritter die Hand: Heil dir, mein Bruder! Du hast auf dem Haupte eines Todfeindes feurige Gluth gesammelt, und einen Schritt zu Gott gethan.

„Preise mich nicht, Freund," antwortete Herr Rüdiger, „hier war vielleicht mehr Klugheit, als Gottesfurcht. In meiner Macht lag freilich, den Bösewicht Thomas zu verderben, oder an Bern auszuliefern; aber mir fehlte zum ersten das Recht, zum zweiten die Verpflichtung. Ich hatt' ihn nicht mit Waffen auf ehrliche Weise, wie Kriegsmännern geziemt, zu meinem Gefangenen gemacht. Jetzt hab' ich ihn gegen Stadt und Land von Bern entwaffnet, und die Blutrache der Falkensteine von Aarau und meinem Hause abgewendet."

— Es mag Edelthat gewesen sein, mein Herr Vater, sagte Gangolf mißmuthig, auch wohl kluge That. Doch verzeiht, wenn sich mein Innerstes fort und fort dagegen empören will. Denn Freilassung des Ungeheuers scheint ein ewiges Unrecht gegen Alles zu sein, was Ehre, was Vortheil der Eidgenossen, was Berns Nutzen, was Bruggs mordliche Verwüstung gebieten. Wenn ich einen Drachen ertappe, soll mich das Erbarmen mit einem Gottesgeschöpf nicht weich, die Klugheit nicht feige machen. Ich soll ihn tödten, und müßt' ich im Kampfe gegen ihn mit umkommen. Ritterehre versperrt mir die Flucht, und meine Schuld gegen eine bedrohte Welt untersagt mir das Erbarmen. Es ist aber nun geschehen. Ich bin von ihm blutig beleidigt worden, er hat wider diese Heilige blutig gesündigt: dafür soll er mir zu anderer Zeit blutig abbüßen.

„Gott ist groß!" rief der Lollhard: „Ist der Sünder ohne Hoffnung an die Sünde verloren und zum Tode reif, wahrlich, er wird dem Arm des göttlichen Zorngerichts nimmer entrinnen. Sprechet nicht von Ehre, und Pflichten der Ehre, im Sinne der Welt, und täuschet Euch nicht in abergläubiger Furcht vor diesem selbstgeschaffenen Götzen der Barbaren. Die Ehre dieser Welt ist des Teufels Strick, mit dem er die Menschheit festhält, daß sie sich zu den göttlichen Höhen nicht aufschwinge."

„Vergiß, vergiß, edler Freund!" seufzte Veronika mit still trauerndem Blick auf Gangolf, und glich, in der Wehmuth ihres Antlitzes, einem Engel, welcher über den drohenden Fall seines Lieblings klagt, dessen Schutzgeist er ist: „Vergiß und vergib! O wie wird's dir so schwer, höher zu stehen, als die Welt mit ihren Vorurtheilen und Leidenschaften, als das Leben mit seinen Thorheiten! Willst du mich entfernen und verstoßen, edler Gangolf? O was muß ich denn geben, um dein Herz loszukaufen von der Rache?"

Grilli legte ihren Arm um die Begutte und ihr freundliches Gesicht an die Achsel derselben, indem sie schelmisch zu ihr hinaufflüsterte: „Ich wüßte den Preis wohl!" Veronika senkte einen lächelnd strafenden Blick auf die Gefährtin, wie eine Mutter auf ihr muthwilliges Kind.

Herr Rüdiger horchte zum andern Male hoch auf, als er das trauliche Du der Begutte gegen seinen Sohn hörte. Er betrachtete Beide; dann sah er den Lollharden bedeutsam an und sprach: „Will mich's doch schier bedünken, treues Bruderherz, daß unsere Kinder sich auf derselben Stätte schon begegnet sind, wo sich unsere Wünsche vor wenigen Tagen durchkreuzten."

— Laß die Vorsehung walten! erwiederte der Lollhard ernst und warf einen forschenden Seitenblick auf sein Kind.

„Fräulein," redete Herr Rüdiger zu Veronika, „pflanzet die
letzten Blumen in den schönen Freudengarten, zu welchem mich die
großmüthige Freundschaft Euers Vaters geführt hat."

Veronika blickte, indem sie beide Hände auf ihre Brust mit Innig=
keit legte, erst ihn an, dann zum Himmel mit stiller Inbrunst, als
wollte sie sagen: „O wie gern, o daß ich's könnte!"

„Wollet Ihr mir alten Mann erlauben," fuhr Herr Rüdiger
fort, „daß ich Euch das Du gebe, welches Ihr meinem Gangolf
vergönnet? Wollet Ihr auch meine Tochter sein?"

Veronika erhob sich in liebreizender Demuth von ihrem Sitze,
ging zum Sessel des Greisen, kniete vor ihm hin, nahm seine Hand
und küßte sie. Er beugte sich über sie hinab, küßte ihre Stirn, blickte
mit thränenvollem Auge erst den Lollhard, dann wieder seinen Sohn
an, der neben ihm saß, ergriff schweigend dessen Hand, legte sie in
die Hand Veronika's, und rief mit bebender Stimme zum Lollhard,
der ihm zur Rechten saß: „Es will mir mein Herz brechen. Komm,
mein Bruder, und segne sie!"

Gangolf, als er Veronika's Hand in der seinen fühlte, sank
neben der Begutte vor dem Vater auf die Knie, küßte erst die Hand
desselben, dann schlang er beide Arme um Veronika und zog die
Zitternde an sein Herz. Der Lollhard erhob sich ernst vom Sitze.
Die Thür öffnete sich; Isenhofer trat herein. Die Ueberraschung
des Anblicks hemmte seinen Schritt.

„Das ist mir der rechte Feierabend zu diesem feierlichen Abend!"
rief er.

38.

Das Nachwort.

Hier bricht die Geschichte plötzlich ab. Ich weiß beinahe selber
nicht, ob am gehörigen oder ungehörigen Ort. Ich könnte nicht

einmal fagen, ob die Begutte das Tochterwerben fo verftanden habe, wie es Vater Rüdiger gemeint zu haben fchien. Ja, was das Schlimmfte ift, ich könnte fogar nicht fagen, ob Veronika ihrer reinen Seelenliebe je einen irdifchen Beifatz geftattet habe. Faft möcht' ich daran zweifeln, wenn anders nicht die ganze Natur mit Gangolf in Bund gegen den Heldenmuth der frommen Selbftüberwinderin getreten ift.

Nur fo viel weiß ich, daß Gangolf keine unmittelbare Erben hinterlaffen hat. Er erreichte ein hohes Alter; war, laut der gefchriebenen Chronik, noch im Jahre 1504 der Stadt Aarau Schultheiß und ftarb in demfelben Jahre. Mit ihm erlofch das alte Adelsgefchlecht diefes Namens im Aargau. Seine Erben und Verwandten verkauften im Jahre 1515 die alte Vefte Rore, oder den Freihof, mit zugehörigen Zinfen, Zehnten und Gefällen an die Bürgerfchaft von Aarau. Diefe ließ den Burggraben, welcher darum gegangen, ausfüllen; am Gebäude viele Aenderungen machen und daffelbe zum Rathhaus einrichten. Noch heut' fteht der Thurm Rore, verkleidet von feinen Angebäuden, faft unfichtbar, und feine ftarken Mauern und Zimmergewölbe find der Stadt Urkundenkammern geworden. Die Freiheit aber, welche von Alters her darin gewefen, wurde auf den Kirchhof verlegt, den man mit höherm Gemäuer umgab.

Es fcheint auch, daß Thomas von Falkenftein feine befchworne Urphede treulich gehalten habe, von der, weil fie Geheimniß blieb, die Mufe wohl mehr, als jene Chronik weiß. Doch feine Tücke ließ er darum keineswegs gegen das Haus Trüllerey und gegen die Stadt Aarau fahren. Als Beweis dient, daß er noch fünf Jahre fpäter eine der abfcheulichften Handlungen beging, freilich auf eigenem Grund und Boden. Die Chronik von Aarau erzählt fie folgendergeftalt: „Anno 1449 den 6. Mai, Sahen die von Aranw jenfeits dem Berg gegen dem Frickthal ein Feuer aufgehen, ließen derenthalben 19 Bürger zu hülff lauffen, da fie aber gen Wölfliswyl kamen, warteten die

Soldaten, welche in Thomas von Falkensteins Dienst waren, verborgener Weis, biß die von Arauw kammen, als Sie vorhanden, wütschten sie herfür, Schlugen die feuerläuffer zu tod. Sinth diser Zeit sind die hiesigen feuerläuffer nicht mehr obligirt in das Frickthal feur zu lauffen."

Die Namen der Erschlagenen sind alle aufgeführt. Von den heut' vorhandenen Geschlechtern der Stadt erscheint darunter keins. Diese sind in Aarau kaum älter, als die Reformationszeit, in welcher wieder andere der ehemals blühenden ausgewandert sind.

Auch das Geschlecht der Falkensteine verschwand schon mit Anfang des sechszehnten Jahrhunderts gänzlich aus diesen Gegenden. Ihre Schlösser und Güter kamen durch Kauf an Solothurn und Basel.

FSC
www.fsc.org

MIX

Papier aus ver-
antwortungsvollen
Quellen
Paper from
responsible sources

FSC® C141904

Druck:
Customized Business Services GmbH
im Auftrag der KNV-Gruppe
Ferdinand-Jühlke-Str. 7
99095 Erfurt